Oscar bestsellers

CORRADO AUGIAS

I SEGRETI DI LONDRA

*Storie, luoghi e personaggi
di una capitale*

OSCAR MONDADORI

© 2003 Arnoldo Mondadori Editore S.p.A., Milano

I edizione Saggistica ottobre 2003
I edizione Oscar bestsellers ottobre 2004

ISBN 978-88-04-53649-9

Questo volume è stato stampato
presso Mondadori Printing S.p.A.
Stabilimento NSM - Cles (TN)
Stampato in Italia - Printed in Italy

Ristampe:

8   9   10   11   12   13   14

2007   2008   2009   2010

www.corradoaugias.net

www.librimondadori.it

INDICE

I SEGRETI DI LONDRA

Guardando con ottica da straniero questa immensa città mi sono spesso chiesto con quale sguardo noi italiani (certi italiani, almeno) vediamo l'Inghilterra e Londra. E anche con quali occhi gli inglesi guardano noi. Prima di affrontare questa grande capitale mi soffermo dunque per qualche breve pagina sui rapporti psicologici tra italiani e inglesi così come risultano da annotazioni di viaggio, pregiudizi reciproci, grande e meno grande letteratura.

Il professor Lucio Sponza, un economista veneziano che insegna da anni alla University of Westminster, ha dedicato all'argomento un bello studio, *Italian Immigrants in Nineteenth-Century Britain: Realities and Images*, dove si può leggere fra le altre questa frase chiave: «*On one side of the coin was "Italy", the country of beauty and culture; on the other side were the "Italians", an ingenious but corrupt untrustworthy and licentious race*», su un lato della medaglia c'era l'Italia, il paese della bellezza e della cultura; sull'altro gli «italiani», razza piena di ingegno ma corrotta, inaffidabile, licenziosa.

Naturalmente nessuno si era mai chiesto come fosse possibile che una razza così corrotta, inaffidabile e licenziosa fosse riuscita a creare tali testimonianze non solo di bellezza ma di una bellezza armoniosa, coerente, affabile. I pregiudizi hanno di bello (voglio dire, di brutto) che prescindono da ogni coerenza e rispettano soltanto la propria logica. Certo è comunque che questa concezione esisteva già ai tempi di Elisabetta I; un misto di disgusto e di fascino che rendeva la parola «Italia» un'astrazione, come d'altronde l'Italia nei fatti era, almeno dal punto di vista politico.

Osservazioni di tenore analogo le fa del resto Mario Praz, il nostro massimo anglista. Nel suo saggio *Scoperta dell'Italia* (si trova nel «Meridiano» su di lui curato da Andrea Cane) si può leggere come ci descrivevano, sul finire del Settecento, alcuni scrittori inglesi:

Gl'italiani del popolo come sporchi, indolenti, criminosi; quelli delle classi alte poveri, scortesi e universalmente adulteri, e plebe e aristocrazia superstiziose e abiette di fronte ai tiranni. I veneziani pugnalavano a tradimento alla minima provocazione, i napoletani erano per natura diabolici, e così via. Il tipo di devozione religiosa italiana soprattutto irritava gl'inglesi di quest'epoca.

I viaggiatori che rientravano in Inghilterra dal Grand Tour riferivano unanimi che la penisola si presentava come un immenso museo in rovina popolato da gente miserabile e viziosa che si affollava rumorosamente, inconsapevole delle glorie passate. Questa descrizione apocalittica tornava con particolare insistenza per le terre del papato intorno a Roma raffigurate come le più misere, abitate da genti oziose, spesso fameliche, però veloci nell'uso del coltello.

Non erano tuttavia solo gli inglesi a nutrire questi sentimenti. Marcel Proust scrisse una volta con trasparente riferimento all'Italia che «la vera terra dei barbari non è quella che non ha mai conosciuto l'arte, ma quella che, disseminata di capolavori, non sa né apprezzarli né conservarli».

Non si può negare che ancora oggi, Ventunesimo secolo, esistano situazioni che meriterebbero la frustata di questo giudizio.

Non ci si può stupire se l'Italia diventa scenario prediletto per storie gotiche di orrore, congiure, assassinii. Ancora Praz:

Questi scandali, con tutta la tenebrosa atmosfera concomitante, non potevano non ritornare all'ordine del giorno con i romanzi «neri» di cui Horace Walpole aveva dato una ricetta nel *Castle of Otranto* (1765), ricetta che Mrs Radcliffe perfezionerà verso la fine del secolo saccheggiando i viaggiatori per le descrizioni pittoresche del paesaggio italiano, e il dramma elisabettiano pel ritratto del sinistro italiano machiavellico.

Un grande poeta romantico come Percy Bysshe Shelley scriveva in una lettera sull'Italia: «Gli uomini li puoi a stento definire tali, sembrano piuttosto un branco di stupidi e grinzosi schiavi». E riguardo alle donne: «Sono forse le più disprezzabili di quante ne esistano sotto la luna, le più ignoranti, disgustose, bigotte, sozze».

Giudizi francamente esagerati anche se riferiti alle misere condizioni morali e materiali degli italiani d'allora. Infatti, con maggiore intelligenza e straordinaria modernità, l'altro grande romantico, Byron, così rispose nel rifiutare la commissione di un libro sui costumi italiani:

La loro moralità non è la vostra moralità; la loro vita non è la vostra vita; né lei sarebbe in grado di capirlo; non è inglese, non è francese, non è tedesca, tutte cose che al contrario sarebbero comprensibili. L'educazione convenzionale, il cicisbeismo, i costumi di pensiero e di vita sono completamente diversi e queste differenze diventano così evidenti se si vive in intimità con loro, che non saprei proprio come farvi comprendere un popolo al tempo stesso temperato e dissoluto, serio nel temperamento e buffonesco negli spassi, capace di impressioni e di passioni che sono insieme repentine e durevoli (cosa che mai succede altrove), che non ha una società come si vede benissimo nelle loro commedie; non c'è del resto mai vera commedia, nemmeno in Goldoni, e questo dipende appunto dal fatto che non esiste una società alla quale riferirla.

Un giudizio che chiunque potrebbe sottoscrivere e che, del resto, ha più di un punto di contatto con il quasi contemporaneo saggio di Giacomo Leopardi *Discorso sopra lo stato presente dei costumi degl'Italiani* nel quale il poeta (ma, in questa veste, sociologo, anzi filosofo) analizza le ragioni per cui si può dire che l'Italia sia priva d'una vera «società»:

Molte ragioni concorrono a privarnela, che ora non voglio cercare. Il clima che gl'inclina naturalmente a vivere gran parte del dì allo scoperto, e quindi a' passeggi e cose tali, la vivacità del carattere italiano che fa loro preferire i piaceri degli spettacoli e gli altri diletti de' sensi a quelli più particolarmente propri dello spirito, e che gli spinge all'assoluto divertimento scompagnato da ogni fatica dell'animo e alla negligenza e pigrizia ... Certo è che il passeggio, gli spettacoli e le Chiese non hanno a che fare con quella società di cui parlavamo e che hanno le altre nazioni.

L'idea che in Inghilterra si è avuta (e si ha) degli italiani è che si tratti di gente in fondo cordiale e mite ma anche poco affidabile, pronta alla collera improvvisa e alla vendetta. Di conseguenza il viaggio verso sud viene per lunghi anni concepito come una vera spedizione, non meno avventurosa di quelle verso terre più lontane e ancora più esotiche. Mario Praz racconta la discesa in Italia all'inizio dell'Ottocento di Lord Blessington e della sua famiglia che varcano la frontiera scortati da una schiera di servitori e seguiti da una teoria di carri carichi di materassi, cuscini, poltrone, accessori da toletta, una batteria da cucina e perfino una biblioteca viaggiante. La contessa è alloggiata in una carrozza-letto a molle rinforzate da dove ammira il paesaggio adagiata su soffici cuscini, disponendo nell'abitacolo di una piccola biblioteca, una dispensa e altre domestiche comodità.

Quale fosse lo stato d'animo della maggior parte di questi viaggiatori è riferito dall'americano Washington Irving nei suoi *Racconti di un viaggiatore*. Si spostano a bordo di carrozze «cariche di una servitù ben vestita, nutrita a manzo, altera, che dall'alto guarda al mondo circostante con disprezzo, profondamente ignorante del paese e della gente, ciecamente certa che ogni cosa non inglese sia sbagliata». Solo alcuni spiriti superiori sanno sottrarsi allo stereotipo di considerare l'Italia unicamente per il «paesaggio», relegato spesso alla funzione di nostalgico pretesto di un passato idealizzato quando non di «sfondo pittoresco» per i propri acquerelli. Per la maggioranza dei viaggiatori gli abitanti dei luoghi esistono solo in senso antropologico, per il resto sono una realtà trascurabile se non fastidiosa, possibile ostacolo alla visita delle rovine (gli «atri muscosi» e i «fori cadenti»), alla contemplazione senza impacci di quella straordinaria scenografia fatta di natura e di cultura che per colpa degli «italiani» sta andando in rovina.

Dal Settecento in poi, il viaggio in Italia diventa in pratica un obbligo educativo per le classi abbienti o intellettuali del Nordeuropa. Lawrence Stern, Horace Walpole, William Beckford, George Byron, John Keats, Percy Bysshe Shelley, Walter Scott Charles Dickens, Wilkie Collins, non c'è quasi scrittore che non assolva questo dovere. Per molti il viaggio si trasforma in una scelta di vita e l'Italia in una residenza definitiva, compresa quella oltremondana (i cimiteri degli inglesi). Questi britannici «italianati» (gli anglo-fiorentini, per esempio) cominciano a capire meglio la natura del popolo che li ospita e iniziano a vedere gli italiani come esseri umani e non più solo come traditori infidi, organizzatori di complotti, gente con il coltello celato sotto il giustacuore secondo gli stereotipi del pittoresco «machiavellico».

Per gran parte dell'Ottocento e fino all'inizio del Ventesimo secolo, gli italiani restano comunque noti come venditori di gelati, cuochi e camerieri, musicisti di strada che suonano i loro strumenti (quasi sempre meccanici) facendo più chiasso del dovuto, accompagnati spesso da una scimmietta, in qualche caso addirittura da un orso alla catena. Queste figure, abituali nelle vie londinesi, sono circondate da una certa simpatia umana alternata, però, alla commiserazione o al fastidio. Ci sono poi alcuni elementi che risultano inquietanti: la presenza di bambini che seguono gli adulti per suscitare la pietà dei passanti, le condizioni di sovraffollamento e di sporcizia nelle quali gli immigrati vivono, le risse frequenti che scoppiano per motivi anche futili, una condotta che si sospetta immorale.

Questa immagine è parzialmente corretta, fa notare Lucio Sponza, quando cominciano ad arrivare in Inghilterra gli emigrati politici. Si tratta di persone talvolta insigni, patrioti e liberali, uomini che si sono battuti per l'unità d'Italia e che la Restaurazione seguita al Congresso di Vienna manda raminghi per l'Europa. Tra di loro si contano Santorre di Santarosa, Giovanni Berchet, Gabriele Rossetti, Ugo Foscolo, Aurelio Saffi e, naturalmente, Giuseppe Mazzini. Spesso si mantengono insegnando l'italiano, frequentano i circoli intellettuali della capitale e contribuiscono a diffondere a Londra l'ideale patriottico (e romantico) di un'Italia unita. Li circonda una forte solidarietà suscitata dai loro ideali nonché dalla loro ostilità nei confronti del dominio temporale del papa, che ogni inglese è più che pronto a condividere. Da questo complesso di circostanze nasce e si diffonde in alcuni circoli inglesi un notevole consenso intorno all'idea che l'Italia sia unificata sotto la stessa corona, ponendo fine a quell'insieme di staterelli, granducati e feudi che la penisola è stata fino a quel momento.

Una vera ondata di odio antitaliano, a Londra e altrove, è invece suscitata dall'attentato dell'anarchico Felice Orsini che a Parigi, nel gennaio 1858, lancia una bomba contro la carrozza di Napoleone III mancando l'imperatore ma ferendo a morte alcuni passanti. Un certo favore per la causa italiana resta comunque vivo e tocca il suo culmine quando, nel 1864, arriva a Londra Garibaldi. L'accoglienza che gli riservano gli ambienti più diversi, dai circoli intellettuali agli operai politicizzati, è così calorosa che la regina Vittoria teme di veder compromesse le relazioni con l'Austria.

Tuttavia, il massimo complimento mai rivolto a un uomo politico italiano è probabilmente quello che John Bright annotò nel suo diario dopo aver incontrato il conte di Cavour: «Il primo ministro del Regno di Piemonte e Sardegna sembra piuttosto un intelligente gentiluomo inglese di campagna che un fine e sottile italiano». Non faceva alcuno sforzo il signor Bright. Sul conte piemontese il filosofo Henry Bergson esclamò con convinzione: «Quanto Cavour è superiore a Bismarck!».

Il mio itinerario attraverso giudizi e pregiudizi non ha pretese di sistematicità. Si tratta di brevi assaggi con i quali tento di colorire un rapporto non facile di cui tutti conosciamo l'alterno andamento.

Per esempio, è nota la forte simpatia che Winston Churchill provò per Benito Mussolini. A Roma, nel 1927, al termine di una visita al Duce, Churchill manifestava al dittatore italiano il proprio apprezzamento: «Se fossi stato italiano sono certo che sarei stato interamente con voi dal principio alla fine della vostra lotta vittoriosa contro i bestiali appetiti e le passioni del leninismo ... l'Italia ha dimostrato che v'è un modo di combattere le forze sovversive, modo che può richiamare la massa del popolo a una reale cooperazione con l'onore e gli interessi dello Stato».

Si può dire che una così viva ammirazione continuò fino alla dichiarazione di guerra nel giugno 1940. Nell'Italia fascista Churchill vedeva una forza di contenimento del predominio francese in Europa e un anello della catena tesa ad arginare il virus sovietico. È possibile che a queste considerazioni di tipo politico e diplomatico lo statista inglese sommasse valutazioni di diversa natura, che vorrei provare a illustrare tracciando un parallelo.

È noto che Churchill ebbe costante e sentita ostilità nei confronti di Gandhi, da lui definito senza mezzi termini «uno spregevole fachiro». Per converso, nutrì grande ammirazione per i funzionari britannici che, in India, avevano innalzato, a suo dire, «trecentocinquanta milioni di persone a un grado di civiltà e a un livello di pace, di ordine, di igiene e di progresso che da sole esse non avrebbero mai potuto conseguire né mantenere». Considerati i precedenti che abbiamo visto e la cultura assorbita durante la sua formazione, la mia idea è, molto semplicemente, che Churchill attribuisse in parte a Mussolini il ruolo che i funzionari britannici dell'Impero avevano avuto in India.

Sotto un diverso profilo, qualche vantaggio è derivato agli italiani dal fatto che il loro paese non ha mai rappresentato una vera minaccia militare per la Gran Bretagna. In una specie di classifica dei popoli più malvisti tra il Diciassettesimo secolo e l'inizio del Diciannovesimo figurano nell'ordine: spagnoli, olandesi, francesi, russi. Gli italiani mancano. D'altronde, se c'è stato un uomo sprezzante nei confronti delle nostre capacità militari, a cominciare dalla disciplina, è stato proprio Churchill che, a proposito della disgraziata guerra di Grecia voluta da Mussolini, commentò sarcastico: «L'ultimo esercito d'Europa ha battuto il penultimo». Questa scarsa considerazione è continuata almeno fino al 1982, quando il comandante della spedizione britannica nelle Falkland-Malvinas, a chi gli chiedeva un pronostico sull'imminente conflitto con gli argentini, rispose: «Se sono di origine spagnola resisteranno, se di origine italiana fuggiranno». Di una simile valutazione non lusinghiera si è avuta un'ulteriore prova quando, negli anni Novanta, l'autorevole «The Guardian» ha protestato contro i troppo rigidi regolamenti europei, trovando insopportabile che i britannici dovessero mescolarsi con persone «*useless, vainglorious, spaghetti-eating, no-hopers*», inutili, vanagloriose, mangiatrici di spaghetti, senza speranza. Ritratto sferzante e ingiusto, ancora una volta rivelatore di un radicato pregiudizio.

Jeremy Paxman, nel suo bel libro *The English: A Portrait of a People*, elenca una serie di virtù collettive a suo dire indiscutibili, su alcune delle quali però è forte proprio la tentazione di discutere. Per esempio, scrive: «Ciò che [negli inglesi] è rimasto costante è una grande insofferenza nell'essere troppo osservati o controllati, l'amore per la libertà, l'energia; un interesse modesto per l'attività sessuale, almeno a paragone con i popoli vicini; una strenua fiducia nel valore dell'educazione per la formazione del carattere; molta delicata considerazione per i sentimenti degli altri; un forte attaccamento al matrimonio e all'istituto familiare».

Questa delicatezza per i sentimenti degli altri («*consideration and delicacy for the feelings of other people*») è probabilmente vera nei rapporti interni, molto meno in quelli con gli stranieri.

Racconto un episodio terribile accaduto più di mezzo secolo fa, indicativo di una mentalità esasperata, in quel caso, dalla guerra: è la tragedia avvenuta il 2 luglio 1940 a bordo della *Arandora Star*. Il transatlantico *Arandora*, lasciate le coste della Gran Bretagna, faceva rotta verso il Canada. A bordo, in una nave che aveva una capienza di 400 passeggeri, si trovavano stipate 1564 persone: 1190 prigionieri, più gli uomini di scorta e l'equipaggio. I prigionieri erano in massima parte italiani, ma c'erano anche alcuni tedeschi e parecchi ebrei di varie nazionalità. Gli italiani erano stati messi tutti insieme, fascisti e antifascisti, più alcuni ebrei rifugiati in Inghilterra dopo le leggi razziali del 1938 (infame provvedimento di Mussolini, supinamente avallato dal re).

C'erano italiani arrivati da pochi anni e altri che vivevano a Londra dall'inizio del secolo, ormai inglesi a tutti gli effetti, sposati con donne inglesi, con figli arruolati nel Royal Army. Dopo la dichiarazione di guerra del 10 giugno 1940, il primo ministro Churchill, l'uomo che aveva apprezzato Mussolini per le ragioni sbagliate, aveva dato un ordine perentorio: «Prendeteli tutti!». E tutti erano stati presi. I fascisti che avevano fondato a Londra un circolo intestato a Mussolini, gli antifascisti che l'Ovra continuava a perseguitare all'estero, gli ebrei che cercavano di sfuggire ai campi di sterminio. Tutti presi e caricati sulla nave che, nella prima incerta luce del mattino, il capitano di corvetta Günther Prien della Marina del Reich inquadrò d'improvviso nel reticolo del suo periscopio.

Prien era al comando di un sottomarino che rientrava dopo la caccia nell'Atlantico ai convogli alleati; a bordo era rimasto un solo siluro. Quando vide, al centro del mirino, il ventre del transatlantico, armato in fretta con un paio di cannoni, il capitano impartì l'ordine di lancio. Le vedette dell'*Arandora* scorsero la scia in veloce avvicinamento e capirono ciò che stava per succedere, la nave però non poteva manovrare efficacemente in tempi così ridotti. Il siluro colpì in pieno l'obiettivo e fu la strage.

I prigionieri erano stati ammassati sottocoperta, i boccaporti chiusi o sbarrati con filo spinato. I generatori di corrente saltarono subito. Al buio, con l'acqua che irrompeva dallo squarcio, i disgraziati cercarono di arrivare ai ponti superiori lacerandosi le carni, lottando tra loro in preda al furore cieco della sopravvivenza. Annegarono 446 emigrati italiani che nessuno s'è mai ricordato di celebrare ufficialmente. Dobbiamo a Maria Serena Balestracci il solo libro sull'argomento, uscito nel 2002: *Arandora Star, una tragedia dimenticata*. I giornali inglesi trattarono la notizia in modo vergognoso, mettendola presto a tacere. Altrettanto fecero i tedeschi, che con quell'attacco sconsiderato avevano ucciso anche parecchi dei loro. I fascisti di Mussolini si adeguarono per non compromettere i rapporti con «l'alleato germanico». L'Italia repubblicana del dopoguerra ha semplicemente dimenticato l'episodio.

E noi come vediamo gli inglesi? Ogni lettore di questo libro ha certamente la sua personale risposta alla domanda. Per quanto mi riguarda, ricordo nettamente, bambino negli anni del fascismo morente e più crudele, il distintivo che qualcuno esibiva all'occhiello della giacca. Un quadratino di ottone smaltato all'interno del quale brillava in piccole lettere ordinatamente disposte l'invettiva: «Dio stramaledica gli inglesi». Autore dello slogan era lo scrittore fascista Mario Appelius, un autentico avventuriero poi diventato «megafono del regime» dai microfoni dell'Eiar. Oggi di lui si è quasi persa la memoria – Livio Sposito ne ha raccontato la vita in *Mal d'avventura* (2002) – ma a suo tempo ebbe notevole successo con libri dai titoli avventurosi. Sbirciai la sua autobiografia, *Da mozzo a scrittore*, nella biblioteca di mio padre, insieme ad altri suoi volumi che tendevo a confondere con quelli di Salgari: *Asia gialla*, *Le isole del raggio verde*, *Il cimitero degli elefanti*, *La sfinge nera*.

Nell'Italia provinciale e autarchica di quegli anni, immagino che le imprese ambientate da Appelius in terre misteriose e lontane dessero ai lettori un piacevole brivido di esotismo.

Per molti italiani come me quel distintivo fu il primo approccio agli inglesi, che erano il nemico per eccellenza, più degli americani ai quali ci univano troppi vincoli nonostante la guerra, più dei sovietici che erano troppo lontani e in fondo sconosciuti. Gli inglesi ritratti nei manifesti di propaganda con in testa quel ridicolo elmetto a scodella, gli uomini dei «cinque pasti», come li aveva sprezzantemente battezzati Mussolini che voleva far dimenticare quanti pasti in meno noi potevamo permetterci in quegli anni.

Un'altra cosa ricordo: la soddisfazione sfottente che accompagnò la fine dei razionamenti alimentari dopo la Liberazione. Noi che avevamo perso la guerra e quasi disfatto lo Stato con l'8 settembre, ricominciammo subito a mangiare liberamente mentre gli inglesi, che la guerra l'avevano vinta, avrebbero conservato le tessere annonarie fino alla metà degli anni Cinquanta. Un popolo allegro, noi, contro un popolo triste, loro. Tendevamo a confondere, già da allora, la serietà con la tristezza.

Venne solo a dopoguerra inoltrato la scoperta della Gran Bretagna, con una miscela disordinata di sensazioni e notizie frammentarie: una letteratura tra le più belle d'Europa, capace di notevoli innovazioni nei generi (più che negli stili); la grande pittura, compresi i preraffaelliti, così innamorati del Quattrocento italiano da volerlo ricreare; le arti decorative, le stoffe liberty, Ruskin e *Le pietre di Venezia*; Churchill che dipinge acquerelli sulle rive di un lago come cinquant'anni dopo farà l'erede al trono, Carlo. La scoperta che l'umorismo può giocare su corde meno grossolane delle funzioni intestinali e sessuali. La creazione di parole che avrebbero caratterizzato i nostri anni: smog, per esempio, diventata sinonimo di inquinamento, all'inizio indicava solo la miscela pestilenziale di fumo più nebbia (*smoke + fog = smog*) che decretò la fine dei caminetti. E poi Conan Doyle e Agatha Christie; le città satelliti; la nuova psichiatria; «Nel Tamigi sono tornati a nuotare i salmoni»; i primi esempi europei di teppismo urbano (*Teddy boys*); le grandi attrici di teatro e l'impareggiabile *Amleto* di Laurence Olivier (con Jean Simmons); i club proibiti alle donne; le giacche di tweed con le toppe ai gomiti per nascondere i buchi; le passeggiate nella brughiera, dove nella leggera nebbiolina c'era sempre la possibilità di scoprire il cadavere di una bella sconosciuta; le lampadine fioche; la biancheria lisa.

Il più grande musicista inglese, Georg Friedrich Händel, che era tedesco; la dinastia dei Windsor, un nome inglese trovato dentro un castello perché anche loro, come Händel, sono tedeschi; il riscaldamento a tempo, con il rumore secco delle monete che cadono dentro i contatori; la peccaminosa debolezza della frusta per punire gli studenti irrequieti; gli ubriachi del sabato sera che vomitano in un rigagnolo; l'assurda insistenza a misurare distanze e volumi come se il sistema metrico-decimale non fosse mai stato inventato; l'insensata suddivisione della sterlina prima che l'Europa li costringesse (finalmente!) a frazionarla in cento monetine uguali che infatti si chiamano centesimi. E, visto che ci siamo, la pazzesca mania di circolare a sinistra; l'irragionevole ripugnanza verso un oggetto di pubblica e privata utilità come il bidè; i Beatles e la Swinging London; una cucina inesistente prima ancora che immangiabile; il rifiuto altezzoso di adottare l'ora legale come nel resto d'Europa; un animo indomito e quasi selvaggio sotto la vernice delle forme; «Tempesta sulla Manica: il Continente isolato»; il sistema ferroviario meno sicuro d'Europa; le fondamenta del «giusto processo» gettate con la *Magna Charta*, ed era il 1215; tre o quattro parole chiave: *self-control, fair play, privacy, humour*. Poi tolleranza, moderazione, la civiltà delle maniere (*social civilization*) così spesso trascurata dal 46° parallelo in giù; soprattutto la libertà di individui eccentrici, insofferenti, affrancati anche dalla tirannide delle ideologie: Adam Smith, Jeremy Bentham, Herbert Spencer, John Locke, John Stuart Mill, Charles R. Darwin.

Tutto questo e molto altro ha finito nel corso degli anni per comporre nella testa di ognuno di noi una di quelle coperte patchwork fatte di cento diversi ritagli dove la sola cosa visibile, alla fine, è una certa tonalità di fondo. Qual è allora la tonalità di fondo di quell'isola e della sua sterminata capitale? Così a me appare: un luogo dove si sente pulsare la vita del mondo, grande nonostante siano svaniti lo splendore e la ricchezza d'un tempo, abitato da persone che non è facile amare ma che sono capaci di un comportamento collettivo quasi sempre ammirevole, nel quale misteriosamente convivono grettezza e grandezza, insofferenza e tolleranza, malinconia e humour.

Di Londra questo libro racconta alcune storie capaci di restituire a certe sue parti uno spessore e uno sfondo. Vi figurano luoghi ed eventi rivisti nella successione dei fatti e dei personaggi che li hanno animati. Tutti insieme vorrebbero non solo essere il ritratto di una straordinaria città, ma servire anche come antidoto nei confronti della dannazione del viaggiatore moderno: lo scetticismo.

Oggetti o paesaggi non valgono nulla senza la memoria o la fantasia di chi li guarda. Lo sapeva anche Giacomo Leopardi. Nello *Zibaldone*, alla data del 30 novembre 1828, annota un pensiero, che ho già riportato nel mio precedente libro su New York, ma che torno volentieri a citare per la sua eccezionale pregnanza: «All'uomo sensibile e immaginoso che viva, come io sono vissuto gran tempo, sentendo di continuo e immaginando, il mondo e gli oggetti sono in certo modo doppi. Egli vedrà cogli occhi una torre, una campagna; udrà cogli orecchi un suono di campana; e nel tempo stesso con l'immaginazione vedrà un'altra torre, un'altra campagna, udrà un altro suono. In questo secondo genere di obietti sta tutto il bello e il piacevole delle cose». Ciò che vediamo conta poco senza la fantasia e la memoria; e sempre meno vale in un'epoca in cui le differenze apparenti tendono costantemente a ridursi.

Le pagine che avete cominciato a leggere hanno l'ambizione di rappresentare un possibile inizio: agevolare la scoperta – tra le pietre, i cristalli e i fantasmi di Londra – di una qualche occasione di ricordo o di stupore. Quantomeno vorrebbero essere uno stimolo a rimettere in prospettiva luoghi e personaggi minacciati dalla fugacità del presente.

Questo libro non sarebbe stato possibile senza l'aiuto verbale o scritto e il consiglio di alcuni amici che qui ricordo nell'ordine che il loro nome detta: Edgardo Bartoli, Irene Bignardi, Rossana Bonadei, Attilio Brilli, Michael Creswell, Len Deighton, Paolo Filo della Torre, Lia Giachero, David Harris, Richard e Viola Newbury, Sergio Perosa, Giorgio Ruffolo, Fabio Troncarelli, Alex Wilson, Philiph Ziegler. Vittoria Caratozzolo, della cattedra di letteratura inglese della Sapienza, mi ha intelligentemente aiutato nelle ricerche. Nicoletta Lazzari e Valentina Vegetti hanno rivisto con la consueta pazienza e sommo acume il testo. Daniela Pasti mi ha sopportato durante il non breve periodo di preparazione del volume.

I

A PASSEGGIO NELL'EAST SIDE

Chi vuole davvero conoscere Londra dovrebbe cominciare dall'East Side. È la zona più povera, anche se in alcune parti rinnovata. Ma a contare non è il famigerato colore locale, trappola consueta di ogni turista, bensì la carica di senso che emana dall'alternanza di strade e case molto nuove e di altre molto vecchie, di vedute di audace opulenza e di altre pateticamente decrepite. È come se l'East Side ponesse il resto della città in prospettiva, mostrando da quale passato emerga ciò che vediamo altrove: viali alberati, parchi, alberghi sfolgoranti di luci, maestosi edifici dedicati al potere, al commercio, alla finanza, alla guerra. L'East Side contraddice l'immagine stereotipa della città, graffia la superficie patinata del luogo comune, restituisce Londra alla sua lunga storia controversa e drammatica, fatta di gloria e denaro, ingegno e baldanzosa ostinazione, ma anche di molte lacrime, e di una cospicua quantità di sangue.

Le sensazioni che la maggior parte di noi ricava dalla visita a una città poco conosciuta derivano, più che dalla contemplazione di una o più opere d'arte, dal sommarsi di impressioni casuali che contribuiscono a formare il giudizio e la memoria. Proprio perché meno soggetto (fino a oggi) alla speculazione sulle aree, l'East Side ha conservato una stratigrafia distesa nel tempo, fatta di grandi scenari e minuti dettagli, scorci segreti e vie che sembrano banali solo a chi non sa scorgerne l'occulto messaggio. Ci aiuta, con le sue continue sorprese, a scansare il rischio di guardarci intorno senza davvero «vedere». Intendiamoci, a Londra non è solo l'East Side a parlare di storia. Ne parla anche il centro della città, anzi non c'è quasi strada che non parli del passato. Lo fanno, se non altro *per absentiam*, perfino molte zone e costruzioni moderne: il tal edificio sorge dove una vecchia casa è stata distrutta da un bombardamento del 1940; quel pub è antico ma non quanto dovrebbe, infatti lì ne sorgeva un altro che il furibondo incendio del 1666 ha ridotto in cenere. In una vecchia e nobile capitale come Londra, quasi ogni pietra recita l'una o l'altra delle tante pagine di storia scritte lungo le rive del suo grande fiume.

Come insegna il pittore Elstir al narratore della *Recherche*, quando si guarda qualcosa, ciò che conta, più ancora dell'oggetto guardato, è lo sguardo. È nella qualità dello sguardo, nel «pregiudizio» che contiene, che l'oggetto guardato si deforma per aderire alla personalità di chi lo osserva. Elstir parlava ovviamente da pittore e in quei termini l'autore della *Recherche*, cioè Proust, ne riferisce: «Lo sforzo di non rappresentare le cose così come sapeva ch'esse erano, ma secondo le illusioni ottiche di cui consta la nostra prima visione, aveva indotto Elstir a mettere appunto in luce alcune di tali leggi prospettiche».

Nel personaggio di Elstir c'è parecchio di Monet (e anche di altri artisti dell'epoca) e quelle parole racchiudono la poetica degli impressionisti; le possiamo però facilmente applicare a ogni «illusione ottica» che la nostra personale prospettiva delle cose ci suggerisca. Il movimento fisico, logistico, materiale, di un viaggio è poca cosa in sé: prendo un aereo, alloggio in un hotel, scatto delle fotografie, compro un souvenir, mangio nel tal ristorante, guardo le vetrine; tutte operazioni inutili, in qualche caso addirittura avvilenti, quando non vengano rischiarate da un progetto che dia forma e significato alle novità che il viaggio comporta. Visitare davvero un luogo significa andare al di là delle apparenze e delle ovvietà, cercare di suscitare l'eco delle ricordanze che vi si sono addensate leggendolo, come suggeriva Giacomo Leopardi, non solo con i nostri occhi ma anche con quella capacità immaginativa di suscitare fantasmi e di far giungere lo sguardo al di là della superficie delle cose.

Se sto tessendo l'elogio dell'East Side è perché in questa parte di Londra evocare tali «sguardi lontani», dare cioè forma e significato al viaggio, è un'operazione che si può fare con maggiore facilità, quando si sappia dove posare gli occhi.

Prima di spingerci fino all'East Side, restiamo però ancora un po' in centro con un esempio celebre che fa capire meglio ciò che sto cercando di dire: Piccadilly Circus. La famosa piazza, uno dei simboli di Londra, è stata fissata nelle sue attuali forme architettoniche solo da pochi anni. Era nata nel 1819 con la ben diversa funzione di essere soltanto l'intersezione tra Piccadilly e Regent's Street, allora in costruzione, progettata da John Nash, uno degli architetti che hanno dato alla città il suo volto contemporaneo. In un secondo tempo le facciate degli edifici prospicienti vennero ridisegnate, arrotondate, leggermente arretrate e ne risultò una gradevole piazza circolare molto elegante che resse fino al 1885 circa, anno in cui la municipalità decise la demolizione dell'angolo nordorientale per dare spazio all'innesto della nuova Shaftesbury Avenue. In seguito fu edificata la sede del London Pavilion, edificio destinato a ospitare concerti e spettacoli, diventato poi teatro e cinema, di cui oggi resta solo la facciata.

L'armonia della bella piazza ormai era rotta nonostante l'aggiunta, nel 1893, della pregevole fontana di Alfred Gilbert, eretta in memoria del generoso Earl of Shaftesbury e dedicata infatti al dio della Carità e dell'Amore cristiani e non a Eros, dio dell'amore sensuale, come comunemente si crede. Poi venne il trionfo della luce elettrica e con questo l'idea, è il caso di dire «luminosa», di erigere grandi insegne sfolgoranti per fare pubblicità ai negozi: nel 1923 ne era stata ricoperta l'intera facciata del London Pavilion. In seguito vennero alcune signore, eufemisticamente dette «le fioraie», che aspettavano i clienti tutt'intorno alla fontana, e non si può escludere che anche grazie a loro il puttino in cima alla fontana si sia trasformato da simbolo caritatevole in Eros carnale. Infine venne l'abitudine di celebrare nella piazza, ormai rassegnata a essere solo uno dei più famosi spartitraffico del mondo, l'arrivo dell'anno nuovo.

Tante altre cose si potrebbero aggiungere, ma forse questi pochi cenni bastano a far capire con quanta efficacia l'aspetto di un luogo possa ingannare l'occhio del visitatore distratto facendogli vedere, appunto, solo ciò che vede, e nascondendo invece quelle tracce di passato che restano però indispensabili per porre l'insieme nella sua giusta prospettiva. Uno dei rimedi è conoscere le alterazioni attraverso le quali si è arrivati all'attuale assetto. L'altro è cercare quelle zone in cui le fasi di passaggio tra le epoche, le tracce di ciò che è stato, siano maggiormente visibili. Ecco perché, come ho già detto, vorrei cominciare a guardare Londra proprio dal famigerato East Side.

Nella parte orientale della capitale britannica ancora per qualche anno sarà possibile «leggere» ampie pagine della storia, compresa quella criminale, della città. Un primo esempio può essere Commercial Street, la cui funzione è già dichiarata nel nome. L'intera zona subito a nord delle mura (London Wall) è stata, ed è ancor oggi, un rifugio per coloro che non volevano vivere sotto la giurisdizione della City of London. Tutti gli irregolari, gli eccentrici, i reietti preferirono venire a vivere qui; nel Seicento gli ugonotti francesi (abili tessitori di seta), ma anche gli attori teatrali, gli immigrati dal Bengala e gli ebrei che fuggivano dai pogrom dell'Europa orientale. Spitalfields è il nome della zona e non ci sarebbe bisogno, credo, di spiegarne l'etimologia: campi dell'ospedale, e si trattava, già nel Medioevo, del priorato e ospedale di Santa Maria (St Mary Spital). Qui si trovano mercati e mercatini, fioriscono piccoli commerci, si aprono negozietti e stradine che ricordano il Mediterraneo o gli *Shtetl* della Galizia. C'è qua e là qualche tentativo di rinnovamento, ma è sopraffatto dall'aria d'abbandono, come se la zona avvertisse la sua provvisorietà, come se fosse sospesa tra passato e futuro, priva però d'un vero presente.

Secondo Daniel Defoe, Spitalfields era, ai suoi tempi, «la vera città». Sicuramente era una ben strana città se dobbiamo credere alle sue descrizioni: «Le strade erano incassate, sporche e solitarie; intorno una distesa di prati sui quali pascolavano le vacche». Arrivò presto la vita: brulicante, chiassosa, colorita e sapida in tutti i sensi, anche nel senso proprio dei profumi e dei sapori. In un paese come la Gran Bretagna, negato al gusto dei cibi, gli immigrati portarono le loro spezie, gli intingoli, l'ingegno culinario nato dal fondo stesso della miseria, la capacità di trasformare anche le vivande dei poveri in un manicaretto.

All'estremità di Commercial Street verso Shoreditch sorge un blocco di edifici noti come Peabody Buildings. George Peabody era un filantropo americano (nacque in Massachusetts nel 1795) che passò gran parte della vita a Londra. Mosso dai migliori sentimenti stanziò personalmente una notevole somma, e altro denaro riuscì a raccogliere, al fine di «*ameliorate the condition of the poor and needy of this great metropolis and to promote their comfort and happiness*». Com'è impegnativa la parola *happiness*, e con quanta precisione identifica il periodo nel quale venne adoperata: sono gli anni subito successivi alla fine del Diciottesimo secolo, quando pareva che una certa razione di «felicità» si potesse facilmente raggiungere grazie a una più giusta distribuzione delle risorse. Gran parte della somma fu spesa per costruire alloggi popolari sani, areati, dignitosi. Anche i Peabody Buildings raccontano un pezzo di storia della città. Così come la racconta un edificio straordinario in mattoni rossi al numero 9 di Brune Street, la Jewish Soup Kitchen. Lì si distribuiva un piatto di minestra calda agli ebrei poveri del quartiere. Il centro d'assistenza era stato aperto nel 1902, garantiva un minimo di nutrimento e che il cibo fosse preparato secondo le prescrizioni rituali della cucina kasher. Nel periodo della Grande Depressione si arrivò ad assistere fino a cinquemila persone alla settimana. Poi la mensa venne chiusa, ma l'edificio per fortuna è ancora in piedi: la sua architettura così connotata dall'epoca in cui fu costruito è da sola una toccante testimonianza.

È rimasta anche quella che è forse la casa più misteriosa di Londra. Vale la pena di andarne a vedere anche soltanto la facciata, perché non è facile farsi aprire e visitare l'interno. Si trova al numero 19 di Princelet Street (traversa di Brick Lane) e ospita lo Spitalfields' Heritage Centre. L'edificio risale al 1719 ed è uno dei tanti costruiti per i setaioli ugonotti. Nel 1870 venne trasformato nella United Friends Synagogue (la terza più antica sinagoga d'Inghilterra) e tale è stato fino al 1980.

In questo piccolo edificio, i cui interni sono praticamente intatti, in una delle anguste stanzette dell'ultimo piano è anche nata una delle più conturbanti leggende moderne della città. Nel 1969 David Rodinsky, studioso della Torah, ebreo di stretta

ortodossia, che viveva in solitudine nell'attico sopra la sinagoga, d'improvviso scomparve. Per un periodo molto lungo, data
la sua vita così appartata e silenziosa, nessuno pensò di cercar-
lo, nessuno si ricordò di lui. Negli anni Ottanta alcuni operai
che eseguivano dei lavori nell'edificio, abbattendo una parete,
ne riscoprirono la stanza. Appariva sigillata, senza nemmeno
l'ombra del suo solitario abitatore, piena però della sua «presenza»: testi cabalistici scritti in ebraico e in altre lingue, giornali vecchi di vent'anni, una guida di Londra con alcuni itine-
rari accuratamente segnati, abiti, resti di cibo. Il tempo aveva
coperto ogni cosa con una spessa coltre di polvere, compresi i
vetri della piccola finestra, che a stento lasciavano passare un
po' di luce. Rodinsky era forse riuscito a realizzare l'utopia ca
balistica dell'invisibilità? Era diventato una delle tante «cose
nascoste» di cui secondo il Talmud è pieno il mondo? Era semplicemente fuggito, o morto? Un poeta e narratore della città,
Iain Sinclair, rimase talmente affascinato dalla storia da scriver-
ci, insieme a Rachel Lichtenstein, uno dei suoi libri più riusciti:
Rodinsky's Room.

Sinclair è forse il maggiore cronista vivente di Londra, lui
stesso si autodefinisce «psicogeografo». In questo caso però è
Rachel Lichtenstein la vera autrice del libro. Per dieci anni
questa ebrea, i cui nonni avevano lasciato la Polonia negli anni Trenta per sfuggire ai nazisti, ha fatto della ricerca di David
Rodinsky lo scopo della sua vita. L'inseguimento del misterioso inquilino del numero 19 di Princelet Street è diventato per
lei anche un modo per riscoprire le proprie radici (i suoi genitori avevano anglicizzato il cognome in Laurence e Rachel decise di tornare all'originale Lichtenstein). Nella piccola stanza
polverosa rimasta sigillata per quasi vent'anni, Rachel sentiva
vibrare una presenza (o un'assenza) inspiegabile. Ciò però
non le ha impedito di dare alla sua ricerca un indirizzo molto
pratico: carte, archivi, testimonianze, un lavoro a metà tra
quello dello storico e quello del detective. Ha scoperto così
che anche Rodinsky aveva lasciato la Polonia quando aveva
dieci anni per sfuggire ai nazisti, che una famiglia inglese l'a-
veva poi adottato ma che il bambino aveva sviluppato un
temperamento solitario, incline allo studio e alla meditazione,

e che per un certo periodo era stato necessario ricoverarlo in una clinica psichiatrica. Secondo Rachel, però, Rodinsky non era pazzo; semplicemente soffriva sentendosi circondato da una profonda incomprensione.

Poi, finalmente, un giorno la Lichtenstein ne trovò la tomba. Scrive nel libro:

> Era esattamente come me l'aspettavo. Non c'era pietra tombale, solo un basso strato di ghiaia recintato da un cordolo un po' sbreccato di cemento e una targhetta sottile con queste poche parole «David Rodinsky, March 5th, 1969». Allora ho aperto il mio libro di preghiere e con l'uomo che m'accompagnava abbiamo recitato insieme il *Kaddish* [la preghiera per i morti]. Avrebbe dovuto essere recitato dal figlio del defunto ma poiché non c'era nessuno che potesse farlo ho pensato di farlo io. Prima di allontanarci abbiamo messo due piccole pietre sulla tomba.

Che cosa aveva spinto David Rodinsky ad abbandonare il suo rifugio? Un presagio di morte? O la morte era stata un incidente successivo intervenuto chissà come? E in ogni caso, chi si era preso cura delle sue esequie? A queste domande, nonostante tutte le ricerche, non c'è ancora stata risposta.

Da Princelet Street, girato l'angolo in Brick Lane, c'è un altro edificio che costituisce da solo una pagina della storia di Londra, e che come tale va letto. L'insegna esterna dice «London Jamme Masjid», ma non è una delle tante insegne in arabo della città: indica la grande moschea di Spitalfields. Se l'immigrazione musulmana è diventata negli ultimi anni così massiccia da far ribattezzare Londra *Londonistan*, mezzo secolo fa, con la fine dell'Impero, era già notevole. La vicenda di questo edificio lo dimostra.

Il palazzo, di non brutte proporzioni, venne costruito nel 1742 per ospitare una cappella ugonotta, che non riuscì però ad avere una vita molto lunga. Verso la fine del secolo l'intera casa fu rilevata dalla London Society, un'associazione che si proponeva di convertire gli ebrei al cristianesimo e che elargiva un bonus di cinquanta sterline per ogni giudeo disposto a lasciare il quartiere ebraico e a trasferirsi nelle zone dei «gentili». Non fu però nemmeno questo un grande successo: alla fine della «campagna» si poté constatare che i convertiti erano stati in tutto sedici. L'edificio allora fu trasformato in una cappella metodista e, successivamente, nella grande sinagoga del quartiere. Nel 1976, infine, è stato acquistato dalla comunità del Bangladesh che lo ha convertito (è proprio il caso di dire) in una moschea. È la stratificazione delle fedi religiose, il loro succedersi nei secoli, a raccontare in questo caso la vita della città e a trasformare un quartiere nello specchio delle agitazioni del mondo.

Fatti solo pochi passi dalla moschea si trova Fournier Street, dove la maggior parte delle case venne costruita per ospitare i tessitori ugonotti fuggiti dalla Francia dopo il 1685 quando, con la revoca dell'editto di Nantes, si era aperta la caccia ai protestanti e più di duecentomila persone lasciarono il paese, accolte in Europa ovunque vi fossero comunità di correligionari. Se si alza lo sguardo si possono notare i finestroni degli ultimi piani che assicuravano agli operosi tessitori la luce necessaria per il loro lavoro.

Ancora una strada, e due storie, prima di abbandonare (a malincuore) questa zona di Londra così piena di umanità, così eloquente e disposta a lasciar affiorare il passato. Fashion Street condivide la decadenza, ora malinconica ora sordida, che distingue gran parte dell'East Side. Una volta era alla «moda», come dice il suo nome, e in vari periodi ha ospitato artisti e scrittori. Fra i più noti, il commediografo Arnold Wesker, uno dei giovani «arrabbiati» degli anni Sessanta. In un'epoca precedente aveva vissuto in questa strada Israel Zangwill, che ha insegnato nella scuola ebraica di Spitalfields ed è stato segretario della Federazione sionistica mondiale. Il suo primo romanzo, *I figli del ghetto*, venne pubblicato nel 1892. Ho raccontato la parte americana della storia di Zangwill in un mio libro di alcuni anni fa (*I segreti di New York*), qui voglio solo ricordare che è stato lui a coniare il termine *melting pot*, crogiolo, per indicare la mescolanza di genti diverse dalle quali stava nascendo la società degli Stati Uniti.

Incastonata in un cortile compreso tra Bevis Marks e Houndsditch c'è la più antica sinagoga (sefardita) d'Inghilterra. È stata inaugurata nel 1701 ed è stata lì per più di tre secoli, mentre la città le cresceva intorno. Per accedere al tempio bisogna entrare in un recinto che isola l'edificio dal trambusto del traffico, particolarmente intenso nella zona. Si varca un cancello e ci si trova immersi in un diverso fluire del tempo; il tempio è come sospeso all'interno di un silenzioso cortile attorno al quale scorre, frenetica, la vita. Anche l'interno dell'edificio è intatto: i legni severi, i simboli religiosi, le dorature sobrie, l'aggraziato matroneo. Non solo per gli ebrei, ma per chiunque abbia a cuore la sopravvivenza di una fede e di una tradizione, la Bevis Marks Synagogue è un punto di riferimento che vale una visita e una sosta.

Cambiamo scenario, lasciamo l'East Side e torniamo verso il centro. Londra è piena di luoghi che celebrano, esaltano o anche solo rievocano la storia della città e della nazione. Basti pensare all'autentica venerazione che circonda i due eroi: l'ammiraglio Nelson, eroe di Trafalgar, che sconfisse due volte i francesi sul mare e di cui parlerò diffusamente nel prossimo capitolo, e il duca di Wellington, il trionfatore di Waterloo, l'uomo che annientò Napoleone. Se per molti italiani Wellington è solo un nome, e i francesi lo ricordano invece come un uomo maledetto, gli inglesi ne hanno fatto quando ancora era in vita, e continuano oggi a farne, quasi un padre della patria, come in fondo è giusto per un popolo così intimamente guerriero.

Il duca di Wellington, nella trionfale giornata di Waterloo, dalla sommità d'una modesta collina, vide i suoi granatieri della Guardia, le «giubbe rosse», chiusi in quadrato, non arretrare di un passo sotto l'impeto della cavalleria francese, anzi reagire con micidiali scariche di moschetteria che costrinsero i pur valorosi *cuirassiers* di Napoleone a retrocedere.

Oggi Nelson, oltre alla celebre la colonna di Trafalgar Square, ha un sontuoso mausoleo nella cattedrale di Saint Paul, ma Wellington nella stessa cattedrale ha ben due monumenti: uno molto elaborato (troppo, forse) a livello della basilica e un altro, non meno maestoso, nella cripta. E, naturalmente, ha anche un arco di marmo bianco di fronte alla sua fastosa dimora, nel mitico angolo noto come Hyde Park Corner. È lì che sorge la sua principesca Apsley House, all'interno della quale, insieme a cento altri memorabili oggetti e arredi, c'è una delle tante sorprese che Londra riserva a chi ha la pazienza di frugarla.

La casa-museo di Wellington merita una visita se si vuole capire che cosa ha rappresentato quest'uomo per l'Inghilterra. Uno dei quadri esposti raffigura il banchetto che, per tutta la vita, puntualmente nell'anniversario della battaglia (18 giugno 1815) il duca offriva ai suoi ufficiali e ad alti dignitari del regno. Gli invitati (fino a ottantacinque persone) erano tenuti a presentarsi tra le 18.30 e le 19.30. Ai piedi della scalinata esterna li accoglievano la banda dei granatieri della Guardia e lo stesso duca, che indossava l'uniforme di quel glorioso reggimento. Il brindisi al sovrano, seguito dall'esecuzione dell'inno nazionale, veniva pronunciato da Wellington subito prima del dessert, di fronte a un fastoso centrotavola in argento (che si può ammirare sul posto) disegnato dall'artista portoghese Domingos Antonio de Sequeira per conto del principe reggente del Portogallo. Il gusto dell'oggetto è discutibile (Benvenuto Cellini sarebbe rabbrividito), indiscutibile è invece il suo significato politico: bisogna vedere con quale tripudio le quattro statuine che raffigurano i quattro continenti (di Oceania nessuno ancora parlava) levano al cielo le braccine per celebrare la vittoria riportata dai tre alleati (Spagna, Portogallo e Gran Bretagna) sull'odiato Còrso dopo una guerra durata sei anni (1808-14).

Ma la ragione principale per visitare questa fastosa dimora, la sua vera sorpresa, è un'altra: una colossale statua di Napoleone, opera di Canova, che orna il vano della scalea per i piani superiori. L'immensa statua ha una storia curiosa. Napoleone in persona, ormai carico di gloria, l'aveva ordinata al sommo artista italiano nel 1801. Nel 1806 l'opera era completata e nel 1810 veniva spedita a Parigi. L'imperatore non ebbe però il tempo o l'occasione di vederla subito. Quando finalmente la vide, nel 1811, pare che rimanesse piuttosto sconcertato. Per cominciare, Canova l'ha raffigurato di dimensioni gigantesche, mentre è noto che Napoleone in tutto eccelleva fuorché nella statura. Inoltre la statua lo mostra completamente nudo, salvo una foglia di fico là dove ci si aspetta di trovarla. Infine, gli avvenimenti politici e militari negli ultimi anni non andavano più per il verso giusto, per cui una tale maestosa glorificazione sembrava inopportuna. Morale: l'opera eccellente finì in un deposito del Louvre da dove la tirò fuori Luigi XVIII, dopo la Restaurazione, su invito del governo britannico che s'era offerto d'acquistarla. Gli inglesi pagarono la cifra richiesta (sessantaseimila franchi), e la statua, trasportata in Inghilterra, finì a casa del duca come dono personale di re Giorgio IV. Napoleone morì nel 1821, Luigi XVIII nel 1824, Wellington sopravvisse lungamente a entrambi ed ebbe modo di godersi la sua bella statua e di mostrarla fino al 1852.

Non è della storia che voglio parlare, non di «quella» storia, vorrei solo citare alcuni luoghi perché questo è il piano del libro: prendere un luogo esemplare, consentire al lettore-visitatore di guardare attraverso la materialità del posto o dell'oggetto per coglierne in trasparenza le vicende. Londra alimenta la fantasia con le mille cose che ha e che mostra: i nuovi quartieri, le strade degli immigrati, la babele delle lingue, i resti della città settecentesca e vittoriana. E poi la Londra dei grattacieli e dei palazzi di cristallo, delle banche e delle grandi compagnie di assicurazione, la modernità che irrompe spazzando via il vecchio e cercando di tenere in vita, con gli strumenti della finanza, il ruolo una volta affidato alla politica delle cannoniere.

Quando si attraversa la città, ovunque si guardi, torna continuamente la Storia. Nell'abbazia di Westminster si presenta come una foresta di statue, una selva pietrificata di uomini colti in posture fiere, magniloquenti. In particolare, nel transetto si affollano le figure marmoree di coloro che furono uomini politici, poeti, generali, re e regine. In mezzo a loro sul nudo pavimento, con eloquente collocazione, la tomba del milite ignoto. Recita la lapide: «*Beneath this stone rests the body of a British Warrior unknown by name or rank brought from France to lie among the most illustrious of the land...*», sotto questa pietra riposa il corpo di un guerriero britannico, ignoto per nome o grado, portato dalla Francia per giacere tra gli uomini più illustri del paese. *Warrior*, non *Soldier*, un guerriero cioè, un combattente, non semplicemente un soldato. «*Ignoto militi*», «*Au soldat inconnu*» sono altrove le abituali iscrizioni dedicatorie. Anche le poche parole incise nella pietra sul nudo pavimento della vecchia abbazia imprimono un loro piccolo connotato aggiuntivo.

L'altra metà del panteon britannico si trova nella cattedrale

di Saint Paul, atto d'orgoglio di Christopher Wren, l'architetto
che ha in gran parte ridisegnato Londra dopo il devastante incendio del 1666. Da più di tre secoli la chiesa è lì con la sua cupola che si erge per cento e passa metri, seconda per altezza
soltanto a San Pietro, sopra la distesa della città. Esiste una foto
terribile scattata durante un bombardamento tedesco: il gigantesco profilo della cupola, velato a metà dal fumo degli incendi
e delle esplosioni, s'intravede miracolosamente indenne mentre intorno tutto il resto va in pezzi. Dentro la cattedrale sono
custodite le tombe, i mausolei, i cenotafi. Solo una chiesa «anglicana», cioè nazionale, ossia il contrario dell'universalità
«cattolica», può sostenere un tale carico di memorie e di gesta
senza correre il rischio di sacralizzare troppo imprese militari o
vicende politiche. Il sovrano regnante essendo il capo di questa Chiesa, non è lo Stato che si piega di fronte a un credo religioso, è vero piuttosto il contrario: è la religione che diventa
più laica, aderisce al sentimento popolare, poggia più saldamente i piedi per terra.

Nella cattedrale si è circondati da un fasto «romano» e baroc-
co. C'è un tale splendore nella suddivisione degli spazi e nella
scansione dei volumi da fare di questa chiesa il luogo ideale per
quelle cerimonie che paiono subito destinate ai libri di storia.
Qui, per esempio, vennero celebrati i funerali di Churchill nel
1965, qui le nozze di Diana e Carlo nel 1981.

Tra i molti monumenti ne segnalo solo alcuni, per diversi
aspetti notevoli: la lugubre tomba di John Donne, per la quale il
poeta volle posare di persona, approfittando del fatto che era il
decano di questo sontuoso tempio; il ricco mausoleo di Lord
Nelson nella cripta; la stessa lapide che ricorda «Christophorus
Wren», il costruttore della cattedrale. È una semplice targa di
marmo murata nella parete, niente di più. Ma la modestia è solo
apparente, perché la sottostante iscrizione dice: «*Lector, si monu-
mentum requiris, circumspice*», lettore se cerchi il suo monumento, guardati intorno. Poche parole che trasformano di colpo
l'apparente modestia nella più sfarzosa delle celebrazioni.

C'è a Londra un «monumento» che a suo modo è ancora
più strano, se non più imponente. È quello che il filosofo Je-

remy Bentham (1748-1832) volle per sé. Pensatore illuminato, propugnatore del suffragio universale e della diffusione dell'insegnamento, seguace del Beccaria, Bentham chiese che il suo cadavere fosse imbalsamato ed esposto. Gli hanno obbedito alla lettera. Oggi si può ammirare l'illustre salma, dignitosamente seduta dentro un comodo armadio munito di uno sportello a vetri, nel Main Building dell'University College of London (angolo sud). La posa è quella da lui stesso suggerita, come si può leggere nel testamento affisso allo sportello. Lo stato di conservazione del corpo è soddisfacente. Solo la testa è stata sostituita: una testa di cera, quella originale essendosi alquanto deteriorata col tempo. Di tanto in tanto, sempre secondo la volontà dell'illustre scomparso, il corpo viene portato nella sala dei professori perché possa assistere alle discussioni accademiche. Assicurano che la cosa gli avrebbe fatto immenso piacere, anche se l'intento ironico (o derisorio) dell'intera operazione sembra piuttosto evidente.

A titolo di curiosa analogia aggiungo che al museo di antropologia criminale di Torino si può ammirare la testa del suo fondatore, Cesare Lombroso, che fluttua con pigrizia da medusa sospesa in una soluzione alcolica all'interno di un grosso boccale.

Esiste anche un pub (abbreviazione come tutti sanno di *public house*) che evoca con nettezza il passato della città. Qui è come se il tempo si fosse fermato. Per l'esattezza al 1667, ossia l'anno successivo a quello del grande incendio, quando l'edificio, completamente bruciato, venne ricostruito. Il suo nome è Ye Olde Cheshire Cheese, si trova in pieno centro, al numero 145 di Fleet Street, l'antica strada dove avevano sede i più importanti giornali, oggi trasferiti in altre zone, fredde e lontane. Il posto non attrae i turisti, ne ho visti molti passarci davanti tirando diritto, inconsapevoli. L'ultima volta che vi ho messo piede ho trovato parecchie decine di persone, rallegrate da abbondanti dosi di tiepida birra inglese, che festeggiavano una vittoria della nazionale di rugby su un altro paese del Commonwealth.

Non sono gli arredi di legno, le scure *boiseries* alle pareti, l'illuminazione veramente secentesca – voglio dire molto fioca –, i vetri piombati dai quali filtra una luce debolmente colorata, le massicce tavole di quercia affiancate da panche altrettanto pesanti, non sono queste le principali attrattive del luogo. È piuttosto un elemento immateriale: la sensazione di tempo sospeso, il richiamo a un passato che altrove in Europa riesce così di rado a sembrare attuale, cioè autentico. Qui le stanze sono ancora piccole com'erano, ognuna ha il suo camino, il banco di mescita pare tolto di peso da un romanzo di Dickens. A eccezione dei tifosi esilarati dalla vittoria, e dalla birra, in questo pub (e in qualunque altro) prevale un modo di bere concentrato e silenzioso che sembra più l'adempimento di un dovere che una vera gioia. Si vedono tipi solidi, un po' lenti di riflessi, però affidabili, tenaci, di lunga memoria, di radicati sentimenti. Soltanto gente così può ancora sopportare una dinastia come quella dei Windsor.

Qui venivano a bere, con gli stessi gesti, gli stessi silenzi, Samuel Pepys, che nel suo *Diario* (1660-1669) mise a nudo il cuore della città, Mark Twain, Charles Dickens. Soprattutto vi si fermava spesso a bere un boccale di birra Samuel Johnson. Il nome di questo grande studioso è oggi poco ricordato in Inghilterra, e mi pare che lo sia ancora meno in Italia. Eppure negli ultimi anni della sua vita (è morto nel 1784) era considerato il dittatore delle lettere inglesi, l'uomo che dominava i costumi e le mode, non soltanto letterarie, con la sua saggezza di gusto rétro, la smisurata erudizione. In meno di dieci anni, lavorando quasi da solo, Johnson ha scritto il primo grande *Dizionario della lingua inglese*, con definizioni spesso insuperate, argute e polemiche soprattutto per i termini politici. Un lavoro metodico, solido, impeccabile, proprio come colui che lo eseguì. Il re si muoveva da palazzo per andare a conversare con lui nella casa dove abitò per dieci anni, che si trova subito dietro il pub (17, Gough Square) e vale una visita. Fra l'altro, nella piazzetta antistante c'è un piccolo monumento al gatto del dottor Johnson, come solo a Londra poteva accadere.

Quando il dottor Johnson cominciò gli studi era così povero che non riuscì nemmeno a terminare l'università. Era povero come si può esserlo in un paese che per la povertà ha poca misericordia, costretto a volte a vagare per tutta la notte perché privo d'un ricovero dove andare a dormire. Per pagare i funerali di sua madre dovette scrivere e vendere in pochi giorni un mediocre romanzo pieno di buoni sentimenti (*Rasselas, principe d'Abissinia*). Finalmente, a porre termine alle ansie della sopravvivenza, giunse una pensione governativa E arrivò l'incontro fortuito, in una libreria, con un goffo giovanotto scozzese che a prima vista il dottore giudicò molto irritante. Johnson aveva cinquantaquattro anni, l'altro, James Boswell, poco più di venti. Erano dissimili non solo nell'età, ma in tutto il resto. Eppure dall'incontro nacque un'amicizia determinante per entrambi. Boswell era un giovane vanitoso, un po' vile, pieno di difetti, così avaro che arrivò a farsi rimborsare da una donna le cure per una malattia venerea che, giurava, lei gli aveva trasmesso. Quest'uomo «senza centro» trovò una ragione di vita nel raccontare l'esistenza del più anziano amico. *Vita di Samuel Johnson* si intitola l'opera, un ritratto pieno di nitidi dettagli, preciso come la scena di genere di un pittore fiammingo, forse il primo esempio di biografia che restituisca non solo le vicende del biografato ma il quadro di una città, di un secolo e di una società. Insomma, in quella libreria si saldarono due destini: il giovane Boswell trovò modo di comporre il suo capolavoro; il dottor Johnson affidò gran parte della sua memoria residua proprio alle pagine del goffo giovanotto scozzese.

Un altro luogo: una galleria. Più esattamente la National Portrait Gallery. Se nel pub di Fleet Street il tempo sembra essersi fermato, qui al contrario vola. Pareti e pareti ricoperte da cima a fondo di ritratti: a cavallo e a piedi, a mezzo busto e a figura intera, da soli e in compagnia, su tela e nel marmo, una cavalcata di volti, uniformi, decorazioni, armi, arredi, copricapi, calzature. Dentro quelle uniformi, sotto quelle decorazioni, fissano il visitatore re e regine, poeti, musicisti e pensatori, eroi e alcuni furfanti. Come scrive Defoe nel suo *The True-Born English Man*: «I Romani giunsero dapprima sotto la guida di Giulio Cesare. Insieme a loro arrivarono tutti i popoli riuniti sotto quel nome. Galli, Greci, Lombardi e, se non m'inganno, ausiliari e schiavi di ogni provenienza. ... Da questa folla anfibia e senza pretese nacque un personaggio vanaglorioso e di cattivo carattere: l'inglese».

Parecchi di questi uomini (e donne) di cattivo carattere ma anche di grande temperamento si trovano effigiati sulle pareti di un luogo affascinante che, come ha detto qualcuno, «dà finalmente un volto riconoscibile ai tanti nomi dei libri di storia». Van Dyck, Reynolds, Gainsborough, Sargent, tra gli autori. Quanto ai personaggi sono talmente numerosi che si può solo accennarne: l'unico vero ritratto dal vivo di Shakespeare, una caricatura di Enrico VIII, la statua reclina di Thomas E. Lawrence (d'Arabia) morente, accanto al capo i tre libri che portava sempre con sé, tra i quali l'*Oxford Book of English Verse*. Il grande quadro di John Sargent intitolato *Ufficiali*: tra i volti si nota quello giovanile di Winston Churchill, che al tempo era primo Lord dell'Ammiragliato. Il visconte Montgomery di Alamein che noi italiani conosciamo bene. Ci sono anche i ritratti dei principali leader sindacali, e poi di Elton John e Mick Jagger, Mary Quant e Katherine Hamnett; infine quello che è forse il più curioso di tutti: un ritratto di Paul McCartney (uno dei Beatles) ironicamente intitolato *Mike's brother*. Accadde che l'autore, Sam Walsh, era amico del fratello di Paul, che si chiama per l'appunto Mike, e ha voluto evocarlo, un po' scherzando e un po' no, nel titolo del dipinto.

Il luogo di cui sto per parlare è un'altra tappa d'obbligo per chiunque creda che un grande scrittore sia il testimone privilegiato del suo tempo, delle cose che accadono o che potrebbero accadere, dell'animo dei suoi contemporanei. Per Londra, e non solo per la Londra della regina Vittoria, questo scrittore è ovviamente Charles Dickens (1812-1870). Come scrive Edmund Wilson parlando della sua opera:

> Qual è il vero aspetto di un ospizio di mendicità regolato dalle *Poor Laws*? Quale odore, gusto, senso, può avere per noi? Qual è il vero aspetto della borghesia inglese in ciascuna delle varie fasi del suo sviluppo? Qual è il vero aspetto dei buoni e quello dei cattivi? Che impressione vi lascerebbero non se li incontraste semplicemente a pranzo, ma se faceste un viaggio assieme, se lavoraste per loro, se doveste vivere insieme a loro? Dickens sa dirci tutte queste cose. Una delle prime funzioni del romanzo e del teatro moderni è di lasciare testimonianze come queste; ma pochi scrittori hanno saputo farlo su ampia scala. Nessuno ha superato Dickens.

La casa al numero 48 di Doughty Street è quella in cui Dickens ha vissuto per tre anni dal 1837 al 1839 e della quale ha scritto: «Una casa che sulle prime mi sembrò una vera dimora familiare di prima classe che mi avrebbe gravato di terribili responsabilità». È la sua sola abitazione che sia rimasta intatta fino a oggi, un bell'edificio georgiano di due piani oltre al rialzato, che è stato riarredato con scrupolo e trasformato in un museo dedicato alla sua memoria, con mobili d'epoca e oggetti originali. Lo scrittore vi ha vissuto con i figli, tra i quali la prediletta Katey, ultima nata, destinata a diventare pittrice d'una certa fama. Katey aveva sposato in prime nozze Charles A. Collins, uno dei preraffaelliti, nonché fratello di Wilkie Collins, autrice di romanzi orrifici, a metà strada tra il gotico e il giallo. Rimasta vedova si risposò in seconde nozze con il pittore italiano Carlo Perugini.

C'è un ultimo luogo al quale il visitatore italiano dovrebbe dare almeno un'occhiata. È un ponte sul Tamigi intitolato ai «frati neri», Blackfriars Bridge. Quel ponte non avrebbe aspetti particolarmente notevoli se non fosse che sotto una delle sue arcate, allora ingabbiate da impalcature metalliche, venne trovato il cadavere del banchiere Roberto Calvi. Era il 15 giugno 1982, l'Italia stava toccando il culmine di una stagione caratterizzata da un criminoso intreccio tra mafia, politica, massoneria deviata (loggia P2), e varie banche, compresa quella vaticana governata dal famigerato monsignor Marcinkus.

Luogo significativo per un delitto come quello, forse addirittura allusivo. Un primo ponte che scavalcava lo stesso tratto di Tamigi era stato costruito nel 1760. Il progettista, Robert Mylne, aveva lavorato lungamente a Roma e infatti nel progetto era evidente l'influenza di Piranesi: arcate poderose sbalzate nella pietra viva di Portland. Il ponte doveva essere intitolato a William Pitt, ma la voce popolare lo battezzò subito dei «frati neri», per via di un vicino convento di monaci domenicani che usavano attraversarlo avvolti nel loro caratteristico saio. Un monastero di domenicani esisteva nella zona fin dal Tredicesimo secolo, oggi è praticamente scomparso, demolito a varie riprese, distrutto dal fuoco, sepolto dall'incuria. La sola parte ancora esistente *in situ* è un frammento di muro nella Ireland Yard.

Anche il ponte è stato demolito e rifatto a più riprese. Quello visibile oggi fu inaugurato dalla regina Vittoria nel 1869.

Le indagini che seguirono il ritrovamento del cadavere di Calvi, praticamente impiccato a uno dei tubolari con le tasche piene di sassi per meglio simulare un suicidio, hanno gettato un'ombra pesante sull'effettiva volontà, o capacità, di Scotland Yard di sciogliere un caso così intricato, epilogo inglese di una vicenda tutta radicata nell'Italia della finanza illegale. In un primo momento la magistratura britannica accreditò la versione del suicidio che appariva, anche a occhio nudo, insostenibile e quasi ridicola. L'indagine è stata poi ripresa da due sostituti procuratori italiani (Maria Monteleone e Luca Tescaroli) che, mettendo pazientemente a confronto le versioni di vari «pentiti» di mafia, sono riusciti quanto meno a ricostruire un movente attendibile.

La loro inchiesta è stata segnata da vere svolte avventurose, come per esempio il ritrovamento, vent'anni dopo il delitto, di una cassetta di sicurezza intestata al finanziere nel caveau di una banca milanese. Secondo il boss Antonino Giuffré, l'uomo era stato assassinato «perché aveva gestito male i soldi di Cosa Nostra, in particolare i miliardi dei capi, Totò Riina, Bernardo Provenzano e Francesco Madonia». Giuffré ha anche detto di aver appreso la verità sul delitto durante un incontro con Pippo Calò, che in quel periodo (metà degli anni Ottanta) era latitante e «protetto» in un paesino siciliano. Comunque vada a finire l'inchiesta, se mai vedrà un risultato definitivo, quel ponte dal nome sinistro resta legato a uno degli episodi più orribili di un'Italia che vorremmo dimenticare, se potessimo.

II

ENGLAND EXPECTS...

Il monumento più vistoso, diciamo pure il più ovvio, che ci sia a Londra, è la colonna dedicata a Nelson in Trafalgar Square, vagamente concepita sul modello della Colonna Traiana a Roma. A suo tempo ci vollero tre anni (1839-42) per innalzare quei 40 e passa metri (145 piedi) di granito del Devonshire sormontati da un capitello ricavato dal bronzo di vecchi cannoni. E poi ancora un anno perché la vera e propria statua di Nelson, anch'essa in pietra, venisse issata in cima per altri 17 piedi (5 metri circa). E poi ancora altro tempo (1849) perché fossero completati i quattro bassorilievi alla base del monumento (ricavati dal bronzo dei cannoni catturati da Nelson), uno dei quali, il più drammatico, rappresenta la morte dell'ammiraglio con i dettagli quasi fotografici dell'evento come la cronaca li ha tramandati. E ancora parecchi altri anni perché venissero collocati, nel 1867, i quattro giganteschi leoni opera del barone Marocchetti, curiosa figura di artista sulla quale vale la pena di aprire una breve parentesi.

Lo scultore Carlo Marocchetti (1805-1867) nasce a Torino ma vive per parecchi anni a Parigi, dove fra l'altro concepisce uno dei pannelli che ornano l'Arco di trionfo. A Torino resta una sua statua di Emanuele Filiberto del 1838, esecuzione che gli valse la baronia di Vaux (sede del castello di suo padre). Quando in Francia scoppia la rivoluzione del 1848, il barone si trasferisce accortamente a Londra accompagnando il fuggiasco re di Francia. Qui si segnala per la bellicosa e gigantesca statua equestre di Riccardo Cuor di Leone a spada sguainata che si può ammirare all'esterno della sede del Parlamento (Westminster) ed è uno dei pochi residui della Grande esposizione del 1851, per la quale era stata fusa. La posa baldanzosa, il braccio teatralmente levato, l'intera postura di Riccardo attirarono parecchie critiche, dettate – bisogna credere – in buona parte da invidia.

Ma torniamo alla nostra colonna. Chi è dunque l'uomo che se ne sta lassù in posa ieratica, fissando con occhi di pietra l'orizzonte? È Horatio Nelson, ovviamente, e alla sua più grande vittoria è intitolata la piazza che circonda lui, la colonna, i bassorilievi, i fieri leoni del barone Marocchetti. Ma chi è stato Nelson per meritare una tale vertiginosa posizione? Se si leggono i giudizi dei contemporanei si vede che i pareri su di lui sono stati discordi. C'è chi lo ha paragonato a un Napoleone del mare ma anche chi lo ha descritto come un uomo quasi mediocre, privo perfino nei vizi di qualsiasi grandiosità: solo piccoli peccati, meschine debolezze su un fondo di uniforme grigiore. La virtù somma di quest'uomo è stata infatti un'altra: Nelson è colui che ha liberato il suo paese da un incubo che si chiamava Napoleone Bonaparte. Il timore di Napoleone è sopravvissuto negli inglesi fino al Novecento. Bruce Chatwin ricordava una sua zia che lo minacciava, bambino, con il fantasma di Bonaparte: «Se non la smetti viene Boney a prenderti».

Per due volte Nelson ha battuto sul mare quel genio: prima ad Abukir, alla foce del Nilo, poi a Trafalgar. Grande tattico, ardito innovatore, meticoloso organizzatore di uomini e di cose, l'ammiraglio inglese ha avuto la meglio sulla folgore che aveva attraversato il continente scuotendo dalle fondamenta i troni europei. Con quelle due vittorie, per tacere di altre, fiaccò la potenza napoleonica e rafforzò il dominio britannico, facendo del suo paese la prima potenza marinara del mondo. Ecco perché se ne sta lassù, più in alto di tutti.

Poco più che bambino, Horatio aveva una costituzione fisica non particolarmente forte, una moderata passione marinara, anzi una certa predisposizione al mal di mare. Per tutta la vita, mentre saliva celermente verso il grado di contrammiraglio e comandante di squadra, continuò a sognare, come la maggior parte dei suoi compatrioti, un quieto rifugio in una di quelle dimore di campagna dalle quali lo sguardo si perde nella brughiera, dove ci sono edere che nascondono i muri, fumo dai comignoli, un rassicurante uggiolare di cani, il suolo è fermo sotto i piedi e le lampade non oscillano continuamente.

Aveva preferenze e avversioni nette anche in campo politico, il che ci aiuterà a capire meglio, quando ci arriveremo, certe sue decisioni scellerate. La sua venerazione per il re, in generale per la monarchia, era così forte da fargli considerare la preferenza repubblicana alla stregua di un crimine. Anche la sua religiosità era forte, il padre e un fratello erano pastori di anime. La fede in Dio prima di una battaglia era uno dei sentimenti con il quale fortificava l'animo, rendendosi pronto, all'occorrenza, a morire. Considerava atei e repubblicani alla stregua di reprobi meritevoli dell'inferno, indegni di un'esistenza (e di una morte) umana. Dopo l'istituto monarchico, nella scala dei suoi valori, veniva il governo, verso il quale provava tali sentimenti da ritenere degno del patibolo chi congiurasse per mutarne la forma.

Al breve ritratto bisogna aggiungere un altro tocco: l'avversione per la Francia e i francesi. Certo, molto dipese da Napoleone («l'Orco còrso») con il quale, più o meno direttamente, continuò a scontrarsi per più di un decennio. Ma l'odio per la Francia ci sarebbe stato comunque. Nelson considerava quel paese il nemico per eccellenza, una nazione molle e quasi effeminata, militarmente mediocre, in prevalenza cattolica e papista. Che fosse anche uno dei paesi più colti d'Europa a lui importava poco. Faceva premio il resto, ed era abbastanza per detestarla.

Quali doti riuscirono a compensare difetti così cospicui? La prima fu probabilmente la rapida, istintiva capacità di capire gli uomini. Quando non lo accecavano pregiudizi politici o religiosi, l'ammiraglio era in grado d'intuire all'istante qualità e debolezze d'una persona. Fu questa prontezza a consentirgli le profonde innovazioni che apportò alle manovre della flotta, compresa la più rischiosa, come vedremo: il modo di schierarsi in battaglia. Per riuscire a tanto era infatti necessario stabilire con i comandanti di ogni nave un'intesa quasi magnetica. Gli ordini scritti, il giornale di bordo, le lettere, le stesse memorie non bastano a spiegare il vigore innovativo di certe intuizioni, la compattezza con la quale un'intera squadra riusciva a manovrare, sfidando vento, onde, difficoltà di movimento, come se fosse un corpo unico. Almeno in questo Nelson fu emulo del suo odiato nemico Napoleone.

Il giovinetto Nelson ha vari imbarchi. È nato nel 1758, quando sale per la prima volta a bordo è il 1770. Lo promuovono ufficiale negli anni della rivoluzione americana (1776), la corona sta per perdere una delle sue colonie più importanti e redditizie. Vascelli pirata americani cominciano a solcare l'oceano con tale audacia da spingersi fin quasi al mare d'Irlanda. La Francia ha appoggiato l'indipendenza americana in funzione antinglese. I suoi filosofi e i suoi intellettuali hanno dato alla neonata nazione un'ideologia, i suoi generali, La Fayette in testa, hanno combattuto a fianco degli insorti. L'atteggiamento della Francia verso le navi corsare americane è benevolo, i marinai inglesi soffrono questo comportamento come un affronto, Nelson lo trasforma in un ulteriore motivo di rancore.

Imbarcato come terzo ufficiale sulla *Lowestoffe* arriva in Giamaica. Ha appena compiuto diciannove anni, presta servizio in un clima micidiale per la sua salute non fortissima: grande calore umido e piogge torrenziali, luoghi in cui imperversano malaria e febbre gialla. Il comandante della piazza è l'ammiraglio Sir Peter Parker, che lo prende sotto la sua protezione. Horatio ne ha bisogno.

Uno dei primi episodi che permettono di capire la personalità dell'uomo è di pochi anni successivo. Troviamo Nelson nel mar delle Antille al comando della fregata *Boreas*, una bella nave veloce e solida. L'ammiraglio comandante di quelle lontane isole è Sir Richard Hughes, uomo di oscura carriera, amante del vivere pacifico e incline ai compromessi. Quando Nelson arriva, l'America è definitivamente perduta ma le isole tropicali continuano ovviamente ad avere intensi traffici con quelli che ora sono diventati gli Stati Uniti. Una serie di leggi («Navigation Act») stabilisce che i traffici con le colonie britanniche possano avvenire solo su navi di fabbricazione britannica e con ciurme composte per almeno tre quarti da sudditi della corona. L'intraprendenza della neonata nazione americana, unita alla necessità degli abitanti delle isole di commerciare, fa sì che la maggior parte dei traffici avvenga invece con navi di costruzione americana ed equipaggi formati da marinai americani.

L'ammiraglio Hughes chiude volentieri un occhio, anche due, su queste illegalità, timoroso delle conseguenze che l'osservanza letterale della legge comporterebbe, tanto più che il viavai di vascelli americani contribuisce alla prosperità delle popolazioni, quindi alla pace dei luoghi, in particolare alla sua. Nelson invece si dichiara subito contrario e dopo molte insistenze riesce a convincere il governatore che tra i suoi compiti rientra anche quello di far osservare la legge. A quel punto piomba con la sua *Boreas* nel porto dell'isola di Saint Kitts, ordina l'allontanamento delle navi americane e l'interruzione di qualsiasi traffico con i «ribelli».

Le proteste sono generali. I mercanti e i loro avvocati affollano l'ufficio dell'ammiraglio Hughes reclamando l'inopportunità pratica di quell'atteggiamento, la sua dubbia legittimità. Non compete a un capitano di fregata, affermano, imporre la legge; comunque, non quella legge, che non ha più ragione dopo una rivoluzione che ha totalmente cambiato lo stato di fatto. Il generale Shirley, governatore di Saint Kitts, va a parlare con Nelson, gli fa notare l'inopportunità del suo rigore. Nelson ribatte secco: il governatore sta forse tentando di fargli violare una legge voluta dal Parlamento inglese? Si rende conto della gravità di ciò che sta chiedendo? Delle sgradevoli conseguenze se Londra venisse a conoscenza delle sue parole? Il generale capisce che nulla smuoverà quell'insopportabile capitano di ventisei anni, quel piccolo uomo testardo.

Nello stesso movimentato periodo il testardo capitano frequenta l'agiata famiglia Herbert, influente quanto lo consente la posizione di presidente del Consiglio dell'isola di Nevis occupata da Mr Herbert. Sua nipote si chiama Frances (Fanny) Nisbet ed è rimasta da poco vedova con un figlio, Josiah, di cinque anni.

Horatio e Fanny si frequentano, se davvero si piacciano non sappiamo. Chissà quali turbamenti e nostalgie, o forse solitudine, convincono Horatio a corteggiare quella spenta fanciulla sulla quale i biografi sorvolano più per imbarazzo che per mancanza di dati certi. Ci fu un tiepido fidanzamento, qualche mese di moderate frequentazioni, poi un matrimonio (11 marzo 1787) che, se si distinse per qualcosa, fu per la sua opaca tranquillità, almeno fino a quando un turbine di nome Emma non venne a farne volare le ceneri. Nelson rientra in Inghilterra con la moglie e si stabilisce nella casa avita. Per cinque anni dopo il matrimonio la sua vita si fa grigia come la giovane consorte. Di tanto in tanto avanza una richiesta d'imbarco, ma senza esito. L'Ammiragliato è riluttante, non sappiamo se a causa del trambusto che ha provocato nelle isole o per altre ragioni. È possibile immaginare l'impazienza di un uomo come lui, fatto per l'azione? Ci vorrà una nuova guerra, perché il povero capitano si ritrovi una nave sotto i piedi. Sarà ancora una volta una guerra contro la Francia, dichiarata il 1° febbraio 1793.

Non si può capire l'effetto che produsse a Londra quell'evento, se non si tiene a mente che dieci giorni prima il cittadino Capeto, cioè l'ex re Luigi XVI, era stato ghigliottinato a Parigi in Place de la Révolution (oggi, de la Concorde). Stanno per cominciare la breve dittatura di Robespierre e il Terrore, si apre una guerra che vede oltre all'Inghilterra, la Spagna, l'Olanda, Napoli, la Sardegna, il Portogallo coalizzati contro la Francia della Rivoluzione, una «nazione in armi» come ama definirsi; cani rabbiosi da sterminare, come invece la definiscono i monarchi che siedono (o sedevano) sui troni europei.

Non si tratta solo di ragioni istituzionali o di legittimità, hanno gran peso solidi motivi commerciali. La nascente società capitalistica inglese ha bisogno di dominare i mari per garantire lo sviluppo dell'economia e dei traffici, i francesi sono un ostacolo come del resto lo sono gli spagnoli nonostante in questo momento, per effimera convergenza tattica, i due paesi combattano affiancati.

Ecco la complessa serie di ragioni per le quali il forzato periodo di tregua, e di noia, del giovane capitano ha finalmente termine. Gli offrono il comando di una nave da sessantaquattro cannoni, accetta immediatamente. Sarà l'*Agamemnon*, un legno destinato alla leggenda.

L'*Agamemnon* leva le ancore nell'aprile 1793. Verso la metà di giugno l'intera squadra, al comando dell'ammiraglio Hood, blocca il porto di Tolone. La flotta francese si presenta oggettivamente più debole per addestramento e disciplina degli equipaggi, qualità tecnica dei mezzi, armamento. Infatti i francesi, al riparo nel porto di Tolone, non accennano a volerne uscire. Hood deve affrontare l'eterno problema di convincere un nemico riottoso ad accettare uno scontro in mare aperto. Gli spagnoli hanno i loro problemi e non possono essere di grande aiuto; per dirla tutta, non si capisce nemmeno bene con quale dei due contendenti potrebbero schierarsi, al momento opportuno.

Ma i problemi non sono soltanto militari. Nella Francia meridionale i disordini causati dalla Rivoluzione hanno provocato grandi difficoltà negli approvvigionamenti; molti raccolti sono andati perduti; il blocco del porto impedisce il rifornimento di merci e derrate, la popolazione è inquieta. È stata proclamata la mobilitazione generale, un milione di uomini sono sotto le armi, un esercito nazionale che ammonta al quattro per cento della popolazione. Davanti ai primi segni di cedimento della Provenza e di Tolone, il governo rivoluzionario, a Parigi, decide di adottare severe misure di repressione. Il provvedimento è miope, esaspera la situazione. La città si rivolta, la maggioranza dei cittadini si dichiara per la monarchia, le difese del porto vengono smantellate, si chiede alla flotta inglese di entrare. Sono arrivati anche gli spagnoli, fiutata l'aria hanno scelto di schierarsi con gli inglesi.

Le truppe anglo-spagnole non sono però sufficienti a tenere la piazza; Hood ha bisogno di rinforzi e spedisce Nelson a sollecitarli al re di Napoli. Questa città entra così per la prima volta nella vita del giovane ufficiale e nella nostra storia, dove avrà, come presto vedremo, un fatale sviluppo. Infatti, ambasciatore del governo di Sua Maestà a Napoli è Sir William Hamilton, che ha appena sposato, dopo qualche anno di convivenza, una giovane donna di grande bellezza e intraprendenza: Emma Lyon. Al momento delle nozze i due coniugi hanno lui sessantuno anni, lei ventisei. Nonostante la giovane età la vita di Emma è stata, da ogni punto di vista, molto movimentata. Goethe, con la consueta moderazione e molta galanteria, scriverà di suo marito: «Il cavalier Hamilton, dopo essere stato a lungo un appassionato d'arte e aver ampiamente studiato la natura, ha trovato ora la massima gioia della natura e dell'arte sommate in una bella donna».

Primo ministro di quella stranissima corte è, dal 1789, Sir John (Giovanni) Acton, baronetto, italiano di nascita ma d'origine inglese, un uomo nel quale genialità e opportunismo si equivalgono; nel mutevole orizzonte della sua visione politica c'è un solo punto fermo: l'odio per la Francia, per la repubblica, per la plebe. Tutti sentimenti che lo rendono caro alla regina di Napoli Maria Carolina, sorella di quella Maria Antonietta che la «plebaglia» tiene prigioniera a Parigi e che in ottobre (1793) sarà ghigliottinata. Maria Carolina ha sposato Ferdinando, re delle Due Sicilie, il quale sarebbe un personaggio da operetta se non alternasse atteggiamenti farseschi a tragiche prese di posizione, dettate più da incoscienza che da reale ferocia.

Su questa coppia sinistra e ridicola molto si è scritto. Furono prolifici. Nonostante una frenetica attività con dame di corte, cameriere e prostitute, si ha ragione di credere che il re frequentasse ogni notte il letto della consorte. In ventiquattro anni mettono al mondo sedici figli, un numero mostruoso anche per i costumi dell'epoca. Maria Carolina ricambiò gli eccessi di suo marito concedendosi numerosi amanti, comprese alcune donne. Quando Emma Hamilton, che fin dalla prima giovinezza ha avuto frequentazioni sessuali d'ogni tipo, si stabilisce a corte, la voce insistente è che il legame con la regina si trasformi in intimità saffica. Anche per questo lo storico Michelet definirà Maria Carolina «una furia vomitata dall'inferno», «un mostro di lubricità». Più sobrio, ma implacabile, Benedetto Croce la inchioda a queste parole: «Spirito torbido, non ebbe né elevatezza morale, né accorgimento e prudenza; fece di continuo il danno suo e di tutti». Il giudizio, sempre di Croce, su suo marito non è più caritatevole: «Egli pensava alla caccia, alle femmine, alla buona tavola. Purché gli lasciassero fare le dette cose, era pronto a intimare la guerra, a fuggire, a promettere, a spergiurare, a perdonare, a uccidere».

Nelson porta a Napoli la notizia che Tolone è caduta, che la flotta inglese è entrata in un porto di rilievo strategico, che gli artigli della Rivoluzione sono stati spuntati. L'interesse suscitato dalle notizie è tale che Ferdinando di Borbone tralascia le sue battute di caccia e va incontro a Nelson nella baia, invitandolo sull'imbarcazione reale. I suoi resoconti devono essere molto convincenti. Re Ferdinando, contagiato dal generale entusiasmo, decide su due piedi di inviare a Tolone un contingente di seimila soldati napoletani. Per una volta mantiene la parola.

L'armata francese intanto assedia Tolone, difesa da una guarnigione eterogenea formata da francesi realisti, inglesi, spagnoli, piemontesi, napoletani. Sono alleati che si guardano spesso in cagnesco, dotati di armi differenti che rendono impossibili rifornimenti comuni, divisi anche dalle prospettive politiche. Gli spagnoli in particolare stanno cominciando a considerare che agevolare un predominio inglese nel Mediterraneo non è per loro più conveniente che tollerarne uno francese.

Queste difficoltà non sarebbero probabilmente bastate a stemperare la rivolta se l'armata nazionale francese non avesse potuto contare sulla visione tattica di un ufficiale d'artiglieria di appena ventiquattro anni. È lui che sceglie il piazzamento dei cannoni individuando a colpo d'occhio i punti di maggiore debolezza degli avversari. Quell'ufficialetto si chiama Napoleone Bonaparte, è nato ad Ajaccio, Corsica, il giorno di Ferragosto del 1769, quindi è di undici anni più giovane di Nelson. Il 19 dicembre Tolone viene liberata. «Occupata», nella versione inglese degli avvenimenti. La fuga degli alleati dal porto dà vita a una di quelle pagine tragiche di cui è piena la storia. Truppe imbarcate in tutta fretta insieme a profughi francesi che temono la vendetta dei repubblicani; per converso soldati realisti che disertano per raggiungere l'armata repubblicana; montagne di materiali in parte distrutti in parte ancora utilizzabili abbandonati sui moli, molti feriti e, come si scrisse, «famiglie senza padri e padri senza famiglie».

Qui termina il racconto di questa prima parte della vita di Horatio Nelson. Se le sue imprese militari e marinare si fossero arrestate al dicembre del 1793 con la fine ingloriosa della difesa di Tolone, a Londra non sarebbe stata eretta la sua statua né ci sarebbe una piazza con il nome di Capo Trafalgar. Invece la storia andò avanti e Nelson si sarebbe scontrato direttamente e in modo rovinoso con quel giovane ufficiale d'artiglieria.

Lo scontro navale conosciuto come battaglia di Abukir o «del Nilo» si svolse il 1° agosto 1798. Nelson aveva perduto prima la vista dall'occhio destro (Calvi, luglio 1793), poi il braccio destro (Tenerife, luglio 1797). Un brutto colpo di mitraglia gli aveva fratturato il gomito, costringendo il chirurgo militare all'amputazione. Operazione eseguita di notte, sul ponte della *Theseus*, all'incerta luce di lanterne, senza anestesia.

Adesso Nelson sfiora i quarant'anni e ha il grado di contrammiraglio. Dall'altra parte c'è Napoleone che, ottenuto il comando delle operazioni contro l'Inghilterra, pensa di colpirla indirettamente nel Mediterraneo. Il Còrso vuole togliere agli inglesi l'isola di Malta, preziosa per la posizione e il suo ben riparato porto naturale: caduta Malta, le linee di comunicazione e commerciali britanniche risulterebbero compromesse. Questo l'obiettivo strategico della spedizione. Con una di quelle frasi destinate alla leggenda, Napoleone ha detto (forse): «L'Europa è troppo piccola. La vera gloria si può conquistare solo in Oriente».

L'Ammiragliato a Londra ha saputo che un'imponente flotta francese sta per salpare dal porto di Tolone per fare rotta forse verso l'Inghilterra. Al comandante della flotta inglese nel Mediterraneo, ammiraglio Jervis (Earl of St Vincent), viene ordinato di inviare il contrammiraglio Nelson al comando di una squadra nel tentativo d'intuire le intenzioni nemiche.

Ha così inizio uno dei più grotteschi inseguimenti mai avvenuti per mare. Lasciata Tolone con trentatré navi da guerra, duecento da trasporto, duemila cannoni, trentaduemila soldati, centosettantacinque tra ingegneri, scienziati, archeologi, pittori e scrittori, Napoleone ha rapidamente conquistato Malta da dove vuole far vela, dopo qualche settimana di sosta, alla volta dell'Egitto.

Mentre avvengono questi movimenti, Nelson è arrivato davanti al porto di Tolone ormai vuoto, ha intuito o saputo che la flotta francese sembrava diretta a sudest, decide di muovere più rapidamente che può verso Alessandria. Dispone di una forza complessiva di tredici navi da battaglia ma non ha fregate né altro naviglio veloce da ricognizione. Così rapido è il suo avvicinamento che il 29 giugno arriva ad Alessandria per scoprire che anche lì il porto è vuoto e che dei francesi non c'è traccia.

Nervoso, frenetico, già invaghito di Emma Hamilton, Nelson è consapevole dell'importanza per l'Inghilterra e per se stesso dell'incarico affidatogli, e ordina di spingersi verso il golfo di Alessandretta, sulla costa meridionale della Turchia. È accaduto che nella sua corsa a perdifiato verso Alessandria ha superato senza avvedersene la flotta francese. Il caso, o la sfortuna, vogliono che nel momento in cui la squadra inglese leva l'ancora diretta alla sua nuova meta, le navi francesi si trovino ad appena una giornata di navigazione. Sarebbe bastato un ritardo di poche ore e le due flotte si sarebbero avvistate l'un l'altra.

Mentre le truppe di Napoleone, gli equipaggiamenti, i carriaggi e le munizioni sbarcano, Nelson davanti al vuoto che ha di fronte decide di tornare in Sicilia. Napoleone ha i primi scontri con i mamelucchi e Nelson lotta per rimontare il vento contrario. Il 19 luglio arriva a Siracusa. La Sicilia sarebbe un paese neutrale, ma i buoni uffici di Hamilton a Napoli consentono alla flotta inglese di rifornirsi. Napoleone è ormai nel pieno della sua campagna quando, il 25 luglio, Nelson leva le ancore e parte di nuovo verso est. Tre giorni dopo finalmente, durante una sosta in una baia greca, un ufficiale viene a sapere da alcuni pescatori che un'immensa flotta è stata avvistata qualche settimana prima in prossimità di Creta. Sembrava far rotta verso sudest.

La corsa riprende, dura quattro giorni. Il 1° agosto gli inglesi sono ancora una volta ad Alessandria; e ancora una volta trovano... il vuoto. Sono state settimane durissime su e giù per il Mediterraneo nella tensione dello scontro imminente. Nelson, che conosce profondamente i suoi uomini, legge lo scoramento sui loro volti e nei loro gesti. Nonostante sia più o meno ora di pranzo ordina che sia servita la cena, pasto molto più sostanzioso. Chiama gli ufficiali raggiungibili a mangiare con lui nel quadrato. Stanno per affrontare il dessert quando irrompe l'ufficiale di guardia: «Signore,» dice trafelato «abbiamo ricevuto un segnale dalle avanguardie che il nemico si trova nella baia di Abukir, ormeggiato in formazione difensiva».

Esplode un formidabile «Urrah!», si alzano i bicchieri per i brindisi. Uno degli ufficiali chiede: «Che cosa dirà il mondo se vinceremo?». Nelson lo guarda con il solo occhio utile: «Il "se" in questo caso non esiste» risponde. «Che vinceremo è sicuro; chi sarà ancora vivo per raccontarlo è un'altra questione.»

La squadra francese è al comando dell'ammiraglio François Brueys d'Aigaïlliers, il quale può contare su tredici navi da battaglia e quattro fregate ancorate lungo la linea mediana della baia. Al centro dello schieramento torreggia la gigantesca *Orient*, forte di ben centoventi cannoni. Nella baia le acque sono relativamente basse, frequenti i banchi di sabbia. Nelson, che dispone di tredici navi da settantaquattro cannoni, osa il massimo: fa dirigere alcuni dei suoi legni nell'esiguo spazio tra le navi francesi e la costa. Le navi avanzano scandagliando continuamente i fondali. Sentendosi protetti, i francesi non hanno nemmeno aperto le paratie dei cannoni sul lato verso terra. Le navi inglesi si insinuano in quel ristretto braccio di mare sparando micidiali bordate. Alle 6 del pomeriggio le tre navi francesi che aprono la linea sono ridotte al silenzio. Dal lato opposto, verso il mare aperto, la nave di Nelson sta furiosamente bombardando il centro dello schieramento nemico. Una scheggia tagliente colpisce di striscio il contrammiraglio alla fronte. Un lembo della pelle squarciata gli ricade sull'unico occhio in grado di vedere. Lo portano a braccia sottocoperta, nel fragore continuo dell'artiglieria un chirurgo lo ricuce alla meglio. Alle otto di sera cinque navi francesi si sono arrese. Alle nove si vede che a bordo della *Orient* è scoppiato uno spaventoso incendio alimentato anche da recipienti di vernice lasciati incautamente sul ponte. Alle 9.45 le fiamme raggiungono la santabarbara. L'esplosione è tale che il suo rombo si ode nel raggio di venti chilometri. Settanta marinai francesi sbalzati in mare vengono ripescati dai legni inglesi. Il buio è rotto solo dal balenare delle fiamme e nell'oscurità tre navi francesi, schierate all'estremità opposta a quella in cui è cominciato l'attacco, tagliano gli ormeggi e tentano la fuga. Due riescono a scampare, la terza si arena sui bassi fondali e viene incendiata per ordine del suo comandante.

All'alba del 2 agosto, lo spettacolo è terrificante: navi distrutte, incendiate, semiaffondate, cadaveri dilaniati che galleggiano tutt'intorno insieme a rottami, barili, cordame, pezzi di alberature. Nelson, la fronte bendata, guarda l'orrendo spettacolo e dice la sola cosa che il cuore in quel momento gli detti: «*Victory is not a name strong enough for such a scene*», per una tale scena, la parola vittoria non è abbastanza forte.

A Londra si decide di nominarlo «Barone del Nilo» assegnandogli una pensione di duemila sterline. Nelson, che per la verità s'aspettava una contea, fa buon viso al riconoscimento che gli viene concesso. Quando arriva a Napoli, il 22 settembre, la notizia del trionfo lo ha preceduto. Il re in persona gli offre il ducato di Bronte in Sicilia, in suo onore si organizzano festeggiamenti per i quali il golfo viene illuminato a giorno. Tutti lo cercano, lo colmano di cortesie, lo adulano, le dame sono gentili con quest'uomo piccolo, privo di un braccio, una brutta cicatrice sulla fronte. Con il suo unico occhio lui fissa però una donna sola: Emma Hamilton.

La storia di questa donna che ha contribuito a fare, a suo modo, la Storia, sembra uscita dalle pagine di un romanzo licenzioso dell'epoca. È figlia di un fabbro e di una cameriera. A quattordici anni è arrivata a Londra insieme alla madre, impiegandosi anche lei come domestica prima in varie case poi in una locanda. Lì incontra un sottotenente di nome John Willett Payne e ne diventa, giovanissima, l'amante. A sedici anni dà alla luce un figlio che sarà allevato dai nonni. Il tenentino, tanto brillante quanto sventato, s'è riempito di debiti. Un amico si offre di saldarli in sua vece; in cambio vuole Emma. L'ufficialetto non ci pensa due volte e la ragazza viene ceduta come una merce. Emma è sveglia, sa di essere bella; più di questo: sa di essere provocante, capace di accendere il desiderio negli uomini. Pittori di fama la ritraggono in veste di baccante; guadagna non male vendendosi a questo e a quello, apprende le arti della seduzione e come metterle a frutto.

In casa del nuovo amante, meno sprovveduto del bel tenente, impara a parlare, soprattutto a scrivere, conosce gli usi del mondo, si trasforma in una dama. Incontra persone importanti; uno di loro, Charles Greville, si infatua di lei e in pratica la compra. Greville si mette in testa di perfezionare la sua educazione e tanto per cominciare cambia subito nome sia a lei sia a sua madre. Diventano rispettivamente Mistress Hart e Mistress Cadogan.

Greville ha uno zio, un anziano gentiluomo notevole collezionista d'arte, Sir William Hamilton, ambasciatore inglese presso il regno di Napoli. Durante una delle sue visite in patria Sir William conosce l'amante del nipote e se ne invaghisce, forse s'innamora prima che della donna in carne e ossa di uno dei suoi provocanti ritratti. La fortuna viene per dir così incontro al suo desiderio: anche il giovane Greville si è molto indebitato. C'è un nuovo scambio: Greville rinuncia all'amante, Emma raggiunge Sir William a Napoli. Sembra che sulle prime creda di dover passare con lui soltanto un breve periodo, forse ignora che una bella proprietà di Hamilton a Pembroke, in contemporanea alla sua partenza, è passata alla gestione del giovane Greville.

La copertura diciamo paterna di Sir William nei confronti di Emma dura poco, presto i due diventano scopertamente amanti; la mollezza della corte napoletana, così diversa dalla rigidità britannica, la sollecitudine con la quale Emma è accolta, il brio, il clima, il mare e tutto ciò che sappiamo, fanno sì che questa strana coppia diventi una delle principali attrazioni della corte. È anche possibile che Emma, nel periodo in cui Maria Antonietta era prigioniera a Parigi in attesa dell'esecuzione, abbia in qualche modo aiutato l'infelice regina ad avere qualche contatto con la sorella Maria Carolina. È un fatto che Emma a Napoli ha una posizione, a cominciare dal suo ruolo a corte, impensabile in patria.

Sir William s'è infatuato di Emma al punto che il 6 settembre 1791, a Londra, si decide a sposarla; ciò che segue è storia molto nota. Emma e suo marito operano in favore di Nelson e delle sue navi: manutenzione, rifornimenti. Se mai ci fu nella coppia reale napoletana qualche remora ad agevolare la flotta inglese, i due (coadiuvati da Sir Acton) si adoperarono per fugarla. Quando Nelson al ritorno da Abukir dà fondo nello splendido golfo, Emma è tra i primi a mettere piede a bordo della *Vanguard*. La sua emozione (forse sincera) è così forte che alla vista dell'eroe sbianca in volto e sviene. Nelson è pronto a sorreggerla con il suo unico braccio. La storia d'amore giunge insomma a compimento con una scena che è insieme melensa e potente.

Horatio ed Emma sono entrambi sposati, ma le reazioni dei rispettivi coniugi sono opposte. Il vecchio Sir William si adatta con magnifica disinvoltura al ruolo del becco per amor di patria. D'altra parte, quando un uomo di sessantun anni sposa una donna di ventisei, rischi del genere deve averli messi in conto. Fanny invece reagisce, continua ostinata a battersi nel tentativo di riportare Horatio sotto il tetto coniugale. Nelson non le fa mancare il denaro, ma quanto al resto è irremovibile. Quando nel 1801 Fanny gli scrive implorandolo: «Amato mio sposo, torniamo a vivere insieme», l'ammiraglio fa rispedire la lettera al mittente con la dicitura «aperta per errore». Un uomo che abbia avuto la vita di sacrificio e di dolore di Nelson, resa cieca dall'ambizione o dal senso del dovere o dall'amor di patria o da qualunque cosa fosse; un uomo che solo a quarant'anni scopre la passione, è un candidato naturale a perdere la testa, tanto più per una donna affascinante come Emma, sapientissima nell'amore. Le scrive tre, quattro lettere al giorno, il tono è spesso rovente: «Ti amo, come non ho mai amato nessun'altra. Né mai ho avuto un pegno d'amore fino a quando tu non me ne desti uno... Quali sensazioni all'idea di poter dormire con te! Il solo pensiero mi fa ardere. Quanto di più lo farà la realtà».

La figlia di questa passione si chiamerà Horatia, nell'estate del 1805 i due prenderanno la comunione insieme scambiandosi un anello inginocchiati davanti a un altare come per un vero matrimonio. Dopo qualche settimana di idillio, alle 22.30 di venerdì 13 settembre, Horatio Nelson salirà su una carrozza che s'allontana nella notte per il suo ultimo fatale appuntamento. Ma tutto ciò accadrà parecchi anni dopo, per ora siamo a Napoli.

Nella capitale delle Due Sicilie Nelson si inserisce nel giro più stretto della corte diventando uno dei consiglieri, e tra i più ascoltati, del re anche se, come alto ufficiale di uno Stato belligerante, la sua funzione in consiglio appare piuttosto equivoca. Nel febbraio 1798 i francesi favoriscono a Roma l'instaurazione della Repubblica costringendo il papa alla fuga. Nelson propone di mandare un corpo di spedizione napoletano di cinquantamila uomini. L'idea piace, ma la spedizione finisce in un disastro. Si scontrano con i francesi pessimi ufficiali e uomini inadatti a combattere. C'è prima una ritirata dei napoletani, poi la fuga precipitosa. A fine gennaio 1799 i francesi, al comando del generale Jean-Etienne Championnet, entrano a Napoli; i patrioti repubblicani hanno tenuto testa ai «lazzari» fedeli ai Borboni facilitando l'ingresso dei «liberatori». Si proclama la Repubblica Partenopea.

Qui bisognerebbe raccontare che cosa fu la gloriosa ed effimera avventura repubblicana, le ragioni per cui fu gloriosa e perché ebbe solo sei mesi di travagliatissima vita. Ma questo è un capitolo su Nelson all'interno di un libro su Londra e devo limitarmi a un cenno che prendo da alcuni dei più validi testi sull'argomento, a cominciare dal magistrale saggio di Vincenzo Cuoco *Sulla rivoluzione di Napoli*. Un testo esemplare di quel liberalismo moderato e democratico che rappresenterebbe la dottrina migliore per governare i popoli, se mai la moderazione illuminata di stampo democratico godesse di sufficiente popolarità. Il cuore della tesi di Cuoco è che la rivoluzione fallì perché le rivoluzioni non si fanno senza il popolo; non sono né la filosofia né le grandi questioni teoriche a muovere le masse ma i bisogni e le necessità di ogni giorno. Chiamare il popolo alla difesa dello Stato «senza istruirlo è lo stesso che renderlo pericoloso, facendogli fare ciò che non sa fare ... è sempre debole quello Stato che non è difeso da' cittadini». Nel bel romanzo di Enzo Striano *Il resto di niente*, che si svolge durante i mesi della repubblica, c'è una scena terribile in cui alcuni pensatori illuminati si recano in un sordido vicolo nel tentativo di convincere una plebe riottosa a rivoltarsi in nome della libertà. Lazzi e sberleffi accompagnano la concione del nobile progressista fino a quando il capo dei lazzaroni brutalmente lo congeda: «La libertà ve la tenite pe' vvuie! Sai addo' l'avit'a mettere? Dinto a lo mazzo 'e màmmeta!». Tradotta in scena di romanzo, è esattamente la sintesi del pensiero di Cuoco. Del resto anche Benedetto Croce riprenderà il medesimo concetto scrivendo: «Quella repubblica, passato il primo momento di entusiasmo e di ebrietà, si ritrovò senza radici e senza forze. I patrioti di Napoli erano grandi idealisti e cattivi politici. Tennero in piedi la loro barcollante repubblica tra illusioni smisurate e piccoli effetti, propositi arditi e mezzi deficienti: una vita che oscillò tra commedia e tragedia, finché quest'ultima, alla fine, prevalse».

La coppia reale fugge a Palermo poco prima che le truppe francesi entrino in città. Nelson li scorta con le sue navi e a Palermo prende alloggio nella casa degli Hamilton. Gioca, perde e vince soldi, beve, condivide la vita dissoluta di quella sfinita nobiltà, fa l'alba in questa o quella dimora patrizia, lui che finora si è sempre levato alle cinque del mattino. Ma né le notti insonni né la conturbante vicinanza di Emma gli impediscono di progettare la liberazione di Napoli. Ci penserà il cardinale Fabrizio Ruffo, uno di quegli inquietanti personaggi che di tanto in tanto compaiono nella storia italiana. È cardinale senza essere prete, sbarca in Calabria «nel nome della Santa Fede», la sua armata è fatta da manigoldi e avanzi delle galere siciliane, procede verso nord saccheggiando e devastando. I contadini insorgono a favore del re nello stesso modo in cui, nel 1857, insorgeranno contro i trecento volontari «giovani e forti» di Carlo Pisacane che si battono per l'unità d'Italia (con infallibile istinto si schierano sempre dalla parte sbagliata). Ruffo, «capo di masnade» come lo chiama Croce, entra a Napoli nel giugno 1799, i «lazzari» sono tutti per lui, le sue bande si segnalano per selvaggi atti di ritorsione. Le donne sospettate di aver parteggiato per la repubblica vengono stuprate, alcuni patrioti sono bruciati vivi, altri costretti ad atti di cannibalismo. Gli intellettuali che hanno guidato la repubblica decidono di arrendersi, né potrebbero fare altrimenti. Il cardinale, in questa occasione rivelatosi moderato, tratta le condizioni. Il patto è che i difensori della repubblica, asserragliati in alcuni forti, usciranno senza spargimento di sangue avendo garantito l'esilio fuori dai confini del regno, i più in Francia.

Quando Nelson viene informato degli accordi che stanno

per concludersi si precipita a Napoli. Odia con tutte le forze i repubblicani, vede in loro degli intellettuali che si sono ribellati al sovrano. I due Hamilton sono con lui. Ruffo e il capitano Edward Foote, l'ufficiale inglese più alto in grado fino a quel momento, hanno firmato gli accordi, Nelson li straccia, esige la resa incondizionata e schiera le sue navi nella baia, nel caso qualcuno non abbia capito la fermezza del suo proposito. Secondo una tesi storica consolidata, hanno il loro peso le pressioni di Maria Carolina che chiede vendetta anche a nome della sorella giustiziata a Parigi. Emma Hamilton, favorita della regina come lo è dell'ammiraglio, si adopera perché venga portata a termine.

Gli ignari ribelli, rimasti agli accordi presi, si arrendono. La slealtà di Nelson, la ferocia di Ferdinando, tanto più feroce quanto più debole, fanno il resto. Il fior fiore dell'intellighenzia napoletana viene messo a morte. Vanno al patibolo tra le ingiurie e gli sberleffi di quei popolani che essi avevano ingenuamente tentato di sollevare dal rango di plebei a quello di cittadini. Muoiono fra gli altri Mario Pagano, Domenico Cirillo, Gennaro Serra di Cassano, Eleonora Fonseca Pimentel, Luisa Sanfelice. Spietato si dimostra Nelson con Francesco Caracciolo, ammiraglio della flotta borbonica passato con i repubblicani. L'ufficiale viene tradotto in catene a bordo della *Foudroyant* dove una corte marziale composta da ufficiali napoletani, e manovrata da Nelson, in un solo giorno (29 giugno 1799) lo giudica e lo condanna a morte per impiccagione. Nel momento dell'esecuzione Nelson è a pranzo con gli Hamilton e Lord Northwick. L'onta di avere trasformato una sua nave in un patibolo non gli guasta l'appetito.

Nelson e la sua amante convivono per alcune settimane nella quiete agreste di Merton. È un idillio che probabilmente piace più a lui che all'inquieta Emma. Poi, il 13 settembre 1805 arriva l'ordine di imbarco cui ho accennato più sopra. Il giorno dopo Nelson sale a bordo della *Victory*, una poderosa tre ponti armata con cento cannoni, solida e manovriera. Il 15 salpa, il 28 prende il comando di ventitré navi di linea, la flotta migliore che abbia mai avuto. L'uomo è come rimpicciolito, i[1] colorito è diventato giallastro, alcuni denti sono caduti, la manica destra della giubba pende vuota. Eppure conserva intatto il carisma che soggioga gli uomini al suo comando.

L'uso e i regolamenti stabiliscono che l'attacco vada portato con tutte le navi in linea affidate al comando unico dell'ammiraglio. Nelson rovescia il principio, prepara il piano per un comando decentrato in cui ogni capitano si assuma parte della responsabilità, oltre che degli eventuali meriti. L'idea di frazionare una flotta con l'obiettivo di scontrarsi solo con una parte delle navi nemiche è rivoluzionaria e rischiosa. Istruendo i suoi ufficiali, l'ammiraglio sta ancora una volta mettendo a repentaglio la sua reputazione.

Uscito da Gibilterra, Nelson incrocia per qualche settimana in Atlantico tenendosi a una cinquantina di miglia dalla costa spagnola. All'alba del 19 ottobre il capitano che comanda la fregata più vicina alla costa avvista la flotta franco-spagnola che sta uscendo. Il segnale rimbalza di nave in nave, alle 9.30 arriva sulla *Victory*. L'ordine di Nelson è di mettere la prua a sudest per sbarrare il passo all'ammiraglio Villeneuve, che comanda la flotta franco-spagnola, impedendogli di riparare nel Mediterraneo. Due giorni dopo, al largo di capo Trafalgar, scrive a Emma una lettera di congedo e annota sul diario di bordo: «Lunedì, 21 ottobre 1805. All'alba avvistata la flotta nemica da est a est-sudest. Dato il segnale di far vela e di prepararsi alla battaglia; il nemico fa rotta verso sud. Possa l'onnipotente Dio, che adoro, garantire alla mia Patria, per la salvezza dell'Europa, una grande e gloriosa vittoria e faccia sì che nessuna cattiva condotta possa infangarla; possa infine l'umanità, dopo la vittoria, essere il tratto distintivo della flotta britannica. Personalmente, affido la mia vita a Colui che mi ha creato, che la sua benedizione illumini le mie azioni al fedele servizio della Patria. Amen. Amen. Amen». Uno degli ufficiali lascia scritto nel suo diario di aver intravisto, passando davanti alla sua cabina, l'ammiraglio inginocchiato sul pavimento, raccolto in preghiera.

In un altro messaggio annota le sue ultime volontà: «Lascio Emma Lady Hamilton come legato al mio re e alla mia Patria, affinché possano concederle i mezzi che le consentano di vivere secondo il suo abituale livello di vita. Lascio anche alla generosità della mia Patria la mia figlia adottiva Horatia Nelson Thompson. Desidero che in futuro sia chiamata solo con il nome di Nelson. Sono i soli favori che chiedo al mio re e alla mia Patria nel momento in cui sto per combattere in loro nome». Vedremo quale esito avranno queste preghiere.

L'ammiraglio Villeneuve ha abbandonato il porto a malincuore, consapevole di disporre di forze inferiori. Le sue navi procedono disposte in una lunga linea a forma di mezzaluna. Gli inglesi, che hanno il vento dalla loro, sono allineati su due colonne (la seconda al comando di Collingwood); alla testa di ogni colonna ci sono le poderose tre ponti. Il piano originale prevede che una colonna trattenga e impegni la retroguardia franco-spagnola e che Collingwood attacchi il centro dello schieramento. Nelson però fiuta qualcosa che lo spinge a cambiare di colpo il piano. Segnala alle altre navi la nuova manovra: le teste delle due colonne irromperanno nello schieramento avversario (in gergo: «*Crossing the T*»), tagliando così fuori quasi due terzi della flotta, ancora troppo lontana. L'obiettivo principale è di isolare una parte dell'armata e distruggerla, concentrando su di essa una forza superiore, prima che arrivino i soccorsi. Si tratta però di attaccare con una formazione che, entrata nel raggio dei cannoni nemici, si espone al micidiale fuoco di bordata senza possibilità di rispondere prima di aver virato. Una manovra talmente rischiosa che dopo la morte di Nelson sarà sconsigliata dall'Ammiragliato, non essendoci in giro altri tattici capaci d'interpretarla correttamente. Nelson si affida alla velocità e alla mole delle gigantesche tre ponti sapendo comunque di dover patire pesanti perdite. L'ammiraglio è sul ponte di comando, porta spesso il cannocchiale all'occhio sinistro, indossa la bassa uniforme con alcune lucenti decorazioni bene in vista. Lo fa sempre, è l'unica sua vanità di cui molti hanno riso. Ma è anche una debolezza che in quelle circostanze gli sarà fatale. L'ammiraglio Lord St Vincent ha scritto di lui: «Pover'uomo! È divorato dalla vanità, la debolezza e la pazzia; ha la giubba piena di nastri e medaglie e pretende ancora di disprezzare gli onori e le cerimonie cui presenzia di continuo».

Quando le due flotte stanno per arrivare a distanza di tiro,

Nelson fa issare due segnali. Il primo ordina: «*Make all sails with safety to the masts*», issare tutte le vele che gli alberi possano sostenere. Il secondo racchiude lo spirito della giornata in una delle più celebri e sobrie frasi che mai comandante abbia indirizzato ai suoi uomini prima dello scontro: «*England expects that every man this day will do his duty*», l'Inghilterra si aspetta che ognuno oggi compia il proprio dovere. Anche le navi nemiche issano i loro vessilli e Nelson è finalmente in grado di riconoscere l'ammiraglia che ospita Villeneuve, la *Bucentaure*. Vi dirige alla maggiore velocità possibile la sua *Victory*. L'affiatamento con i capitani sta dando i suoi frutti. Ogni comandante ha colto al volo il senso dell'inedita manovra e si comporta di conseguenza. I cannonieri, liberatisi dei camiciotti e rimasti a torso nudo, caricano i pezzi con un'attenzione che più tardi, nel furore della battaglia, diventerà impossibile. Sono più abili dei loro avversari, caricano e sparano con velocità molto superiore. Le bande musicali attaccano *Hearts of oak* e *Britons strike home*, i ponti vengono inzuppati perché non prendano fuoco e cosparsi di sabbia perché non diventino scivolosi per il sangue.

Villeneuve non sa ordinare una contromanovra abbastanza efficace. I franco-spagnoli si difendono come possono, concentrando il fuoco sull'ammiraglia inglese che incassa le bordate di quattro navi, una cinquantina di marinai sono feriti o uccisi, la timoneria sul ponte è divelta, vele e pezzi di alberatura vengono squarciati dai colpi. Nonostante questo la *Victory* riesce a irrompere nella linea nemica, a virare e ad aprire a sua volta il fuoco di bordata. Dense, acri colonne di fumo avvolgono le navi, il fragore delle cannonate è quasi insostenibile, le perdite umane sono spaventose. I francesi si battono con splendido coraggio, ma già dopo qualche ora è chiaro che stanno perdendo. La battaglia è frantumata in singoli duelli e la superiorità inglese si fa sentire, la tattica di dividere le forze nemiche ha assicurato ai britannici una schiacciante superiorità numerica.

Cinque ore dura il terribile scontro; alla fine i franco-spagnoli conteranno settemila tra morti e feriti, gli inglesi quattrocentocinquanta. Tra le poche risorse che i francesi possono opporre, ci sono i tiratori scelti di Jean Lucas, comandante della *Redoutable*, che ha addestrato un certo numero di marinai ad appostarsi con i moschetti sui ponti e sulle coffe, scegliendo come obiettivi gli ufficiali, i capocannonieri e nostromi nemici, in modo da decapitare l'equipaggio e rendere la situazione favorevole all'arrembaggio. È uno di questi cecchini a colpire Nelson. Sono le 13.35, l'uomo prende la mira da circa venti metri appostato sull'albero di mezzana della *Redoutable*; ha riconosciuto l'ammiraglio dalla sua bella uniforme ornata di decorazioni. La palla frantuma l'omero e raggiunge la spina dorsale. Nelson viene portato nel sottoponte dove il fumo, il fragore e il calore provocato dalle cariche ininterrotte raggiungono livelli disumani. Tre ore dura la sua agonia. Il capitano Hardy lo informa che quindici vascelli nemici hanno ammainato i vessilli e chiedono la resa. Nelson indirizza prima di morire l'ultima preghiera: «Non mi gettate fuori bordo. Vorrei essere sepolto accanto a mio padre e a mia madre, a meno che il re non disponga altrimenti».

A Londra, il primo a conoscere la clamorosa vittoria di Trafalgar e la tragica morte dell'eroe è William Marsden, primo segretario dell'Ammiragliato il quale, la notte tra il 5 e il 6 novembre, ha dovuto lavorare fino a tardi. È quasi l'una del mattino quando si accinge a soffiare sulle candele per andare finalmente a dormire. Proprio in quel momento un ufficiale con la divisa in disordine irrompe nella stanza scortato da un usciere. «Signore,» esclama trafelato «abbiamo avuto una grande vittoria ma abbiamo perduto Lord Nelson.» Marsden balza in piedi non sapendo bene a quale delle due contrastanti notizie reagire: una è ottima, l'altra catastrofica. Il Primo Lord dell'Ammiragliato, l'ottantenne Lord Barham, si è ritirato da tempo in una delle stanze a sua disposizione. Ma a quell'ora del mattino non ci sono più domestici che possano indicarne l'alloggio. Lo sgomento Marsden deve cercare a lungo prima di trovarlo. Con una candela in mano, seguito dall'ufficiale appena sbarcato, il segretario sveglia il Lord che dorme profondamente. Questi apre gli occhi senza dare segni di allarme. Chiede anzi con calma: «*What's new, mister Marsden?*». Rimane calmo anche dopo aver ascoltato le drammatiche nuove, solo allora si alza e aggiunge:

«Per prima cosa dobbiamo informare il primo ministro e Sua Maestà». Il quotidiano «The Times» riporterà la notizia della vittoria e della morte di Lord Nelson nell'edizione del giorno successivo.

Gli onori riservati all'eroe non inclusero la sua adorata Emma, che in una lettera aveva confidato: «Lui, che amavo più della vita, è andato. Nulla mi dà uno spiraglio di conforto, tranne la speranza di raggiungerlo presto». Ridotta in difficoltà, scrive alla sua vecchia amica, la regina Maria Carolina, per chiedere un sussidio, ma la lettera non avrà mai risposta. William Nelson per di più non vuole dare esecuzione al testamento di suo fratello Horatio che molto probabilmente comprendeva dei legati per Emma. La vita della donna che aveva dominato la corte di Napoli diventa talmente dura che per due volte Emma finisce in prigione per debiti. Le sue grazie sono sfiorite, altro non sa fare. Tenta di vendere le lettere del suo quasi-marito, ma la famiglia di Nelson commissiona una perizia che le dichiara false. Emma muore a Calais, alcolizzata e in miseria, il 15 gennaio 1815 all'età di cinquant'anni. Singolare coincidenza: è lo stesso anno di Waterloo. Nelson aveva tolto a Napoleone ogni possibilità di supremazia sui mari. Un altro generale inglese, Wellington, gli assesterà nel giugno di quell'anno, a pochi chilometri da Bruxelles, il colpo definitivo.

La colonna di Trafalgar Square, per chi sa guardarla, riassume e simboleggia questa incredibile vicenda e la figura di un uomo che, nel bene e nel male, ha dato prove di disumana fermezza.

III

THE FAB SIXTIES

I Beatles, i Favolosi Quattro (*The Fab Four*), sono stati il volto, la colonna sonora degli anni Sessanta, e hanno creato un mito sopravvissuto perfino allo scioglimento del gruppo nel 1970. Un tour sulle tracce dei Beatles è anche l'occasione per ritrovare i luoghi e gli anni in cui Londra ha dettato al resto del mondo le mode e le voghe. Ritrovare i Beatles per esempio al museo delle cere di Madame Tussaud, dove i quattro appaiono in posture vivaci affiancati su un divano. Dovrebbero sembrare vivi; invece sembrano ibernati a metà gesto come le vittime dell'eruzione di Pompei. Poi ci sono gli indirizzi famosi: la stazione di Marylebone con le celebri cabine del telefono usate dai giovani musicisti, dove Paul McCartney, mentre gli altri filmavano *A Hard Day's Night*, sedeva imperturbabile con barba finta, occhiali da sole, seminascosto da un giornale, e infatti nessuno lo riconobbe. E il numero 57 di Wimpole Street, The Ashers' House, dove Paul è vissuto per quattro anni con Jane Asher all'inizio degli anni Sessanta. Nel seminterrato della casa, visibile dalla strada, Paul e John suonavano e lì hanno composto canzoni che segnarono un'epoca, come *I Want To Hold Your Hand* o l'adorabile *Yesterday*. A quei tempi la strada era sempre piena di fan che aspettavano di veder entrare o uscire qualcuno del gruppo, le stridule grida di entusiasmo delle ragazzine echeggiavano fino a notte fonda.

Altro indirizzo memorabile: 34 Montagu Street, l'abitazione di Ringo Starr. Anche Jimi Hendrix vi è vissuto e dopo le loro nozze vi hanno abitato John Lennon e Yoko Ono, in attesa di trovare un alloggio più adatto. È lì che è stata scattata la celebre foto dell'album *Two Virgins*' con John e Yoko completamente nudi.

Il sacrario dei Beatles è però più lontano. Bisogna arrivare fino ad Abbey Road nel nord di Londra, a Saint John's Wood, per trovare gli studi dove i quattro hanno registrato i loro album migliori. Anche se non appartengono più alla Emi, gli studi esistono ancora. Pochi metri più in là c'è il celeberrimo incrocio fotografato sull'album che proprio ad Abbey Road è intitolato. Quel memorabile disco uscì nel 1969 e fu l'ultimo atto ufficiale dei Beatles, che nel giugno dell'anno successivo si sarebbero sciolti. Qui, a ogni ricorrenza in qualche modo collegata ai quattro geniali menestrelli si radunano folle di appassionati, come testimoniano i graffiti e le invocazioni di cui gronda il muro di cinta.

Senza i quattro ragazzi di Liverpool gli anni Sessanta sembrerebbero muti; ma senza le molte novità di quel decennio, i quattro Beatles sarebbero probabilmente rimasti più o meno dove avevano cominciato: soffocati e spenti dal malinconico ceto britannico della piccola borghesia di provincia. Se John Lennon non fosse stato assassinato in un modo così assurdo a New York, nel 2003 avrebbe sessantatré anni; fa una certa impressione pensarlo. Quando nacque, il suolo inglese tremava sotto i bombardamenti tedeschi e Liverpool era una delle città più pesantemente colpite. I genitori lo chiamarono John Winston, omaggio all'uomo che in quel momento incarnava tutto il coraggio e la determinazione del paese.

Anche Paul McCartney nasce a Liverpool, due anni dopo. Sarà lui il compositore per eccellenza del gruppo, il melodista. Ma non voglio raccontare qui come il gruppo lentamente si formò acquisendo il suo organico definitivo con il batterista Ringo Starr e il simpatico George Harrison, il più serio, in altre circostanze diremmo il più normale del gruppo. I loro primi passi interessano solo la storia della musica, certo non quella del costume. Cambiano nome e formazione, si esibiscono in cantine fumose o semideserte, la trafila consueta della gente di spettacolo. A un certo punto si pone il problema del nome. Secondo una delle leggende più accreditate, se non altro perché è quella più ripetuta, un certo Stuart Sutcliffe, detto Stu, che in quel momento gira intorno al gruppo, propone «Beetles». «No, Beatles!» rilancia subito Lennon, e il gruppo parte con quel nome addosso: Silver Beatles. Più tardi la leggenda si colorì di aneddoti fantasiosi: «Come mai vi chiamate Beatles? Che vuol dire?». Risposta: «Fu una visione. Un giorno ci è apparso un uomo su una torta piena di fiamme che ha detto: "Da oggi voi sarete i Beatles". Abbiamo risposto: "Molte grazie, signore"».

La loro forza iniziale è probabilmente quella di credere in se stessi. Avrebbero potuto imitare gli americani come facevano quasi tutti. Invece non fanno nulla per nascondere ciò che sono: quattro ragazzi di Liverpool, poco più che dei proletari che hanno cominciato a suonare in una cantina umida e puzzolente. Poi, un certo giorno di gennaio del 1962, arriva Brian Epstein, un ragazzo come loro, timido, ambizioso, con le idee chiare su che cosa sia necessario fare nel mondo della musica. Epstein aveva diretto fino a quel momento una catena di negozi di dischi di proprietà del padre. Insomma, è uno che nelle case discografiche conosce le persone giuste. Infatti propone subito un'audizione alla Decca. Quando i quattro arrivano, Dick Rowe, il direttore, non scende in sala di registrazione, manda un assistente. L'incisione comunque va male. I Beatles sono nervosissimi, Rowe non fatica a scegliere un altro gruppo da lanciare, ignaro che per tutta la vita gli sarebbe rimasta addosso la fama di quello che li aveva avuti fuori della porta senza capire chi fossero.

Il primo singolo del nuovo gruppo, *Love Me Do*, viene pubblicato nell'ottobre 1962. Tre mesi dopo, gennaio 1963, *Please Please Me* guadagna il primo posto in classifica. Come in seguito scrisse Ian MacDonald nel suo *Revolution in the Head. The Beatles Records and the Sixties* (Londra, 1994): «*Love Me Do* fu il primo devastante rintocco delle campane della rivoluzione. Il suo significato era maggiore della semplice somma dei suoi componenti. Un nuovo spirito si stava facendo largo: innocente e sfrontato, impavido».

È Epstein che dà ai Beatles la loro immagine definitiva. All'inizio i quattro si rifanno allo stereotipo che ritengono più adatto a un gruppo a metà tra rock'n'roll e rhythm and blues: giacconi di pelle nera, capelli di lunghezza variabile, un'anonima eccentricità. Alla prima registrazione importante si presentano invece con abitini grigi tutti uguali con il collettino di seta, un identico sorriso sulle labbra e i capelli che diventeranno a poco a poco impeccabili caschetti che sulla fronte quasi toccano le sopracciglia. Epstein gioca anche su un altro elemento, ancora più importante dell'immagine: la vita privata. Centellina ai media poche, calcolate indiscrezioni sulle abitudini delle quattro giovani star, sicuro che finiranno per diventare parte integrante del prodotto. Oggi siamo sommersi dai pettegolezzi, giornali anche autorevoli concedono uno spazio inverosimile alle indiscrezioni, la vita privata e anzi intima della gente di spettacolo è cibo quotidiano. Allora tutto questo rappresentava una novità, un'altra invenzione lanciata verso l'avvenire.

Da quel momento la strada dei Beatles è un crescendo continuo di successi che culminano in una vera e propria «beatlemania». Gli oggetti che li hanno anche solo sfiorati vengono venerati come reliquie. Le ragazzine li accolgono urlando con le braccia levate al cielo in un tale stato di isteria da farsi la pipì addosso; alla fine di ogni concerto un penetrante odore di urina caratterizza il luogo dove si è svolto. Il «Sunday Times» rompe l'abituale compostezza per definirli, in un titolo, *I migliori compositori dopo Beethoven*. Quando i Beatles partecipano, nel corso d'una trionfale tournée americana, all'«Ed Sullivan Show», settantatré milioni di americani si sintonizzano su quella trasmissione. E quando la tournée si conclude, il «Wall Street Journal» calcola che sono state vendute merci che hanno ruotato intorno al gruppo per un totale di cinquanta milioni di dollari. Non era mai accaduto che negli Stati Uniti, paese che si ritiene leader anche in fatto di novità, si dovesse ammettere che la vera novità, per una volta, era arrivata dalla vecchia Inghilterra. Scrive Philip Norman, biografo dei Beatles: «Furono quattro settimane in cui l'America fu tanto vicina a un orgasmo quanto può esserlo un continente».

L'ascesa del gruppo ha coinciso con la nascita e lo sviluppo della cultura pop, termine vago nel quale rientrano cose anche molto diverse tra loro; erano gli anni oggi ricordati come favolosi o rivoluzionari in cui in Gran Bretagna ebbe finalmente termine il dopoguerra. Il poeta Philip Larkin (1922-1985), tra i migliori che il paese abbia avuto, ha definito il 1963 il vero anno della svolta: «Cominciammo a fare l'amore / nel millenovecentosessantatré / (che fu un po' troppo tardi per me) / Tra la fine del bando a Lady Chatterley/ E il primo disco dei Beatles, un lp».

Pop o pop art all'inizio era solo l'abbreviazione di *popular art*, una corrente artistica nata a Londra nei primi anni Cinquanta che voleva «mitizzare» oggetti e immagini di consumo della civiltà industriale. Talmente felice è però l'intuizione che presto il concetto si dilata, comprende tutto quanto è collegato alla comunicazione di massa e alla produzione di immagini. Da Londra la pop art rimbalza sull'altra sponda dell'Atlantico e da New York (grazie anche al fiuto del gallerista italiano Leo Castelli) invade il resto del pianeta, diventando una forma d'arte genuinamente americana.

Come aveva scritto il pensatore francese Jean-François Lyotard, riprendendo Oscar Wilde, «La vita stessa può essere un'opera d'arte». Negli anni Sessanta la vita quotidiana, i gesti, gli oggetti di più largo consumo entrano nella storia dell'arte, la *popular imagery* dalla quale si era partiti si trasforma in letti, bandiere, tubetti di dentifricio, barattoli di minestra, scene dei fumetti, lattine di Coca-Cola, ritratti seriali di Marilyn Monroe o di Elizabeth Taylor.

Lanciato sul mercato mondiale delle tendenze, il termine «pop» si distacca dal suo significato originale, viene adottato per denotare gli anni nei quali nasce il futuro che stiamo ancora vivendo. In quel decennio i giovani, per la prima volta, conquistano un bel pezzo del palcoscenico tutto per sé. Andy Warhol, l'artista newyorkese guru del pop, nel suo *From A to B and Back Again* (Da A a B e ritorno) così sintetizza il fenomeno: «La controcultura, la subcultura, il pop, le superstar, le droghe, le luci, le discoteche – qualsiasi cosa riguardasse l'essere "giovane e presente", ebbe probabilmente inizio allora». Il pop diventa presto un nuovo modo di vivere che va dalla pillola anticoncezionale (commercializzata nel 1961) ai capelloni, passa attraverso la guerra fredda che le avventure di 007 trasformano in una spettacolare metafora, il libretto rosso di Mao, per arrivare ai *Teddy boys* con i loro ciuffi aggressivi intrisi di brillantina. Poi ci sono l'invenzione delle Pr, le famose «pubbliche relazioni» in seguito anche loro mitizzate, il consumo di marijuana e Lsd, la popolare spilla che tra orgoglio generazionale e beffa proclama *Don't trust anybody over thirty*, non credere a nessuno sopra i trenta. Come dichiarerà al «Daily Mirror» Mick Jagger dei Rolling Stones: «I ragazzi sono stufi di essere ingannati da politici incoscienti che cercano di imporre il loro modo di vivere e di pensare».

Da questo punto di vista il pop diventa anche un fenomeno politico, investe i costumi e gli usi quotidiani, i rapporti sociali in modo così profondo da rendere impossibile qualsiasi pretesa di ritorno al passato.

Nel terremoto di una generazione Londra si trova in posizione mediana tra la California con i suoi hippy (figli dei fiori) avvolti in nuvole di marijuana e Parigi o Roma, dove il movimento acquista connotati più nettamente politici. Ed è proprio Londra che il settimanale americano «Time» elegge nell'aprile 1966 metropoli del decennio: «*London: the swinging city*», Londra, la città che si muove, la città europea dove si concentrano, si comprimono, si sovrappongono il maggior numero di novità, dal teatro al cinema, dalla musica alla moda, dall'architettura al modo di vestire, nutrirsi, fare l'amore, insomma un modo di vivere, uno «stile». A tutto questo un quartetto di giovani geni musicali dà il necessario sound, dà la voce. Beatles è un nome curioso, un vero incrocio semantico, perché la sua pronuncia è identica a quella di *beetle*, che sta per scarabeo, scarafaggio, ma richiama anche *beat* che in musica sta per battuta, ritmo.

In realtà il termine *beat* è ancora più versatile, ed è anzi incredibile la quantità di significati che si raggruma intorno a quelle quattro semplici lettere, come ha spiegato Fernanda Pivano. Negli Stati Uniti, Jack Kerouac, parlando un giorno della famosa *Lost generation* dei Fitzgerald e dei Dos Passos, aveva aggiunto riferendosi a sé e ai suoi coetanei: «Noi non siamo che la *Beat generation*», dove *beat* significa chi è senza denaro ma soprattutto senza un posto dove stare. Così, per esempio, nell'espressione «*Man, I am beat*». Da quel momento *Beat generation* è entrata nel linguaggio corrente. D'altronde, anche il termine *swinging* ha più di un riferimento, compreso quello musicale, perché *swinging* viene da *to swing*, e intorno alla metà degli anni Trenta lo *swing* era un ritmo di ballo derivato dal jazz. Si pensi al clarinetto di Benny Goodman a Dizzy Gillespie e Lester Young, probabilmente gli anni migliori del jazz, la sua più grande ricchezza. Ma *swinging*, come ricorda Paola Colajacomo (con Vittoria Caratozzolo) in un libro sulla *Londra dei Beatles*, era già stato usato nel Seicento dal drammaturgo tardoelisabettiano Thomas Otway ed esattamente nel senso ripreso dal settimanale «Time», cioè il movimento di coloro che non riconoscendo le barriere della moralità corrente si scagliano contro i suoi stereotipi.

Uno «spirito del tempo» simile a quello dei Beatles circola anche in un altro gruppo musicale, i Rolling Stones. Se i Beatles riuscirono nel miracolo di piacere a tutti, quale che fosse il ceto o l'età, gli Stones diventarono l'icona dei più giovani, il simbolo di un'ansia di novità spinta fino alla ribellione. I Beatles avevano fatto uso di droghe, come del resto era quasi naturale dovendo sostenere i ritmi e le tensioni dei primi spettacoli. Gli Stones fecero del consumo sistematico di droghe d'ogni tipo un vessillo. Come scrisse Tom Wolfe andando al cuore dell'argomento: «I Beatles vogliono tenerti per mano, gli Stones vogliono radere al suolo la tua città». *I Want to Hold Your Hand* è il titolo di una canzone dei Beatles che guadagnò la prima posizione sia in Gran Bretagna sia negli Usa.

Michael Philip Jagger, detto Mick, è nato, come Paul McCartney, nel 1942. Gli altri del gruppo, a cominciare da Keith Richards e Brian Jones, erano più o meno coetanei. Come è accaduto per i Beatles, il nome del gruppo viene inventato quasi per caso. Volevano far uscire un annuncio per pubblicizzare uno dei loro primi concerti e il redattore al telefono chiede: «Ma voi come vi chiamate?». Racconta Keith Richards: «C'era in giro un disco di Muddy Waters e la prima canzone era *Rollin' Stones Blues*. Allora Brian nella fretta di rispondere fa: ma... non so... i Rolling Stones».

La loro ascesa è relativamente veloce anche se circoscritta. I primi concerti, nella primavera del 1963, li danno al Crawdaddy Club e lì, a detta di uno dei loro biografi, diventano «la voce degli hooligan». Secondo il quotidiano «Record Mirror», gli Stones suonano e cantano fin dall'inizio più come una band di colore che come dei «ragazzi bianchi». Caratteristica che manterranno nel tempo, in parte per temperamento naturale, in parte per esigenze di scena. Se Brian Epstein ha impostato l'immagine dei Beatles, Andrew Loog Oldham, ventenne manager degli Stones, vuole che i suoi musicisti siano l'esatto contrario del gruppo di Liverpool: «Loro sono simpatici, puliti e curati, noi saremo l'opposto. E quanto più i genitori vi odieranno tanto più vi ameranno i loro figli». Trucco semplice, anche questo in sintonia con l'aria del tempo, favorevole d'istinto a tutto ciò che sembra giovane e aggressivo. A cominciare dai capelli. Se i Beatles avevano adottato le loro ordinate calottine nere, gli Stones se li lasciano crescere quasi fino ai lombi, lanciando una moda che investirà il mondo occidentale e coinvolgerà anche i college più esclusivi.

La rivista «Vogue» pubblica un ritratto inchiesta su Mick Jagger, fotografato da David Bailey, dove lo si proclama senza troppi giri di parole un simbolo sessuale di primaria importanza: «Le donne lo trovano affascinante, gli uomini vedono in lui una minaccia». La caccia di Oldham ai nuovi talenti continua ininterrotta. Una sera in un party nota nel pubblico una ragazza molto bella. Scoprirà poco dopo che ha solo diciassette anni, si chiama Marianne Faithfull, è figlia di un inglese e della baronessa tedesca Eva Sacher-Masoch. Nomi di peso. Il giovane manager le propone su due piedi di incidere un disco per lui, ma l'intrepida ragazzina è così giovane che non può nemmeno firmare il contratto; deve pensarci sua madre, che comunque si presta volentieri. È *As Tears Go By* di Richards e Jagger che Marianne canta con voce piuttosto bella di mezzo soprano. Il rapporto di Marianne con Jagger (anche lei fotografata da Bailey, ovviamente) si trasforma presto in un legame totale. La relazione dura più o meno quattro anni, dal 1966 al 1970, quanto basta a fare di lei una tale icona del pop da permetterle, ancora nel 2001, di lanciare con successo un nuovo disco (*Kissing Time*) dopo un applaudito concerto al Barbican Centre di Londra. Durante quei quattro anni accade di tutto. Quando gli Stones finiscono sotto processo per droga, si parla molto del fatto che Marianne, durante l'irruzione della polizia, era comparsa coperta solo da una pelliccia che di colpo le era scivolata di dosso. Si parla con insistenza di nudità, di orge, di un cunnilingus collettivo durante il quale Mick avrebbe giocato con una barretta di Mars infilata nella vagina di Marianne.

Un'altra notazione di colore nella vita tumultuosa di Marianne, vera icona pop, riguarda la sua relazione con il pittore italiano Mario Schifano. Lei stessa ha raccontato l'episodio: «Una volta a Roma faceva freddo e Mario mi portò in un negozio alla moda. Mi comprò una pelliccia, la pagò con un disegno. Lo firmò e mi diedero la pelliccia. Fu uno scambio che fece molto scalpore. Era meraviglioso e avrei voluto stare con lui per sempre». Erano due vite irrequiete, quella di Schifano segnata dalla tragedia della droga. «Stare con lui per sempre» sono soltanto parole, il rapporto fu breve, come tutti gli altri.

Gli Stones diventano rapidamente un caso. Dovunque si esibiscano scoppiano tumulti e risse che la polizia deve interrompere a forza di lacrimogeni. Gli stessi cantanti si vedono in più di un'occasione costretti a menare le mani (e anche i piedi) per ricacciare dal palco i contestatori. All'Aja, il cinema in cui si esibiscono viene praticamente distrutto; a Parigi la polizia deve arrestare centocinquanta persone per avere ragione degli scontri; a Marsiglia ci sono episodi di guerriglia urbana; a Montreal trentasei feriti; a Lynn, nel Massachusetts, interventi della polizia. È così quasi dappertutto. In quegli anni ci sono in giro una quantità di situazioni esplosive, gli Stones funzionano da innesco. Ma gli stessi Stones suscitano anche fenomeni opposti, come accade a New York con l'incontro tra «Pantere nere» e alcuni ambienti radical-chic. A Londra galleristi alla moda e antiquari di prestigio si contendono il piacere (e il rischio) di avere ai loro party qualcuno del gruppo, le cui provocazioni si moltiplicano. Una canzone come *Let's Spend The Night Together* era già un pezzo forte per la pudibonda ipocrisia dell'epoca. Ma gli Stones vanno molto più in là: orinano in pubblico, insultano gli invalidi, proclamano la necessità e la legittimità della droga, dell'amore libero e promiscuo. *Satisfaction* diventa l'inno pop del 1965 sia in Inghilterra sia negli Usa. Come scrive uno dei loro biografi: «Per la prima volta una canzone pop non stava lì a cantare la lagna dello sconforto giovanile ma parlava apertamente di sesso». Non è il sesso per il sesso, tuttavia. Fare sesso era diventato un modo per esprimere la propria rivolta contro il «Sistema». Non a caso uno degli slogan ripetuti ossessivamente nell'ultimo spettacolo del Living Theater era «*There is no revolution without a copulation*», non c'è rivoluzione senza accoppiamento.

Lo stesso «Sunday Times» che ha proclamato i Beatles degni di Beethoven scrive degli Stones, dopo una delle tante volte in cui finiscono in galera, che si tratta di veri «mostri con i capelli lunghi». Si erano messi a orinare contro un muro urlando, strafatti di droga: «State alla larga dal mio uccello!».

Il profumo degli anni Sessanta comincia, non è solo un gioco di parole, con lo scandalo Profumo. Lo scandalo che prende nome da John Profumo, all'epoca ministro della Guerra nel gabinetto del conservatore Harold MacMillan, fu per l'Inghilterra l'equivalente dello scandalo che in Italia prese il nome da Wilma Montesi, trovata morta sulla spiaggia di Torvaianica. A Roma con quella morte cominciava la stagione alla quale darà una fisionomia definitiva Fellini con il suo capolavoro *La dolce vita*; nella capitale inglese lo scandalo segna il punto di svolta tra la Londra austera fino alla severità del dopoguerra e la Swinging London dei consumi e di una nuova era che sembra finalmente accantonare la consueta parola d'ordine della classe media: «*Can I afford it?*», posso permettermelo?

John («Jack») Dennis Profumo conosce Christine Keeler, grazie alla mediazione di Stephen Ward, un medico osteopata con inclinazioni sado-masochistiche che la ragazza si ingegna a soddisfare. La Keeler, che ha solo diciannove anni, è modella, ballerina di night-club, call-girl. Il dottor Ward però non pratica solo spericolati esercizi sessuali nella sua casa di Wimpole Mews, fa anche un po' di spionaggio per conto dei sovietici, attività piuttosto diffusa negli anni della guerra fredda. Un'eco letteraria di quel particolare tipo di spia, e delle sue complesse motivazioni, si trova nei primi romanzi di John Le Carré che restano, insieme alle spy-story di Len Deighton, i migliori sull'argomento.

Accade che la Keeler si trovi a un certo punto ad andare a letto alternativamente con mister Profumo, ministro della Guerra, e con l'addetto navale sovietico (e spia) Evgeni Ivanov. Il doppio legame è troppo compromettente per sfuggire ai servizi segreti, e scoppia lo scandalo.

Fatale per Profumo, prima ancora di una relazione così pericolosa, è la sua menzogna al Parlamento. Il 22 marzo 1963 il ministro, prendendo la parola nella House of Commons, si difende garantendo di non avere commesso scorrettezze; querelerà per calunnia chiunque affermi il contrario. Resiste agli attacchi ancora per qualche settimana ma ai primi di giugno deve dimettersi. Il dottor Ward, giudicato colpevole di sfruttamento della prostituzione, si suicida; Christine finisce per un po' in prigione prima di diventare, anche grazie alle celebri foto di Lewis Morley che la ritraggono nuda a cavalcioni di una sedia, con lo schienale che protegge l'essenziale, un'icona degli anni Sessanta. Si è difesa strenuamente e probabilmente aveva ragione nel dire che Ward non era uno «sfruttatore»; che la loro era una relazione complicata nella quale rientravano anche allegre riunioni di gruppo. Fra l'altro la Keeler rivelerà in seguito che ai festini avevano preso parte sia il capo dell'MI5 Roger Hollis sia Anthony Blunt, l'uomo che diventerà «Keeper of the Queen's pictures», cioè conservatore della quadreria reale, ma che al tempo faceva anche lui un po' di spionaggio per i sovietici.

Anche in questo caso, come quasi sempre accade in faccende del genere, l'intera verità non è mai stata accertata. Eppure furono proprio le reali avventure erotiche della Keeler, insieme a quelle immaginarie di James Bond, a dare un fondamentale contributo all'abbattimento dei tabù sessuali. Negli stessi giorni in cui l'incauto Profumo mentiva al Parlamento, i Beatles facevano il loro primo ingresso in cima alle classifiche con *Please, Please Me*.

Nell'ottobre 1963, anche per le ricadute dello scandalo, MacMillan si dimette e i laburisti vincono le elezioni. Harold Wilson, il nuovo premier, ha condotto una campagna elettorale fondata prevalentemente sulla comunicazione televisiva e sull'uso dei media. Si fa ritrarre in compagnia dei Beatles, conia il suo slogan «*Let's Go With Labour*» sulle parole di una canzone popolare tra i giovani. È ancora lui che, nel 1965, inserisce i nomi dei quattro ragazzi tra coloro che la regina dovrà insignire dell'Ordine dell'Impero Britannico. L'Impero è stato in gran parte liquidato con veloce saggezza ma l'*Order of the British Empire* resta una delle onorificenze più ambite. Infatti la mossa di Wilson è controversa. Ci sono proteste da parte di reduci che hanno meritato il titolo rischiando la vita in battaglia. Il «Times» riceve decine di messaggi di dissenso, qualcuno restituisce la decorazione.

Per tutti gli anni Cinquanta i laburisti avevano perso le elezioni perché troppo legati a un'immagine severa, fatta di rinunce, parsimonia, servizi sociali costosi per l'erario e scadenti per i cittadini. Wilson ribalta l'immagine, sostituendola con quella di una società liberata dal peso dei propri tabù, nella quale cominciava a prevalere un nuovo valore: la giovinezza.

Con il dinamismo tipico della lingua inglese i giovani compresi nella fascia fra i tredici anni (*thirteen*) e i diciannove (*nineteen*) diventano a poco a poco i *teenagers*, cioè quelli con la desinenza in *teen*. Si conia anche un altro termine per definire il rivolgimento in corso: *youthquake*, un terremoto di giovinezza. Il teenager vive con uno stile e, si potrebbe dire, in un mondo suo. Veste e mangia in un certo modo, ha i suoi locali e i suoi orari. Un esercito di qualche milione di giovani entra per la prima volta da protagonista nella società e, ciò che più conta, nei consumi.

Che cosa comprano questi consumatori che stanno cambiando non solo la moda ma lo stesso mercato? Comprano abiti, bibite, sigarette, vanno al cinema e in discoteca. Comprano soprattutto dischi. Sono ragazzi spesso di condizioni umili, fanno lavori talvolta faticosi, sono come sospesi a metà tra proletariato e piccola borghesia, non hanno molta voglia di leggere né grandi riferimenti intellettuali, non frequentano nemmeno il pub, luogo d'incontro dei loro genitori, i loro locali semmai sono i «milk bar» o i «coffee bar» dove si può restare a lungo sorseggiando per pochi penny una tazza di latte o di tè. Non avendo troppe illusioni né grandi ideali, questi ragazzi si rifugiano volentieri nel mondo virtuale della nuova musica dove trovano ritmo, versi facili da ripetere, l'eco della loro stessa vita trasformata in melodia. Dappertutto nel paese è un fiorire di gruppi musicali, di cantanti, di chitarristi. I più scimmiottano le canzoni americane, il loro idolo è Elvis Presley, hanno le loro riviste, il loro pubblico, un incerto futuro. Anche i Beatles fanno parte di questo imponente e confuso pulviscolo, è una delle ragioni del loro successo.

Tra i cento milk bar nei quali questa gioventù trascorre i suoi pomeriggi ce n'è uno speciale che si chiama Korova Milk Bar. Lì passa le sue ore Alex, il protagonista del romanzo di Anthony Burgess *Arancia a orologeria*, conosciuto anche come *Arancia meccanica*, dal titolo del film che ne trasse nel 1971 Stanley Kubrick.

Burgess (1916-1993) è uno scrittore strano, uno di quegli uomini che per tutta la vita conservano, della loro infanzia cattolica, un imprecisato senso di colpa, una fascinazione mista a orrore per i lati oscuri della natura umana. Una volta scrisse di avvertire la presenza di Dio come entità «invisibile e vendicatrice, un Dio interamente dedito a farmi del male». La sua *Arancia a orologeria* è un ritratto deformato e malvagio della nuova Inghilterra che sta emergendo dai crateri delle bombe e dall'austerità postbellica. Alla malvagità senza scopo di Alex ci si ispirerà per costruire la maschera di Mick Jagger.

Un altro scrittore racconta Londra e i suoi tumultuosi mutamenti, Colin MacInnes (1914-1976), figlio di un professore di musica australiano e di Angela Thirkill, nipote del celebre pittore preraffaellita Edward Burne-Jones, cugina di Rudyard Kipling, scrittrice ella stessa. Il più noto dei suoi romanzi, *Principianti assoluti* (1959), è nello stesso tempo il ritratto della città, della nuova generazione diventata soggetto economico, degli immigrati dall'India Occidentale e dall'Africa che stanno cambiando il volto della capitale.

Nel decennio dei Sessanta Londra è anche la patria di un nuovo teatro affidato a un gruppo di drammaturghi battezzati «*angry young men*», giovani arrabbiati. Di quel movimento fanno parte per un verso o per un altro autori come Harold Pinter,

Norman Frederick Simpson, Peter Shaffer, ma anche registi come Peter Brook, Tony Richardson, Joan Maudie Littlewood. È un teatro con un manifesto e una data di nascita: 8 maggio 1956, prima rappresentazione al Royal Court (Sloane Square, ai margini dell'elegante quartiere di Chelsea) di *Ricorda con rabbia* di John Osborne, regia di Tony Richardson. Il protagonista è un giovane proletario (Jimmy Porter) amareggiato, furente per la scoperta che tutte le promesse sulle quali aveva fondato le sue speranze di ascesa si sono rivelate illusorie. L'economia nazionale va malissimo, le cicatrici della guerra stentano a chiudersi, il presente è squallido, il futuro un incubo.

Il più autorevole critico teatrale del momento, Kenneth Tynan, entusiasta della commedia, scrive: «Non so se potrei continuare a voler bene a chiunque rifiutasse di andare a vedere *Ricorda con rabbia*». L'azione si svolge in uno squallido monocamera durante una tipica tediosa domenica inglese. Chi ricorda la bella canzone di Juliette Gréco *Je haïs les dimanches* sappia che se a Parigi si possono «odiare» le domeniche, nulla è più detestabile e uggioso di una domenica pomeriggio in una cittadina della provincia britannica. Jimmy riversa la sua delusione, la sua ira, sulla moglie, figlia di un funzionario coloniale in pensione. Fa di lei il bersaglio delle sue frustrazioni. Jimmy «ricorda con rabbia», ma alla rabbia mescola il rimpianto per qualche cosa che è insieme molto precisa e molto vaga, né decisamente politica né del tutto privata: in definitiva quell'Inghilterra che non c'è più, scomparsa con la guerra e la fine dell'Impero.

Nell'agosto 1960, l'Inghilterra chiude l'era del moralismo vittoriano con una sentenza destinata a segnare la storia sia della letteratura sia del costume. Sul finire di quell'estate un romanzo «scandaloso», il celebre *L'amante di Lady Chatterley* di David Herbert Lawrence (1885-1930), viene assolto dall'accusa di oscenità e ammesso a circolare nel Regno Unito così come da tempo circolava nel resto del mondo.

La legislazione britannica sulla sessualità, quando si apre il processo, è ancora quella dei tempi di Wilde. Il romanzo ha un argomento ampiamente noto: una dama dell'aristocrazia vive una travolgente relazione sessuale con il guardiacaccia del suo gelido marito. I loro fiammeggianti amplessi si consumano in un «capanno» e non conoscono freni, i due amanti realizzano tutte le fantasie che un uomo e una donna, presi l'uno dell'altro, possono concepire. Non avendo molto in comune a parte l'animalesca vitalità che li unisce, i due parlano quasi solo di ciò che fanno, tutto nominando con i termini più crudi.

I costumi inglesi in fatto di sessualità, praticata o raccontata, non erano stati sempre così rigidi. *I racconti di Canterbury* di Chaucer (1340-1400), uno dei testi di riferimento della letteratura medievale, sono piuttosto espliciti in fatto di avventure della carne, né mai hanno avuto noie censorie, forse a causa dalla loro «classicità». La prima legge contro le pubblicazioni oscene era stata emanata nel 1857, fino a quel momento le rappresentazioni licenziose erano state condannate solo in quanto «violazione della pace del re» (*Breach of the King's Peace*) o, come diremmo noi, dell'ordine pubblico.

Descrivendo fino al dettaglio convegni così accesi tra una Lady e un guardiacaccia, Lawrence aveva preso d'infilata due tabù: aveva fatto congiungere due persone socialmente dissimili e partecipare attivamente la donna a un inaccettabile sfrenamento dei sensi. Non ci sarebbe stato uguale scandalo a parti rovesciate, se un signore dell'aristocrazia si fosse giaciuto con una popolana o una serva.

Il processo contro il romanzo di Lawrence si tenne all'Old Bailey e andò avanti per sei udienze, che conservarono la loro solennità nonostante il flusso di parole scurrili che il pubblico accusatore continuò a ripetere, citando il libro, nel tentativo di convincere la giuria. In realtà l'acceso conservatore Mervyn Griffith-Jones, questo il suo nome, aveva un compito arduo; più ancora degli avvocati difensori doveva lottare contro il senso comune ormai dominante, e c'è addirittura chi sostiene che il capo della procura londinese, sicuro dell'assoluzione, avesse voluto il processo proprio per stabilire un precedente che spazzasse via gli ultimi residui di moralismo ottocentesco.

La pubblica accusa non riuscì a portare in aula nemmeno un teste a carico. L'unico disponibile, Evelyn Waugh, per odio verso Lawrence, venne rifiutato dallo stesso pubblico ministero che temette le conseguenze sulla giuria della sua ostentata eccentricità.

Griffith-Jones si rifugiò negli effetti più scontati gridando ai nove uomini e alle tre donne (tutti appartenenti alla media borghesia) della giuria popolare: «È questo un libro che vorreste far leggere a vostra moglie o ai vostri domestici?». Tentò di spingere sul tasto populistico nel tentativo di stare al passo con i tempi: «Quale valore educativo o sociologico c'è in questo romanzo agli occhi di una giovinetta che lavora in una fabbrica o in un laboratorio?». Cercò di stabilire confronti che sperava imbarazzanti: «Bisogna inoltrarsi nel quartiere del vizio, in certi vicoli equivoci di Parigi o addirittura di Porto Said per trovare raffigurazioni dell'amplesso altrettanto lubriche». Si fece contabile di quelle lascivie: «Troverete nel romanzo numerose copule, non meno di tredici secondo i miei calcoli». Stranamente il rappresentante dell'accusa non citò il solo argomento che avrebbe potuto fondare su un articolo di legge. Il settimo accoppiamento tra Lady Connie e il robusto guardiacaccia avviene infatti per via anale, e la legge inglese considerava la sodomia un reato anche se consumata nel rapporto coniugale.

Il collegio di difesa era guidato da Gerald Gardiner, uno dei più valenti avvocati del paese, di scuola liberale, tenace oppositore della pena di morte. Erano previsti settanta testi a discarico, ma la corte ne ammise solo la metà. Vennero ascoltati scrittori, sacerdoti, poeti, una giovinetta appena uscita da un ritiro spirituale. Il critico letterario Richard Hoggart sostenne non solo che il romanzo era «virtuoso, puritano, morale» ma che andava difeso anche per «il suo rispetto per le palle di un uomo». «Rispetto per le palle?» ripeté sbigottito e forse con angoscia il pubblico ministero. «Esattamente» confermò il teste. «Venendo in aula stamani ho udito questa "parolaccia" tre volte nel giro di pochi minuti. Se fossi passato davanti a un cantiere edilizio non avrei udito altro. Lawrence era inorridito dal fatto che questa parola fosse usata come un'ingiuria o per scherno. Voleva restituire ai termini della sessualità il loro significato più autentico.»

Rebecca West indugiò sul rapporto che Lawrence stabilisce tra sensualità pagana, religiosità e una specie di ecologia ante litteram. Il marito di Lady Chatterley è un baronetto quasi impotente, il guardiacaccia Mellors incarna il ritorno a una vita più intensa, un modo non nuovo ma nemmeno sgradevole per ristabilire l'unione con lo spirito della terra.

David Herbert Lawrence aveva scritto il suo romanzo in Toscana in tre successive stesure tra il 1925 e il 1928. Anni dopo si sarebbe scoperto che il personaggio del sanguigno Mellors gli era stato ispirato da un certo Angelo Ravagli, vigoroso capitano dei bersaglieri. Il processo si chiuse con l'assoluzione piena, come i tempi e il senso comune ormai imponevano.

Anche nella psichiatria il decennio dei «Favolosi Sessanta» (*The Fab Sixties*) porta novità importanti: in quell'aria di libertà e mutamento si afferma la corrente nota come «antipsichiatria». Ronald D. Laing già nel 1959 aveva pubblicato *L'io diviso*, uno studio destinato a far epoca. Il libro successivo, del 1967, si intitola *Politica dell'esperienza*. Come Laing disse al congresso di Psichiatria sociale del 1964: «Ciò che vediamo in certi individui che trattiamo ed "etichettiamo" come schizofrenici, è solo l'espressione comportamentale di un dramma di esperienza interiore. Questo dramma ci si presenta in una forma distorta che noi tendiamo a distorcere ulteriormente con i nostri sforzi terapeutici».

È solo con una decisione "politica", sostiene Laing, che possiamo etichettare come schizofrenia ciò che è invece: «un viaggio a ritroso, sempre più in profondità nella propria storia individuale, giù e indietro attraverso e oltre l'esperienza di tutta l'umanità». Deriva da questa concezione il rifiuto del manicomio e di ogni trattamento imposto d'autorità. La tesi è che i disturbi mentali non si possono curare come si curano le malattie dell'organismo. Nella maggioranza dei casi infatti le sofferenze psichiche sono il risultato non di una patologia individuale bensì di condizionamenti ambientali o di contraddizioni sociali. La psichiatria classica che cercava d'intervenire con terapie forzate (dal letto di contenzione allo shock insulinico, all'elettroshock) era, più che una scienza, la manifestazione di un preciso indirizzo politico e ideologico che tendeva alla repressione del dissenso in qualunque forma manifestato.

Nelle tesi di Laing, come in quelle dell'americano Erving Goffman o dell'italiano Franco Basaglia, c'è molta ideologia ispirata anch'essa allo «spirito del tempo», insieme c'è però la giusta intuizione che il manicomio è ormai un istituto intollerabile e non più giustificato. Tanto più che i nuovi psicofarmaci fanno apparire decrepite o inutili o disumane le misure fisiche di costrizione arrivate senza mutamenti dai secoli più lontani.

Uno dei poli che condensano la vivacità di quegli anni è Carnaby Street, una stradina incuneata in un reticolo di piccole vie nell'area tra Regent Street e Piccadilly Circus, in forte declino dopo la guerra. È una zona centrale ma negletta di cui nessuno probabilmente avrebbe parlato se un giorno, sul finire degli anni Cinquanta, un certo John Stephen non avesse aperto proprio lì la sua prima boutique. Stephen è abile e sveglio, ha annusato chissà come il vento che tira: mette in vetrina capi vistosi dai colori vivaci, roba mai vista prima a Londra, mutande rosse o gialle che alcuni elegantoni o divi del cinema fanno subito diventare un obbligo. Qualcuno obietta che è roba da omosessuali e va evitata; Stephen insiste, e vince. Pochi anni dopo le sue boutique sono una catena e nel frattempo Carnaby è diventata uno dei principali centri di attrazione per la *swinging generation*. Due nomi emergono su tutti gli altri: Mary Quant e Biba. «Non volevamo essere chic» dirà in seguito Biba «volevamo solo essere ridicole.»

Mary Quant diventa una delle donne simbolo di quegli anni per aver inventato la minigonna (*miniskirt*, 1966), pochi centimetri in meno di stoffa che comportarono enormi conseguenze nell'abbigliamento, nel costume, nelle abitudini, nei rapporti tra uomo e donna, nell'erotismo. Basta pensare che una delle conseguenze fu, nell'intimo femminile, l'abolizione di calze e reggicalze, l'arrivo del detestato (dagli uomini) collant.

Di famiglia piccoloborghese, Mary sposa Alexander Plunket-Greene che è di ben altro rango. Dopo aver studiato in una scuola di arti applicate, Mary aveva iniziato come lavorante presso una modista della *haute couture*. Uno di quei posti dove ci vogliono tre giorni per confezionare un cappello. Aperto un suo laboratorio di abbigliamento, rovescerà i tempi di lavorazione, tagliandoli al minimo così come taglierà i tempi delle sue sfilate. Dopo essere tornata dal suo trionfale giro negli Stati Uniti dirà: «Abbiamo fatto sfilare quaranta modelli in quattordici minuti. E ogni singolo minuto era zeppo di avvenimenti». Aveva ragione. Le sue sfilate, tutte le sfilate di quel periodo, non sono più semplici rassegne di dignitose modelle usate come stampelle mobili sulle quali appendere gli abiti. Diventano spettacoli: musica, azione, coreografia, movimento, eccitazione. Teatro, ancora una volta, gusto dell'azione, velocità, in una parola: giovinezza.

Mary è vivace, allegra, dotata di formidabile intuito. Vidal Sassoon inventerà per lei la pettinatura a caschetto che diventa un altro degli stilemi del tempo, ripreso anche in Italia dal coiffeur milanese Cele Vergottini. La Quant è coraggiosa, indossa per prima, come una sfida, gli abiti che ha disegnato. Impone non solo a Londra ma al mondo occidentale quello stile che andrà sotto il nome di *Chelsea look*. Scriverà: «Un tempo l'abito era il segno inequivocabile della posizione sociale e della fascia di reddito di una donna. Oggi non è più così. Lo snobismo è passato di moda, e nei nostri negozi le duchesse lottano gomito a gomito con le dattilografe per comprare gli stessi vestiti».

Carnaby Street è quanto di più simile esista a Londra a quella vivacità propria di certi quartieri sospesi fra trasgressione e richiamo turistico: Trastevere a Roma, il Village a New York, rue Saint-André-des-Arts a Parigi. Da allora tutto è molto cambiato, come del resto è cambiata via Veneto rispetto alla strada vissuta, e in gran parte immaginata, da Fellini nella *Dolce vita*. È come se il livello di botteghe e edifici si fosse artificiosamente alzato, rendendo più evidente il desiderio di catturare il visitatore offrendogli ciò che può trovare anche altrove, però in un'atmosfera diversa.

Più che in Carnaby è nel reticolo delle strade vicine che si trova ormai il vero «movimento», l'anima trasgressiva di Soho. Nei giorni dell'autunno 2002 in cui mi trovavo a Londra per rivedere le ultime parti di questo libro, un giornalista ha fatto un esperimento. Fingendosi un turista arrivato dalla provincia ha battuto le strade del quartiere per vedere quali offerte gli sarebbero arrivate. La sua cronaca ha registrato: dosi delle droghe più varie, dalla marijuana al crack passando per cocaina ed eroina; una pistola Colt .45; una ragazzina di quattordici anni (questa almeno l'età garantita dal mezzano, perché la trattativa s'è fermata lì). Tutti elementi che fanno parte del quadro, tipici di quel genere di strade e di quartieri capaci di restituire all'artificio turistico e a una trasgressione spesso solo simulata, una parte di dura autenticità.

Gli anni Sessanta sono ormai un'epoca sfumata nella lontananza di un altro secolo. Eppure, se si pensa a tutte le novità che si sono avvicendate in quel turbinoso decennio, si vede che lì affondano le radici di molte delle cose che informano ancora oggi la nostra vita: mutamenti nella politica e nel costume, nuovi rapporti tra le persone e le generazioni, nuovi consumi, trasformazioni profonde e durevoli. Per fare un solo esempio, non credo che in Italia il referendum sul divorzio avrebbe vinto con una così larga maggioranza senza i cambiamenti nella comune sensibilità verificatisi in quegli anni, a cominciare dalle rivendicazioni del femminismo.

Accadde insomma nei «favolosi Sessanta» qualcosa di memorabile di cui Londra prima, la California poi, furono l'epicentro. Quella somma convulsa di alterazioni diede a una buona parte del mondo occidentale una fisionomia nuova dalla quale non ci si sarebbe più discostati. Le geniali canzoni dei Beatles furono la colonna sonora di quei mutamenti. Siamo abituati a riassumerli sotto il nome di «Sessantotto», duttile cifra diventata come una bella borsa larga e comoda: dentro ci si può mettere di tutto, certi che in qualche modo, in mezzo a tutto il resto, si finirà per ritrovarlo.

IV

UNO SPECCHIO ALLA REALTÀ

Il titolo del capitolo vorrebbe racchiudere in una formula illustre (la usa Amleto quando parla agli «attori») la funzione svolta per secoli dal teatro: porgere alla realtà, compresa quella dell'animo umano, uno specchio nel quale potrebbe riflettersi traendone meraviglia, consolazione oppure, più spesso che non si voglia, orrore. A Londra si può vedere una copia dell'edificio che per l'intero periodo intitolato alla regina Elisabetta I (1533-1603) offrì questo specchio: è il teatro detto «The Globe», proprio come quello nel quale vennero rappresentati i drammi di Shakespeare, Christopher Marlowe, Ben Jonson, di tutti i grandi elisabettiani. La costruzione, di forma circolare, si trova sulla sponda meridionale del Tamigi ed è stata edificata, una decina d'anni fa, non distante dal punto in cui sorgeva il vero teatro di Shakespeare. Lontano dalla City dunque e dal centro cittadino. I legislatori avevano sospettato già allora che un luogo di spettacolo di quelle dimensioni potesse provocare disordini, vociferazioni, cattivi esempi, azioni riprovevoli. Meglio confinarlo in una località fuori mano.

All'epoca il concetto di teatro era completamente diverso da quello di svago prediletto dalla borghesia che sarebbe diventato nell'Ottocento. Nelle platee elisabettiane non c'erano, per dir così, signori in cilindro, dame col piumetto di asprì, strascichi, monocoli, profumo di sigari. Il teatro era, per eccellenza, spettacolo popolare, ed è piuttosto curioso sapere come funzionava, chi andava ad assistervi, in che modo, con quale spirito.

È stato un americano ad avere l'idea che Londra dovesse avere almeno una copia del teatro che fu di Shakespeare. La sua sola traccia residua erano alcune illustrazioni a stampa;

non senza qualche disinvoltura è stato elaborato il progetto del nuovo edificio costruito poi, per quanto possibile e tra cento polemiche, con tecniche analoghe a quelle del Diciassettesimo secolo: veri pali di quercia squadrati a mano, tetto di dura paglia pressata (*thatch*), verosimili decorazioni del palcoscenico; identiche all'originale sono poi l'altezza dei gradini nell'anfiteatro e l'ampiezza della «platea» per i posti in piedi.

D'estate il teatro funziona con regolari rappresentazioni; d'inverno vengono mostrati video illustrativi mentre attori della compagnia, volenterosi e simpatici, raccontano il dietro le quinte di uno spettacolo, come vanno le cose oggi, come andavano allora.

Già, come andavano allora le cose? Approfittiamo di questa copia e sediamoci sui gradini dell'anfiteatro; una tettoia di legno ci ripara dalla pioggia perché questi sono (ed erano) i posti più cari, quelli più economici erano invece in piedi al centro della platea che era (ed è) a cielo aperto. Il palcoscenico prende un intero arco del cerchio; la parte centrale aggetta di oltre un metro verso la platea rispetto alle due zone laterali. Di conseguenza l'attore che pronuncia le sue battute al centro del proscenio si trova circondato su tre lati dal pubblico. Dobbiamo immaginare che quando, per esempio nel *Giulio Cesare*, Marc'Antonio sale alla tribuna per il famoso elogio funebre del dittatore assassinato, nel dire: «Amici, Romani, Concittadini! Sono qui per seppellire Cesare, non per onorarlo» si rivolgesse non allo sparuto gruppo di comparse che si vedeva accanto, bensì alle centinaia di spettatori che si accalcavano sotto il proscenio, con un effetto d'immedesimazione non meno forte di quello che ha oggi il più coinvolgente dei film.

Il teatro ai tempi di Elisabetta era un potente veicolo d'intrattenimento, di conoscenza, di coinvolgimento emotivo. Su quelle tavole, con addosso degli stracci colorati, qualche pezzo di vetro, un po' di stagnola, si mise in scena una delle più potenti e sottili rappresentazioni mai concepite della natura umana. Decine di autori, alcuni dei quali sommi, trasformarono in battute di dialogo i vizi e le virtù, le azioni e i pensieri segreti, la vertigine filosofica e i capricci più sordidi. La storia e la politica, l'immaginazione e il divertimento erotico, la commedia e la tragedia, la fiaba boschereccia e pastorale, la più tagliente ragione e la più dolorosa follia, non ci fu campo o genere che quel teatro non esplorasse. Un palcoscenico spoglio, occupato solo da rudimenti, feticci, grezzi simboli della realtà divenne il luogo in cui tutte le passioni, abiette o sublimi, e tutti gli ambienti (campi di battaglia e sale del trono, isole fiabesche e celle segrete, cimiteri e spalti di castello) trovarono appropriata ambientazione.

Al tempo di Shakespeare Londra ospitava ben sette teatri, tale era la fame di vedere la vita riprodotta su una scena. Il teatro di cui oggi leggiamo i testi nella dimensione «classica» che il tempo gli ha dato ebbe all'epoca una funzione analoga a quella che ha oggi la televisione. Nella stessa sala si accalcavano popolani e aristocratici, donne (anche di malaffare) e uomini d'ogni età. Il teatro rimase sano e vitale, oltre che occasione di testi eccellenti, fino a quando fu concepito per intrattenere la più varia umanità; nel momento in cui scrittura e invenzioni cominciarono a specializzarsi, i testi vennero scritti o per il popolo o per la corte e il teatro iniziò a deperire, acquisendo la connotazione «borghese» che oggi possiede, per quel tanto che ancora ne rimane in vita.

Goffo, barbarico, approssimativo, l'edificio teatrale elisabettiano non ha niente di ciò che sarà la grazia armoniosa, l'amore per la simmetria e le proporzioni dei teatri detti «all'italiana». Il Globe sorgeva in uno squallido luogo, circondato da un fossato fangoso, una specie di torre esagonale, che nei giorni di rappresentazione issava uno stendardo con il suo simbolo.

C'è un testo fondamentale sul funzionamento dei teatri elisabettiani: *Theatrum Orbis*, di Frances A. Yates. Gli spettacoli cominciavano alle due del pomeriggio. I posti avevano prezzi diversi ma tutti dovevano pagare, anche se poco: solo un penny per i posti peggiori, vale a dire in piedi nella platea di terra battuta, senza un tetto sulla testa. In caso di pioggia ci si bagnava; del resto in una città in cui soltanto poche strade erano pavimentate e le fogne scorrevano per lo più a cielo aperto, nessuno si impressionava troppo per un po' d'acqua.

Quale pubblico lo frequentava? Macellai, merciai, fornai, marinai, muratori, conciatori, tutte le categorie artigiane e operaie vi accorrevano. Nell'attesa dello spettacolo, questa folla di uomini e donne gioca a carte, beve, mangia pezzi di carne salata, ride forte, di tanto in tanto vola qualche pugno, qualche naso sanguina, qualche occhio diventa violetto, nessuno ci fa molto caso. Col passare del tempo gli odori diventano penetranti, si trasformano in miasmi, quando risultano insopportabili si brucia qualche rametto di ginepro per renderli meno offensivi. Il periodo che chiamiamo Medioevo è finito da poco, per moltissimi anni uomini e donne sono vissuti in compagnia delle bestie; quasi nulla distingueva i loro alloggi dalle stalle, talvolta dai letamai.

Sopra questa massa brulicante agitata da perenne irrequietezza, seduti sulle gradinate o direttamente sul bordo del palcoscenico, stanno gli elegantoni che per entrare hanno pagato non un penny ma uno scellino. Anche loro giocano a carte, fumano, bevono. Tra questi e la folla sottostante ci sono scambi semischerzosi di ingiurie, sconcezze, sciocchezze, giochi di parole irriverenti, indecenti, la greve ironia popolaresca dappertutto uguale. Il gusto gonfio della metafora, che alcuni drammaturghi trasformeranno in capolavoro (oltre che nella cifra del secolo), sulla bocca dei popolani diventa spiritosa invenzione, anche se al suo livello più basso. Poi ci sono i lanci di oggetti, le risate senza freno né motivo, gli approcci erotici, le maldicenze. Questa folla irrequieta, pronta alla collera e al riso, dove le lingue e i pugni si agitano con uguale facilità e velocità, rivela lo spirito del tempo. Si tratti di aristocratici che portano con negligenza il fazzoletto al naso per difendersi dagli effluvi, o di rudi plebei che accompagnano con risate e battimani ogni più fragorosa scoreggia, ciascuno in realtà recita la sua parte.

Per questo pubblico infantilmente acceso bisogna sforzarsi di rendere credibile qualunque cosa.

Nel Prologo dell'*Enrico V*, Shakespeare spiega quante illusioni quel teatro debba accendere:

Ma voi, signori tutti, perdonate
gli spiriti pedestri e piatti che hanno osato
portare su questo indegno palco un tema così grande.
Può questa misera arena contenere i vasti
campi di Francia? E possiamo, questa O di legno,

inzepparla pur dei soli cimieri che atterrirono l'aria
ad Agincourt?
Oh, perdonate!, come una cifra sbilenca
può contenere in breve spazio un milione, permettete a noi
zeri di questa grande somma, di lavorare
sulla forza della vostra immaginazione.
Supponete dunque che nella cerchia
di questi muri siano ora confinate due
potenti monarchie ...

La traduzione di Agostino Lombardo rende bene lo spirito dei versi. Il poeta conosce la povertà dei mezzi di cui dispone e si scusa con gli spettatori per gli sforzi che richiederà alla loro fantasia. Un servo di scena appare in proscenio con un cartello sul quale è scritto Roma, Egitto, Torre di Londra o una qualunque altra località. Subito tavole e stracci diventano quella località. In un'epoca come la nostra in cui si parla così spesso di realtà virtuale, come non pensare che fu il teatro a offrire la prima poderosa realtà virtuale all'immaginazione di centinaia di persone per volta? Escono tre attrici che fingono di chinarsi a raccogliere fiori e le tavole del palco si trasformano in un prato. Esce una mezza dozzina di comparse impugnando spade di legno dipinto, qualcuno in quinta fa rullare un tamburo: il prato è diventato un campo di battaglia e quei sei figuranti sono una schiera di centinaia di uomini in procinto di battersi per vincere o morire. Una seggiola un po' elaborata simula un trono, e un trono messo di fronte alla tenda che nasconde una sorta di camerino trasforma la piattaforma in una reggia o nel tribunale di Dio. Lo stesso ricettacolo celato da una tenda può diventare, per esempio, il nascondiglio nel quale trova rifugio Polonio prima che Amleto lo trafigga. Oppure la tenda si apre, rivela un'alcova con dentro un letto e sul letto il personaggio già pronto all'azione. Lo spazio coperto da tende sotto la piattaforma può rappresentare l'interno di una nave, un sotterraneo, una prigione, spesso l'inferno, infatti il suo nome tecnico è, per l'appunto, *Hell*.

Due giovani principi s'innamorano, si sposano, hanno dei figli, i figli crescono, stanno per avere a loro volta dei figli. In due o tre ore passano sotto gli occhi incantati della folla le vicende di più generazioni. Il teatro comprende un piccolo spazio al di sopra del palcoscenico, una minuscola loggia che dà modo a Giulietta di affacciarsi al verone per parlare con Romeo, a Enrico V di scalare i bastioni di Harfleur, ad Antonio di farsi trasportare al mausoleo di Cleopatra.

Nell'uso di scenari, arredi e rumori speciali, gli elisabettiani sono in grado di produrre qualche efficace effetto realistico così come le più ingenue forme di finzione. Nel Prologo del suo *Every Man in His Humour*, Ben Jonson manifesta il suo disprezzo verso gli espedienti scenici più rozzi e si gloria di aver scritto una commedia nella quale:

> Né un trono scricchiolante scende per compiacere i ragazzi
> né un veloce petardo si vede che spaventi
> le gentildonne, né si sentono rotolare palle di cannone
> per far capire che tuona, né rulla un tempestoso
> tamburo per dirti che sta per scoppiare l'uragano.

Sono state scritte pagine molto importanti sull'uso del tempo in Shakespeare. La famosa unità di tempo, che Aristotele considerava un canone privilegiato per la tragedia, ormai non basta più. L'autore elisabettiano deve potersi muovere nel tempo e nello spazio con una libertà che oggi chiameremmo cinematografica. In un singolo atto si possono contare fino a dodici cambiamenti di scena e di luogo; fra una scena e l'altra possono esserci salti di decine di anni o centinaia di chilometri, o di entrambi. Sulle stesse tavole, con le stesse spade di legno, si possono immaginare una battaglia di Giulio Cesare o una di Riccardo III; gli stessi rulli di tamburo possono essere la colonna sonora di uno scontro nel lontano Egitto o nel cuore di Londra.

Per aiutare gli spettatori a seguire lo svolgersi dell'azione, gli autori inseriscono opportune battute che servano da orientamento. Nel *Riccardo II* la battuta «È quello laggiù il castello che chiamate Barkloughly?» suggerisce in un solo verso che il protagonista è tornato dall'Irlanda e si trova sulla costa occidentale. Il passaggio del tempo è indicato da un interludio comico o da una breve scena durante la quale alcuni personaggi secondari s'incontrano, scambiandosi qualche amenità; a volte c'è una canzone. Due attori che entrano in scena con delle torce accese fanno capire che, nonostante siano le tre del pomeriggio, nel tempo scenico è già scesa la notte. Sono i meravigliosi versi di Romeo a illudere, allora come oggi, che la notte sta cedendo il passo al giorno:

> Era l'allodola, messaggera dell'alba, non l'usignolo.
> Guarda, amore, quelle maligne strisce come già
> tingono di chiaro i margini dei cirri fuggitivi
> che si disfano laggiù, a levante.
> Sono tutte consumate le candele della notte
> e il lieto mattino s'affaccia sulla punta dei piedi
> alle cime dei monti dietro un velo leggero di brume.

In altre occasioni le indicazioni di luogo e d'atmosfera hanno una doppia funzione, come in questa scena del *Macbeth*:

> *Duncan*: Questo castello sorge in un sito ameno.
> L'aria leggera dolcemente s'accorda con i nostri sensi sopiti.
> *Banquo*: E questa rondinella, ospite dell'estate, scegliendovi
> la sua dimora, prova che il fiato del cielo qui sa d'amore.

Le indicazioni dei versi introducono da una parte alla rassicurante, dolce, esteriorità dei luoghi, ma dall'altra si caricano d'ironia drammatica se si pensa a quali orrendi crimini dentro quel castello si vanno preparando.

Poiché la piattaforma che funge da palcoscenico aggetta notevolmente verso la platea, l'attore può essere osservato da tre angolazioni diverse. Posto al centro di un cerchio ideale (come accade oggi al direttore d'orchestra), egli ha molti spettatori di fronte e altri sui lati; con quelli più vicini può parlare e intrecciare lo sguardo, attirare la loro attenzione, richiamare la loro complicità, farli sentire parte dell'azione.

Agli spettatori Amleto confida i pensieri più segreti, a loro Riccardo III o Iago sibilano nelle orecchie i sardonici «a parte», Falstaff ci scherza e gioca, Antonio li convince a vendicare la morte di Cesare. Nel teatro elisabettiano l'abbondanza di monologhi ha una ragione tecnica: è il mezzo più spiccio per far progredire l'azione catturando l'attenzione del pubblico. A noi che siamo abituati alla finzione totale del film nel buio magico di un cinema, alla levigatezza inodore delle sue illusioni, questo modo di alimentare la finzione può sembrare innaturale. Osservare un attore troppo da vicino, notare il suo sudore, le tracce del cerone sul viso, la saliva che sprizza nelle battute più concitate, attenua l'illusione più che accrescerla. Nel teatro elisabettiano accade esattamente il contrario. Tra scena e platea si crea un'intimità intensa, palpitante, fonte di una poderosa tensione emotiva che a detta di alcuni è più difficile da raggiungere nel teatro di tipo «naturalistico», con gli attori che recitano come se non ci fosse il pubblico, separati dal resto del mondo da un'immaginaria «quarta parete».

Dagli elisabettiani ci separano secoli di invenzioni, di scenografia, di costumi e di trucchi, di tecnologia. Ci separa la forza ineguagliabile del cinematografo, dove la partecipazione emotiva può diventare pressoché totale, ci separano ore quotidiane di televisione, strumento grossolano dal punto di vista dell'illusione e tuttavia dotato di un potere ipnotico senza precedenti. Troppo tempo è passato e questo rende quasi indecifrabile il meccanismo emotivo di quei lontani spettacoli, salvo un elemento, uno solo. Una delle componenti di quel teatro può suscitare oggi le stesse emozioni di quattro secoli fa: l'incanto del verso. Anche se l'illusione propriamente drammatica può essersi attenuata, il coinvolgimento e la commozione creati dalla poesia rimangono oggi gli stessi di allora.

Non sempre al pubblico si chiedeva di vivere solo con la fantasia le azioni rappresentate. Impiccagioni, mutilazioni, torture venivano messe in scena con il massimo realismo possibile. Gli spettatori erano abituati a vedere il boia in azione, tutti avevano esperienza di teste mozzate dalla spada o dall'ascia, che cadevano sanguinanti in un paniere. Molti erano pronti a fischiare se l'effetto non risultava soddisfacente. La testa tagliata di Macbeth, Giulio Cesare trafitto dai congiurati, l'accecamento di Gloucester venivano mostrati con notevole verosimiglianza. Alcune didascalie con istruzioni di scena suggeriscono per lo spargimento di sangue «una piccola vescica d'aceto forata», per lo squartamento «tre fiale di sangue e le interiora di una pecora».

Tutta la parte sonora degli spettacoli era eseguita da musicisti che prendevano parte all'azione. Non esisteva il concetto, che poi trionferà con il cinema, della musica che chiamiamo «di sottofondo». La musica era eseguita a vista dagli strumentisti e anche nel caso provenisse da una sorgente nascosta – come accade in *Antonio e Cleopatra* – veniva udita e commentata dai personaggi in scena. Uguale accuratezza era riservata alla delicata operazione di rimuovere i corpi degli uccisi, visto che non esisteva un sipario da far calare al momento opportuno. Per evitare la goffaggine di un morto coperto di sangue che, sotto gli occhi di tutti, si alza ed esce di scena, c'era sempre qualcuno al quale l'autore assegnava la battuta: «E ora trascinate via quei cadaveri», per risolvere nel modo migliore ogni imbarazzo.

Se la decenza negli atteggiamenti e nel linguaggio è sconosciuta, così lo è la pietà per la sofferenza altrui. A corte come nella più infame delle taverne, uomini ubriachi assistono a combattimenti di animali dove cani vengono sbranati, orsi o scimmie perdono nella lotta le interiora, belve tenute alla catena sono battute a morte. La regina Elisabetta picchia regolarmente le sue damigelle che in qualche modo le provochino offesa o delusione. Schiaffeggia in pubblico lo stesso conte di Essex, il celebre Roberto Devereux dell'opera di Donizetti, che pure è il suo favorito, il giorno in cui osa voltarle le spalle di fronte a un rimprovero. Povero Devereux, ha conosciuto i privilegi del favorito ma anche l'amarezza della vendetta. Irritata con lui per ragioni di Stato e di cuore («L'amor suo mi fe' beata» le fa cantare Donizetti), Elisabetta, dopo essersi brevemente tormentata nel dubbio, ordina che sia decapitato.

Nel teatro elisabettiano le reazioni sono sempre estreme, le idee tempestose, la gioia travolgente, il dolore sconfinato, i colpi «dell'avversa fortuna» irreparabili, la collera spietata, la lussuria brutale. Ma anche al proprio interno ognuna di queste passioni arriva al suo estremo. L'amore, per lo più intriso di libidine, può anche raggiungere il più alto lirismo; prostitute e vergini si alternano con pari efficacia su quelle tavole; la forza dei sensi può portare alla follia, ma la follia non esclude l'uso della più tagliente ragione; l'avidità e il senso del possesso sono la regola, ma la nobile generosità spesso trionfa.

La natura pure viene spesso rappresentata in palcoscenico

nelle sue manifestazioni più selvagge: pioggia, vento, fulmini e saette, fragore di tuoni. Da quegli orridi scenari, da quegli scoscesi dirupi, da quei cieli squarciati dalle folgori, il romanticismo prenderà a piene mani. Gli elisabettiani accumulano uno spaventoso catalogo di efferatezze e di eccessi che diventeranno lo sfondo di innumerevoli drammi, romanzi d'avventura e d'appendice, e di molte opere liriche.

Ecco uno degli esempi più classici, la tempesta che squassa e travolge il povero re Lear.

> Soffiate, venti, squarciatevi le guance!
> Infuriate! Soffiate! Voi, cateratte e uragani,
> sgorgate dal cielo a sommergere i nostri campanili,
> ad annegarne i galli sopra i tetti!
> Voi fuochi sulfurei, rapidi come il pensiero,
> forieri di fulmini che spezzano le querce,
> scotennatemi il capo canuto!

Gli uomini che animano quegli anni, e quelle scene, sono dotati di grande energia, hanno spirito intraprendente, coraggio fisico, risorse intellettuali. Nasce con loro quella particolare specie di gentiluomo inglese capace (lo è ancora oggi) di lasciare l'università per andare a cacciare l'orso in Siberia o a esplorare le più desolate lande della Patagonia raccontandole poi come in una fiaba. C'è chi fa risalire questa energia indomita alla vecchia resistente radice sassone, agli ardimentosi giramondo dei gelidi mari scandinavi. È in quel secolo che gli inglesi si conquistano il titolo di popolo guerriero che a buon diritto ancora gli spetta. Chi pensa che il popolo guerriero d'Europa siano i tedeschi sbaglia; i tedeschi, fra l'altro, le guerre le hanno quasi sempre perse. Gli inglesi invece le vincono, anche quando si tratta di andarle a fare dall'altra parte del mondo per difendere o conquistare quattro sassi di isole abitate quasi esclusivamente da capre selvatiche.

Il temperamento indomito che li caratterizza è fatto di ostinazione, caparbietà (la loro parola è *stubbornness*), coraggio, resistenza fisica, fredda determinazione. Benvenuto Cellini ne parlava come di un popolo «bellicosissimo» e li definiva «selvaggi»; c'era chi attribuiva alla loro alimentazione prevalentemente carnea la brutale solidità delle membra e del carattere:

«l'enorme quantità di stinchi di bue di cui si nutrono alimenta la loro forza e la ferocia del loro istinto».

Un popolo siffatto ha bisogno di una rude disciplina per essere tenuto a freno, anche di questo sono testimoni il teatro e i costumi degli anni tra Enrico ed Elisabetta. La fustigazione degli scolari indisciplinati è stata abolita solo da poco tempo, almeno ufficialmente, perché ci sono forti indizi che qua e là continui a essere praticata. Negli anni di cui stiamo parlando, comunque, le punizioni fisiche erano, non solo in Inghilterra, la norma. Le punizioni d'ogni tipo, fino a quelle capitali, dovevano essere terrorizzanti, ma nella stessa idea di vita rientrava la nozione che la morte era un evento in ogni momento possibile, che le ferite, il ceppo del boia, la tortura potevano diventare cosa di tutti i giorni. La Torre di Londra inghiotte in quegli anni molte vittime illustri: il duca di Buckingham, la regina Anna Bolena, la regina Caterina Howard, il conte del Surrey, l'ammiraglio Seymour, il duca di Somerset, lady Jane Grey e suo marito, il duca di Northumberland, Maria Stuarda, il conte di Essex, per non citare che i più famosi, e nemmeno tutti. Erano personaggi che avevano avuto un trono o vi si erano avvicinati, avevano comunque raggiunto un rango eccellente per bellezza e gioventù, status o talento.

Lasciarono tutti la testa su un ceppo o vennero impiccati e subito dopo il balzo pauroso, appena assaggiato il morso del cappio attorno alla gola, tirati giù ancora palpitanti per essere scuoiati vivi, squartati, le membra arse davanti a una folla in tripudio, le teste infilzate su picche e poste per giorni come ornamento delle porte di Londra, osceno pasto dei corvi.

Lo storico Raphael Holinshed (1529-1580), nella sua sterminata *Cronaca d'Inghilterra, di Scozia e d'Irlanda* pubblicata nel 1577 e dalla quale Shakespeare attinge con abbondanza fatti e personaggi, racconta fra l'altro di quando, il 25 maggio 1535, nella cattedrale di Saint Paul furono giudicati diciannove uomini e sei donne nati in Olanda accusati d'eresia.

Quattordici di loro vennero condannati, un uomo e una donna di questi furono bruciati a Smithfield, gli altri dodici mandati in altre città per essere arsi vivi. Il dì 19 di giugno tre monaci vennero appesi e poi squartati e le loro teste e i quarti esposti a Londra per aver negato che fosse il re il capo supremo della Chiesa. Anche il giorno ventunesimo dello stesso mese il dottor John Fisher, vescovo di Rochester, fu decapitato per aver negato la supremazia del re e la sua testa esposta sul Ponte di Londra. Il papa lo aveva nominato cardinale e gli aveva inviato la berretta del suo nuovo stato fino a Calais, ma la sua testa venne tagliata prima che la berretta arrivasse cosicché la testa e la berretta non s'incontrarono mai.

Mandando a morte il vescovo di Rochester, Enrico VIII aveva commesso il sacrilegio di uccidere un cardinale della Chiesa di Roma. I passanti che videro l'ossuta testa del prelato esposta per giorni sul Ponte di Londra cominciarono a bisbigliare tra loro che il re avesse mandato a morte un santo. Del resto il pover'uomo, figura di ascetica magrezza, poco prima che il carnefice gli spiccasse il capo dal busto si era rivolto alla folla accorsa per assistere al suo supplizio con queste parole: «O gregge cristiano, sono venuto fin qui a morire per la fede della santa Chiesa cattolica di Cristo». Non poté dire altro. A Roma, un frate che proprio la santa Chiesa cattolica aveva giudicato eretico, venne bruciato vivo pochi anni dopo in Campo de' Fiori, mentre correva l'Anno Santo del 1600; si chiamava Giordano Bruno. Gli eccessi religiosi, comunque motivati, coprirono di sangue l'Europa in quei secoli splendidi e feroci.

Torniamo a Londra. Siamo nel pieno della repressione scatenata da Enrico VIII, che ha deciso di liberarsi del vincolo papale e della Chiesa di Roma. Tralasciando Tommaso Moro, che fa caso a sé e di cui ancora si parla, il martirio dei monaci impiccati, squartati, bruciati, è un segnale politico che il re manda a Roma perché il papa non dubiti della sua determinazione. Quei monaci sono le prime vittime di una lunga serie di assassinii giudiziari. Tre certosini, per esempio, vengono arrestati e costretti ad attendere il processo legati in piedi al muro di una segreta, la gola serrata da un collare di ferro, i piedi bloccati da pesanti catene. Per due interminabili settimane i disgraziati agonizzano lentamente senza mai potersi sedere né distendere perché i ceppi non vengono allentati nemmeno per le naturali necessità. Dopo quei terribili tormenti la forca arriva come una liberazione. Di un altro monaco, squartato vivo dopo una finta impiccagione, il cronista riferisce che «quando gli fu strappato il cuore, emise un gemito straziante».

Al supplizio delle pene e incertezze terrene bisogna aggiungere quello delle credenze e superstizioni alimentate dalle varie chiese. Il vescovo Jewell, ricevuto in udienza dalla regina Elisabetta, riferisce che il numero delle streghe nel territorio di sua competenza è ultimamente molto aumentato:

I loro sortilegi sospingono gli uomini verso la malattia e la morte, il loro colorito impallidisce, le loro carni si corrompono, la lingua si paralizza, i sensi si spengono. Istruite dal demonio, queste ricavano unguenti dalle viscere e dalle membra di fanciulli innocenti, dopodiché volano nell'aria per eseguire i loro malefici. Se un fanciullo non è battezzato o protetto dal segno della croce le streghe vanno nottetempo a rapirlo dal fianco stesso delle loro madri, oppure ne disseppelliscono il cadavere per porlo in un calderone fino a quando le carni non siano interamente disciolte. Per loro regola, ogni strega deve uccidere almeno un bambino ogni quindici giorni o al massimo un mese.

Non era solo il popolino a credere possibili tali sinistre sciocchezze, c'erano uomini di scienza e dotti, alti prelati, che se ne dicevano convinti.

Ma per il teatro, che è l'argomento di cui ci occupiamo, quale miniera di ispirazione rappresenta questo fantastico empireo di fenomeni soprannaturali e di maligne presenze. Quando Shakespeare apre il suo *Macbeth* con le tre streghe che entrano in scena tra fulmini e saette e subito annunciano: «È brutto il bello, è bello il brutto / voliamo via nella nebbia e l'aria corrotta», il pubblico che s'affolla in platea avverte in quelle lugubri esortazioni l'eco di malefici di cui ha inteso parlare, che sa frequenti, verosimili, confermati dai predicatori che tuonano dai pulpiti.

Le leggende che hanno come protagonisti morti che tornano in vita e ombre inafferrabili sono frequentissime: non c'è cimitero parrocchiale che non abbia il suo fantasma che nelle notti senza luna s'aggira tra le tombe; ovunque un uomo sia stato assassinato uno spirito aleggia, appare d'improvviso al viandante nelle forme più terrificanti. Solo pochi coraggiosi osano uscire di casa dopo il tramonto. Nelle lunghe serate attorno al fuoco si racconta di carrozze lanciate al galoppo con in serpa postiglioni dalla testa mozzata, di cavalli che hanno occhi come di brace, di spaventose larve che tendono agguati all'imprudente che attraversa nottetempo il loro territorio. Deriva da leggende di questo tipo l'inizio di *Amleto*, con lo spettro del re morto che appare al figlio sugli spalti di Elsinore per rivelargli il modo in cui è stato ucciso e il nome dell'assassino.

La morte, il mistero dell'oltretomba regnano incontrastati in questi racconti. In *Misura per misura*, Shakespeare fa dire al giovane gentiluomo Claudio:

> Morire è andare non sappiamo dove; giacere in una gelida rigidità, imputridire. Com'è orribile che questo caldo e sensibile moto debba trasformarsi in molle argilla, e il dilettoso spirito bagnarsi in infiammati flutti o dimorare nella rabbrividente regione dei ghiacci; essere imprigionato da venti invisibili e soffiato con violenza senza tregua intorno al pendulo universo ... La più penosa e detestabile vita terrena che l'età, il dolore, la miseria, il carcere, possano infliggere alla natura è un paradiso a confronto con ciò che dalla morte temiamo.

Idea terrorizzante, che il principe Amleto fa sua quando si chiede chi vorrebbe patire i rovesci della fortuna e le ingiurie dei potenti se non vi fosse il terrore di affrontare quel viaggio «da cui nessuno ha mai fatto ritorno». La vita è un orribile sogno, si potrebbe dire. La vita della maggior parte degli uomini è una perenne alternanza di passioni e follia, crucci e pericoli. E alla fine di tutto, scrivono Francis Beaumont e John Fletcher in uno dei loro drammi: «Altro non c'è che una silente tomba, non parole, non liete passeggiate con gli amici, non la voce di un'amante, non gli amorevoli consigli d'un padre; più nulla da udire, nulla che non sia oblio, polvere, una perenne oscurità».

Di questi due autori quasi nessuno si ricorda, ed è un peccato perché il loro teatro facile, pieno di colpi di scena e di suspense piacque immensamente ai contemporanei, e proprio perché «facile», cioè molto permeabile ai gusti correnti, ci permette di scorgere *in vitro* quale fosse lo spirito del tempo, i timori e le speranze di chi quelle commedie andava ad applaudire.

Il Rinascimento non è un fenomeno solo italiano. Ma se mettiamo a confronto le forme e i temi di fondo in cui la rinascita delle arti si presentò in Italia e in Inghilterra, le diversità saltano all'occhio. Quando Amleto esclama nel suo più celebre monologo: «Morire, dormire; dormire, sognare forse...»

riassume in poche parole una concezione della vita molto vicina a un incubo. Una così insistita e coerente visione del mondo e dell'esistenza non sarebbe uscita dalla fantasia di Shakespeare se non si fosse trattato di uno stato d'animo diffuso. Il bardo riflette, al suo livello di genialità, lo spirito del tempo in cui visse. Le scene dei suoi drammi raccontano le stesse paure di cui sono piene le strade di Londra e le fantasie notturne degli uomini.

Si pensi alla solare pittura italiana di quegli anni e la si confronti con le nebbie, i terrori, i patimenti, il sangue di cui gronda il teatro elisabettiano. Anche i nostri drammaturghi descrivono congiure, assassinii, la forza della lussuria, la sconfinata ferocia del potere. Machiavelli non è da solo quando scrive *La mandragola*. Eppure le piazze, i palazzi, i giardini italiani irradiano una serenità, un equilibrio, un'armonia di linee e volumi che non ha uguali nel mondo rinascimentale. Esiste una spiegazione per tali diversità? È stata tentata più volte, ma nessuna risposta è mai risultata del tutto convincente.

La vita di un attore elisabettiano non è facile. La considerazione sociale che lo circonda è bassa. Tutti coloro che lavorano nello spettacolo devono trovarsi la protezione ufficiale di un gentiluomo o della corte, altrimenti sono sospettati di essere solo dei vagabondi perdigiorno. Nemmeno la protezione di un nobile libera comunque gli attori dai limiti imposti dai regolamenti locali. In un'epoca di scarsa igiene e facile alle pestilenze, si temono gli assembramenti e si tende a limitarli. In molte città di provincia le corporazioni degli artigiani e dei contadini sono ostili al teatro perché temono che distolga gli uomini dal lavoro e perché le Scritture lo condannano considerandolo idolatrico.

Nella stessa Londra le autorità abolirebbero volentieri le rappresentazioni se la regina non desiderasse avere degli spettacoli a corte durante le feste di Natale. Quando nel 1600 le autorità londinesi si oppongono alla costruzione di un nuovo teatro, il Consiglio della corona decreta che: «La fruizione di alcuni drammi non essendo dannosa in sé, può con buon ordine e moderazione essere tollerata», tanto più che: «piacendo a volte a Sua Maestà svagarsi guardandoli e ascoltandoli, è opportuno che si prenda qualche provvedimento per il mantenimento di coloro che si ritengono più idonei a procurare diletto e svago a Sua Maestà».

L'opposizione dei puritani rimane comunque accesa e nel 1642 il Parlamento, nel quale hanno la maggioranza, impone la chiusura a tempo indeterminato di ogni tipo di teatro. Per quasi vent'anni, fino alla Restaurazione monarchica del 1660, il teatro è praticamente bandito. Quando riprenderà sarà comunque in forme diverse e soprattutto per un pubblico nuovo, non più composto da quella mescolanza di ceti che era stata una delle caratteristiche più feconde dell'epoca elisabettiana.

I puritani detestano il teatro perché nei suoi addobbi e nei costumi che appaiono così sfarzosi si può scorgere qualche somiglianza con i rituali della Chiesa cattolica: «I mostruosi panni e cenci di Roma», come scrive uno dei drammaturghi del periodo.

Molti autori che scrivono per il teatro hanno cominciato spesso come attori e vengono quasi sempre dalle classi umili. Ben Jonson è figliastro di un muratore e muratore egli stesso, Christopher Marlowe è figlio di un calzolaio, Shakespeare di un mercante di lane, John Webster di un sarto, Philip Massinger di un servitore. Sono uomini di accese passioni e dalla vita disordinata: bevono, passano il tempo nelle taverne, sono rissosi, hanno commerci carnali con donne di basso conio. Intanto recitano, scrivono copioni, mettono in scena i vizi altrui attingendo ironicamente dai propri, campano come viene, giorno per giorno, cedono a ogni impulso mettendo a repentaglio la propria reputazione, si concedono eccessi che qualunque essere ragionevole considererebbe follia. Thomas Heywood, che si vanta di aver composto duecentoventi testi per il teatro, ha scritto senza quasi mai smettere in circostanze e luoghi impensabili: taverne, bordelli, case da gioco. Di quella immensa fatica restano poco più d'una ventina di copioni. Ben Jonson uccide un collega in duello, viene arrestato e bollato a fuoco con il marchio degli assassini prima di essere liberato, forse per intervento di uomini di chiesa.

Robert Greene percorre in lungo e in largo l'Europa del Sud, Spagna e Italia. Quando rientra a Londra diventa a sua volta un frequentatore abituale di taverne. Confessa apertamente, certo con intento provocatorio: «Ho ecceduto in orgoglio, le bagasce sono state il mio esercizio quotidiano, l'ingordigia e l'ubriachezza la mia sola gioia». Continua su quel registro, divora i beni suoi e di sua moglie, si concede la compagnia di ruffiani, cortigiane, bari. Beve a dismisura, bestemmia, scrive piccoli testi edificanti nei quali mette in guardia i giovani dai trucchi e adescamenti di prostitute e truffatori.

Christopher Marlowe, uno dei più geniali, nasce figlio di un calzolaio di Canterbury ma riesce a laurearsi in uno dei più prestigiosi collegi di Cambridge, forse grazie alla generosità di un gentiluomo, guadagnata chissà come. Ha un temperamento ribelle, incline alla dissolutezza, impersona la parte più carnale e violenta dello spirito rinascimentale. Appartiene a quel tipo di uomini che avvertono d'istinto le novità. Marlowe sente intorno a sé un'inedita libertà di pensiero che autorizza a infrangere le regole morali correnti, intuisce il crollo di credenze e pregiudizi che hanno bloccato per secoli l'immaginazione, scopre che gli eccessi della fantasia e quelli della vita possono coincidere. Come Greene, si proclama scettico, nega l'esistenza di Dio, la divinità del Cristo, bestemmia la Trinità, dice che Mosè era solo un ciarlatano, assicura che Gesù meritava la morte più di Barabba. Forse è anche un informatore del governo, forse si mescola in Francia alle attività sovversive di inglesi filocattolici espatriati. È un attore ma, essendo diventato zoppo per la rottura di una gamba in una scena di particolare violenza, deve smettere di recitare. Ha per amante una sgualdrina e un giorno viene a lite con un possibile rivale, tenta di pugnalarlo ma quello gli torce il braccio in modo da trafiggerlo con la sua stessa lama. Muore così, in una rissa da osteria, e non ha nemmeno trent'anni.

Quali versi possono scaturire da una tale vita? Marlowe dà prova di un istinto teatrale smodato, quasi selvaggio. Compone versi poderosi, sovraccarichi, furibondi, pieni di colore, traboccanti di una grandiosa empietà. Nell'*Ebreo di Malta*, Barabba, il protagonista, trattato dai cristiani come una bestia, è reso quasi pazzo dall'odio. Allo schiavo Itamoro dà questi precetti (magistralmente tradotti da Rodolfo Wilcock):

Non hai mestiere fisso? Allora ascoltami,
e tieni bene a mente ciò che dico:
primo, liberati da questi sentimenti:
pietà, paura, amore, vana speranza;
che nulla ti commuova né impietosisca;
quando un cristiano piange, tu sorridi. ...
Ciò che a me piace è girare di notte
e uccidere i malati sotto i portici;
talvolta getto veleno in qualche pozzo.

Il teatro e i personaggi di Marlowe non si fondano sulla psicologia. Nelle sue tragedie la psicologia è tutta assorbita dagli eventi e l'azione è tutta racchiusa nel potere iperbolico, quasi allucinatorio, della parola. Prima di finire in un calderone d'olio bollente (pena prevista per gli avvelenatori), Barabba intossica le monache di un convento, progetta una macchina infernale per far saltare in aria la guarnigione turca, elimina i pretendenti dell'amata figlia, uccide la figlia stessa.

Nel finale della tragedia *Edoardo II* le parole del giovane Mortimer, pochi istanti prima di essere giustiziato, racchiudono una visione della vita che appartiene, più ancora che al personaggio, al suo autore e al teatro dell'epoca:

Fortuna vile, vedo che nella ruota
tua c'è un punto che una volta raggiunto
ti costringe a cadere; io l'ho toccato,
e se più in alto non si può salire,
perché lagnarmi se ora debbo scendere?
Bella regina, addio; per me non piangere:
disprezzo il mondo, e come un viaggiatore
vado a scoprire paesi ancora ignoti.

Questi versi sono un grido dal cuore, la confessione in punto di morte dello stesso Marlowe e di tutti coloro che sfidano la sorte giocando la propria vita contro un destino scritto da qualche parte. Ma questi versi sono anche una delle prove che gli elisabettiani compongono su formule e metafore collaudate che si rimbalzano l'uno con l'altro. L'immagine della fortuna che va presa nel suo punto più alto si ritrova identica nel IV atto (scena III) del *Giulio Cesare* quando Bruto esclama:

C'è una marea nelle vicende umane
che colta al culmine porta ancor più in alto;

ma se mancata costringe tra secche e sventure
l'intero viaggio della vita d'un uomo.

Quale lascito grandioso è stata per la generazione dei romantici questa visione del mondo. Infatti saranno loro a riscoprire Shakespeare e a farne uno dei massimi poeti, interprete sommo dell'umanità. Nel folto gruppo di coloro che hanno contribuito a questa rivalutazione scelgo due nomi: Hyppolite Taine e Victor Hugo. Il primo, per l'empito con il quale s'identificò con il positivismo europeo facendosi apostolo di una visione integralmente naturalistica dell'esistenza. Individuo, ambiente, psicologia, fisiologia formano nella sua concezione un solo vibrante impasto. Hugo, per la sua visione quasi carnale del teatro, della letteratura e della vita; uno scrittore capace d'investire tutti i luoghi comuni del sentimento, le ingiustizie della società, il lirismo e l'abiezione umani. In questo disordine visionario Shakespeare ha un posto di primo piano.

Sembra incredibile oggi che un drammaturgo e poeta di tale potenza sia potuto rimanere quasi ignorato per decenni. In Francia uno dei primi a occuparsene fu Voltaire, che di ritorno da un viaggio in Inghilterra si disse sbalordito se non conquistato da questo «barbare de génie». Geniale o no, lo scrittore francese lo giudicava comunque un poeta privo della «più piccola scintilla di buon gusto e affatto ignaro delle regole». In Italia andò anche peggio. Bisogna superare la metà dell'Ottocento per avere una recita di Otello, con Ernesto Rossi nel ruolo protagonista (Milano, 1856). Mentre un altro grande attore, Gustavo Modena, che aveva provato a sua volta a mettere in scena quel dramma fu costretto a cambiare velocemente idea per le proteste del pubblico, che aveva scambiato una sublime tragedia per una farsa mal riuscita. Era un'epoca in cui tragedie e protagonisti di quel tipo venivano tollerati quasi solo nella loro versione melodrammatica, dove la musica attenuasse l'asprezza dei contrasti.

Come poté accadere che il pubblico non riconoscesse la potenza di Shakespeare? Un poeta che, non foss'altro, aveva scritto ben quaranta testi per un totale di centotrentamila versi? Decenni di classicismo avevano limato il gusto restringendolo in una immutabile compostezza. L'eroe tragico doveva apparire solenne, quasi scolpito nel suo ruolo, marmoreo, attraversato sì da passioni violente ma tutte sublimate nel verso. Shakespeare al contrario fa delirare i suoi personaggi, li lascia stravolti dalle passioni, li consegna nudi, trafelati, coperti di sangue o d'obbrobrio al loro destino. Ci vollero anni perché una grandezza così diversa da quella abituale venisse riconosciuta. Nell'Ottocento italiano si può citare in pratica solo Adelaide Ristori, unica grande interprete femminile (Lady Macbeth) di Shakespeare.

Nella prefazione al suo dramma *Cromwell*, Hugo (che ha venticinque anni) fa della storia la fonte del teatro moderno e reclama, suscitando scandalo, un posto per il grottesco all'interno della tragedia. Quando di anni ne ha sessantadue l'indomito scrittore torna sull'argomento pubblicando un ritratto-biografia del grande inglese. Nelle pagine del suo *Shakespeare* fa rivivere la vita e l'avventura del bardo, le condizioni deplorevoli dei teatri elisabettiani. Il lettore è trasportato, anzi travolto, dalla traboccante ammirazione per il poeta: «Una forza smisurata, un fascino squisito, la ferocia epica, la pietà, la facoltà creatrice, la gaiezza, il sarcasmo, la violenta frustata ai malvagi, la vastità dell'insieme, la profondità del dettaglio, nulla manca a questo spirito».

Nei drammi e nella vita stessa di Shakespeare Hugo scorge la più appropriata esemplificazione del dramma com'era da lui concepito: un genere fondato sui contrasti, sulla coesistenza di comico e di tragico il cui risultato complessivo può essere, ed è quasi auspicabile che sia, il grottesco. Ribadire questi principi non era più molto rischioso nel 1864, ma quando lo scrittore aveva cominciato ad affermarli, quarant'anni prima, in pieno classicismo, le sue idee erano sembrate poco meno che blasfeme, in ogni caso molto provocatorie. La battaglia per *Hernani*, che precede di poco la rivoluzione del 1830, aveva fatto schierare per molte sere gli uni contro gli altri, sia in teatro che sui giornali, i sostenitori dei classici contro i partigiani di un modo più tumultuoso di rappresentare vicende e sentimenti degli uomini. Questi ultimi avevano finito per prevalere, almeno tra le élite; dalla loro vittoria non solo era uscito trasformato il teatro di prosa, ma aveva preso vigore un filone del romanzo popolare che non si sarebbe più esaurito, ed è infatti giunto, dopo aver alimentato l'opera in musica, fino agli sceneggiati televisivi dei nostri giorni.

Ancora all'inizio dell'Ottocento, i drammi di Shakespeare suscitavano il dileggio della critica. Il poeta veniva definito «un plagiario», «un corvo agghindato con piume altrui», «uno che gonfia versi vuoti». Thomas Rhymer così giudicava *Otello*: «La morale di questa storia è istruttiva: un avvertimento alle buone massaie a sorvegliare con cura la biancheria di casa». Shakespeare veniva accusato di «scrivere per la gente, sacrificare alla marmaglia, compiacersi dell'orrido». Lord Shaftesbury aveva affermato: «Questo Shakespeare è uno spirito barbaro e grossolano», ed è un insulto sul quale vale la pena di fermarsi, perché la «barbarie» attribuita al poeta altro non era che la sua capacità di sovrapporre sentimenti e situazioni. Che cosa curiosa: le qualità che seducono Hugo sono esattamente le stesse che avevano irritato Voltaire. Turbato dai drammi shakespeariani, il filosofo francese aveva scritto: «Nell'*Amleto* ci sono dei becchini che scavano una fossa sbevazzando, cantando canzonette e dicendo lepidezze adeguate al loro mestiere, sui crani dei morti». Per concludere: «Quante scemenze!». Ribatte Hugo: «Altre opere dello spirito umano eguagliano *Amleto*, nessuna lo supera».

Infiammato dalla sua fede, Hugo invoca la creazione di «un teatro nazionale fatto con la storia, popolare per la verità umana, naturale, universale per le passioni messe in scena». Nella realtà non riuscirà a realizzarlo perché il suo teatro spaventerà i borghesi senza riuscire a vincere la diffidenza di quel popolo al quale, in nome di un utopico socialismo, lo scrittore intendeva soprattutto rivolgersi. Il suo libro su Shakespeare è il compendio di tutto questo: predilezioni, frustrazioni, propositi, oltre al racconto della vita del bardo e delle condizioni in cui il teatro viveva e agiva all'epoca di Elisabetta I.

Il critico Harold Bloom fa notare in un suo saggio che Shakespeare dev'essere considerato fra l'altro il padre della lingua inglese, allo stesso modo in cui Dante lo è dell'italiano. «La *King's James Bible* usa ottomila parole» scrive, «Dante ventimila, Shakespeare almeno ventunomila» e aggiunge: «Il drammaturgo sentiva l'impulso irresistibile di coniare nuove parole. Dei ventunomila vocaboli che usa ne inventò più o meno uno su dodici per un totale di circa milleottocento neologismi molti dei quali sono ora di uso corrente».

Quale impiego ha fatto il poeta della sua straordinaria capacità inventiva e linguistica? Potendo rispondere con cento e un argomento, mi limito a queste parole: se Shakespeare non ha cambiato la natura umana, ha cambiato quanto meno il nostro modo di presentarla. E di pensarla.

V

UNO SPETTRO NELLA NOTTE

Lo strano caso del dottor Jekyll e del signor Hyde non è poi così strano, a pensarci bene. Nemmeno a uno scrittore di forte immaginazione come Robert Louis Stevenson sarebbe venuto in mente di scrivere questo racconto, destinato a diventare esemplare, se non avesse potuto attingere a motivi che coglieva attorno a sé. Dove poteva coglierli? Certo nella tradizione letteraria, soprattutto inglese; ma anche nella vita d'ogni giorno, soprattutto a Londra. Quest'uomo ammirevole, uno scozzese duro e buono, non se ne sarebbe andato a vivere nelle sperdute isole Samoa quando aveva più o meno quarant'anni, se non avesse avuto profondi motivi di rifiuto dell'animo umano così come plasmato dalla civiltà urbana. Il suo signor Hyde ne rappresenta una significativa incarnazione.

Esiste ancora la Londra spettrale e sinistra dalle cui viscere è emersa la figura di Hyde? Esiste. Come ho scritto nel capitolo d'apertura, bisogna andarla a cercare in alcune strade dell'East Side: architetture, spazi, ombre, tenebrosità di certi sfondi. Ma la si può anche ritrovare in alcuni luoghi deputati che conservano le tracce di un'epoca in cui la ricerca scientifica sembrava a volte atterrita da se stessa, cioè dalle scoperte che si andavano facendo sulla natura umana: la fragilità del sistema nervoso, l'ambiguità delle pulsioni profonde, l'incertezza dei confini che separano il bene dal male, o la ragione dalla follia.

Uno di questi luoghi è un museo che si chiama ufficialmente Hunterian Museum of the Royal College of Surgeons. Il dottor John Hunter, al quale è intitolato, era un chirurgo e anatomista (scozzese pure lui) vissuto nel Diciottesimo secolo, definito «padre della chirurgia scientifica». Era un grande elogio in anni nei quali l'azione del chirurgo si confondeva spesso con quella del flebotomo, talvolta del macellaio. Hunter era anche un grande collezionista di reperti anatomici. In anni di lavoro mise insieme migliaia di pezzi umani d'ogni tipo. Alcuni andarono distrutti nel 1941 durante i bombardamenti; ne restano però molte centinaia e bastano a dare una buona idea non solo dei fini del dottor Hunter, ma anche del meccanismo di un essere umano.

John Hunter sezionava e analizzava ogni forma di vita del mondo animale con un'ansia di ricerca e di catalogazione tipica del periodo. La sua furia classificatoria ha ancora oggi il potere di evocare l'ordine superiore che informa la vita, favorisce pensieri insoliti, tutto sommato piuttosto rasserenanti. Questa sterminata cavalcata anatomica aiuta a mettere nella giusta prospettiva le poche cose davvero importanti che ognuno di noi può sperare di trovare nella fuga dei suoi giorni. Come nelle scansie di un supermercato, questo museo allinea centinaia di contenitori dove la formalina mantiene per l'eternità le spoglie impallidite di seppie, passeri, topi, talpe, gechi, pesci, volatili, rettili, quadrupedi, e poi cuori e cervelli, compresi quelli umani, crani in formazione o appena formati di feti e di bambini in vari stadi: dalla nascita fino all'età di otto o dieci anni. Lo scopo in quest'ultimo caso è di mostrare la conformazione ossea, la progressiva chiusura delle fontanelle, l'affiorare di una fisionomia.

In tale selva di resti umani e animali, due «oggetti» in particolare attirano l'attenzione del visitatore consapevole. Il primo è lo scheletro di Jonathan Wild, il famoso fuorilegge che finì impiccato e delle cui gesta si sono occupati anche molti scrittori. Di Wild e delle sue malefatte, così tipiche del secolo nel quale visse, parlo nel capitolo dedicato a William Hogarth («Un artista borghese»). Qui segnalo solo il «giallo» che ha accompagnato la sua morte. Wild fu giustiziato alle 3 del pomeriggio del 24 maggio 1725. Il suo corpo venne seppellito nel piccolo cimitero della chiesa di St Pancras. Dopo pochi giorni si scoprì che la tomba era stata violata e che qualcuno aveva trafugato la salma, certamente per sezionarla a scopo di studio. In un secondo tempo si riuscì a ricostruire il tortuoso itinerario che le spoglie del leggendario criminale avevano percorso prima di giungere fino allo studio e al bisturi di un certo dottor Frederick Fowler, il quale finalmente, nel 1847, ne fece dono al Reale collegio dei chirurghi con una lettera cortesissima che apriva così: «*Gentlemen, I beg to offer for your acceptance the skeleton of the celebrated Jonathan Wild, wich has been in my possession...*», Signori, vi prego di accettare lo scheletro del famoso Jonathan Wild che è stato in mio possesso.

Che cosa cercavano gli anatomisti straziando con i loro ferri i miseri resti di un criminale? Cercavano di capire se il segreto del bene e del male potesse nascondersi nella conformazione fisica di un individuo, se quel segreto potesse essere ricondotto a una regola che ne consentisse il riconoscimento. Sarà quello che, anni dopo, cercherà di fare Cesare Lombroso. Una storia che non finirà con il tramonto del positivismo se è vero che, in Germania, i resti dei terroristi criminali della banda Baader-Meinhof sono stati a lungo sezionati e osservati; e se è vero che oggi si cerca nel Dna di un individuo ciò che psichiatri e anatomisti cercavano nell'attaccatura di un lobo o nell'altezza di un arco frontale. E non è detto che avessero tutti i torti.

In questo museo c'è anche un altro scheletro di grande interesse e della massima spettacolarità. Un immane insieme di ossa, femori smisurati, una gabbia toracica vasta come una damigiana, ciò che resta di un uomo alto più di due metri e mezzo che si chiamava Charles Byrne e che visse ventidue poveri anni (1761-1783) inseguito da un'opprimente curiosità e dal soprannome di *Irish Giant*, il gigante irlandese. L'uomo era consapevole di essere un fenomeno, uno scherzo della natura. Il suo timore era proprio che, una volta morto, gli anatomisti si disputassero il suo cadavere per studiarlo, il che voleva dire svuotarlo e farlo a pezzi. Per cercare di sfuggire a questa orribile sorte scongiurò chi gli era vicino di affidare al mare la sua ingombrante carcassa. Non gli riuscì. Se pagò qualcuno, il suo denaro fu inutile, se si era trattato di una promessa la parola non venne mantenuta.

Nel 1786 il celebre pittore Joshua Reynolds eseguì un ritratto del dottor John Hunter nel quale si vede il grande chirurgo seduto alla scrivania circondato da alcuni strumenti della sua scienza. Sullo sfondo compaiono due smisurati arti inferiori umani, raffigurati a partire dai piedi fino alle ginocchia. Dalla posizione capiamo che l'intero scheletro è appeso a un muro, infatti si tratta delle tibie del povero Byrne, che dunque, tre anni dopo la morte, era già finito come ornamento nello studio dell'insigne clinico e che oggi è chiuso in una vetrina del museo a lui intitolato.

Un'altra parte del museo è dedicata agli strumenti chirurgici in uso in quegli anni: seghe da ossa, scalpelli, pinze, bisturi, cateteri d'acciaio che, immaginando il loro uso, fanno rizzare i capelli. Un forma di chirurgia che poco ha a che vedere (per nostra fortuna) con quella attuale.

A metà Settecento la dissezione di un cadavere era uno spettacolo pubblico. Per proprio uso e comodità il collegio dei chirurghi disponeva di una sala settoria in un locale adiacente al carcere di Newgate; i corpi dei condannati passavano direttamente dal patibolo all'obitorio. Assistevano studenti di medicina ma anche molti curiosi, e anzi la curiosità doveva prevalere, se consideriamo il fatto che gli studenti più seri (e più forniti di denaro) preferivano le scuole di anatomia private.

Qui entriamo nel vivo del capitolo e riprendiamo le fila che avevamo cominciato a dipanare citando il celebre racconto di Stevenson. Una scuola di anatomia ha bisogno di corpi umani da sezionare. Poiché i vivi sono riluttanti a prestare le proprie membra, bisogna ricorrere ai morti. Ma nemmeno trovare i morti è facile. Negli anni tra Sette e Ottocento la domanda superiore all'offerta fece nascere e sviluppare un fiorente commercio di cadaveri. Si trattava in genere di giustiziati, i quali rendevano così, *post mortem*, un ultimo favore alla società. Oppure di persone derelitte o senza famiglia che venivano lestamente fatte sparire. Chi si incaricava della bisogna erano i *body snatchers*, i trafugatori di salme. All'angolo tra Giltspur Street e Cock Lane (un luogo conosciuto a Londra come «Pie Corner») c'è una statuetta dorata chiamata Fat Boy, per ricordare che proprio lì si spense finalmente il disastroso incendio che nel 1666 bruciò gran parte della città e fu considerato da tutti un at-

tentato papista. Nel luogo dove si trova la statuetta sorgeva fino al 1910 il pub The Fortune of War, che era il luogo in cui si radunavano i trafugatori di salme per incontrare i clienti e offrire la loro «mercanzia». Una lapide informa che i cadaveri venivano adagiati su panche disposte tutt'intorno. Su ciascuno figurava il nome del trafugatore. Chirurghi e studenti valutavano la condizione delle salme e facevano un'offerta. La cifra pattuita includeva il trasporto a domicilio della «merce».

A metà del Diciannovesimo secolo l'Inghilterra è il paese più ricco della terra e Londra è la città più grande del mondo occidentale. Le scoperte e le invenzioni si succedono senza sosta, lo sviluppo industriale porta con sé straordinarie trasformazioni. Il rovescio della medaglia è rappresentato dallo sfruttamento del lavoro (soprattutto dei bambini e delle donne), dalle frequenti epidemie, dall'aumento di criminalità e vagabondaggio, dal proliferare della prostituzione, dall'elevata mortalità. Questi profondi squilibri, le inquietudini che li accompagnano, segnano una parte della letteratura.

Tra i maggiori analisti (oltre che autori) di racconti dell'orrore c'è Howard Philips Lovecraft, scrittore ormai di culto noto con l'acronimo del suo nome: HPL. Secondo Lovecraft (1890-1937), gentiluomo americano nato a Providence (Rhode Island): «Nessuno può scrivere senza una spinta emotiva, e io la provo solo nel caso in cui entrino in scena violazioni dell'ordine naturale, sfide ed evasioni dello spazio, del tempo e delle leggi universali». L'Inghilterra, Londra in particolare, è stata sede privilegiata per racconti come questi, che in un certo senso possiamo definire di esasperato romanticismo. Anche in Germania e in Francia, per non parlare degli Stati Uniti, ne sono stati scritti, ma l'Inghilterra resta la patria d'elezione di questo particolare genere letterario.

Una delle autrici che hanno fondato il genere che sarà poi detto «gotico» è l'inglese Ann Radcliffe (1764-1822). Nella sua opera più nota, *I misteri di Udolfo*, figura un nutrito repertorio di elementi terrorizzanti: un antico e sinistro castello sugli Appennini – per molti autori inglesi l'Italia, in cui si scrivono così poche storie di questo tipo, è invece il teatro naturale di vi-

cende terrificanti –, rumori misteriosi, porte che si socchiudo-
no cigolando, un orrore indescrivibile in una nicchia celata da
una lugubre tenda nera; poi l'ala abbandonata di un altro castello la cui padrona è morta misteriosamente; la stanza del
suo trapasso con il letto ancora addobbato con un drappo funebre; una fanciulla che s'aggira in questi ambienti desolati
divorata dall'angoscia, oppressa da un inspiegabile terrore.

Un altro esempio classico è *Il monaco* di Matthew G. Lewis
(1775-1818): il monaco spagnolo Ambrosio viene sedotto dal
demonio che gli si presenta sotto le sembianze dell'affascinante Matilde, trascinandolo negli abissi del male. Mentre Ambrosio attende una sicura morte nel carcere dell'Inquisizione,
il diavolo appare di nuovo e gli promette la fuga in cambio
della sua anima. Lo sciagurato accetta, solo per scoprire che il
diavolo ancora una volta lo ha ingannato. Le scene descrivono
riti magici nelle cripte sotto il cimitero del convento, incontri
con spettri, cadaveri che si animano, rituali cabalistici ai quali
prende parte l'Ebreo errante, torture e morti, compresa quella
del protagonista. La vittima prescelta è quasi sempre una fanciulla. La sua debolezza di fronte ai pericoli che la sovrastano
accresce la partecipazione e l'ansia di chi legge; potenzia l'elemento erotico, che è un altro canone quasi costante di questi
intrecci: se la fanciulla è una vergine e uno dei rischi che corre
è di essere violata, la tensione del racconto cresce ulteriormente per ragioni che non devo certo spiegare.

Lavorando su numerosi intrecci come questi, HPL ha ricavato
il suo breviario dell'orrore ricco di quasi sessanta situazioni: vita
anormale in una casa e anormali connessioni tra persone diverse; esequie premature; attesa di un orrore che incombe; un morto impone la sua personalità sui vivi; misterioso e irresistibile
procedere verso una fatale rovina; vita anormale in un ritratto;
trasferimento di vita da persona a ritratto; sdoppiamento di personalità; saccheggio di una tomba dove si scopre che il cadavere
è in realtà vivo; un trapassato, evocato dal sepolcro, si trasforma
in una presenza persecutrice; il fantasma della vittima attira il
suo assassino a un incontro mortale; il ritrovamento di un oggetto antico si trasforma in una maledizione per l'incauto scoprito-
re, e via di questo passo. Ma il vero racconto dell'orrore non è

fatto di soli elementi fisici, per terrificanti che siano. Deve circolare nell'intreccio una certa atmosfera di terrore che né le apparizioni improvvise, né gli ambienti tenebrosi, né i sinistri gemiti notturni bastano a spiegare. Il vero racconto dell'orrore è quello nel quale le abituali leggi di natura appaiono sovvertite o sospese o sostituite da poteri sconosciuti. Forte di elementi come questi, l'orrore attraversa l'intero Ottocento e si cristallizza in alcuni canoni efficaci ancora oggi.

Ritengo *Il giro di vite* di Henry James il capolavoro dei racconti terrorizzanti; qui le apparizioni sinistre che perseguitano due bambini potrebbero anche essere solo il frutto di una fantasia troppo accesa. Ma con James siamo nel 1898 e *L'interpretazione dei sogni* di Sigmund Freud (1900) è alle porte.

Nell'Inghilterra dell'Ottocento questa letteratura prese il nome di «gotica». Come accadde anche in Germania, l'attraversano vari motivi ricorrenti uno dei quali è quello, romantico, del fuorilegge che combatte in nome di una giustizia superiore. Gran parte del gotico si gioca attorno al tema dell'ingiustizia, provenga dal malvolere di qualche divinità o dalla malvagità degli uomini. Anche questo sarà uno dei temi che attraversano l'Ottocento, informano alcune teorie socialistiche e arriveranno a dare un «giusto» pretesto perfino al terrorismo. In letteratura è un tema di ricorrente applicazione: dalle avventure di Robin Hood, il bandito che toglie ai ricchi per dare ai poveri, fino a Jean Valjean, protagonista dei *Miserabili*, galeotto e poi evaso, punito per aver rubato un pane.

Per la ricchezza di motivi e di variazioni che consente, il genere gotico è uno strumento narrativo attraverso il quale l'impossibile o l'immaginario diventano pretesto d'evocazione e di racconto. Ma proprio questa duttilità lo trasforma anche nel veicolo di inquietudini più complicate di quelle propriamente politiche. In una società agiata, all'avanguardia nell'industria, si è venuto insinuando il tarlo di un dubbio solo in parte consapevole che trova una sua incarnazione nella figura dello scienziato pazzo, del ricercatore sfrenato che tenta di cogliere il frutto proibito. Si sperimentano varianti dell'uomo prigioniero del suo sapere, dedito alla ricerca con un accanimento che ne pregiudica l'equilibrio mentale.

Nell'*Isola del dottor Moreau*, Herbert George Wells (1866-1946) immagina uno scienziato che tenta la creazione di nuove forme di vita sezionando e cucendo insieme parti di animali diversi. L'anno d'uscita del racconto (1896) coincide con la nascita, a Parigi, del teatro del Grand Guignol, nel quale una riduzione della raccapricciante opera di Wells verrà messa in scena di lì a poco. Il secolo, del resto, si era aperto (1818) con un altro racconto destinato ad avere dalla sua l'avvenire: *Frankenstein o il Prometeo moderno* di Mary Shelley, figlia illustre di Mary Wollstonecraft, tra le prime a promuovere i diritti della donna, e di William Godwin, economista utopista. La ragazza sposa a diciannove anni il poeta Percy B. Shelley, a sua volta autore di un *Prometeo liberato* che certo non a caso esce due anni dopo quello della moglie.

Durante un soggiorno estivo a Ginevra, Byron lancia ai giovanissimi coniugi Shelley e al dottor John William Polidori l'idea che ognuno scriva un racconto dell'orrore. Mary, suggestionata dall'invito, è la sola e comunque la più veloce a portare a termine la curiosa sfida. Concepisce la storia di Victor Frankenstein, giovane scienziato svizzero studioso di filosofia naturale, che costruisce una creatura di aspetto quasi umano combinando parti anatomiche ricavate da varie salme. La sequenza in cui Frankenstein trafuga cadaveri negli obitori e nei cimiteri per mettere insieme il suo mostro rientra a pieno titolo in quella letteratura del terrore che andava per la maggiore. Lo stesso Stevenson nel racconto *Il trafugatore di salme* gioca con gli esasperati elementi macabri dell'operazione:

> Per i corpi deposti nella terra giungeva alla luce d'una lanterna quella frettolosa raccapricciante resurrezione della vanga e del piccone. La bara veniva forzata, stracciato il sudario e le meste spoglie, avvolte in tela di sacco, dopo essere state sballottate per ore lungo strade secondarie e senza luna, erano infine esposte ai supremi oltraggi dinanzi a una classe di ragazzi a bocca aperta.

Il nostro scrittore si rifaceva in parte a una vicenda di cronaca: un certo William Burke, assassino e ladro di cadaveri, era finito sulla forca (1828) dopo aver trafugato non si sa quante salme da cripte e cimiteri. Sopraffatto dalle richieste o dall'orrida abitudine, aveva poi cominciato a uccidere in proprio almeno quindici persone per rifornire anatomisti e scuole di medicina. Fu a seguito della vicenda Burke che venne promulgato in Gran Bretagna l'«Anatomy Act», che regolava la delicata materia del rifornimento di salme alle scuole di medicina.

Né il racconto di Stevenson né, tanto meno, quello della Shelley si esauriscono però in questi macabri aspetti presi o direttamente dalla cronaca o dai ricorrenti moduli dell'orrore. Il povero mostro nato dall'operazione anatomica di Frakenstein viene al mondo, mite come un agnello:

> Era buio quando mi svegliai; avevo freddo e, per istinto, provai anche una certa paura nel ritrovarmi così solo ... Ero un povero infelice, miserabile e senza speranza; non sapevo né potevo distinguere alcunché, sentendo il dolore assalirmi, mi misi a sedere e piansi.

La derelitta creatura si trasformerà in una furia terrificante solo perché esasperata dalle reazioni di orrore e disgusto che suscita. Lo stesso Frankenstein, vedendola risvegliarsi e aprire gli occhi al mondo, la descrive in questi termini:

> Le sue membra erano proporzionate e avevo scelto i suoi lineamenti in modo che risultassero belli. Belli? Gran Dio. La sua pelle giallastra copriva a malapena il lavorio sottostante dei muscoli e delle arterie ... tutti questi particolari non facevano che rendere più orribile il contrasto con i suoi occhi acquosi, i quali apparivano di un pallore terreo quasi dello stesso colore delle orbite in cui erano collocati, con la sua pelle grinzosa e con le sue labbra nere e diritte.

In queste due descrizioni opposte affiora già il contrasto di fondo del racconto: ciò che l'uomo normale pensa del «diverso» e il modo in cui costui sente se stesso. Il mostro nasce in realtà innocente come una creatura di Rousseau; sono le circostanze e l'ambiente a trasformarlo in un criminale. A un certo punto il creatore e la creatura si affrontano, e il mostro chiede a Frankenstein di dargli una compagna; lo scienziato rifiuta nel timore che il mondo possa popolarsi di simili orrori e il racconto si chiude su una terrificante scena di conflitto.

> Tutti gli uomini odiano gli sciagurati; quanto allora devo essere odiato io, di gran lunga il più miserabile tra gli esseri viventi. Perfino tu, mio creatore, detesti e disprezzi me, tua creatura, cui sei legato da vincoli che solo l'annientamento di uno di noi può sciogliere.

Mentre cerca rifugio a bordo di una nave, lo scienziato viene infine ucciso dalla spaventosa creazione del suo orgoglio.

Mary Shelley trovava le sue fonti in quella letteratura gotica che è stata una delle incarnazioni del romanticismo; ma il suo racconto diventa uno dei miti moderni grazie a una concatenazione di circostanze forse non del tutto previste. Frankenstein è uno scienziato che non ha interessi né sociali né politici, si considera un «puro indagatore della verità». Nonostante questo, ciò che gli sfugge è esattamente la verità su se stesso, come dimostra un tragico episodio del racconto. A un certo punto il fratello di Frankenstein, Guglielmo, viene trovato ucciso. All'abbacinante luce d'un lampo lo scienziato scorge la sinistra sagoma della sua creatura allontanarsi dalla scena del delitto: «Si trattava del mostro, del ripugnante demone cui avevo dato vita. Che faceva lì? Era forse lui (rabbrividii all'idea) l'assassino di mio fratello?». In questo sdoppiamento della personalità il racconto della Shelley e quello celeberrimo di Stevenson (*Lo strano caso del dottor Jekyll e del signor Hyde*) – lo vedremo tra poco – si sfiorano. Il mostro incarna il desiderio di Frankenstein proprio come Hyde incarna quello di Jekyll. In un caso e nell'altro è la sindrome della schizofrenia che viene proposta al lettore. I due protagonisti materializzano in una creatura o nella trasformazione di se stessi il proprio lato oscuro e vergognoso, svelano la loro colpa.

Dal personaggio di Frankenstein trapela anche quella miscela di timore e speranza che la ricerca scientifica, allora come oggi, provoca. Il ricercatore viene spesso visto dall'opinione comune come il possessore di conoscenze proibite non molto diverse da quelle che nei secoli passati avevano gli alchimisti: la pietra filosofale, la capacità di trasformare il piombo in oro, gli arcani dell'immortalità, il controllo totale della natura. Quando scoperte e invenzioni si succedono troppo velocemente, l'individuo finisce per sentirsi alla mercé di forze incomprensibili, che per ciò stesso diventano minacciose. È un'insicurezza figlia del progresso (o se si preferisce dei «mutamenti») che ne accompagna lo sviluppo, si modella sulle sue conquiste. È come se gli uomini pagassero l'avanzamento delle scienze e della tecnologia perdendo parte della loro tranquillità, accumulando ansie. Infatti molte delle reazioni suscitate allora dai nuovi studi di anatomia e di psichiatria si ripropongono oggi identiche per i primi incerti tentativi di clonazione riproduttiva.

Noi posteri che viviamo gli albori del Ventunesimo secolo, avvezzi ai più avanzati esperimenti biologici e con un sentimento religioso indebolito rispetto al Diciannovesimo secolo, possiamo intuire a stento quale sensazione provocò nel 1859 la pubblicazione del saggio di Charles Robert Darwin sull'origine delle specie. Quell'ipotesi rivoluzionaria, diffusa in un paese di forte tradizione biblica, scosse le coscienze, insinuò per la prima volta su scala di massa il dubbio in un campo in cui le certezze sembravano consolidate. Darwin aveva lungamente studiato le teorie dell'economista Thomas Robert Malthus (pastore anglicano e vicario ad Albury) il quale aveva osservato, nel suo *Saggio sul principio della popolazione* (1798), che la crescita demografica si sviluppa con progressione geometrica mentre i mezzi di sussistenza aumentano, nella migliore delle ipotesi, con progressione aritmetica. In altre parole: l'aumento della popolazione mondiale, lasciato a se stesso, prepara un'immane catastrofe che le cause «naturali» (epidemie, carestie, guerre) possono, ben che vada, rinviare. Unico vero rimedio sarebbe il ricorso al controllo delle nascite. Se Malthus contrastava l'insegnamento biblico riassunto nel precetto «Crescete e moltiplicatevi», Darwin con la sua teoria evoluzionistica metteva addirittura in discussione il racconto della creazione dell'uomo secondo il *Genesi*. Di colpo divenne concepibile che l'uomo non fosse nato *sapiens* e nemmeno *faber* dopo aver ricevuto da Dio il soffio della vita consapevole; che si fosse evoluto allo stato attuale da forme primitive e belluine; che la sua stessa postura eretta fosse il risultato di una penosa e lunga conquista; per non parlare delle capacità intellettive complesse: abilità manuale, linguaggio, esercizio della logica. Si può capire oggi quale scossa provocò la teoria evoluzionistica? Tanto più se riassunta nel suggestivo slogan popolare secondo cui l'uomo discende dalla scimmia?

Gli ultimi anni del secolo sono agitati da spettri che non si nascondono nei sotterranei di un castello e non s'affacciano nelle notti illuni avvolti in un macabro sudario. Sono fantasmi che abitano l'inconscio, popolano i sogni, mettono ogni essere di fronte alla parte nascosta e vergognosa di sé.

Dalla psichiatria alla psicanalisi, dall'osservazione dei criminali alle patologie segnalate dalla cronaca, comincia a diffondersi la sensazione agghiacciante che bontà e cattiveria possano convivere nello stesso individuo. Nel giro di pochi anni vedono la luce romanzi il cui sviluppo ruota attorno a questi temi: *Lo strano caso del dottor Jekyll e del signor Hyde* di Robert L. Stevenson (1886), *Il ritratto di Dorian Gray* (1891) di Oscar Wilde, *L'isola del dottor Moreau* (1896) di Herbert George Wells, *Dracula* (1897) di Bram Stoker.

Ognuno di tali romanzi ha storia e svolgimento a sé, tutti però rimandano ad alcuni innegabili canoni del tardo vittorianesimo. La novella di Stevenson non sarebbe certo nata se la società non fosse stata scossa da una serie di delitti rimasti insoluti nei quali la ferocia dell'esecuzione, sempre molto cruenta, si accoppiava al torbido richiamo esercitato dalla professione delle vittime, in genere prostitute. Il rispettabile dottor Jekyll è in realtà minaccioso già dal nome (*to kill* in inglese significa «uccidere») e questa minaccia rende esplicita quando si sdoppia nella figura del signor Hyde (*to hide*: «nascondere»), che è per l'appunto la sua parte malvagia.

Quest'uomo s'aggira in una Londra spettrale:

Flutti di nebbia gravavano sempre sulla città sommersa, dove i fanali rosseggiavano come carbonchi e la vita cittadina filtrata, attutita, da quelle nuvole cadute, rotolava nelle grandi arterie con un rombo sordo, come di vento impetuoso.

La porta dell'alloggio di Hyde è in sintonia con questa città sinistra:

Tutto l'insieme portava i segni di un prolungato e sordido abbandono. La porta, senza batacchio né campanello, era screpolata e stinta; vagabondi trovavano riparo nel suo vano e sfregavano fiammiferi sui pannelli, bambini tenevano bottega sui gradini.

La Londra dalla quale Hyde emerge per attraversare la notte è quella dei vagabondi senza dimora che dormono nel vano d'una porta, dei bambini che si danno a piccoli commerci per sopravvivere. E dire che si tratta di una Londra che dista solo pochi metri da quella rispettabile dove abita Jekyll: «Una di queste case, la seconda dall'angolo, mostrava tutti i segni del conforto e del lusso benché a quell'ora fosse interamente buia».

Secondo alcuni critici, nella sordida natura di Hyde si nasconde anche un segnale legato, dopo Darwin, alla labilità dei confini tra mondo umano e ferino. Se l'*Homo sapiens* ha raggiunto la sua condizione attuale emergendo a fatica da una condizione bestiale, nulla può escludere che la scala dell'evoluzione possa essere ripercorsa in senso inverso, ridiscendendone uno dopo l'altro i gradini. Hyde è un uomo che sembra avviato verso questa infamante regressione.

Anche Dorian Gray corre lo stesso rischio concedendosi il «terribile piacere» di una doppia vita. Dorian, giovanotto di conturbante bellezza, capace di squisite emozioni, considera che:

> l'uomo è un essere dotato di una miriade di sensazioni e di vite, una complessa, multiforme creatura che si porta dietro strane eredità di pensieri e di passioni, la cui stessa carne è corrotta dalle mostruose malattie dei morti.

L'allegoria sulla quale è basato il romanzo è nota. Dorian, corrotto dall'ambiente che frequenta, viene sedotto dall'idea di poter restare giovane e bello per sempre. Lord Henry, il suo angelo perverso, esclama rapito: «*Youth! Youth! There is absolutely nothing in the world but youth!*». E Dorian, di riflesso: «*How sad it is! I shall grow old, and horrible, and dreadful. But this picture will remain always young. ... If it were only the other way!*», «Giovinezza! Giovinezza! Al mondo non c'è assolutamente altro che la giovinezza!» «Com'è triste. Io diventerò vecchio, orribile, spaventoso mentre questo quadro resterà giovane per sempre. ... Se solo potesse accadere il contrario!».

È l'idea a partire dalla quale Dorian stringe una specie di patto faustiano col diavolo: conserverà intatta la sua avvenenza nonostante ogni eccesso e crimine; i segni della sua depravazione andranno a imprimersi sul ritratto mirabilmente somigliante che un pittore gli ha fatto: «Quel che il verme era per il cadavere, i suoi peccati sarebbero stati per l'immagine dipinta sulla tela».

Un racconto come questo non avrebbe potuto essere concepito prima che circolasse almeno il sentore che ognuno di noi possiede una parte oscura e inconsapevole della propria personalità, quella che Freud chiamerà «inconscio». Nel caso di Dorian non è, come in Frankenstein o in Jekyll, la scienza a operare il cambiamento e a svelare l'arcano bensì una delle arti più nobili, la pittura.

Dorian vive e sogna una vita e una moralità diverse e trasgressive; pratica, come ammette egli stesso, «l'arte di coloro che hanno avuto la mente turbata dalla malattia della *rêverie*», simile in questo a Des Esseintes, il *dandy* decadente protagonista del romanzo di Huysmans *A ritroso*, al quale Wilde si è certamente ispirato. Si definiscono «decadenti» coloro che si caratterizzano per sfinimento, perversioni, nevrastenia, raffinatezza, ambiguità sessuale. I «decadenti» vivono in ambienti sontuosi e malati, circondati da un agio soffocante, come si vede bene da questa descrizione di Wilde:

> Dall'angolo del divano ricoperto da un drappo persiano tessuto a mano su cui era disteso, Lord Henry Wotton riusciva a malapena a cogliere il riflesso di fiori dolci come il miele e come il miele colorati di un laburno, i cui tremuli rami sembravano quasi non poter sostenere il peso di una così fiammeggiante bellezza.

Sono le tipiche scenografie che attraversano il decadentismo europeo, da Huysmans a d'Annunzio. Il *dandy* rifiuta la società e la moralità borghesi stimandosi superiore ai pregiudizi della maggioranza. Si considera estraneo e superiore alle classificazioni tipiche delle varie categorie sociali, dai ricchi aristocratici ai sottoproletari e ai malfattori. Non potrebbe essere più netto il contrasto tra questi estremi: da un lato le squisitezze di ambienti quasi sopraffatti da calore, colori, tessuti, profumi, dall'altro la città fumigante di nebbie e di vapori tossici, grigia, fredda, inquieta, nemica. Ambienti che per motivi opposti possono risultare entrambi mortali.

Dorian vaga per

> strade fiocamente illuminate, oltre desolati paesaggi tenebrosi e case d'aspetto malvagio. Era stato chiamato da donne dalla voce roca e dalla risata stridula. Lo avevano rasentato ubriachi che bestemmiavano e blateravano da soli come scimmie mostruose. Aveva visto bambini grotteschi rannicchiati sui gradini davanti alle porte, udito grida e imprecazioni provenire da sordidi cortili.

Quando la vicenda ha inizio il protagonista ha circa vent'anni; alla fine ne avrà quaranta, anche se il suo aspetto rimane immutato fino al melodrammatico finale. Dorian, divenuto anche un assassino, cerca di distruggere il ritratto che ha nascosto in una soffitta. Sui lineamenti dipinti si sono impressi i segni della progressiva depravazione. Squarcia dunque la tela con un coltello. I domestici odono da fuori un grido e un tonfo spaventosi. Quando entrano li accoglie il ritratto, che risplende della sua incorrotta bellezza mentre

> sul pavimento giaceva un cadavere, in abito da sera, con un coltello piantato nel cuore. Il suo volto era avvizzito, rugoso, ripugnante. Fu solo dopo aver esaminato i suoi anelli che lo riconobbero.

L'isola del dottor Moreau di H.G. Wells riprende il filone in cui il raccapriccio e l'orrore nascono, come in *Frankenstein*, dalle trasformazioni fisiche. Il protagonista, un certo Prendick, sbarca fortunosamente su un'isola dominata dal sinistro personaggio del dottor Moreau, ex vivisettore bandito dalla comunità medica, ora una figura a metà tra lo scienziato pazzo e il fuggiasco. Prendick non capisce subito quale sia l'oggetto dei suoi esperimenti, che devono comunque essere terribili dal momento che l'isola è popolata di mostri mezzo uomini e mezzo bestie. In un primo momento crede che Moreau stia facendo regredire alcuni uomini allo stato ferino. Solo in un secondo tempo capisce che il suo intento è esattamente l'opposto, cioè creare veri esseri umani utilizzando parti di animali. I tentativi di trasformazione avvengono al prezzo di sofferenze indicibili: spaventose operazioni di amputazione e di ricucitura, ovviamente senza anestesia. Le notti dell'isola sono attraversate dalle urla strazianti degli esseri sui quali il funesto dottore sta operando. Dice Moreau:

> Ogni volta che faccio precipitare una creatura vivente in un bagno di atroce dolore, ripeto a me stesso che riuscirò a bruciare per intero l'animale per dare vita a una creatura razionale concepita da me.

Alla fine le martoriate creature si rivolteranno in massa uccidendo il medico e i suoi assistenti; solo Prendick riuscirà a fuggire e a raccontare al mondo la sua terrificante esperienza.

L'isola del dottor Moreau è un romanzo prezioso, per chi ama il genere. È l'ennesima variazione sul tema del ricercatore senza scrupoli e forse pazzo che, perso nella sua ossessione, dimentica ogni legge morale.

Dracula, romanzo dell'irlandese Bram Stoker, darà vita a un mito contemporaneo, la figura del vampiro che s'alimenta succhiando il sangue delle sue vittime: «Il vampiro continua a vivere e non può morire per effetto del semplice passare del tempo, egli prospera se riesce a nutrirsi del sangue di creature vive». Non è certo Stoker a creare la figura del vampiro, che anzi ricorre di frequente nella mitologia letteraria non solo europea. Nel suo *Prometeo*, Shelley lo delinea: «*And the wretch crept a vampire among men, / Infecting all with his own hideous ill*», e lo sventurato s'insinuò vampiro tra gli uomini / tutti infettando col suo orrendo male.

Il vampiro è morto ma è anche vivo, pretende il sangue altrui come il principe ha preteso il sangue dei suoi sudditi per fare la guerra e quello verginale delle pulzelle sulle quali ha esercitato il *droit du seigneur*. Il lontano precedente di Stoker è *Il vampiro* (1819), racconto che John William Polidori scrisse sollecitato dalla sfida lanciata da Byron l'anno precedente. Un personaggio tragico, Polidori: sommerso dai debiti, si uccise col veleno ad appena ventisei anni. Poco meno di un secolo separa *Il vampiro* da *Dracula*, variano le circostanze, resta il protagonista. Il vampiro strazia le sue vittime ma dà loro anche un perverso, quasi ipnotico piacere, ignoto ai consueti rapporti d'amore. È difficile che le vittime riescano a percepirlo perché Dracula si manifesta con la stessa sconclusionata precisione dei sogni e delle associazioni inconsce:

> Ho il vago ricordo di qualcosa di lungo e scuro con gli occhi rossi e tutt'intorno all'improvviso qualcosa di dolcissimo e amarissimo ... e mi parve che l'anima uscisse da me e fluttuasse nell'aria ... poi seguì una sensazione tormentosa come se mi trovassi nel mezzo d'un terremoto, mi ripresi e ti trovai che scuotevi il mio corpo

confessa una delle protagoniste del racconto di Stoker, e nel suo stordimento non potrebbe usare più trasparenti metafore sessuali.

Anche se il nefasto conte Dracula si è trasferito in Inghilterra, la dimora avita che lo caratterizza è lo spaventoso castello di famiglia sulle misteriose montagne dei Carpazi. Egli appartiene alla categoria dei Frankenstein, dei Dorian Gray, dei mostri creati da Moreau. Fra tutti, però, è anche il personaggio che meglio incarna un mondo che va scomparendo. Dracula è l'ultimo aristocratico, viene da un ambiente di fioche luci tremolanti, di stanze piene d'ombre, di soffocanti tendaggi, di privilegi ancestrali, di un erotismo complicato da svariate perversioni. Il nemico dal quale sarà battuto sono le luci forti dell'energia elettrica, la razionalità della scienza, i nuovi diritti portati agli umili dall'alba della democrazia. Van Helsing, il nemico di Dracula, incarna queste virtù e la lucida sapienza che le accompagna: «È un filosofo e un metafisico, uno scienziato all'avanguardia del suo tempo, dotato di mente apertissima. Ha nervi d'acciaio, temperamento di ghiaccio, volontà indomabile». Troppe doti forse per un solo uomo, ma, poche o molte che siano, non c'è dubbio che sono le doti di una società positiva che crede nei benefici del progresso e vuole dissipare un tenebroso passato che Dracula tenta di tenere in vita.

L'aspetto del vampiro è il seguente:

> Un uomo alto, dal viso ben rasato, a parte i lunghi baffi bianchi, vestito di nero dalla testa ai piedi, senza un solo puntino di colore in tutta la persona ... Il volto forte, molto forte, con un naso aquilino, sottile, narici stranamente arcuate. I capelli diradavano sulle tempie e sull'alta fronte sporgente, ma crescevano folti sul capo ... La bocca, per quel che potevo vedere sotto i baffi folti, era immobile, dalla piega piuttosto crudele e denti eccezionalmente appuntiti che spuntavano dalle labbra molto rosse e fresche per un uomo delle sua età ... Il viso aveva un pallore straordinario.

Da questo primo ritratto Dracula si presenta dunque dominato da alcuni colori netti: nera la figura, bianco il volto, rosse le labbra. Secondo Montague Sommers, che si è dedicato lungamente all'argomento, il vampiro è in genere:

> Magro, con un'espressione spaventosa, e occhi dove brilla il fuoco rosso della perdizione ... È freddo come il ghiaccio, quando non scotta come la brace; la sua pelle è d'un pallore mortale salvo le labbra che sono rosse e turgide, i denti bianchissimi.

Le due figure come si vede coincidono. Dracula, del resto, è un personaggio storico, vissuto in un periodo di torbidi, in una terra di cupe leggende. Suo padre, Vlad II (siamo nel Quindicesimo secolo), oltre ad attribuirsi titoli e cariche di minor peso, si definiva «Gran voivoda e signore di tutta l'Ungro-Valacchia, duca e signore del Banato di Severin». Nel 1430 Vlad II era stato inviato in Transilvania come responsabile del confine transilvano-valacco. Nello stesso anno nasce Vlad III e l'anno successivo suo padre viene convocato da Sigismondo, re di Germania e dei Romani, a Norimberga per essere insignito dell'ordine del Dragone, il cui emblema consiste in un medaglione con inciso un drago ad ali spiegate pendente da una croce e la scritta «*O quam misericors est Deus, iustus et pius*». Da quel momento Vlad II si fa chiamare *Dracul*, cioè drago. Ma per i romeni, condizionati dalle loro tenebrose leggende, non è difficile associare la radice della parola più che al «drago» al «demonio», il cui appellativo è *drac*.

Il figlio di Vlad II decide di farsi chiamare Dracula, che può significare sia, alla lettera, «figlio di Dracul», sia, con una sinistra coincidenza lessicale leggermente forzata, «figlio del demonio». Ancora una volta sono dunque le parole a dare compiuto significato a un destino che comincia a prendere forma. A seguito di complesse vicende che qui tralascio, Dracula si ritrova, giovinetto, prigioniero del sultano Murad II. Nel suo harem conosce la più giovane delle favorite, una ragazza di soli quattordici anni, che presto s'innamora perdutamente del giovane valacco. Lei si giace per il piacere che l'amore le dà dopo i rivoltanti amplessi con Murad; lui solo per recare oltraggio al sultano. Un giorno la tresca viene scoperta, forse per opera dello stesso Dracula. L'ira del sultano è immensa ma la ragazza, pur sottoposta a disumane torture, rifiuta di svelare il nome del suo amante. A un certo punto Murad, sospettoso, fa chiamare Dracula perché assistendo ai tormenti della fanciulla tradisca una qualche emozione e si sveli. Dracula rimane impassibile anche quando la sventurata viene calata su un palo acuminato e costretta all'atroce agonia degli impalati. Alla fine anche Dracula morirà scomparendo per sempre, salvo le ricorrenti riapparizioni cinematografiche. La

sua morte è dovuta però meno al paletto piantato nel cuore
che non al fatto che il suo tempo, a dispetto della sua pretesa
eternità, è ormai venuto a scadenza. Altri, sicuramente peggiori, sono gli orrori dai quali siamo circondati.

Ho dato alcuni cenni sommari sulla letteratura dell'orrore e
del brivido, di cui confesso di essere appassionato lettore, partendo dall'atmosfera così evocativa dell'Hunterian Museum.
Ho cominciato da un'emozionante realtà e alla realtà in chiusura ritorno. Solo a Londra, probabilmente, poteva accadere che
una serie di delitti a sfondo sessuale assumesse un'importanza
tale da diventare simbolo di un intero periodo. Non Berlino o
Parigi, non New York, tanto meno Roma, solo Londra poteva
fare di un assassino seriale un elemento della sua riconoscibilità, e parlo ovviamente di Jack lo squartatore. Da che cosa è dipeso? Il clima? Le atmosfere? Troppe strade deserte nel silenzio
della notte? Troppa nebbia? E quell'ombra all'angolo immobile
sotto la pioggia, appena lambita dalla luce giallastra di un lam-
pione, sarà un poliziotto chiuso nella sua mantellina? O un criminale in agguato? Un pazzo fuggito ai suoi custodi? Un po'
tutte queste cose insieme.

O una tale persistenza nel ricordo non sarà forse dipesa dal-
l'enigma sull'identità del misterioso omicida? Quattro, cinque
persone seriamente indiziate, forse sei. Troppe. Soprattutto se
tra gli indiziati ci sono personaggi addirittura vicini al trono
della regina Vittoria. Ha avuto un peso tutto questo? Lo ha avuto. Anzi, ha avuto un tale peso da falsare nella sostanza, o nella
memoria, quanto accadde durante quei pochi mesi del 1888.

Fra il 31 agosto e l'8 novembre di quell'anno cinque omicidi
si verificarono in un raggio di poche centinaia di metri nel
quartiere di Whitechapel, ancora l'East Side che ritorna. Le
vittime erano tutte prostitute i cui corpi erano stati dilaniati
da una lunga lama (si pensò a una baionetta) e poi mutilati.

Il primo omicidio accertato (su due altri possibili non esiste
certezza) avviene nella notte di venerdì 31 agosto. Alle due e
trenta del mattino, un carrettiere di nome Cross s'imbatte nel
cadavere di una donna all'ingresso dell'Old Stable Yard in
Bucks Row. Quando il perito settore comincia il suo lavoro si

rende conto che la poveretta, Mary Anne Nichols detta Polly, quarantadue anni, prostituta, è stata sgozzata e poi parzialmente eviscerata.

Otto giorni dopo, 8 settembre, Annie Chapman, quarantasette anni, prostituta occasionale, viene trovata morta alle sei del mattino all'altezza del numero 29 di Hanbury Street. Anche il suo corpo è stato sventrato, l'assassino ha asportato reni e ovaie.

28 settembre: la Central News Agency riceve una lettera firmata da Jack lo squartatore nella quale con allucinata freddezza l'ignoto autore scrive: «Ho deciso di perseguitare le puttane; continuerò fino a quando non mi prenderanno». È una vera lettera dell'assassino? È un falso? La sinistra missiva esce sui giornali, altre lettere seguono, il caso esplode a Londra e in Europa. Ecco un altro elemento da tenere a mente.

30 settembre, una del mattino: il venditore ambulante Louis Deimschutz conduce il suo carro alla rimessa in Berners Street quando scorge a terra il corpo di una donna. Grida, accorre gente da un vicino club operaio. La vittima è una svedese, Elisabeth Stride, quarantacinque anni. È morta, ma l'orribile squarcio alla gola è così recente che la ferita ancora sanguina.

Il penultimo caso viene scoperto (sempre il 30 settembre) da un poliziotto di nome Watkins in Church Passage (un vicolo tra Mitre Square e Duke Street). La vittima è Catherine Eddowes, prostituta alcolizzata, quarantasei anni. L'ultimo omicidio è quello di cui resta vittima Mary Jeannette Kelly detta Black Mary o Ginger, ventiquattro anni, anche lei prostituta. Il 9 novembre, alle 10.30 del mattino, un esattore si presenta al suo misero alloggio per riscuotere un credito. Non riceve risposta e occhieggia da un vetro rotto. Mary è nuda sul letto in una pozza di sangue. La testa è stata quasi recisa, il suo cuore è poggiato sul comodino.

Si può immaginare quale emozione e raccapriccio suscitò quest'ondata di delitti. Dibattiti nei club e sulla stampa, discussioni concitate, critiche ai responsabili della sicurezza di tale veemenza da costringere il capo della polizia, già impopolare per suo conto, a dimettersi. Altri tre assassinii di giovani donne vennero scoperti in seguito. Non è mai stato accertato però se a commetterli sia stato lo stesso «Jack» autore dei cinque che gli vengono ufficialmente attribuiti.

Naturalmente l'argomento più dibattuto fu la possibile identità dell'omicida. Per un certo tempo ha avuto notevole credito l'ipotesi che si trattasse di un tale «dottor Stanley», il cui unico figlio era morto contagiato dalla sifilide a opera di Mary Kelly, l'ultima delle vittime. Il misterioso Stanley, messosi alla ricerca di Mary, aveva via via ucciso per non lasciare tracce tutte le prostitute alle quali aveva chiesto informazioni. Un'altra diceria di una certa consistenza la creò un medico americano, Thomas Cream, anch'egli assassino di prostitute, che già con la corda al collo pare abbia fatto in tempo a gridare: «Sono io Jack lo...», prima che il nodo scorsoio lo zittisse per sempre.

Donald McCormick nel suo libro *The Identity of Jack the Ripper* (1959) prospetta l'ipotesi che l'assassino fosse un russo di nome Pedačenko. Lo avrebbe lasciato scritto niente meno che Rasputin in un diario rinvenuto dopo la sua morte. Questo Pedachenko era un ginecologo con tendenze omicide che la polizia segreta dello zar, la famigerata Ochrana, aveva costretto all'esilio a Londra proprio per creare difficoltà a Scotland Yard.

Tra le innumerevoli ipotesi avanzate c'è inoltre quella che l'omicida fosse il rampollo, pazzo, di una famiglia vicina al trono, il duca di Clarence, nipote della regina. Voci incontrollate riferiscono che il pittore Walter Sickert, prendendo in affitto una camera a Whitechapel, abbia sentito la padrona di casa sostenere che a suo parere «Jack» fosse il suo precedente inquilino, per l'appunto il nobile giovinetto folle. In un secondo tempo il ragazzo, rintracciato dai genitori, sarebbe stato rinchiuso in una clinica per malattie nervose ad Ascot.

Un'ulteriore ipotesi riguarda un altro medico, individuato da un famoso medium di nome Lees, il quale un giorno, mentre sedeva in autobus, «sentì» che l'uomo di fronte a lui era l'assassino. Lees lo pedinò fino a casa avvertendo poi la polizia. Si scoprì così che si trattava appunto di un medico e che perfino sua moglie aveva avuto qualche sospetto sulle uscite notturne del marito. Questo Lees avrebbe avuto anche un colloquio con la regina in persona, preoccupata dalla catena di delitti. In quanto al sospettato, altri non sarebbe stato che... il medico personale di Vittoria, Sir William Gull.

L'ultima che ha provato a risolvere l'enigma è stata, nel 2002, la giallista americana Patricia Cornwell, creatrice del personaggio di Kay Scarpetta, anatomopatologa. A più di un secolo dai fatti la Cornwell ha annunciato, con una ben orchestrata campagna di stampa, di avere risolto il caso. L'omicida sarebbe, a suo dire, il pittore Walter Sickert, artista impressionista discepolo di Whistler, amico di Degas e molto stimato ai suoi tempi, che amava dipingere donne nude e per di più morte ammazzate, ed era anche maniaco dei travestimenti. Ha affermato la Cornwell:

> Mi è bastato guardare i suoi quadri pieni di violenza, sangue e omicidi per capire che l'autore era uno psicopatico pronto a tutto. Le donne dei suoi quadri sono degradate e abusate, sembrano già morte.

Torna quindi il nome che qualcuno aveva già indicato come complice involontario di una congiura massonica per proteggere il duca di Clarence dai sospetti di colpevolezza per cinque omicidi. Per compiere la sua indagine la scrittrice ha speso, sostiene, cinque milioni di euro. Di sicuro ha acquistato trentadue quadri del pittore, il suo tavolo da lavoro, molte lettere. Uno dei quadri è stato sezionato e fatto a pezzi alla ricerca di eventuali reperti organici (lembi di pelle, unghie, capelli) da sottoporre all'esame del Dna. La prova inconfutabile non è saltata fuori. Quello che invece la Cornwell ha trovato è una notevole somiglianza tra i soggetti rappresentati da Sickert nel 1908, vent'anni dopo i fatti, e gli omicidi dell'East Side. Il dipinto *Omicidio a Camden Town* mostra una donna su un letto con accanto un uomo vestito: la posizione è quella, sostiene la scrittrice, in cui fu trovata Mary Kelly. Su un'altra tela ci sarebbe un viso mutilato come quello di Catherine Eddowes. Ma l'indizio più convincente, sempre secondo la Cornwell, sarebbe una delle lettere inviate da Jack alla polizia e conservate a Londra: marchio e filigrana sono gli stessi della carta usata da Sickert. «Con questo elemento» ha detto «una giuria lo condannerebbe a morte.» Il movente, secondo la giallista americana, sarebbe da cercare in un'infanzia piena di abusi e in una maturità con molti problemi sessuali. A cinque anni, per liberarlo da una fistola al St Marks Hospital lo avevano mutilato di una parte del pene. Il pittore uccise perché era un pervertito impotente che sfogava in quel modo il suo odio per le donne.

Nonostante l'enfasi, l'ipotesi della Cornwell è stata accolta con notevole diffidenza negli ambienti investigativi. Quanto agli storici dell'arte, la reazione di Richard Shone, che nel 1992 aveva curato un'esposizione di Sickert alla Royal Academy, è stata: «Distruggere un quadro per provare una sciocca teoria è una cosa mostruosamente stupida, non sarebbe stato giusto farlo neppure se Sickert fosse stato davvero lo squartatore».

Insomma, il mistero rimane e insieme al mistero rimane anche quel certo carattere di Londra che non è l'ultima ragione del suo fascino. Girovagando tra la letteratura e la vita è ancora possibile trovarlo.

VI

THE TYRANNOUS AND BLOODY ACT IS DONE

La Torre di Londra non è solo una torre ma un'intera cittadella fortificata. La torre vera e propria, la Torre bianca (White Tower), sorge al centro della cinta muraria ed è anche la parte più antica del complesso. Fu Guglielmo il Conquistatore a farla completare prima del 1100; re d'origine normanna, rude uomo d'armi, abile legislatore, implacabile negli odii, il primo a scegliere Westminster come luogo dell'incoronazione. Per secoli la Torre bianca è stata usata come armeria, spazio cerimoniale, zecca, prigione, archivio, osservatorio reale, ultimo baluardo in caso d'invasione o pericolo. Intorno alla sua sommità volavano stormi di corvi, temibili bestie nere dal becco formidabile. Secondo una profezia, la monarchia avrebbe resistito fino a quando quei corvi fossero rimasti. È la ragione per la quale ai corvi attuali vengono leggermente tarpate le ali in modo che possano svolazzare ma senza allontanarsi troppo.

Oggi la Torre è essenzialmente un luogo espositivo, racchiude molte memorie e numerosi oggetti, tra i quali quella che a me sembra la più impressionante armatura rinascimentale giunta fino a noi: la corazza che blindava il corpo colossale di Enrico VIII; cosce poderose, torace enorme con una circonferenza che quasi tocca il metro e mezzo, l'attrezzo virile messo in risalto da un'apposita corazzatura che chiaramente rappresentava una minaccia (come le erme falloforiche poste dai romani sui confini della proprietà) più di quanto non garantisse una protezione a quella zona delicatissima.

Ci sono poi i gioielli della corona, per esempio, una straordinaria esposizione di oggetti preziosi dal forte contenuto politico e simbolico. L'incoronazione è stata sempre una cerimonia mistica e allusiva insieme, un rituale abilmente sospeso tra il valore religioso e il significato dinastico e politico. La «spada di Stato» è un oggetto preziosissimo incrostato d'oro e di gemme; impugnandola, il nuovo sovrano allude ai poteri terribili che quella lama rappresenta e che da quel momento diventano, tecnicamente, suoi. Nella Torre sono conservate dieci corone reali, alcune delle quali in disuso da secoli. Ce n'è però una, la Imperial State Crown, che il sovrano cinge quando indirizza alle due Camere riunite il discorso programmatico detto appunto «della Corona». La sua fabbricazione è piuttosto recente (1837), ma tra le gemme incastonate c'è uno zaffiro che ha fatto parte dell'anello di Edoardo il Confessore, un re che sul trono precedette addirittura Guglielmo. Lo scettro regale contiene il più grande diamante tagliato del mondo, si chiama «First Star of Africa», ha un peso di 530 carati, e solo il sovrano di un paese che rappresentava la maggior potenza imperiale del pianeta poteva permetterselo.

In alcuni edifici della Torre ha avuto sede la zecca reale (Royal Mint), lì trasferita nel 1300 e lì rimasta per cinque secoli, fino all'inizio dell'Ottocento. Due curiosità. La prima è che gli inglesi impararono dai romani l'arte di coniare e marcare le monete. La seconda è che sovrintendente alla zecca è stato per ben ventotto anni (1699-1727, anno della morte) Sir Isaac Newton, il fondatore della cosmologia moderna. In quell'incarico Newton si dimostrò implacabile persecutore di falsari, contraffattori e «tosatori» di monete (costoro erano ladri specializzati nel limare via piccole quantità di argento da ogni pezzo, riuscendo a vivere di quello).

La Torre di Londra può essere considerata un notevole monumento dell'antichità ed è visitata come tale. Centinaia di turisti lo fanno ogni giorno, trattandosi di uno dei monumenti cittadini più insigni nel genere «nero», come Castel Sant'Angelo a Roma o la Conciergerie a Parigi. Ma si può anche vedere la Torre in un altro modo e per farlo bisogna sapere di quali grandi, a volte atroci, eventi è intessuta la sua storia. Lungo la prima cinta una breve scalinata di pietra scende al livello del fiume, dove si trova un arco d'ingresso ricavato nello spessore delle mura. Quel passaggio si chiama Traitors' Gate, cancello dei traditori, perché dal fiume giungevano coloro che nel recinto della torre dovevano essere giustiziati e quella breve scalinata dovevano salire prima di arrivare al patibolo.

La costruzione più sinistra del complesso è la Torre sanguinosa (Bloody Tower), che sorge subito al di là della seconda cerchia delle mura, sempre sul lato che guarda il Tamigi. Il suo nome inquietante è legato a una delle vicende più turpi nelle selvagge lotte per la successione nelle quali le varie dinastie si sono prodotte nel corso dei secoli. Durante il Quindicesimo secolo, quando le due case di York e di Lancaster si contesero a lungo, con alterna fortuna e con spietata ferocia, il trono, accadde che il re Edoardo IV venisse a morte quando suo figlio, erede e successore, era ancora un ragazzo di tredici anni. Morto il re suo fratello, Riccardo di Gloucester si nominò protettore del re fanciullo, fece in modo di farlo venire a Londra insieme al fratello minore (anch'egli di nome Riccardo, ma duca di York) e alla madre Elizabeth Woodville, che Edoardo aveva sposato segretamente.

Era un tranello, ovviamente; separati dalla loro madre riparata a Westminster, i due fanciulli furono tenuti per un breve tempo nella Torre in un'ambigua posizione tra protezione e prigionia; quindi lo zio Riccardo li fece dichiarare figli illegittimi, così segnando l'inizio della loro fine. Poco dopo i ragazzi venivano assassinati. Riccardo di Gloucester diventerà re col titolo di Riccardo III. Shakespeare lo ha consegnato alla *damnatio memoriae* con la tragedia nella quale lo dipinge come un «mostro deforme, cane, demonio». Le parole (atto IV scena II) con cui Riccardo ordina a un sicario di nome Tyrrel di uccidere i due ragazzi sono di agghiacciante realismo:

Tyrrel: James Tyrrel, vostro suddito obbediente.
Re Riccardo: Lo sei davvero?
Tyrrel: Mettetemi alla prova, grazioso Signore.
Re Riccardo: Oseresti uccidere un mio amico?
Tyrrel: Come chiedete. Ma preferirei uccidere due nemici.
Re Riccardo: Ebbene, l'hai detto! Due nemici feroci. Avversi al mio riposo e disturbatori del mio dolce sonno sono coloro di cui vorrei t'occupassi. Intendo, Tyrrel, quei bastardi della Torre.
Tyrrel: Fatemi avere l'accesso e vi libero subito da ogni timore.
Re Riccardo: Canti una musica dolce. Ascolta, vieni qui, Tyrrel. Usa

questo sigillo. Alzati e avvicina l'orecchio (*Bisbiglia*). Non c'è altro. Dimmi che l'hai fatto e avrai la mia amicizia e una promozione.

Tyrrel: Lo farò subito (*Esce*).

Poco dopo l'infame Tyrrel torna ad annunciare che il doppio omicidio è stato commesso:

Tyrrel: L'atto tirannico e atroce è compiuto («*The tyrannous and bloody act is done*»), il massacro più estremo e commovente di cui questa terra si sia macchiata.
... (*Entra re Riccardo*)
Re Riccardo: Caro Tyrrel, hai nuove che mi faccian felice?
Tyrrel: Se l'aver fatto quel che avete ordinato vi fa felice, siatelo dunque ché è stato fatto.

Le ossa dei due sventurati fanciulli furono scoperte nel 1674 quando si eseguì uno scavo sotto le scale che portano alla cappella di San Giovanni. Esumate, furono pietosamente tumulate nell'abbazia di Westminster. Altri resti sono stati ritrovati addirittura negli anni Ottanta del Novecento.

A sinistra della Torre bianca c'è un prato ornato da alcuni alberi. Un luogo all'apparenza ameno che è invece il più lugubre del complesso, perché lì sorgeva il patibolo sul quale i traditori della Corona venivano messi a morte. Molte furono le vittime e si trattava spesso di persone di cui il re voleva per qualche ragione sbarazzarsi, oppure di grandi intellettuali scomodi, come Tommaso Moro, il cui sangue sarebbe ricaduto sul suo assassino, o di donne infedeli, o semplicemente di donne che non per loro volontà ma solo per un difetto o capriccio della natura non erano riuscite a dare al sovrano l'erede che questi desiderava.

Di una di queste donne vorrei raccontare la storia. Si chiamava Anna Bolena (Anne Boleyn), aveva conquistato il cuore e il colossale corpo di re Enrico, ma per le stesse ragioni per le quali lo aveva conquistato in seguito lo perse. L'arco della sua tragedia è perfetto ed è il motivo per il quale ancora oggi, quattro secoli e passa dopo i fatti, ci accade di citare il suo nome.

Venerdì 19 maggio 1536, alle otto del mattino, Anna Bolena, che ha da poco superato i trent'anni, esce nel cortile della Torre. Cammina lentamente ma con passo fermo, ha lo sguardo fisso, il sole raggiante dà risalto al suo pallore spettrale. Le sono accanto quattro dame che sono state sue compagne (e sorveglianti) durante la prigionia e un alto dignitario, Kingston, con la qualifica di conestabile, che durante i giorni passati nella Torre è stato responsabile della sua salute, confidente, spia. Ai piedi del patibolo, una bassa piattaforma rialzata di appena cinque o sei gradini, Anna è presa in custodia da uno «sceriffo» che la sorregge mentre sale.

L'astuto Thomas Cromwell, conte di Essex, primo segretario del regno, informato che probabilmente Anna nel suo ultimo discorso avrebbe protestato la sua innocenza, ha ridotto al minimo la presenza del pubblico. Ci sono il sindaco di Londra circondato da alcuni consiglieri e «sceriffi», lo stesso Cromwell, i membri della corte che ha giudicato la regina, nessuno straniero. Non si vuole che eventuali parole imprudenti, pronunciate con la fatale solennità data dall'imminenza della morte, suscitino ulteriori scandali. Un plotone di soldati comunque è pronto a coprire col rullo dei tamburi la sua voce. L'ambasciatore dell'imperatore spagnolo Carlo V ha inviato una persona di sua fiducia ad assistere, ma l'uomo, riconosciuto, è stato subito allontanato.

Anna indossa una sottoveste color cremisi, un abito di damasco verde scuro in parte coperto da una mantella di ermellino e ha un copricapo. Secondo l'uso, ha diritto di pronunciare qualche parola di congedo dal mondo. Ci si è interrogati a lungo su quale linea quella donna imprevedibile avrebbe scelto. Anna si dimostra sobria, il suo discorso è rassegnato e, per chi ha interessi politici o dinastici da tutelare, rassicurante. «Buon popolo cristiano, sono qui per morire poiché secondo la legge sono stata condannata a morte. Quindi non solleverò alcuna obiezione. Non sono qui per accusare nessuno né per recriminare alcunché, ma prego che Dio salvi il re e gli consenta di regnare a lungo su di voi, dato che mai ci fu principe più nobile e misericordioso.»

Sono parole talmente contrastanti con gli avvenimenti che l'hanno portata dove si trova, che vi si potrebbe perfino leggere un sotterraneo sarcasmo. La conclusione è in linea con le emozioni del momento e l'uso: «Prendo ora congedo dal mondo e da voi, con tutto il cuore vi raccomando di pregare per me. Signore, abbi pietà di me, a Dio raccomando l'anima mia».

Ciò detto Anna dispensa, come comanda la tradizione, alcune elemosine per un totale di venti sterline, le viene tolto il copricapo sotto il quale ha una cuffietta di lino bianco, ringrazia le dame della scorta, si inginocchia. L'assistente del carnefice la benda e le sistema il capo sul ceppo di quercia. Con un movimento velocissimo il boia alza la pesante spada a due tagli e l'abbatte con tale vigore da configgerla nel legno dopo aver trapassato il collo. In quel brevissimo istante Anna ha di nuovo bisbigliato: «A Gesù Cristo raccomando la mia anima». Il boia afferra la testa e la solleva come prescritto affinché tutti vedano che la sentenza è stata correttamente eseguita.

Chi era dunque Anna Bolena? La moglie di un uomo terribile, di smisurati capricci, di colossali appetiti, affascinante, profondamente corrotto, politico tutto sommato mediocre? Oppure una donna in grado di calcolare con freddezza, rischi compresi, l'ascesa da damigella di corte al trono d'Inghilterra? Capace di mettere in gioco ogni strumento e tutta se stessa pur di raggiungere un così vertiginoso obiettivo? Gli avvenimenti che l'hanno condotta a quella fine miseranda sono così complessi che a distanza di secoli possono ancora essere letti in modi diversi e anzi opposti. Anna come un'eroina perseguitata, Anna come una strega capace di incatenare per anni la volontà e la libidine di uno degli uomini più potenti della terra.

Thomas Boleyn, suo padre, era solo il figlio di un mercante e il nipote di un ex sindaco di Londra quando aveva sposato Elizabeth Howard. Fino a quel momento il matrimonio era stato il suo miglior investimento, perché gli Howard erano stati duchi al tempo della dinastia degli York e proprio di recente Enrico VIII (dinastia Tudor) li aveva reintegrati nel titolo. Sposando Elizabeth, Thomas Boleyn era diventato il genero del duca di Norfolk e le sue due figlie Mary, la maggiore, e Anna, avevano preso servizio a corte. Uomo piacente, buon conversatore, abile cortigiano, il quarantacinquenne Thomas, di fisico robusto e di pochi scrupoli, stava ammassando una cospicua fortuna; non gli dispiacque venire a sapere che la sua figlia maggiore era diventata l'amante del re. D'altronde, insistenti voci di palazzo insinuavano che re Enrico si fosse giaciuto anche con sua moglie Elizabeth, ma nemmeno questo lo aveva eccessivamente turbato.

Enrico VIII è una delle figure diventate leggendarie prevalentemente a causa dei suoi difetti, vistosi come tutto il resto, e degli errori commessi. L'armatura esposta nella Torre, cui accennavo sopra, mostra la sua eccezionale corporatura: alto poco meno di un metro e novanta, un metro e mezzo di torace, ottanta centimetri alla vita. Un gigante dotato di un vigore fisico adeguato a quelle dimensioni, abile nei tornei, grande cavaliere, ottimo combattente con armi sia lunghe sia corte. Un visitatore della corte annotò: «Quando si muove, il terreno trema sotto di lui». Enrico era salito al trono poco più che ragazzo; a diciotto anni sposa Caterina d'Aragona, più anziana di lui di sei anni, circostanza che avrà un peso nella sua vita e dunque nella sua politica. Soprattutto ne avrà il fatto che dei sei figli concepiti da Caterina solo una femmina sopravviverà. Sarà anche lei per poco regina, conosciuta dai posteri come Maria la Sanguinaria (Bloody Mary).

Carlo V, eterno rivale, più giovane di Enrico di nove anni, è l'uomo che a sedici anni è diventato re di Spagna e a diciannove ha ottenuto il titolo d'imperatore, cioè di capo del Sacro Romano Impero. Titolo agevolato, è vero, da una delle maggiori banche europee che gli ha permesso di comprare i voti dei principi elettori (usanza vecchia, come si vede), tuttavia imperatore e per di più nipote acquisito di Enrico dal momento che sua madre (Giovanna la Pazza) e la prima moglie di Enrico (Caterina d'Aragona) sono sorelle. Carlo è un principe guerriero dotato di una forza intellettuale e fisica che Tiziano magistralmente sottolinea nel celebre ritratto conservato al Prado. I suoi domini vanno dalle Fiandre alle colonie americane, dagli Stati ereditari asburgici a Napoli e alla Sicilia.

Un ultimo personaggio deve essere nominato perché il cerchio si chiuda: Francesco I, re di Francia, nato nel 1494, dunque con un'età intermedia tra gli altri due, anche lui salito al trono giovanissimo, a ventun anni. Francesco passa in pratica la sua vita a combattere Carlo, di cui teme lo strapotere, mentre Enrico d'Inghilterra oscilla, tentato di allearsi ora con l'uno ora con l'altro. Ma Francesco è anche il re che rafforza l'iden-

tità culturale del suo paese, che invita alla sua corte Leonardo
e Cellini, il che ci porta a notare che, dei tre, Enrico d'Inghilterra è sicuramente il meno interessato alle arti e alle lettere.

Si delinea già in queste brevi note il complicato reticolo di
parentele, affetti, interessi e calcoli che legano i vari personaggi e ne determinano i comportamenti. La sorte di Anna dipen-
derà anche da questi difficili equilibri. Tra le molte curiosità, si
può ricordare che questi uomini dal destino tanto diverso morirono praticamente alla stessa età. Enrico nel 1547, a cinquantasei anni; Francesco nel medesimo anno ma a cinquantatré;
Carlo nel 1558, a cinquantotto. Vite logoranti, morti che già allora potevano essere considerate premature. Anna gioca la sua
esistenza fra questi tre padroni che fanno e disfano i confini
dell'Europa, ossia del mondo, alterando di continuo i suoi
equilibri con una logica di potenza che in più di una occasione
sfiora il capriccio.

Anche le donne, quale che fosse la loro condizione, si concedevano qualche capriccio, amoroso soprattutto. Lo facevano
correndo rischi inauditi. Un marito che avesse sorpreso sua
moglie in flagrante adulterio aveva in pratica diritto di vita e
di morte su di lei. Trafiggendola sullo stesso letto a colpi di
pugnale non solo evitava ogni biasimo ma rinsaldava la fama
di uomo capace di lavare con la necessaria determinazione
ogni onta.

D'altronde, fino a pochi decenni fa vigeva nei principali codici penali europei una fattispecie criminosa definita «delitto
d'onore» che prevedeva pene irrisorie per chi uccidesse il coniuge colto in flagrante adulterio. Nell'Europa del XVI secolo
si andava più in là e la possibilità dell'ira maritale costituiva
per le donne una vera ossessione. Il marito poteva costringere
la moglie infedele a chiudersi in un convento, oppure provve-
dere egli stesso a rinchiuderla in una stanza segreta della sua
dimora, nutrita con il minimo di alimenti, frustata dai servi.
Concedersi a qualcuno che non fosse il coniuge costituiva un
pericolo più grave di quello corso da un soldato o marinaio
sul campo di battaglia o in mare.

Ad affermarlo è uno scrittore francese che, per la verità,

scrive qualche decennio dopo i fatti di cui ci stiamo occupando, riferendosi in particolare alla Francia. Tale comunque la sua fama, tali la vivacità e la pregnanza per certi aspetti insuperabile del racconto, che vale la pena di leggerne una o due pagine per capire meglio quale fosse l'atmosfera di una corte. L'uomo si chiama Pierre de Bourdeille (1540-1614) nato in Dordogna, abate e signore di Brantôme, titolo con il quale lo conosciamo. La sua opera s'intitola Le dame galanti e per nostra fortuna possiamo leggerla nella magnifica traduzione di Alberto Savinio. Scrive Brantôme:

> Ho conosciuto una gentile dama, non delle meno ragguardevoli, la quale, in una certa propizia occasione che le si offrì di godersi l'amico suo, questi, venendo a rappresentarle i gravi danni che nascerebbero se il marito che non stava troppo discosto sopraggiungesse, ella non si prese più cura di lui e lo abbandonò all'istante, stimandolo amatore poco ardimentoso: poiché nulla muove più a dispetto la dama innamorata come, venendole ardore e fantasia di alcuna espansione amorosa, l'amico suo non la voglia o non la possa contentare immantinente.

Preso dal malizioso incanto di questi racconti ne riferisco brevemente un secondo che gira intorno allo stesso argomento:

> Un'altra dama, intrattenendosi in dialogo amoroso con un gentiluomo, costui, fra l'altro, le dichiarò che, se si coricassero insieme una notte, egli si sentiva di correr fino a sei quintane, talmente la di lei bellezza lo stimolava. «Vi vantate parecchio» replicò la dama. «Vi convoco dunque a una siffatta notte.» Il gentiluomo fu puntuale all'invito; ma, per disgrazia, egli, appena in letto, fu colto da tale convulsione, raffreddamento e stiracchiamento di nervi, che non gli riuscì nemmeno di rompere una sola e miserevole lancia; così che la dama gli disse: «Non volete fare altro? Ordunque, sgombrate il mio letto; non ve l'ho dato come un letto di locanda perché vi riposiate con comodo». E con queste parole lo licenziò.

Per maggiore scorno, l'autore conclude contrapponendo alla disonorevole prova del nostro gentiluomo la poderosa efficienza del protonotario Baraud, cappellano di re Francesco I, il quale «quando si giaceva con le dame di corte, arrivava perlomeno alla dozzina» e con tutto ciò al mattino, sommo narciso, si scusava col dire: «Signora, non ho potuto fare meglio, ma gli è che ieri dovetti prendere una certa medicina...».

La sottomissione femminile era fortemente sostenuta sia

dai Padri della Chiesa sia dai filosofi. Il pensatore spagnolo
Juan Luis Vives scriveva per esempio:

L'amore della moglie nei confronti del marito include rispetto, obbedienza e sottomissione. Non solo le tradizioni degli antenati, ma tutte le
leggi umane e divine concordano con la possente voce della natura che
richiede alla donna obbedienza e sottomissione.

Le idee di san Girolamo sull'educazione femminile avevano
avuto un peso considerevole nella cultura cristiana. Secondo i
teologi, era un dato di fatto che le donne fossero inferiori agli
uomini, come detta d'altronde la stessa storia della Creazione.
Eva, ricavata da una costola di Adamo, era stata creata infatti
non a immagine di Dio bensì a immagine del suo uomo. Per di
più sua era la colpa di aver tentato Adamo determinando così
la rovina dell'umanità. Il radicato pregiudizio, che secondo alcuni nasconde il timore dell'uomo nei confronti del «potere
della vulva», arrivò addirittura ad assumere con il tempo una
connotazione di tipo «scientifico» che merita un cenno.
Nel Sedicesimo secolo, dunque, le donne erano sottomesse
ma anche sufficientemente ardite da prendersi i loro piaceri al
di fuori del matrimonio nonostante i rischi. Donne allevate in
un'atmosfera di sorrisi, ammiccamenti, allusioni, convegni segreti, piccoli sguardi magnetici, finte ripulse più invitanti di
un aperto cedimento. Anna visse tutto questo e ne apprese
tempi, modi, trucchi come dama di compagnia di Maria Tudor (sorella di Enrico) nella cerchia del re francese Luigi XII,
dove suo padre l'aveva spedita poco più che bambina a fare
apprendistato come dama di corte. L'ambiente delle dame e
damigelle di corte era una vera e propria scuola di comportamento, di arti mondane, di astuzie politiche, di scaltra diplomazia e, non da ultimo, di bellezza. Le oziose damine trascor-
revano gran parte del tempo a chiacchierare di questo e di
quello, a raccontarsi (se le circostanze lo consentivano) pro-
dezze e gusti, preferenze e prerogative dell'uno e dell'altro, il
tutto accompagnato da piccole risate complici, maliziose reti-
cenze, graziose mossette. Mentre la conversazione procedeva
si provavano vari cosmetici, creme, profumi, acconciature, nastri, gioielli, abiti provvisti di invitanti scollature quando non

di segrete aperture, predisposte in qualche punto strategico e dissimulate da pieghe del tessuto o da un complice falpalà. Tutte cure destinate, come oggi, o ad accrescere le attrattive della giovinezza o a dissimulare i guasti dell'età.

La preferenza accordata alle carnagioni chiare portava molte donne a impallidire la loro pelle con succo di limone e a distenderla con il sublimato di mercurio, detto «fuoco di sant'Elmo». Il potente veleno smangiava rughe e cicatrici, versione primitiva e barbarica della tecnica chiamata oggi *peeling*. Gli effetti collaterali a lungo andare erano deleteri: le applicazioni ripetute provocavano ustioni, i denti annerivano, l'alito si appesantiva in modo disgustoso. Si usava anche aggiungere siero di latte o vino all'acqua del bagno; viso, collo e seno venivano preparati al trucco con un preliminare strato di biacca che trasparisse sotto le successive mani di colori più rosei; l'allume dava alle guance una violenta tonalità rossastra, quando non veniva usato in dosi massicce come astringente per restituire una parvenza di verginità là dove non ce n'era più traccia. Per rendere le labbra di un brillante color ciliegia si usava estratto di cocciniglia o solfuro di mercurio. I danni provocati da questi trattamenti rendevano molte donne di una certa età «macabre apparizioni».

Vecchie e giovani, belle e brutte, così facevan tutte (per citare Da Ponte). Dame e damigelle, del resto, dovevano soltanto rendere più grazioso il quadro d'insieme e quasi mai era loro richiesto di aprire bocca o di pensare; diciamo pure che la loro funzione non era molto dissimile da quella delle odierne vallette televisive che fanno da contorno al presentatore di turno. C'era bisogno di queste leggiadre presenze anche perché gli ambienti di corte, non meno di quelli popolari, apparivano di rivoltante sporcizia. I letti erano infestati dai parassiti, la biancheria di casa era spesso coperta di macchie, i pavimenti ingrommati di fango, resti di alimenti e rifiuti, la biancheria intima sudicia e maleolente perché l'igiene personale lasciava sempre a desiderare, per le donne anche durante il periodo mestruale. Non era raro che durante i banchetti reali i cani, attirati dai miasmi, vagassero sotto le tavole alla ricerca di qualche boccone, allontanati a calci da qualcuno dei numerosissimi servitori impegnati con le portate.

Queste giornate all'apparenza riempite da futili passatempi erano in realtà attraversate sotterraneamente da tensioni, gelosie e ripicche tipiche di ogni ambiente che ruoti attorno a una figura centrale dotata di grande potere. Una dama, dicevamo, rischiava perfino la vita se sorpresa con il suo amante. Ma se per caso quella dama aveva la fortuna di essere o di essere stata anche l'amante del re, ecco che l'alta figura del sovrano costituiva per lei un salvacondotto in grado di raffreddare l'ira del più collerico dei mariti. Bastava che un qualunque ciambellano lasciasse intendere al povero becco che non era il caso di fare tante storie, perché ogni pretesa di onore violato trovasse immediato accomodamento; un'eventuale ostinazione poteva costare la carriera e non di rado la vita.

Né era solo questione di viltà o d'ipocrisia, l'istituzione stessa del matrimonio com'era concepita esigeva questo tipo di flessibilità e non soltanto a corte ma in ogni classe e ceto. Tra la nobiltà alta o bassa era pratica comune promettere in sposa fanciulle anche di dodici o tredici anni a vecchi di sessanta e più, nel caso una convenienza familiare lo suggerisse. Quando Enrico VIII mandò sua sorella a sposare Luigi XII, lei era una delicata fanciulla di diciannove anni, il re francese un «vecchio» di cinquantatré che infatti morì dopo pochi mesi di inutile matrimonio. La fanciulla accettò il sacrificio in nome delle alleanze politiche, facendosi però promettere che il marito successivo l'avrebbe scelto da sola.

Innamorarsi era visto come una faccenda piuttosto grave, ma sposarsi per amore era ritenuto imperdonabile. Sono rimaste tracce profonde di questa divisione tra matrimonio e amore nei costumi europei fino all'Ottocento inoltrato, in certe aree (Italia compresa) addirittura fino alla metà del Novecento. L'attrazione sensuale veniva considerata il peggior fondamento per un'unione duratura, causa di dissapori certi non appena la convivenza avesse fatalmente attenuato la passione iniziale. Inoltre prevaleva il carattere economico del matrimonio, che la Chiesa volentieri consacrava per contenerlo all'interno di certe regole. Vedremo tra poco in quale modo sorprendente e in un certo senso geniale proprio alcune di tali regole saranno usate da Enrico VIII sia contro la prima moglie Caterina sia contro Anna.

Dato che il matrimonio era fondato sulla potestà maritale, ogni uomo che si fosse troppo esposto, dichiarandosi «fervido servitore» durante il corteggiamento, avrebbe incontrato molte difficoltà a esercitare le sue prerogative una volta sposato. Il matrimonio di Enrico con Anna risulterà inquinato anche da simili «errori».

Questo dunque l'ambiente, questa la visione del mondo e degli affetti nei quali Anna era stata educata. Quando entra a far parte della corte d'Inghilterra, le sue funzioni sono quelle di dama di compagnia. Si fa notare per il nero dei capelli, la carnagione scura a confronto con le diafane bellezze inglesi. Non è particolarmente bella. Un suo ritratto, per la verità piuttosto malevolo, la descrive in questi termini: «È di statura media, di carnagione scura, ha il collo lungo, la bocca larga, poco seno, e il suo fascino non consiste in altro che nel riflesso del desiderio del re, e i suoi occhi, neri e belli, hanno molto effetto su coloro che servivano la regina quando era sul trono». Forse era più bella di così, certamente era dotata di tale vivacità da supplire non solo a fattezze non straordinarie ma anche a due enormi difetti: un grosso neo sul collo che cercava di nascondere con collane e monili e l'embrione di un sesto dito alla mano sinistra, una delle ragioni che, più tardi, attirerà su di lei sospetti di stregoneria. Bella o no che fosse, Anna emanava comunque quel richiamo sensuale che alcune donne possiedono a prescindere dalla loro bellezza e di cui diventano precocemente consapevoli.

Caterina d'Aragona, regina d'Inghilterra, era d'altronde ancora meno bella. Più anziana di suo marito Enrico, era bassa di statura e di costituzione robusta. Per tutta la vita continuò a parlare inglese con un forte accento spagnolo. Le numerose gravidanze ne hanno sformato la figura appesantendole i lineamenti. All'inizio degli anni Venti Caterina ha perso ogni attrattiva fisica, essendosi trasformata in una non più giovanissima matrona spagnola tendente alla pinguedine.

Prima di Enrico aveva sposato il di lui fratello maggiore Arturo; uno strano matrimonio di breve durata, con i due sposi poco più che adolescenti e con il giovane Arturo di costituzione così gracile da rendere verosimile la voce, reclamata poi da Caterina quando questo elemento (lo vedremo) acquisterà rilievo dinastico, che l'unione non fosse mai stata consumata.

Le sue gravidanze dimostrano, più che la passione di Enrico, il suo quasi disperato desiderio di assicurarsi una successione. I Tudor sedevano sul trono solo da trent'anni, e se Enrico non fosse riuscito ad avere un figlio maschio la dinastia si sarebbe potuta estinguere. È dubbia la data in cui Enrico e Caterina smisero di dividere il letto. Secondo uno degli ambasciatori stranieri presenti a corte, nel 1528 re e regina dormivano ancora insieme. D'altra parte il cardinale Campeggio, inviato del papa, scrive in una sua relazione a Roma che la regina «non giaceva con la sua [del re] regale persona da più di due anni». A favore della tesi dell'astinenza gioca anche il fatto che secondo un altro cardinale la regina Caterina soffriva, a partire dal 1526, di un disturbo di natura ginecologica che le rendeva penoso l'amplesso.

È in questa stagione della sua vita, insoddisfatto dalle avventure d'una notte con qualche damigella, che Enrico s'accende per Anna Bolena. I percorsi della follia d'amore sono i più disparati ed è dunque inutile, mancando fonti dirette, cercare di capire quali elementi abbiano originato una così forte passione. Sappiamo che lui ha trentacinque anni, lei dieci di meno.

Le lettere mostrano un uomo molto innamorato che anela di godere i favori della sua bella, e che, pur rispettando i canoni dell'amor cortese, non si priva di licenze scopertamente sensuali. «Con il latore della presente vi mando un cervo che io stesso ho ucciso la scorsa notte, con la speranza che gustandolo vi ricorderete del cacciatore.» Oppure, con audacia: «Vi mando ora un braccialetto con incastonato un mio ritratto. Come vorrei essere al suo posto qualora lo gradiste». Ancora più audace: «Desiderando trovarmi tra le braccia della mia adorata i cui bei seni confido presto di baciare». Enrico propone ad Anna di assumere il rango (e i doveri) di «amante ufficiale». In francese del tempo: «*Si vous le plet de faire l'offyce de une vray loyal mestres et amye*», se vi compiacerete di adempiere i doveri (le funzioni) di una vera e leale amante e amica. La frase presenta delle ambiguità, cominciando da quel *mestres*, termine dal quale derivano sia il francese *maîtresse* che l'inglese *mistress* e che possiamo tradurre con «amante», ma che all'epoca non aveva una consolidata connotazione sessuale.

Dal momento in cui è chiaro a tutta la corte e a buona parte dei londinesi che Anna è non solo la favorita ma la donna che il re desidera sposare, comincia una lotta senza quartiere tra le due donne, Anna e Caterina. Per sposare Anna, attratto da lei e dalla possibilità di averne il sospirato erede maschio, Enrico deve liberarsi della «vecchia» moglie. Qualcuno, forse il suo confessore, gli suggerisce un passo del *Levitico* (20,21) dal quale si ricava che sposando la vedova di suo fratello Arturo egli potrebbe aver compiuto un atto contrario alla volontà divina: «E se un uomo prenderà la moglie di suo fratello, è cosa obbrobriosa: avrà scoperto le vergogne di suo fratello». Conseguenza: «Essi non avranno figli». Su quella profezia, o maledizione, si apre un bisticcio interpretativo. Enrico e Caterina un figlio, cioè una figlia – Maria – l'avevano avuta. Il testo latino della Bibbia non parlava di figli maschi (*Filiis*) bensì di figli in genere (*Liberiis*), ma il re era convinto che ci fosse un errore di traduzione e che il secondo significato fosse stato messo al posto del primo.

Con la sapiente consulenza dell'arcivescovo di York, Wolsey, che è anche legato pontificio con ampi poteri, Enrico elabora un piano a suo modo geniale. Se sposando la vedova di suo fratello egli ha violato la legge del Signore, il cardinale, custode delle anime, deve citarlo in giudizio davanti a una corte legatizia. Giacendo con la vedova di suo fratello, Enrico ha commesso una colpa, nemmeno la dispensa papale potrebbe sanare una tale violazione. Wolsey rincara la dose (e accelera i tempi) dicendo di temere che la vendetta divina si abbatta sul sovrano se non si procederà rapidamente.

Poiché Caterina giura d'essere giunta vergine al matrimonio con Enrico, tutta la partita si gioca sulla verità di questa circostanza. Per mesi e anni va avanti la disputa, mentre Anna aspetta con sempre maggiore impazienza che Enrico si liberi della moglie per sposare lei. Ipocritamente il re assicura: «Se dunque dovessi nuovamente prendere moglie, sceglierei [Caterina] tra tutte le donne. Ma se verrà stabilito in giudizio che il nostro ma-

trimonio è contrario alle leggi di Dio, molto soffrirò separando-
mi da tale nobile signora e amorevole compagna».

Caterina intanto si vede costretta a ripetere davanti ai cortigiani che il giovane Arturo quel matrimonio non l'ha consumato né la prima notte né in seguito, per cui lei s'era consegnata
«*virgo intacta*» agli abbracci di Enrico. Una cosa chiede la povera
regina sempre più affranta, che il suo caso venga giudicato non
in Inghilterra, sia pure alla presenza di alti prelati inviati dal Vaticano, ma direttamente a Roma davanti al papa. Teme Caterina, non a torto, che a Londra l'influenza di Enrico sia troppo forte e che il giudizio cominci già compromesso.

La parte più umiliante della storia si ha quando diversi testi
depongono per cercare di stabilire se al tempo della prima notte di nozze con Arturo c'era stata tra gli sposi «copula carnale»
oppure no. L'anziano conte di Shrewsbury dice di ritenere che
il giovanissimo Arturo abbia adempiuto al suo dovere dal momento che egli stesso «aveva potuto farlo avendo preso moglie
a quindici anni e mezzo». Sir Anthony Willoughby era addirittura presente, giovanissimo, quando Arturo era stato accompagnato al letto nuziale dove Caterina giaceva sotto le coperte. Venuto il mattino, il principe era uscito dalla camera
chiedendo una tazza di birra per dissetarsi «poiché stanotte
sono stato in mezzo alla Spagna». In un libello scandalistico
del 1532, la frase veniva ripresa in forma di dialogo: «Come
mai signore avete una tal sete?», «Se foste andato in Spagna
tante volte quante io questa notte, in fede mia avreste molta
più sete di me».

Più e più volte, mai direttamente smentita dal re, la regina
giurò sulla sua verginità, finché durante una cerimonia pubblica, nel giugno 1529, si produsse in una scena destinata alla
leggenda. Improvvisamente Caterina si leva dal suo seggio, si
fa largo tra la folla degli spettatori, raggiunge il re, si getta ai
suoi piedi. Quella donna che in fondo ha solo quarantatré anni ne dimostra, dicono, quasi sessanta. Nel suo duro inglese
fortemente venato di spagnolo pronuncia davanti a tutti parole disperate e struggenti: «Per l'amore che c'è stato tra noi vi
supplico, rendetemi giustizia e diritto, abbiate pietà di me,
poiché io sono una povera donna, una straniera, nata al di

fuori del vostro regno ... Prendo Iddio e il mondo intero a testimoni che sono stata per voi una moglie fedele, umile e obbediente, sempre pronta ai vostri desideri e al vostro piacere».

In questo appassionato crescendo il finale torna ancora una
volta sul dolente punto centrale: «Chiamo Iddio a mio testimone che quando mi avete avuta ero vergine, né mai toccata da uomo. E se questo sia vero o falso lo chiedo alla vostra coscienza».

Tale fu l'impressione suscitata da questa implorazione, pro-
nunciata nel silenzio agghiacciato dell'assemblea, che poco
meno di un secolo dopo Shakespeare (in collaborazione con
John Fletcher) ne farà una delle scene più potenti del suo dramma *Enrico VIII*: «Sire, v'imploro di rendere giustizia al mio diritto» (atto II, scena IV). Se è vero ciò che afferma Nietzsche, che
nel dolore si trova la vera origine della memoria umana, c'è in
questa scena poderosa e umiliante il disperato archetipo di
ogni moglie che veda il suo uomo abbandonarla per un'altra
donna. Non ci sono più re e regine dietro quelle parole, ma solo
esseri umani squassati dalle loro passioni e interessi.

E Anna? Quando finalmente Enrico può sposarla (gennaio
1533) sono passati sei o forse sette anni dall'inizio del corteggiamento. Era una fanciulla in fiore, comincia a essere una signorina d'una certa età. Se deve dare un erede ai Tudor e all'Inghilterra, bisogna fare in fretta. In tutto quel tempo ha giocato
su ogni astuzia e risorsa per tenere avvinto il re senza stancarlo,
concedendogli quel tanto che mantenesse acceso il suo desiderio, attenta a non perdere nessuna delle posizioni a mano a mano acquisite e anzi traendo da queste ogni possibile vantaggio.
Anna Bolena è uno di quei personaggi doppi, nei quali ciascuno può vedere l'aspetto che più lo attrae o lo interessa. Donna
in carriera, diremmo oggi, spregiudicata amministratrice del
proprio fascino, attenta dispensatrice delle sue grazie in vista
di un qualche vantaggio, feroce avversaria di chiunque si frap-
ponga sul suo cammino. Tutto vero, ma non è solo questo. Le
doti univoche, i caratteri senza ambiguità sono spesso anche
senza spessore, delineano figure mediocri. Anna, al contrario,
fu sempre all'altezza delle drammatiche circostanze che visse;
seppe, da sola, tenere testa a una corte, sfidandola. Sappiamo

che cosa sono le corti, le corti d'ogni genere e in ogni tempo, quali astuzie e quanta prudenza siano necessarie per non soccombere. Ambienti dove basta un passo falso per scivolare ed essere schiacciati.

Anna Bolena si muove per anni in una posizione insieme molto forte e molto debole. Basterebbe un momento di distrazione del re per perderla; tanto più che la corte è schierata in maggioranza con Caterina, e sicuramente con Caterina resterà sempre il popolo di Londra.

Perfino durante il corteo per l'incoronazione, dunque a cose fatte (1° giugno 1533), Anna è bersagliata da qualche insulto lungo il percorso dalla Torre all'abbazia di Westminster. Si comincia dalle due iniziali (H per Henry e A) intrecciate sulle ghirlande che ornano le strade. Qualche popolano le trasforma in un fonema satirico ripetendole a voce alta: «Ha, Ha!». Quando Enrico l'accoglie a braccia aperte chiedendole se le sia piaciuta la città parata a festa, Anna risponde: «Sì, ma ho visto troppi cappelli sulle teste e troppe poche lingue in movimento». Il popolo decisamente non la ama, la chiamano «gran puttana», «puttana dagli occhi sporgenti», «strega dalle sei dita», «scandalosa sgualdrina», «*Nan Bullen*, la femmina malefica».

Lei ribatte colpo su colpo. È certo una donna di temperamento ma è anche una donna logorata da un'attesa troppo lunga. Detesta Caterina ma odia ancora di più Maria, che fino a quel momento è l'unica figlia legittima di Enrico. Briga per farle togliere appannaggi e servitori, per allontanarla dalla corte e dall'affetto del padre, non perde occasione per umiliarla chiedendo che venga messa al suo servizio. Di fatto sarà poi assegnata al servizio di sua figlia, la neonata Elisabetta. Maria soffre in quel periodo tali umiliazioni e crudeltà da restarne segnata per tutta la vita. La ferocia del suo breve regno ne è il retaggio.

Il giorno di Natale del 1530 Anna fa ricamare sulle livree dei suoi servitori un motto arrogante coniato da lei stessa: «*Ainsi sera. Groigne qui groigne*», così sarà, mormori chi vuole. Enrico la vuole, questa è la sua forza. Ai primi di dicembre 1532 Anna è incinta, come possiamo dedurre dal fatto che il 7 settembre dell'anno successivo dà alla luce un figlio. Non il maschio che

Enrico voleva, ma una bambina destinata a un grande futuro: sarà Elisabetta I. C'è chi vede nella sua futura decisione di restare vergine una sottile sublimazione della vendetta contro suo padre Enrico, ossessionato dall'idea di avere un figlio maschio, diventato pazzo per questo fino a uccidere le mogli incapaci di accontentarlo, di farne motivo di uno scisma con Roma.

Di fronte alla richiesta di Enrico di annullare il matrimonio, il papa tergiversa. Enrico, sempre più impaziente, ritiene oltraggiosi i tempi del Vaticano. La sua vigorosa baldanza giovanile comincia a declinare. Ha appena toccato i quarant'anni, ma un'ulcera varicosa gli provoca forti dolori alla gamba sinistra. Cammina appoggiandosi a un bastone e per mascherare la menomazione costringe i cortigiani più giovani a fare altrettanto. Lo descrivono «calvo come Cesare» al di sotto dei suoi copricapi piumati. Con uno di questi lo dipinge Holbein il giovane, un ritratto di imbarazzante evidenza psicologica.

Si è talmente scritto sullo scisma voluto da Enrico VIII che davvero c'è poco da aggiungere. Quella traumatica separazione fu certo originata dalla furia, diventata poi orgoglioso puntiglio, con la quale il re voleva farla finita con il suo matrimonio e stabilire una nuova unione con Anna, soddisfacendo insieme la sua lussuria e il suo bisogno di eredi. Certo però l'operazione non sarebbe riuscita se Enrico non avesse potuto fare conto su un'insofferenza verso il papa e la Chiesa di Roma diffusa tra i fedeli britannici. Agendo secondo la sua volontà, o se si vuole assecondando il suo capriccio, il re almeno in quel caso sentì il segnale che veniva dal ventre profondo del suo popolo.

Enrico era cattolico, un suo piccolo studio di argomento religioso gli era valso nel 1521 il riconoscimento di *Defensor fidei*, ma in quel momento la sua impazienza prevale su tutto. Molti suoi sudditi d'altra parte sono esasperati dagli abusi ecclesiastici: sgravi fiscali, cattiva amministrazione, sfacciato concubinaggio. Infastidisce il numero eccessivo di preti e suore, visti come una pletorica casta parassitaria. Suscita una forte ostilità il modo in cui i tribunali ecclesiastici esercitano la giurisdizione, nei casi di sospetta eresia si accettano accuse anonime e prove dubbie con una procedura giudicata «romana» e contraria al diritto comune inglese.

L'Europa è in subbuglio, la predicazione di Lutero (cominciata nel 1517 con le clamorose novantacinque tesi di Wittenberg)
mette alla frusta la corruzione del clero cattolico. A Roma si
mercanteggiano i premi celesti, i preti mantengono concubine,
fanno commercio di indulgenze e di messe per i defunti. Ci sono famiglie indebitate per aver voluto abbreviare le pene del
purgatorio ai loro cari scomparsi. Lutero non è solo un riforma-
tore religioso, sta diventando anche un eroe popolare nelle città
tedesche e una minaccia per l'imperatore cattolico, come lo è
l'avanzata turca verso Occidente guidata da Solimano il Magnifico. Nel maggio 1527 le truppe imperiali di Carlo V, affamate e
senza guida, saccheggiano Roma. Preti assassinati, suore viola-
te, chiese spogliate dei loro tesori, papa Clemente VII tenta di
chiudersi in Castel Sant'Angelo ma è fatto prigioniero. Neppure con l'invasione dei vandali nel V secolo Roma aveva patito
tali rovine.

Questi sono gli anni, questo il contesto drammatico in cui la
vicenda di Enrico e Anna va a inserirsi; si può immaginare
con quale stato d'animo e quanta insofferenza il papa potesse
valutare l'ennesima bega regale. Presa quella strada, d'altra
parte, Enrico può solo andare avanti a ogni costo. Il Parlamento elabora lentamente una nuova configurazione giuridica dei
poteri del sovrano. Quando il papa è informato che il re inglese ha sposato Anna nonostante il suo divieto, emette una bolla
ordinandogli di allontanarla, poiché ogni figlio nato dalla loro
unione sarà considerato illegittimo. Enrico viene scomunicato,
anche se con un provvedimento tenuto per il momento in sospeso. La scomunica papale aveva al tempo conseguenze gravissime; resa esecutiva, coinvolgeva le funzioni di governo.
Un re senza sacramenti era spogliato dei suoi diritti di comando; i suoi sudditi erano sciolti dal vincolo di obbedienza. Se
l'imperatore Carlo V avesse avuto qualche desiderio o interesse a invadere l'Inghilterra, questo sarebbe stato il momento.
Per fortuna di Enrico, l'imperatore aveva in quel momento
ben altre preoccupazioni.

Dopo che l'unione tra Enrico e Caterina è stata dichiarata
«priva di valore legale», il 1° giugno 1533 Anna viene incoronata e «consacrata» regina d'Inghilterra; nella prima sessione

parlamentare dell'anno successivo una serie di atti svincola la Chiesa inglese dalla giurisdizione del papa e proclama che il re ne è il capo. Il pontefice non ha più competenza sull'intera cristianità, è solo il vescovo di Roma. Il re d'Inghilterra, delibera il Parlamento, comanda sulla sua Chiesa così come sul suo regno, il clero è compreso nella sua giurisdizione.

Lutero sta disegnando una nuova Chiesa, anzi un nuovo rapporto tra l'uomo e Dio, ma gli inglesi vanno per le spicce. Nel caso di Enrico i cambiamenti di immediata evidenza sono che le tasse non devono più pagarsi a Roma e che Roma non ha più competenza nella soluzione di casi giudiziari.

Uno dei pochi a rendersi conto di dove porti la strada intrapresa è Tommaso Moro. Per aver rifiutato di prestare giuramento alla Legge di Supremazia, che sancisce lo scisma, viene incarcerato nella Torre. Vi rimane un anno, prima di essere giustiziato. La sua esecuzione ha luogo il 6 luglio 1535, due settimane prima è stato decapitato anche il vescovo Fisher. Entrambi saranno in seguito fatti santi dalla Chiesa cattolica per la loro fedeltà alla vera fede. Moro era stato fra l'altro il principale oppositore laico al progetto di pubblicare una Bibbia in inglese, s'era schierato con i vescovi dichiarando: «Non è necessario che le Scritture siano in lingua inglese e nelle mani di gente comune, dal momento che il permesso o il diniego di dette Scritture dipende unicamente dalla discrezionalità dei superiori». Probabilmente il grande pensatore aveva sottovalutato il fatto che l'invenzione della stampa stava rivoluzionando la circolazione delle idee, un forte elemento di novità che invece non era sfuggito al re. Una Bibbia inglese (traduzione di Miles Coverdale) viene pubblicata nel 1536, lo stesso anno dell'esecuzione di Anna Bolena.

Nell'estate del 1534 Anna, prossima a partorire per la seconda volta, perde il bambino per ragioni che ignoriamo. Enrico rimane deluso, lei è terrorizzata, sa che almeno per la metà deve ruolo e privilegi alla funzione di madre dell'erede al trono. Se questa cade, anche l'altra metà, quella che soddisfa la sensualità del sovrano, rischia di vanificarsi. Da quel momento tenta disperatamente di restare di nuovo incinta. Sollecita il sovrano, non sempre con successo.

Nel caso di Enrico quell'affievolirsi della sensualità segnava il precoce declino di un uomo che in gioventù non aveva esitato a esercitare nel modo più spiccio il *droit du seigneur*, giungendo a strappare le spose dalle braccia dei mariti. Ora è la stessa Anna a lamentarsi di occasionali episodi d'impotenza del marito. A una delle sue dame confida che il re non possiede «*ni vertu ni puissance*», volendo intendere che manca sia di sapienza amatoria che d'impeto. Non sappiamo se lo dicesse per giustificarsi del fatto di non restare incinta. D'altra parte, anche il re era insoddisfatto delle prestazioni della moglie e a lei faceva risalire la colpa delle proprie *défaillances*.

Il 7 gennaio 1536 la regina Caterina muore poco più che cinquantenne. La sua agonia è orribile, la donna è squassata da conati di vomito che le impediscono di nutrirsi, di bere e di dormire. «Sia lodato Iddio che ci ha liberati da ogni pericolo di guerra» esclama Enrico quando corrono a portargli la notizia. A lungo si disse che Caterina era morta non di crepacuore ma per avvelenamento. Anche Anna, che è di nuovo incinta, gioisce alla notizia. Sbaglia, però: comincia proprio da quel momento la fase conclusiva della sua rovina.

Due o tre settimane più tardi, forse il 29 gennaio, Anna abortisce espellendo un feto maschio di poco più di tre mesi. Dice che è successo a causa del terribile spavento provato nell'apprendere che il re era caduto da cavallo restando per qualche ora in coma. Giura che è l'amore per il marito ad averle fatto perdere il figlio.

Enrico non le crede, oppure le crede ma non per questo cambia opinione su di lei. La verità è che ne ha abbastanza di quella moglie non più giovanissima, spesso imbronciata o tagliente nelle risposte, imbruttita dalla tensione in cui vive, tanto più che proprio in quelle settimane sta rivivendo come in un incubo la situazione di cui lei stessa è stata protagonista anni prima. Questa volta però è lei la moglie da cacciare.

Enrico ha una nuova fiamma, una pallida bellezza inglese il cui nome è Jane Seymour. Di fronte a Jane, Anna è un ingombro come anni prima lo era stata Caterina. Jane è giovane, bella, di una castità che rasenta la ritrosia, o l'ostentazione. Sembra che voglia giocare esattamente la stessa partita che anni prima era stata di Anna. A corte tutta la fazione ostile ai Boleyn briga per sospingere Jane nel letto del re. Dopo l'aborto, Enrico dice ormai apertamente che Iddio gli vuole negare un figlio perché Anna lo ha stregato, irretito, sedotto e costretto al matrimonio con incantesimi e sortilegi.

La verità è che la morte di Caterina, nella quale Anna ha visto il definitivo trionfo, ha avuto invece una conseguenza politica per lei disastrosa. Clemente VII, papa tra i più nefasti, è morto; il suo successore, Paolo III, ha ribadito la nullità dell'unione di Enrico con Anna. La conseguenza è che agli occhi di Roma Enrico è al momento un vedovo, quindi libero di risposarsi quando vuole. Un altro motivo congiura contro di lei: Carlo V ha fatto intendere con mezze parole e mille prudenze, tramite il suo ambasciatore a Londra, che non vedrebbe male un nuovo matrimonio del re inglese. Cromwell informa il sovrano che l'imperatore considererebbe l'allontanamento di Anna un gesto amichevole. Sono due ragioni forti. L'aborto e la nascente passione di Enrico per Jane completano il quadro.

Ci si è chiesti tante volte: non era possibile chiudere Anna in convento o confinarla in qualche remoto castello? Perché ucciderla? Alla prova dei fatti queste domande però non reggono: per il re sarebbe stata una soluzione imprudente. L'indomito carattere della precedente regina spagnola aveva dimostrato quante difficoltà può creare una moglie scontenta, anche se messa in «isolamento». Anna, una volta rinchiusa in convento, dato il suo temperamento spigoloso, avrebbe potuto procurargli fastidi già sperimentati. «Velenosa puttana» la chiamava Enrico negli ultimi tempi. Anna finisce sul patibolo anche per assicurare la tranquillità del sovrano.

Il processo contro di lei è un semplice delitto di Stato dissimulato sotto una procedura giudiziaria. Anna viene arrestata e rinchiusa nella Torre. Somma e crudele ironia, sono gli stessi appartamenti nei quali ha atteso la cerimonia dell'incoronazione. La detenzione è umana, le stanno accanto alcune dame di compagnia che sono anche spie incaricate di riferire ogni sua parola al conestabile Kingston, il quale a sua volta ne informa Cromwell. Anna sa di questa loro doppia funzione, le chiama le sue «guardiane».

I capi d'accusa sono vaghi, né Anna li conobbe mai con precisione fino a quando non arrivò davanti alla corte. Sa che sono stati arrestati alcuni uomini accusati di aver avuto relazioni sessuali con lei: Sir Francis Weston, Sir Henry Norris, il valletto di camera del re William Brereton, Mark Smeaton, il suo vecchio ammiratore Thomas Wyatt (poi rilasciato). I quattro innocenti rimasti agli arresti hanno un solo punto debole che li accomuna: tutti hanno avuto frequenti e anche isolati contatti con lei, hanno avuto accesso ai suoi appartamenti e alla stessa camera da letto. Volendo montare un'accusa di adulterio e, conseguentemente, di alto tradimento, rappresentano insomma dei bersagli ideali.

I quattro imputati sono condannati alla pena più severa: essere squartati vivi, evirati, fatti a pezzi. Pena in seguito commutata dal re misericordioso nella «semplice» impiccagione. Lunedì 15 maggio vengono giudicati Anna e suo fratello Lord Rochford. Si devono erigere speciali tribune per accogliere la folla immensa, circa duemila persone, che straripa dalla Great Hall della Torre. Secondo alcune fonti, è possibile che Anna avesse veramente commesso adulterio con Mark Smeaton, giovane musico di corte, che quasi di sicuro era innamorato di lei.

Durante il rapido processo Anna appare tranquilla, reagendo compostamente all'assurdità delle imputazioni. Suo fratello, Lord Rochford, è accusato d'aver avuto rapporti incestuosi con lei, si giunge ad attribuirgli la vera paternità di uno dei due figli mancati di Anna. Uno dei più accaniti testi d'accusa è la stessa moglie di Lord Rochford, che imputa al marito di avere frequentato con troppa assiduità la camera da letto della sorella. È probabile, dicono gli storici, che Jane Rochford volesse far capire di essersi schierata dalla parte dei vincitori. Sia Anna sia suo fratello si rimettono alla giustizia del re. È il modo per lasciare aperta una sia pur lontana possibilità di grazia.

Mercoledì 17 i cinque uomini vengono giustiziati sulla Tower Hill davanti a una gran folla. Quello stesso giorno viene siglato il documento che annulla il matrimonio di Anna con Enrico VIII. È Cranmer, arcivescovo di Canterbury, l'uomo che s'adopera per annullare anche questo matrimonio di

Enrico. È lo stesso che ha fatto annullare in via definitiva le prime nozze con Caterina. In questa orribile storia dove nessuno si salva e ogni sentimento è subordinato ai più cinici calcoli, l'arcivescovo giganteggia, se così può dirsi, per abietto servilismo.

Anna viene prelevata dalla prigione nella Torre alle otto del mattino del 19 maggio. Il giorno precedente si è confessata proprio con l'arcivescovo Cranmer. Per lei è stato convocato il boia di Calais, abilissimo nell'uso della spada. Sappiamo che la sua trasferta in Inghilterra è costata ventiquattro sterline. Si diceva che la morte per spada fosse più rapida di quella provocata dalla mannaia, dunque più pietosa. Anna copre con passo regolare i cinquanta metri circa che separano l'alloggio dal giardino. Ha un aspetto, dicono, «quasi lieto» o addirittura «molto gioioso». Al contrario degli uomini, giustiziati sulla collina della Torre, per lei si è preferita la riservatezza del giardino interno per le ragioni di prudenza che conosciamo.

Dopo che ha pronunciato le sue poche e riguardose parole, una delle dame del seguito le toglie il copricapo. La cuffietta trattiene la massa scura dei capelli lasciando libero il collo sottile. Quando Anna s'inginocchia e poggia la testa sul ceppo, il carnefice usa un pietoso stratagemma. Grida come rivolto a qualcuno: «Ehi tu, la spada!». Anna istintivamente volge, come può, il capo da quella parte, e così facendo va a collocarsi esattamente nella posizione più favorevole. Con un gesto talmente veloce che nessuno lo vede, l'uomo estrae la spada già nascosta nella paglia sparsa attorno al ceppo. Vibra il colpo: uno zampillo di sangue, un sussulto. Dopo che il carnefice lo ha esibito, una delle damigelle avvolge il capo mozzo in un panno bianco, le altre sollevano il corpo così orribilmente mutilato per trasportarlo nella cappella adiacente di St Peter ad Vincula.

Anna aveva trentasei anni. Era stata regina per tre anni e mezzo, moriva quattro mesi dopo la sua rivale. Il giorno successivo, 20 maggio 1536, Enrico si fidanzava con Jane Seymour, pronto a farne la sua terza moglie.

VII

ELEMENTARE, WATSON!

Per incredibile che possa sembrare, a Londra esiste anche la casa del padre di tutti i detective contemporanei: Sherlock Holmes, ovviamente. Si trova, come da canone, al numero 221b di Baker Street, di fronte a un angolo di Regent's Park; insomma, proprio là dove chiunque abbia letto i romanzi di Conan Doyle si aspetta che stia. Che un personaggio letterario, di pura invenzione, arrivi ad avere una vera casa è una rarità tipicamente inglese. E, a giudicare dal numero dei visitatori in una giornata di ordinario grigiore, dev'essere anche un buon affare. Leggendo da ragazzo le avventure del celebre *consultant detective*, la sua abitazione me l'ero immaginata proprio come oggi si presenta, intendo dire confortevole, un po' angusta, con le tappezzerie scure, abbondantemente arredata, come del resto erano tutte le case della borghesia vittoriana, che valutava il grado di benessere di un alloggio proprio dalla profusione di mobili e ninnoli.

La casa-museo è stata aperta al pubblico nel 1990, ossia quasi un secolo dopo che la stravagante coppia formata da Sherlock Holmes e dal fido dottor Watson aveva lasciato i locali avendovi «vissuto» per oltre vent'anni, dal 1881 al 1904.

All'interno accoglie i visitatori una giovane hostess gentile, vestita anche lei alla maniera vittoriana, come la governante di Holmes. Dalle sessanta storie scritte da Conan Doyle (romanzi e racconti) possiamo ricavare una tale quantità di dettagli e informazioni che potremmo percorrere questi locali, distribuiti su due piani oltre a quello terreno, quasi a occhi chiusi. Al primo piano c'è lo studio che Holmes condivideva a volte con l'amico medico. La sua camera da letto si trova sempre su questo piano, ma sul retro. La stanza di Watson è invece al secondo piano, anch'essa sul retro, accanto a quella della signora Hudson. Sappiamo, e ne troviamo conferma, che lo studio si affacciava su Baker Street grazie a due finestre piuttosto grandi.

Naturalmente si tratta di un gioco; anzi, è talmente un gioco che perfino il numero civico 221b è posticcio; infatti il visitatore che voglia emulare Holmes potrà notare, prestando attenzione, che quel «221» è del tutto fuori posto, trovandosi tra i numeri 237 e 239. Ma per dare consistenza a un mito si può fare questo e altro. L'edificio risale al 1815, dal 1860 al 1934 ha ospitato una pensione privata; i più disincantati, i più recalcitranti al fascino postumo del grande detective possono visitare le stanze come esempio di una tipica pensioncina londinese del primo Novecento. Chi invece crede al gioco, dovrà riconoscere che la messa in scena si fonda su un'appropriata astuzia psicologica che sfrutta i processi d'identificazione immaginaria che ognuno fa quando legge con trasporto un'opera. Tanto più se si tratta di un'opera, e d'un personaggio, che hanno contribuito a completare la fisionomia di un'intera epoca. Sherlock Holmes sta alla Londra vittoriana come Philip Marlowe alla California degli anni Cinquanta, Maigret a Parigi, il commissario Montalbano alla Sicilia di «Vigàta». L'identificazione con il luogo e il tempo è, insomma, totale.

Le immagini persistenti di Londra, secondo una mitologia popolare molto diffusa, sono: fanali giallastri sfumati nella nebbia, carrozze che avanzano accompagnate da un sinistro cigolio di molle, lunghe cancellate nere lucide di pioggia, vicoli oscuri dove il pericolo sembra in agguato, *docks* sul Tamigi gremiti di navi arrivate da molto lontano cariche di chissà cosa; se ancora oggi Londra suscita questo tipo di associazioni mentali, lo dobbiamo a un londinese come Holmes, mai registrato all'anagrafe cittadina e tuttavia più reale di tante persone realmente esistite.

Secondo Alma Elizabeth Murch, storica del racconto poliziesco, ci sono in letteratura personaggi che possiedono una loro identità inconfondibile, «il cui nome e le cui caratteristiche sono conosciute da migliaia di persone che possono anche non avere letto nessuna delle opere in cui compaiono. Tra questi personaggi dev'essere certamente incluso Sherlock Holmes». Da che cosa dipende un così forte processo di identificazione? Nel caso di Holmes, come cercherò di spiegare, da due distinte circostanze. La prima è che Holmes è l'abile medico di una società la cui malattia è il crimine. Il nostro *consultant detective* si presenta però con tali caratteri di completezza da dare vita a una leggenda che supera l'ambito narrativo per diventare il tentativo di applicare la massima facoltà umana, cioè la razionalità, alla soluzione delle tante situazioni problematiche della vita. Le sue azioni, mosse da grande lucidità di visione, produrrebbero, insomma, un effetto consolatorio e rassicurante, balsami di cui si è sempre sentito in giro un gran bisogno.

Nel suo saggio *Il romanzo poliziesco* (1984) Siegfried Kracauer scrive che la mente dell'investigatore impegnata nella soluzione di un enigma è la versione pratica dell'intelletto kantiano che illumina il mondo con la luce della Ragione. Kracauer, discepolo di Lukács e Benjamin, amico di Theodor W. Adorno, forzando un po' le cose, ha cercato di coniugare il romanzo poliziesco con la filosofia e addirittura con la teologia. Ha così elaborato una sorta di teologia del Nulla, nella quale il detective, quasi sempre celibe come i sacerdoti, generalmente incline alla malinconia e alla solitudine, celebra in una qualche hall di albergo, stazione ferroviaria, studio di avvocato, acquattato nell'ombra di un portone sotto la pioggia, le messe nere della Ragione infallibile e invincibile. Lo stesso Holmes, d'accordo in questo con il suo predecessore Auguste Dupin, afferma (nel *Vampiro del Sussex*) che «quando si sia scartato tutto ciò che è impossibile, ciò che rimane, per quanto improbabile, dev'essere la verità».

Al contrario della polizia ufficiale, l'investigatore privato pratica il suo mestiere per esercitare l'arte della deduzione e – come impone la regola del genere – non sbaglia mai, nonostante le difficoltà e anzi grazie a esse. Anche Holmes non sbaglia (quasi) mai, aiutato in questo dal suo angelo protettore, che sarebbe poi il suo stesso creatore, Conan Doyle.

Sherlock Holmes è il protagonista di quattro romanzi e cinquantasei racconti pubblicati tra il 1887 e il 1927 conosciuti dagli esperti holmesiani come «il canone». Le notizie che Sir Arthur Conan Doyle dissemina nelle pagine su di lui sono precise al punto da dare vita e rilievo a un uomo in carne e ossa, così ricco di virtù e di debolezze da suscitare un'impressione di familiarità. Holmes ha tratti fisici molto caratteristici: è alto più di un metro e ottanta ma tanto magro da sembrare ancora più alto. Raramente lo vediamo mangiare, e sempre in modo così sobrio da far sospettare che il famoso investigatore rasenti quasi l'anoressia. Sappiamo che il suo pasto preferito è la colazione del mattino, che odia le verdure e ha invece un debole per le ostriche. I suoi connotati esprimono decisione, gli occhi sono scuri e penetranti ai lati di un naso affilato e leggermente adunco che dà al volto un profilo grifagno. Secondo il suo amico e biografo dottor Watson, le sue mani sono sempre «macchiate d'inchiostro e di sostanze chimiche anche se [Holmes] possedeva una straordinaria delicatezza di tatto, come avevo osservato vedendolo manipolare i suoi fragili strumenti».

Il curioso rapporto tra i due ha fatto sospettare un'attrazione di tipo omosessuale. Che questa ci sia, perlomeno allo stato latente, è verosimile, anche se Holmes, al contrario di quanto una certa vulgata ha tentato di accreditare, non è sicuramente un misogino. C'è almeno una donna, Irene Adler (cantante d'opera, ex amante del re di Boemia), che Holmes ha amato e che durante l'avventura *Uno scandalo in Boemia* riesce addirittura a superarlo in perspicacia. Nei suoi confronti Sherlock nutre una tale profonda ammirazione da affermare: «Ne ho viste troppe per non sapere che l'intuizione di una donna può avere più valore della conclusione di un ragionatore analitico». Altrettanto sicuramente, però, i suoi rapporti con le donne si fermano qui. Mai nel corso delle sue avventure lo vediamo, o possiamo sospettarlo, impegnato in vicende amorose, men che meno sessuali. Niente amore, niente sesso e, per completare il quadro, bisogna aggiungere che all'ammirazione verso qualche donna s'affianca una notevole diffidenza verso il genere femminile visto come portatore di turbamenti che complicherebbero una vita come la sua, per molti aspetti quasi monacale.

Quali pensieri inespressi abitano la mente di Holmes quando non è indaffarato a risolvere un caso criminale? Chiunque abbia una minima familiarità con lui credo si sia posto questa domanda. Se non altro per spiegare i suoi repentini slanci musicali, i misteriosi momenti di malinconia e di debolezza. Chiuso il corpo magro nella lunga veste da camera color topo, Holmes imbraccia il violino, che forse è uno Stradivari acquistato da un rigattiere per quattro soldi, e attacca una struggente melodia passeggiando su e giù per la stanza del suo appartamento. Altre volte ha un improvviso cedimento alla droga. Racconta Watson:

> Sherlock Holmes tolse una bottiglia dalla mensola del caminetto e una siringa ipodermica da un lucido astuccio di marocchino. Con le lunghe dita bianche e nervose avvitò all'estremità della siringa l'ago sottile e si rimboccò la manica sinistra della camicia. I suoi occhi si posarono per qualche attimo pensierosi sull'avambraccio e sul polso solcato di tendini e tutti punteggiati e segnati da innumerevoli tracce di iniezioni. Infine si conficcò nella carne la punta acuminata, premette il minuscolo stantuffo, poi, con un profondo sospiro di soddisfazione, ricadde a sedere nella poltrona di velluto.

Per scusare le «innumerevoli tracce di iniezioni» bisogna precisare che l'uso della cocaina, assunta da Holmes per via ipodermica (e non endovenosa), in soluzione al sette per cento, a quei tempi non era illegale; fino al 1884 venne anzi considerata un farmaco, e in quanto tale usata e prescritta dallo stesso Freud ad alcuni suoi pazienti. Holmes ne fa uso solo nei momenti d'ozio; il suo non è quindi un espediente per sottrarsi alle responsabilità, bensì uno strumento per ravvivare lo spirito e per ridare acutezza allo sguardo che, nelle pause tra due lavori, tende a farsi inespressivo e ad appannarsi. Potremmo dire che al pari di tanti uomini nati con la società industriale, anche Holmes soffre di un'assuefazione da lavoro; è un *workaholic*, come dicono gli americani, un individuo talmente immerso e compiaciuto della propria attività da soffrirne la mancanza.

Quali pensieri, ripeto, abitano la sua mente quando non è impegnato in un'indagine? L'ipotesi più ragionevole è che rifletta, non senza qualche rimpianto, all'indirizzo diverso che avrebbe potuto dare alla sua vita, alle tante inclinazioni che la sua viva intelligenza gli avrebbe permesso di coltivare. Sappiamo che la sua biblioteca nel piccolo, comodo appartamento di Baker Street è zeppa di ritagli di stampa, resoconti di casi affrontati, notizie su persone scomparse, pile di vecchi giornali, almanacchi, orari ferroviari, testi di botanica, volumi di un'enciclopedia americana. Materiali da lavoro, insomma; strumenti quasi da giornalista, adatti a una persona che ha bisogno di nozioni e aggiornamenti veloci, non particolarmente approfonditi.

Lo stesso Watson, nel tentativo di descrivere, più per sé che per il lettore, la personalità di quest'uomo enigmatico, prova a farne un elenco delle cognizioni, dal quale apprendiamo che le conoscenze di Holmes sono tanto vaste quanto disorganiche. Estese le nozioni di chimica, diritto, anatomia, botanica, geologia, narrativa a sensazione. Scarse invece, per non dire assenti, quelle di letteratura, filosofia, astronomia, giardinaggio, politica. Holmes ha un'ottima preparazione da investigatore, ma si rivela molto debole fuori dalle materie di stretta competenza professionale.

Leggiamo insieme il resoconto testuale del dottor Watson:

Letteratura zero. Filosofia zero. Astronomia zero. Politica: scarse. Botanica: variabili. Conosce a fondo caratteristiche e applicazioni della belladonna, dell'oppio e dei veleni in generale. Non sa nulla di giardinaggio e di orticoltura. Geologia: pratiche ma limitate. Riconosce a prima vista le diverse qualità di terra. Dopo una passeggiata mi ha mostrato certe macchie sui suoi pantaloni indicando, in base al loro colore e consistenza, in quale parte di Londra avesse raccolto il fango dell'una o dell'altra. Chimica: profonde. Anatomia: esatte ma poco sistematiche. Letteratura sensazionale: illimitate. A quanto pare conosce i particolari di tutti gli orrori perpetrati nel nostro secolo. Suona bene il violino. È abilissimo nel pugilato e nella scherma. È dotato di buone nozioni pratiche in fatto di legge inglese.

In definitiva, Holmes sa di avere una preparazione incompleta e zoppicante. Almeno in un'occasione, felice per la buona riuscita di un'indagine, confessa: «Possiedo un vasto repertorio di conoscenze disparate, prive di sistematicità scientifica, ma molto utili per le necessità del mio lavoro». Ed ecco un'applicazione immediata del suo metodo, consistente nel saper attribuire alla cenere di sigaro la giusta importanza come indi-

zio. Watson descrive il metodo investigativo di Holmes mo-
strandocelo all'opera:

> Trasse di tasca un metro e una grossa lente d'ingrandimento, roton-
> da. Armato di quei due strumenti si mise a trotterellare in silenzio per la
> stanza, fermandosi qua e là e, di quando in quando, inginocchiandosi.
> Una volta si sdraiò addirittura al suolo. Era così assorto che sembrava
> essersi dimenticato della nostra presenza. Infatti, continuava a parlare
> da solo, sottovoce, prorompendo di continuo in esclamazioni, sbuffate,
> fischi e piccole grida di giubilo e di speranza. Mentre l'osservavo non
> potevo fare a meno di paragonarlo a un segugio di razza, ben allenato,
> intento a inseguire la preda. ... In un punto raccolse con cura dal suolo
> un mucchietto di polvere grigia e lo ripose in una busta.

Quei resti di cenere così scrupolosamente raccolti sono uno
dei primi gesti di «polizia scientifica» registrati in un racconto
poliziesco.

Questo dunque è l'uomo: sa tutto sui veleni come il migliore dei chimici, però nulla di letteratura. Riconosce a prima vista le varie qualità di terra come un esperto geologo, ma non
saprebbe distinguere il primo ministro dal leader dell'opposizione. Suona bene il violino ma ignora tutto del giardinaggio.
Queste caratteristiche, che per un europeo del continente non
avrebbero troppa importanza, per un inglese, in particolare in
quegli anni, sono invece una menomazione grave.

Su se stesso e sul proprio metodo di lavoro Holmes ha in
compenso le idee molto chiare: «Il mio metodo lo conoscete,»
afferma un giorno «si basa sull'osservazione delle inezie». È
anche per questo che il geniale detective si dedica alla redazione di alcune belle monografie specializzate. Una, per esempio, è intitolata *Sulla distinzione tra le ceneri dei vari tipi di tabacco*. Vi si espongono analisi e illustrazioni di centoquaranta tipi
diversi di sigari, sigarette e tabacchi da pipa, catalogando per
ognuno le diversità che la cenere residua presenta. Un lavoro,
diciamolo pure, semplicemente pazzesco che Holmes giustifica con la maniacale tecnica del dettaglio, considerata il fondamento del proprio successo: «Per un occhio esercitato esiste,
tra la cenere nera di un Trichinopoly e quella bianca dell'"occhio d'uccello", la stessa differenza che passa tra un cavolo e
una patata». In un'altra occasione precisa di aver catalogato

«settantacinque tipi di profumo che un esperto del crimine deve assolutamente saper distinguere l'uno dall'altro». Non senza orgoglio rivela anche di «poter distinguere quarantadue diverse impronte di pneumatici» e via dicendo. Ancora: «Ho intenzione di scrivere una piccola monografia sull'impiego dei cani nel lavoro del detective ... Chi ha mai visto un cane vivace in una famiglia lugubre o un cane triste in una famiglia allegra? Il cane riflette la vita del suo padrone».

Quella che Holmes chiama l'osservazione delle inezie ci porta a un'altra caratteristica del tempo. In un saggio divenuto giustamente famoso (*Spie, radici di un paradigma indiziario*) Carlo Ginzburg traccia un parallelo tra lo storico dell'arte Giovanni Morelli (1816-1891) e Sherlock Holmes. In che modo due discipline dissimili possono essere avvicinate, per di più confrontando una persona reale con un personaggio di fantasia? Morelli aveva elaborato un proprio metodo per l'attribuzione di un'opera d'arte, basato sull'osservazione attenta non dei caratteri più appariscenti, e quindi più facilmente imitabili (come per esempio gli occhi alzati al cielo dei personaggi del Perugino, il sorriso di quelli di Leonardo, il drappeggio delle figure tizianesche e via dicendo), bensì dei particolari minimi (i lobi delle orecchie, le dita dei piedi, le unghie). Proprio perché marginali, argomentava Morelli, quei dettagli sono stati eseguiti dall'artista velocemente e senza troppo controllo, dunque è proprio lì che egli con maggior facilità si rivela: «La personalità va cercata là dove lo sforzo personale è meno intenso».

Annota allora Ginzburg: «Il conoscitore d'arte è paragonabile al detective che scopre l'autore del delitto (del quadro) sulla base di indizi impercettibili ai più». Se si riflette su questa sorprendente somiglianza di metodo (come del resto è stato fatto) si scopre che anche Freud, che sta lavorando proprio in quegli anni alla sua teoria, fonda il metodo psicanalitico su una procedura analoga: lasciare che il paziente parli senza essere interrotto e per libere associazioni, collocato a suo agio in una postura che faciliti il rilassamento fisico, in modo da aumentare la possibilità che nel flusso della sua coscienza si apra qualche involontario spiraglio, attraverso il quale il medico riesce a gettare uno sguardo. Sappiamo che Freud, le cui teorie cominciarono a essere note a partire dal 1895, manifestò a un suo paziente («L'uomo dei lupi») il proprio interesse per le avventure di Holmes mentre, per quanto riguarda Morelli, ebbe a dire: «Credo che il suo metodo sia strettamente apparentato con la tecnica della psicanalisi medica».

Come si spiega questa straordinaria convergenza di metodo? Segno dei tempi, certo. La scienza intimorisce ma insieme entusiasma, proprio come avviene oggi. A partire dalla metà dell'Ottocento diventa parte integrante del pensiero inglese e più in generale europeo. Influisce anche l'infatuazione positivista, la fiducia che la ragione, correttamente impiegata, possa risolvere o almeno alleviare i mali del mondo. Cosa in parte avvenuta, anche se mali nuovi hanno poi rimpiazzato gli antichi. Ma ci sono anche motivi più specifici. Freud era un medico, Morelli era laureato in medicina, Conan Doyle era anch'egli medico e aveva praticato la professione prima di darsi alla narrativa. Secondo Carlo Ginzburg, in tutti e tre i casi s'intravede il modello della semeiotica medica: la disciplina che sulla base di sintomi superficiali consente di diagnosticare le malattie inaccessibili all'osservazione diretta. Non è certo un caso che l'assistente e biografo di Holmes sia per l'appunto un medico; medico, peraltro, di modeste qualità, come una volta, ingenerosamente, lo stesso Holmes gli fa notare: «Lei è solo un medico generico con un'esperienza molto limitata e titoli mediocri».

L'epoca in cui il nostro geniale detective vive e opera è caratterizzata, insomma, da un sentimento forte e contrastante nei confronti della scienza: un misto di fascino e di sgomento, di attrazione e di repulsione che abbiamo già visto nei capitoli precedenti e che riguarda tutte le nuove scoperte, comprese le patologie umane fisiche e mentali. La scienza intesa come apprendimento razionale del mondo si sta imponendo come base di ogni conoscenza. Tutto ciò che non rientra in un ordine ragionevolmente spiegabile viene relegato nel campo della superstizione, forma deteriore di un passato da cui le conquiste della tecnologia portano ad allontanarsi velocemente. Anche il male acquista così un sembiante scientifico. Ne è una prova l'aspetto del nemico mortale di Holmes, il sinistro (fin dal nome) professor Moriarty:

È magro e alto, la sua fronte è ricurva come una bianca cupola e gli occhi sono profondamente infossati nelle orbite. È accuratamente sbarbato, pallido, quasi ascetico, nei lineamenti conserva qualcosa del professore. Le spalle sono incurvate per il grande studio e il volto sporge all'infuori e oscilla in continuazione in un movimento simile a quello dei rettili.

Holmes, del resto, credeva nell'ereditarietà del Male e proprio a proposito di Moriarty una volta ebbe a dire che la sua inclinazione criminale doveva essergli in qualche modo entrata nel sangue per via ereditaria. Nel racconto *Il problema finale* afferma:

Vi sono alberi che crescono fino a una certa altezza e poi all'improvviso sviluppano una qualche spiacevole stranezza. Spesso accade anche negli uomini. Ho una mia teoria secondo la quale l'individuo manifesta nel suo sviluppo la successione dei suoi antenati.

La questione del rapporto tra fattori ereditari e ambientali nella determinazione del carattere di un individuo non è stata interamente risolta nemmeno oggi, anche se tra i genetisti sembra comunque prevalere l'ipotesi che le inclinazioni di una persona non possano essere ascritte soltanto ai fattori ereditari, come invece Holmes sembra credere.

Il nostro investigatore pratica egli stesso i metodi della medicina, e ostenta una razionalità degna di un procedimento scientifico, al quale però non disdegna di mescolare qualche elemento di arte e di magia. Il modo drammatico con cui esibisce le sue associazioni logiche assomiglia a quello con cui certi medici cercano di impressionare i pazienti simulando un intuito diagnostico non dissimile da quello di maghi e indovini.

Tutti sanno che Conan Doyle aveva inizialmente modellato la figura del suo personaggio su quella del suo maestro, il professor Joseph Bell della Royal Infirmary di Edimburgo. Più volte lo scrittore ripeté che se il vecchio Bell, invece che un medico, fosse stato un poliziotto, «avrebbe sicuramente portato questa attività, affascinante ma disorganizzata, a qualcosa di molto vicino a una scienza esatta». Lo stesso Bell accentuò questa rassomiglianza spiegando che: «Il riconoscimento di una malattia si basa in gran parte sulla valutazione rapida e accurata dei piccoli particolari per cui la malattia differisce dalla buona salute. Il medico infatti deve imparare a osservare e Holmes è a suo modo il medico di una società della quale il delitto rappresenta la malattia».

Osservare, scrutare, cioè in definitiva saper vedere là dove l'occhio distratto non scorge nulla o al massimo vede soltanto l'inespressiva superficie delle cose. «Il mondo è pieno di cose ovvie che nessuno in nessun caso osserva» afferma Holmes, sempre attento anche alle cosiddette «evidenze negative», cioè all'assenza di qualcosa che ci sarebbe dovuto essere. Nel racconto *Barbaglio d'argento* c'è questo rapido scambio di battute tra lui e l'ispettore Gregson, che domanda: «"C'è qualche altro punto su cui volete attirare la mia attenzione?". "Il curioso episodio del cane di notte." "Il cane non fece nulla durante la notte." "È questo il curioso episodio" osservò Sherlock Holmes». La singolarità è quasi sempre un indizio. La fede di Holmes è che quanto più un delitto è privo di caratteristiche e sconfina nel luogo comune, tanto più sarà difficile risolverlo.

Anni fa Umberto Eco e Thomas A. Sebeok proposero un confronto a tre (*Il segno dei tre*) nel quale tra Holmes e Auguste Dupin il terzo richiamato nel titolo era il grande logico americano Charles Sanders Peirce (1839-1914). La sua teoria è all'origine del pragmatismo e Peirce viene considerato il vero fondatore della «semiotica» o scienza dei segni. Una delle congetture di Peirce è che gli esseri umani ricavano spesso dall'osservazione «forti indicazioni di verità senza essere in grado di specificare quali circostanze dell'esperienza abbiano convogliato quelle indicazioni». Peirce è sicuramente stato un buon lettore di racconti polizieschi, anche se non esistono prove che abbia conosciuto quelli scritti da Conan Doyle. Lesse invece, e amò, i racconti di Poe, e in particolare il celeberrimo *Il delitto della Rue Morgue*, nel quale il protagonista Auguste Dupin afferma: «Mi sembra che questo mistero sia considerato insolubile per la stessa ragione che invece dovrebbe farlo considerare di facile soluzione. Voglio dire il carattere *outré* dei suoi tratti». Peirce annota: «I problemi che a prima vista sembrano assolutamente insolubili ricevono nella medesima circostanza le chiavi che più dolcemente vi entrano».

Scienza? Capacità logica? Intuito? Fortuna? Con quali chiavi

Holmes mette alla prova le sue capacità? Egli è sicuramente un campione della deduzione. È anche evidente che spesso si avvale del suo intuito, come del resto fa ogni valente professionista, che è qualcosa di imponderabile, indefinibile, indispensabile. Una dote che si potrebbe definire un «istinto a indovinare».

Quando è impegnato in un'indagine, è tale comunque la sua concentrazione che lo stesso aspetto fisico cambia. Lo fa notare Watson in *Il mistero di Valle Boscombe*:

> Quando si trovava a fiutare una pista Sherlock Holmes si trasformava. Chi avesse conosciuto solo il tranquillo pensatore o il logico di Baker Street avrebbe stentato a riconoscerlo. Il suo viso arrossiva diventando più cupo. Le sue sopracciglia si trasformavano in due dure linee nere mentre gli occhi scintillavano con un bagliore metallico. Teneva la testa bassa, le spalle curve, le labbra compresse. Le vene del collo lungo e nervoso si tendevano come corde di violino. Le sue narici sembravano dilatarsi in un'animalesca brama di caccia e la sua mente era così concentrata che una domanda o un'osservazione provocavano in risposta un ringhio improvviso e nervoso.

Nessuno faticherà a riconoscere in questa trasformazione quasi caricaturale il ritratto di un segugio, il «ringhio» di un bracco teso alla posta di una possibile preda. È così che Holmes evoca e concentra tutte le sue capacità di osservazione e di deduzione.

Un'altra delle sue caratteristiche è l'abilità trasformistica. Più volte nel corso delle sue avventure il nostro eroe cambia aspetto: invecchia, balbetta, diventa più basso, altera in modo radicale i lineamenti, arriva a simulare con drammatica verosimiglianza uno stato estremo di malattia. Risolto il caso e tolto il trucco, spiega a Watson a quali tecniche abbia fatto ricorso:

> Con un po' di vaselina sulla fronte, qualche goccia di belladonna negli occhi, un velo di belletto sulle guance, e qualche crosta di cera d'api intorno alle labbra, si può produrre un effetto molto soddisfacente. ... La simulazione di una malattia è un soggetto sul quale ho talvolta pensato di scrivere una monografia.

In un'altra occasione si arriva a un vero e proprio sdoppiamento di figura. Watson e Holmes sono in agguato all'interno di una casa abbandonata che si trova di fronte all'abitazione dell'investigatore. Da quel nascondiglio spiano la finestra del loro studio dove si ha ragione di temere un attentato criminale. Ecco il racconto di Watson:

> Nel momento in cui il mio sguardo si posò su di essa, trasalii ed emisi un grido di stupore ... l'ombra di un uomo seduto in una poltrona all'interno della stanza si stagliava con i suoi contorni neri e decisi entro il riquadro luminoso della finestra ... Era una riproduzione perfetta di Holmes. Ero così stupito che allungai una mano per assicurarmi che l'uomo in carne ed ossa fosse lì accanto a me. Un lieve sussulto rivelava che stava silenziosamente ridendo fra sé e sé.

Un elemento che caratterizza i racconti di Conan Doyle è la quasi totale mancanza di elementi orripilanti. Lo scrittore si comporta come Poe, che tenne quasi sempre nettamente distinte le opere nelle quali giocava su elementi terrorizzanti da quelle di smagliante razionalità di cui era protagonista l'investigatore Auguste Dupin. Unica eccezione è *Una discesa nel Maelström*, nel quale i due elementi si combinano. Al di fuori del «canone» holmesiano, Doyle scrisse anche racconti nei quali compaiono spettri, esseri mostruosi, creature dotate di poteri paranormali; giocò, insomma, con elementi soprannaturali o appartenenti alla patologia mentale. Lo scrittore, infatti, fu uno studioso di occultismo così appassionato da farsi seguace di una dottrina spiritista, sicuro, in età avanzata, di poter comunicare con i morti. La narrativa poliziesca e quella del terrore sono generi molto diversi; giova che restino ognuno all'interno dei propri canoni.

Prima di chiudere, voglio dare un altro esempio di quali insospettabili radici abbia il metodo analitico di Holmes. L'episodio è richiamato da Thomas De Quincey in un suo breve saggio molto ironico intitolato *L'assassinio come una delle belle arti*. De Quincey (1785-1859) nutrì per tutta la vita un morboso interesse per gli episodi criminali, affascinato e posseduto, come lo sarà Dostoevskij, dall'assassinio, dal suo orrore e dal suo alone sacro. Con lo sguardo allucinato del «mangiatore di oppio», De Quincey contempla l'irruzione del Male sulla scena del mondo e rabbrividisce fino a quando un pensiero traverso lo folgora e riesce a scorgere, pur nell'orrore, un qualche involontario elemento di umorismo nero. Con questo spirito individua in Shakespeare una scena degna del più crudo romanzo poliziesco. Si tratta della seconda parte dell'*Enrico VI* (atto III), dove il duca di Gloucester, zio molto amato di un re semplice e stupido, viene trovato morto nel suo letto. Scoppia un alterco tra fazioni per cercare di capire se il duca sia stato assassinato o sia morto per cause naturali. Il ragionamento, potremmo dire la prova, con cui il conte di Warwick illustra la tesi dell'omicidio è nella descrizione degli orribili mutamenti che la morte ha apportato:

> Vedete il suo viso, nero e gonfio di sangue,
> le sue pupille più sporgenti che in vita,
> lo sguardo fisso e sinistro d'uno strangolato.
> Irti sono i capelli, dilatate le nari per lo sforzo,
> e le sue mani tese come di chi s'è dibattuto
> per difendere una vita che la forza ha vinto.
> Guardate i capelli incollati al lenzuolo,
> la barba sempre curata e ora tutta scomposta
> come grano che una tempesta d'estate abbia frustato.
> Uno solo di questi indizi basterebbe a dire
> che su questo letto l'uomo è stato assassinato.

Trattandosi di stabilire la differenza tra una morte naturale e una violenta, non c'è dubbio che l'analisi di Warwick sia logica e così accurata dal punto di vista anatomico che figurerebbe degnamente nel referto di un moderno medico legale.

Il 6 maggio 1891 il «Journal de Genève» riportò la notizia della morte di Sherlock Holmes, ripresa il giorno dopo da tutti i quotidiani inglesi. Il grande investigatore era caduto nel precipizio della cascata svizzera di Reichenbach avvinghiato al suo arcinemico, il criminale professor Moriarty. La notizia sconvolse i lettori, che si erano affezionati ai resoconti mensili delle sue avventure su «The Strand Magazine». Conan Doyle però provava ormai per il suo detective «gli stessi sentimenti che ispira il pâté di fegato a chi ne ha fatto indigestione». Per anni si rifiutò di riprenderne le avventure. Nell'agosto 1901 finalmente cedette, ma solo in parte: la nuova serie di imprese, *Il mastino dei Baskerville*, era infatti presentata come una reminiscenza del dottor Watson e non come un vero e proprio ritorno del celebre segugio. Soltanto nell'ottobre 1903 Holmes risorse davvero. O meglio, riemerse da un lungo viaggio, dichiarando misteriosamente: «Sono stato per due anni in Tibet, dove mi sono divertito visitando Lhasa e passando alcuni giorni con il Dalai Lama». Su questo viaggio non abbiamo altre informazioni nel corpus canonico pubblicato da Doyle. Un tibetano, Jamyang Norbu, ha cercato di colmare il vuoto nel suo libro *Il mandala di Sherlock Holmes*, resoconto di prima mano sugli anni mancanti nella biografia dell'investigatore. Tale comunque la forza del mito che numerosi film e romanzi «apocrifi» hanno continuato a uscire su Sherlock per tutto il Novecento.

Abbandono il *consultant detective*, alla fine di questo capitolo, molto a malincuore. Del complesso animo inglese, nel quale non mancano certo gli aspetti sgradevoli, egli incarna il lato migliore. L'abilità professionale ma anche la pazienza, la visione della vita e del mondo, la considerazione degli esseri umani. Mi piacciono di Holmes la misteriosa malinconia, l'orgoglio temperato dalla coscienza che la vita umana è sostanzialmente futile: «Non è dunque la vita patetica e futile? Ci aggrappiamo a essa. E cosa ci resta in mano alla fine? Un'ombra: o peggio, miseria». Quale lezione per tutti coloro che fanno della propria abilità motivo di orgoglio smisurato e fuori posto. A loro si addice un altro precetto di Holmes: «Dal grottesco all'orribile c'è solo un passo». C'è in lui anche l'amara consapevolezza delle regole del mondo quando afferma: «Quello che facciamo in questo mondo non ha molta importanza. Ciò che conta è quello che si riesce a far credere d'aver fatto».

Holmes si aggira per i vicoli della sua Londra scrutando il buio con sguardo grifagno, aspettandosi di trovare dietro ogni angolo una qualche personificazione del male o del dolore. In tarda età si ritira nella campagna del Sussex, nel sud dell'Inghilterra, ad allevare api e a fare salutari passeggiate nella luce verde della campagna. Secondo una scrittrice americana contemporanea, una tra i tanti che hanno elaborato racconti o film su di lui, Holmes avrebbe addirittura incontrato in quello scenario pacificatore la donna della vita, una certa Mary Russell che l'avrebbe convinto a sposarsi.

Lo ritengo improbabile. La campagna può aver attenuato il suo affanno, ma un uomo inquieto non muta di temperamento per il fatto di trovarsi in un posto o in un altro. Tanto più che ogni apparenza può ingannare, compresa quella della campagna. Come aveva confidato una volta al diletto Watson: «La mia esperienza mi dice che il più miserabile cortile di Londra non può fornire una più spaventosa cronaca di peccati di questa ridente e gaia campagna».

«Elementare, Watson» si potrebbe concludere, se non fosse che Sherlock Holmes quel detto memorabile non l'ha mai pronunciato.

VIII

CORSARI, PIRATI, BUCANIERI

Il più curioso museo londinese è una nave. Una nave vera, un incrociatore da battaglia, un bel vascello orgoglioso ancorato sul Tamigi accanto al Ponte di Londra, di fronte alla Torre. Il suo nome è HMS *Belfast*, dove le tre lettere iniziali stanno per *Her Majesty's Ship*. Il suo motto: «*Pro tanto quid retribuamus?*». Con la tipica cura del passato che contraddistingue gli inglesi, la nave è stata conservata com'era quando ha terminato il servizio nel 1965; e con un certo gusto dello spettacolo in stile Disney sono stati aggiunti una serie di «teatrini» che riproducono, mediante figure a grandezza naturale, scene della vita di bordo.

Nelle cucine sono all'opera cuochi che preparano il rancio; nelle lavanderie gli inservienti (cinesi) alimentano grandi macchine lavatrici; in plancia è in corso una drammatica conversazione (registrata) tra il comandante, gli ufficiali di rotta e il direttore di tiro, come se la nave fosse sotto attacco nemico. In un locale vicino alla cambusa c'è perfino uno dei gatti «in servizio» a bordo intento ad acchiappare un topo: si possono udire sia il soffio del gatto sia il disperato squittio della preda. Si scende sottocoperta: nella sala operatoria i chirurghi sono al lavoro su un paziente (bisturi, pinze e tutto il resto); nell'aria si sente un leggero odore di etere. In un'altra saletta un ufficiale dentista sta trapanando un dente a un marinaio.

Gli alloggi dell'equipaggio sono sparsi qua e là, amache sospese ovunque ci sia un po' di spazio: sui condotti dell'aria, sugli alloggiamenti dei siluri, al di sopra dei tavoli nella sala mensa, perfino nelle torrette dei cannoni. Ci sono collocazioni ardue dove bisogna inerpicarsi con vere acrobazie. Il cibo era, per generale ammissione, *stodgy and unimaginative*, indigesto e monotono; in compenso, abbondante. La disciplina rigida come ai tempi di Nelson: le celle di punizione lo dimostrano. Il comandante poteva comminare fino a quattordici giorni di reclusione. Tra le mancanze più gravi: il sonno o l'ubriachezza durante il quarto di guardia. Le durissime condizioni di vita accomunavano tutti gli uomini a bordo (novecentocinquanta tra ufficiali e marinai). Perfino l'alloggio del comandante era di ascetica severità. La *Belfast* ha combattuto nel mare Artico, ha preso parte allo sbarco in Normandia nel 1944, ha fatto anche in tempo a partecipare alla guerra di Corea nel 1950. Nave veloce per i suoi tempi, poteva toccare i 32 nodi (58 km/h) con un consumo di 26 tonnellate di carburante all'ora.

Se si esclude il sistema di propulsione, quindi la velocità, nel momento in cui la *Belfast* prese servizio poco o nulla era cambiato nella vita di un marinaio rispetto ai tempi di Nelson. I marinai potevano arruolarsi a partire dai diciotto anni; durata della ferma dodici anni, paga bassissima: poco più di una sterlina a settimana. Oltre alla paga base il marinaio aveva diritto a un'indennità di 12 scellini e 6 pence per ogni figlio. Durante le trasferte in mare, dalla paga venivano prelevati e spediti direttamente alle mogli 18 scellini alla settimana.

Non si può capire Londra se non si considera che la sua vita è stata sempre proiettata sul grande fiume che l'attraversa e, grazie al fiume, verso quel mare dal quale ha tratto ricchezza e potenza. Non si è davvero vista Londra se non si è disceso il Tamigi, sia pure per i pochi chilometri che separano il centro cittadino da Greenwich, località molto legata al mare, dove sorgeva una delle residenze preferite da Enrico VIII, dov'è nata Elisabetta I, dove sorge la deliziosa villa progettata da Inigo Jones detta *Queen's House*, costruita per la moglie di Giacomo I, e dove, soprattutto, si può ammirare il veliero *Cutty Sark*.

Questo famoso clipper ha una storia curiosa e un nome ancora più curioso, perché *Cutty Sark* vuol dire semplicemente «camiciola» e nasce da una leggenda messa in versi da Robert Burns (1759-1796) nel suo *Tam O'Shanter*. Tam (Tom) è un contadino ubriacone che una notte, a cavallo della sua giumenta, crede di vedere una ronda di streghe guidate da Satana in persona suonare la cornamusa e danzare intorno a una chiesa.

Fugge terrorizzato, ma l'unica strega giovane e bella in mezzo a quell'orda di oscene vecchie lo rincorre e agguanta la coda della giumenta che, però, le resta in mano. La giovane strega si chiama Nannie e indossa solo una corta camicia di tela: *Cutty Sark*, appunto.

Il clipper con lo stesso nome venne varato nel 1869: 65 metri di lunghezza, 960 tonnellate di stazza, una velatura poderosa che poteva raggiungere i 4 mila metri quadrati. All'inizio della sua vita avventurosa la bella nave venne adibita al trasporto del tè dalla Cina. Si credeva che le navi di ferro rovinassero il gusto delicato delle foglie e, per trasportarle, si preferivano quelle di legno. Da Shangai alla Manica erano necessari centoventi giorni di navigazione doppiando il Capo di Buona Speranza. Accadde però che con l'apertura del Canale di Suez, nello stesso anno, la vecchia rotta e le navi che la coprivano risultassero fuori mercato. Con le navi a vapore si percorreva la distanza in metà tempo, con viaggi più regolari, consegne più affidabili, tariffe meno care.

Il bel *Cutty Sark* venne allora adibito al trasporto della lana dall'Australia. Tempo di navigazione da Newcastle (Nuovo Galles del Sud) alla Manica, ottantadue giorni: fulmineo. Ma non bastò. Verso la fine del secolo si capì che una nave con quella capacità di carico, per veloce che fosse, non sarebbe stata mai più redditizia.

Ora è lì, tirata in secco, accoglie i visitatori a Greenwich, bella e slanciata, per sempre immobile, simbolo dell'intraprendenza britannica sui mari del pianeta.

Proprio qui è il punto: che tipo d'intraprendenza? Com'è cominciata la fortuna inglese sui mari? Il racconto di queste avventure è esso stesso avventuroso, passa attraverso le vicende di uomini che hanno segnato il loro tempo, fatto la storia, spostato in alcuni casi i confini del mondo, reso opinabile il criterio con il quale può essere valutato il comportamento degli Stati. Sono gli uomini che figurano nel titolo di questo capitolo: corsari, pirati, bucanieri.

Corsaro, a stretto rigore, era un capitano di nave al quale il governo conferiva una «lettera di marca» che lo autorizzava ad attaccare il naviglio nemico. Comandava una nave da guerra allestita a spese di privati. I corsari erano dunque privati cittadini, marinai imbarcati su una nave armata con cannoni, che battevano i mari a caccia di un bottino «legale». Questo avveniva in tempo di guerra. In tempo di pace, invece della lettera di marca, il comandante disponeva di una «lettera di rappresaglia», che autorizzava i mercanti a rifarsi delle perdite subite a causa dei pirati. In altre parole, il mercante, o chi per lui, era autorizzato a derubare i sudditi di un paese dai cui sudditi fosse stato a sua volta derubato. Su tali fragili e ambigue basi si fondava allora il complesso di leggi che oggi chiamiamo «diritto internazionale». Verso la fine del Sedicesimo secolo non ne esisteva nemmeno il concetto. Oltre alle leggi, mancava anche l'idea di una Marina militare, cioè di navi armate dallo Stato con un equipaggio di militari e con compiti di difesa o di offesa. Unica eccezione Venezia, anche in questo all'avanguardia.

Autorizzare la «guerra di corsa» significava in pratica delegare a dei privati compiti aggressivi che solo col tempo sarebbero diventati un'esclusiva prerogativa statale. Infatti il termine inglese più consueto per «corsaro» è *privateer*, che significa «corsaro» o anche «nave corsara». Sul termine *corsair*, che pure esiste, prevale insomma il primo, legato al concetto di proprietà.

Già di per sé confusa, la situazione diventava ancora più problematica se si pensa che quasi sempre le navi cariche di mercanzia, avvistata un'altra imbarcazione all'orizzonte, issavano una bandiera di comodo e non la propria, pregando Dio di aver indovinato la nazionalità del legno in avvicinamento. Di rado, peraltro, i corsari rispettavano le navi neutrali e perfino quelle dei paesi alleati; alla vista di una nave che sembrasse carica di merci, o addirittura di oro e pietre preziose, partivano all'arrembaggio quale che fosse la sua nazionalità, così trasformandosi da corsari in pirati, cioè semplicemente rapinatori del mare.

Il sostantivo «bucaniere» ha un'origine diversa. In principio veniva usato per indicare quei fuggitivi coperti di stracci e riuniti in bande che cacciavano il bestiame selvatico nelle isole delle Antille, in particolare in quella di Hispaniola (oggi Santo Domingo), e che usavano cuocere le loro prede sulla brace o su una bella fiamma. *Boucaner* in francese significa appunto affumicare le carni; *boucanée* è la carne affumicata sulle braci. Col tempo il termine si specializzò e prese a indicare direttamente i pirati delle Antille, che nelle loro vivaci, semianarchiche comunità impiegavano quella tecnica per conservare i cibi. Le origini dell'esotico termine «bucaniere» sono qui.

Il termine «filibustiere», invece, ha un'origine più semplice, ma è quello più carico di memoria ed emozioni letterarie. In fiammingo si chiama *vrjbuiter* un uomo che accumula un bottino; sbrigativamente, un «farabutto». I filibustieri vengono da ogni parte d'Europa, la Guascogna, le Fiandre, la Normandia, e la loro meta è un'isoletta dei Caraibi, Tortuga. Lì danno vita a una specie di confraternita chiamata «I Fratelli della Costa» e dalle loro imprese, fatte spesso solo di leggende, nasce una delle più popolari saghe moderne.

È soprattutto grazie a questi uomini che la Gran Bretagna ha cominciato a dominare i mari, ed è una storia che inizia naturalmente con il più abile, coraggioso, fortunato di loro: Francis Drake.

Era nato intorno al 1540 in un villaggio a un miglio da Tavistock, nel Devon, non lontano da Plymouth. Origini modeste, famiglia contadina anche se suo padre Edmund, un tipo irrequieto, veloce di coltello, era probabilmente un predicatore, forse titolare di una parrocchia. Se fu prete, questo non gli impedì di far mettere al mondo una dozzina di figli alla povera moglie. A un certo punto, fosse inquietudine o dovere dell'ufficio sacerdotale, Edmund lascia casa e famiglia, sicché Francis è costretto per non essere di peso a farsi paggio presso dei parenti, i ricchi Hawkins. Di lui, quando ormai ha fama consolidata, abbiamo questo bel ritratto scritto da uno spagnolo, Don Francisco de Zárate, anch'egli capitano di nave:

Il generale degli inglesi è nipote di John Hawkins ed è lo stesso che cinque anni fa ha saccheggiato il porto di Nombre de Dios. Si chiama Francis Drac [*sic*], è un uomo di circa trentacinque anni, basso di statura, con una barba chiara, ed è uno dei più grandi marinai che percorrano i mari sia come navigatore sia come comandante. Il suo vascello è un galeone di circa quattrocento tonnellate che naviga perfettamente. L'equipaggio è di circa cento uomini tutti esperti con una lunga pratica di mare ... ognuno di loro tiene il proprio archibugio perfettamente pulito. Il capitano li tratta con affetto ed essi lo trattano con grande rispetto. Egli porta con sé nove o dieci gentiluomini, cadetti delle migliori famiglie d'Inghilterra, che fanno parte del suo consiglio di guerra che egli convoca per ogni cosa, anche per decisioni su affari di minima importanza benché, a dire tutta la verità, non accetti alcun parere da nessuno. Ma egli si compiace di starli a sentire e li ascolta attentamente. Dopo di che comanda e gli altri obbediscono.

Era un'epoca in cui il commercio, o per meglio dire lo sfruttamento delle nuove colonie americane (allora conosciute come Indie Occidentali), stava esplodendo. Poiché la Spagna dominava quelle rotte, l'Inghilterra si batteva per un buon piazzamento, insieme all'Olanda e alla Francia. Anche se nel 1571 Thomas Gresham aveva fondato la Borsa di Londra, la tradizionale materia prima dell'isola rimaneva la lana, che era esportata grezza per essere lavorata all'estero.

Ben altri erano, invece, i proventi della Spagna. Lo storico dell'economia Carlo Cipolla ha fatto un po' di conti in tasca ai *conquistadores*. Nel corso del Cinquecento le colonie riversarono sulla Spagna più di 16 mila tonnellate d'argento; nel secolo successivo 26 mila; nel Diciottesimo secolo 39 mila e passa. Questa marea d'argento creò nella vecchia Europa una straordinaria liquidità e diede un impulso tale all'economia da potersi dire che la nascita del grande commercio intercontinentale dati da allora.

Tra il 1519 e il 1533 l'Impero coloniale spagnolo assunse dimensioni mai raggiunte prima da alcun altro impero della storia grazie a due imprese eccezionali: la conquista del Messico da parte di Hernán Cortés e la distruzione dell'Impero inca per mano di Francisco Pizarro.

Quando Pizarro occupò Cuzco fece rubare dal tempio settecento lastre d'oro; a Bogotá fece fondere in lingotti le porte d'oro finemente lavorato d'un altro tempio. Trasformandosi in ingegneri minerari, gli spagnoli cominciarono a sfruttare (tra il 1545 e il 1562) alcune ricchissime vene d'argento.

Un vero fiume d'oro e d'argento veniva concentrato nei porti sulla costa, imbarcato su navi che procedevano in convoglio verso la Spagna facendosi scortare da qualche galeone armato. All'andata per il Nuovo Mondo le navi imbarcavano i beni più vari, essendo le colonie sprovviste di tutto e incapaci di produrre alcunché. Sappiamo, per esempio, che nel 1594 il mercante Gaspar Gonzáles caricò cucchiai, candelieri, cordami, alambicchi, rasoi, cuoi, rosari, collane di vetro, stoffe, camicie, tele di Olanda, drappi di fiandra, nastri, fazzoletti, tappeti, taffettà, passamanerie, lanterne di rame eccetera.

Al ritorno le navi erano invece cariche di coloranti come la cocciniglia o l'indaco, piante medicinali quali la salsapariglia, la canafistola, il liquidambar e il guanaco, che si diceva fosse efficace nella cura della sifilide ed era dunque ricercatissimo in Europa; e poi spezie, preziose per la conservazione degli alimenti, zucchero, tabacco, cacao e infine seta cinese importata dalle Filippine via Acapulco. Ma le merci più pregiate erano ovviamente l'oro, l'argento, le perle, le pietre preziose, il cui valore, si calcola, rappresentò da quattro a dieci volte il valore di tutte le altre merci. Antonio Domínguez Ortiz nel suo libro *The Golden Age of Spain* scrive:

> Ci fu una sorta di impero monetario castigliano basato su un'abbondante quantità d'argento e d'oro che il reame riceveva dalle Indie e sulla eccellente qualità delle sue coniazioni apprezzate in tutto il mondo. Questo impero monetario fu più vasto e duraturo dell'impero politico. I dobloni d'oro e i pezzi da otto d'argento (chiamati anche duros, pesos e piastre) erano accettati in ogni parte del mondo e tenuti in grande stima come il dollaro oggi e la sterlina ieri.

Alla lunga, comunque, i marinai inglesi si rivelarono più abili di quelli spagnoli. Carlo Cipolla calcola che nel quinquennio 1587-1592 i pirati inglesi catturarono più del quindici per cento dell'argento destinato a Siviglia. E Francis Drake era naturalmente lì, a fare la sua parte. Sappiamo che s'imbarcò giovanissimo come mozzo, che sposò più tardi una certa Mary Newman dalla quale non ebbe figli; che ci fu poi un secondo matrimonio, nel 1585, con Elizabeth Sydenham, di vent'anni più giovane. A quel punto Drake era già ricco e celebre, e la coppia andò a vivere nella bella proprietà che il corsaro aveva acquistato, Buckland Abbey, ancora oggi dedicata alla sua memoria. Anche questa seconda unione fu senza figli.

Vale la pena di seguire Drake in alcune delle sue avventurose scorrerie. Il 24 maggio 1572 salpa da Plymouth con due piccole navi (settanta e cinquanta tonnellate) e settantatré uomini d'equipaggio, nessuno di loro ha più di trent'anni. Al comando dei due legni sono Francis e suo fratello John. Tempo un mese, sospinte gagliardamente dagli alisei, le navi sono in vista delle Antille. Drake ricorda una caletta di fine sabbia bianca, appartata e protetta, che ha notato in un precedente viaggio. La ritrova e lì gli uomini possono finalmente scendere a terra, bere acqua fresca, rifornirsi di carne e di verdura. L'inaudito obiettivo della spedizione è Nombre de Dios, un porto a est di Panamá, dove vengono accumulati i tesori delle Indie prima del loro trasferimento verso la Spagna.

Quando Drake giudica i suoi uomini pronti all'azione, fa allestire due piccole imbarcazioni dette pinacce. Col favore delle tenebre arrivano nel porto spagnolo, dove qualcuno però li scorge. Bisogna agire prima che venga dato l'allarme. Drake lascia dodici uomini a guardia delle pinacce, divide il resto in due colonne, la prima al suo comando, la seconda affidata al fratello. Per prima cosa s'impadronisce dei cannoni del porto, li smonta dall'affusto e li fa inchiodare. Intanto però l'allarme è stato dato e mentre il cielo comincia a schiarire, si odono grida, rulli di tamburi, squilli di trombe, campane a stormo. Tutto ciò che può emettere un suono viene azionato. Gli spagnoli probabilmente equivocano pensando che gli attaccanti siano i temibili *cimarrones*, ex schiavi neri ribelli.

Le forze della guarnigione si sono concentrate nella piazza del mercato trovando riparo dietro le mura o dietro barricate improvvisate. Drake ordina l'attacco frontale e si lancia alla testa dei suoi uomini. Nello stesso tempo la seconda (esigua) colonna che, aggirando la posizione, si è portata sul retro dello schieramento, attacca alle spalle. Gli spagnoli capiscono finalmente chi hanno di fronte, si spaventano, fuggono. Drake raduna i suoi uomini nella dimora del governatore, alcuni sono feriti. In una stanza trovano dei lingotti d'argento, ma lui ordina di lasciarli dove sono. È l'oro che cerca; forse sottovaluta, o non sa, che il carico annuale d'oro, frutto delle razzie spagnole, è stato imbarcato poche settimane prima per Siviglia. Comunque l'oro non c'è, e a peggiorare le cose gli spagnoli hanno scoperto le pinacce e bisogna correre a dar man forte ai dodici uomini lasciati a loro guardia. Drake barcolla, i suoi pantaloni sono zuppi di sangue, nella concitazione della battaglia non s'è nemmeno accorto d'essere ferito. Lo caricano sulle spalle, corrono al porto, mentre gli spagnoli cominciano il contrattacco. S'imbarcano a mani vuote, con il comandante ferito, ma riescono comunque a prendere il largo.

Lo smacco fa capire a Drake che bisogna cambiare tattica e disporre di maggiori e migliori informazioni. Uno schiavo, di nome Diego, si è unito agli inglesi a Nombre de Dios ed è lui a dare il suggerimento: non bisogna attaccare i porti, dice, ma le carovane di muli che procedono lentamente nella foresta per trasferire i carichi d'oro dalla costa occidentale dell'istmo di Panamá ai porti sull'Atlantico. Un'altra cosa suggerisce l'astuto Diego: gli inglesi sono troppo pochi per attaccare da soli, alleandosi con i *cimarrones* potrebbero vincere più facilmente.

Nel febbraio 1573 comincia la nuova offensiva di Drake, che possiamo seguire quasi momento per momento grazie allo scritto di un testimone che poi lo stesso Drake ha incluso in un suo resoconto. È una sequenza di assalti, agguati, scorrerie, lunghe attese, rapine, massacri. Intuito e velocità, fortuna e sfortuna, zanzare, paludi, foreste vergini, lunghe marce, notti all'addiaccio.

Uno dei momenti più emozionanti di questa magnifica cronaca non riguarda, però, un'azione militare o, se si vuole, di rapina, bensì una scoperta di tutt'altro tipo:

Il quarto giorno giungemmo sulla vetta di un'alta montagna: Pedro prese per mano il nostro capitano e lo pregò di seguirli per vedere qualcosa di interessante. Lo condusse vicino a un grosso albero nel tronco del quale erano stati tagliati dei gradini che conducevano alla cima dove, in un osservatorio, potevano comodamente sedere dieci o dodici uomini; là salirono Pedro e il capitano. Questi si commosse profondamente; lo vedemmo inginocchiarsi e lo udimmo pregare ad alta voce implorando Dio perché gli concedesse, un giorno, di navigare su quel mare con vascelli inglesi. Poi fece segno anche a noi di salire: godemmo allora di uno spettacolo magnifico: tutto intorno si stendevano, simili a un verde oceano, foreste che si perdevano e si confondevano lontano col mare, simile a un nastro d'argento. Dietro di noi era l'Atlantico e davanti, nella bruma del tramonto, il Pacifico; nessun inglese lo aveva mai contemplato prima di noi...

Ma quegli uomini sono lì per depredare, non per ammirare panorami. Dai *cimarrones* i briganti inglesi sono venuti a sapere che i convogli carichi d'oro partono da Panamá dopo il tramonto, per attraversare le caldissime praterie con il fresco della notte. I muli carichi sono scortati da soldati. Si tratta di scegliere con cura luogo e tempo dell'agguato. Dopo giorni e giorni di marce, giunti sulla sponda atlantica dell'istmo di Panamá, ecco finalmente il grande momento:

Verso sera arrivammo nelle vicinanze di Nombre de Dios e ci fermammo in un bosco ceduo a circa un miglio dalla strada. Lì passammo la notte durante la quale non cessò per un solo istante il picchiare dei martelli e lo stridio delle seghe dei carpentieri che, nel porto, lavoravano sui galeoni. Di giorno, il grande caldo rendeva impossibile tale lavoro. Quando le prime luci del mattino rischiararono lentamente la via, udimmo nitido in lontananza il tintinnio delle sonagliere dei muli ... Dal limite estremo del bosco potevamo vedere tutta la strada. Tre carovane, una di cinquanta muli e due di settanta, erano in cammino, pesantemente cariche di sacchi e di casse. Il capitano aveva dato ordine di assalire contemporaneamente il principio e la fine della carovana. Così ci dividemmo e piombammo sulla testa e sulla coda del convoglio. Le bestie al centro si arrestarono spontaneamente e si sdraiarono a terra secondo la loro abitudine. La scorta militare di circa 45 cavalieri tentò un breve combattimento scaricando i moschetti ... Intanto noi ci eravamo gettati sul carico cominciando dalle balle più grosse; sventrammo sacchi e aprimmo casse da cui rotolarono oro, argento e pietre preziose. Riempimmo tutte le tasche, legammo le verghe formando dei pacchi, accumulammo le pietre preziose nelle casse e facemmo il conto di quanto ciascuno di noi poteva portare. Ahimè, era ben poco in confronto a quello che eravamo costretti ad abbandonare.

Finita l'impresa, Drake e i suoi uomini catturano una nave e poi, col vento in poppa, fanno vela per l'Inghilterra. Il 9 agosto 1573 entrano nel porto di Plymouth. In totale la spedizione è durata quindici mesi, durante i quali hanno razziato, lottato, bruciato magazzini e ucciso. Secondo l'ambasciatore spagnolo, che se ne lamenta alla corte inglese, il frutto di queste razzie ammonta a un quarto di milione di pesos, centomila sterline. Erano partiti in settantatré, tornano in trentuno, una rispettabile percentuale di sopravvissuti se si considera che una perdita del cinquanta per cento degli uomini imbarcati era considerata il normale tributo d'una lunga crociera.

Un'altra spedizione, pochi anni più tardi, consegnerà Drake alla storia delle esplorazioni, oltre che del banditismo. Il nudo schema del viaggio basta a far capire la leggendaria dimensione dell'impresa. La piccola flotta, armata in gran parte con il denaro della regina Elisabetta, parte da Plymouth il 13 dicembre 1577. A Natale è davanti alle coste del Marocco, dove sosta. Poi le navi scendono lungo le coste dell'Africa, dove sicuramente imbarcano schiavi negri, e cominciano la traversata puntando a sud. Il 10 marzo 1578 sono a Bahia, in Brasile.

Il 21 agosto Drake affronta lo stretto di Magellano, cinquecento chilometri da incubo, in un braccio di mare largo da tre a trenta chilometri, attraversato da venti forti e mutevoli con i quali è arduo manovrare, e con le pareti rocciose, talvolta vicinissime, ricoperte da aghi di ghiaccio aguzzi e taglienti come lame. Un solo uomo è arrivato vivo dall'altra parte, il navigatore portoghese Magalhães, che a quel braccio di mare ha dato il suo nome. Drake esce dallo stretto il 6 settembre. Le carte rudimentali di cui dispone non lo aiutano, anzi lo mandano nella direzione opposta. Deve compiere lunghi giri, con l'equipaggio stremato, prima di trovare la giusta rotta e cominciare (a fine ottobre) a risalire la costa occidentale dell'America del Sud. Il 5 dicembre 1578 è a Valparaiso, dove depreda alcune navi spagnole. Il 19 gennaio 1579 salpa da Bahia Salada, diretto ancora a nord. Continua a bordeggiare, invano inseguito dagli spagnoli che vorrebbero vendicarsi (e recuperare il bottino) ma non riescono a scovarlo. Verso la fine d'agosto lascia la costa americana e fa vela per le Molucche. L'8 gennaio 1580 è a Celebes. Poi si ferma qualche settimana a Giava. Riparte, costeggia l'India e la Penisola arabica. Quando doppia il Capo di Buona Speranza e comincia a risalire lungo la costa occidentale dell'Africa si sente quasi a casa. Entra in porto a Plymouth verso la fine di settembre del 1580.

Il bottino di questa spedizione, durata poco meno di tre anni, è strepitoso: un milione di ducati, quattro tonnellate d'oro, diamanti, smeraldi, perle, rubini, spezie pregiate. La regina e gli altri armatori avevano ben investito il loro denaro. L'ambasciatore spagnolo protesta per le ruberie: Elisabetta ordina di diffondere la diceria che la spedizione è stata un fallimento e che Drake è rientrato a mani vuote. In un secondo tempo, davanti all'insostenibilità di questa menzogna, apre un contenzioso infinito, assicurando che se si avrà prova di qualche appropriazione indebita da parte di Drake si provvederà a un rimborso, non prima però di essere stata lei stessa rimborsata per le interferenze spagnole nella cattolica Irlanda. Filippo II avrebbe potuto ribattere che l'Inghilterra appoggiava la rivolta protestante nelle Fiandre, ma è chiara la tattica: Elisabetta vuole defatigare il re cattolico. E ci riesce. Quanto a Drake, la regina si spinge fino al gesto clamoroso di salire a bordo della sua nave per farlo baronetto: Sir Francis Drake.

L'ultima impresa di Drake che qui bisogna segnalare, fra le tante, è il contributo che diede alla disfatta della *Invencible Armada* con la quale la Spagna di Filippo II tentò, nel 1588, l'invasione dell'Inghilterra. L'obiettivo degli spagnoli era di riprendere un controllo sui mari che gli inglesi stavano loro sottraendo. L'esito è disastroso, perché la Royal Navy ha armamento e concezioni tattiche migliori e più aggiornate; gli equipaggi hanno, per esperienza nautica e affiatamento con gli ufficiali, un rendimento di gran lunga superiore. Gli spagnoli basano ancora l'attacco sull'abbordaggio della nave nemica, gli inglesi hanno rafforzato l'artiglieria e si avvantaggiano in un combattimento a distanza disponendo fra l'altro di abili cannonieri. Come se non bastasse, una tempesta furibonda disperde le navi dell'*Armada*.

Nel 1596, quando non ha nemmeno sessant'anni e si trova ancora una volta nelle Antille, Sir Francis viene colpito da maligne febbri tropicali che lo affliggono sfiancandolo. Febbre gialla, probabilmente; ne soffre anche la maggior parte del suo equipaggio. Drake, l'uomo che gli spagnoli temono al punto da averlo soprannominato «El Draque», deve ritirarsi nella sua soffocante cabina stordito dalla dissenteria. Delira, chiede acqua, il 27 gennaio appare chiaramente in fin di vita. Detta a suo fratello Thomas le ultime volontà, poi chiede al giovane famiglio William Whitelocke di portargli l'armatura, volendo «morire come un soldato». Withelocke lo aiuta penosamente, con quel corpo sfinito, a indossare corazza ed elmo. Il capitano riesce ad alzarsi, muove qualche passo, cade a terra morto.

Cento romanzi e cento film ci hanno raccontato le avventure di corsari e pirati. Grandi narratori come Washington Irving, Edgar Allan Poe, James Fenimore Cooper; Robert Louis Stevenson, ovviamente, con la sua *Isola del Tesoro*; Emilio Salgari e Daniel Defoe, con pirati tenebrosi ed eroici, tempeste, abbordaggi, la nera bandiera col teschio e le tibie incrociate (detta *Jolly Roger*) che sventola sull'albero di maestra, i rustici banchetti e la gioia sfrenata su una di quelle spiagge tropicali che oggi fanno da sfondo pubblicitario ai tour organizzati. Questi rifiuti delle coste, questa schiuma dei mari, come venivano chiamati, danno vita a un'epopea destinata a perpetuarsi, cambiando il suo connotato col passare del tempo, fino a confluire, nell'Ottocento, in quel grande fiume impetuoso che sarà la mitizzazione romantica del fuorilegge: capitani di ventura, «masnadieri» di varia estrazione, corsari dei mari e banditi dei boschi, eroi di uno sterminato esercito caratterizzato dall'amore per l'avventura, dalla rottura di ogni routine e di ogni regola ma anche dalla generosità, dal solidarismo con i deboli, dall'odio per l'egoismo dei potenti, un rudimentale, disordinato complesso di valori dal quale lentamente emergeranno i connotati di quella che sarà chiamata «lotta di classe».

Questa la leggenda. Ma in realtà chi erano gli uomini che alla leggenda hanno dato corpo? Uomini disposti a lasciare le loro case, per misere che fossero, moglie e figli, e imbarcarsi per un'impresa di incerta durata e di ancor più incerto esito. Da una spedizione per i mari del mondo si poteva tornare magari dopo due anni carichi di bottino o a mani vuote, ammalati o mutilati, oppure non tornare affatto. In ogni caso, quel genere di viaggi implicava la rottura di ogni vincolo, ridursi a una vita fondata su una rustica fratellanza, sull'arbitrio e sulla frequente necessità del crimine.

Due tipi di uomini prevalgono tra chi sceglie quell'esistenza: coloro che considerano la pirateria un mezzo come un altro per fare rapidamente soldi e tornare appena possibile a casa, magari a coltivare un pezzetto di terra (ed è la stessa logica dei milioni di emigranti che verranno), e coloro che vedono nella vita sul mare una via di fuga da una situazione penosa, da una famiglia insopportabile o semplicemente da se stessi, e partono per non tornare mai più. In anni a noi più vicini questo epos rivivrà nel mito della *Légion Etrangère*.

James Boswell attribuisce al suo biografato, il celebre dottor Samuel Johnson, queste parole: «Nessun uomo che abbia ingegno da farsi mettere in prigione farà mai il marinaio, perché essere su una nave significa essere in prigione, e in più col pericolo di affogare ... Chi è in prigione ha più spazio, cibo migliore e di solito una miglior compagnia». E Daniel Defoe: «Chi manda suo figlio per mare a guadagnarsi da vivere, meglio farebbe mandandolo a fare l'apprendista dal boia».

La vita su una nave pirata è durissima, ma su una militare lo è forse ancora di più, con punizioni di tale severità da mettere a rischio la stessa esistenza. Il capitano di una nave pirata esige anch'egli obbedienza immediata, ma in genere concorda con i più esperti dell'equipaggio alcune manovre, nonché le punizioni per gli insubordinati. L'esperienza dei più anziani vale quanto quella del comandante.

Sulla cerimonia d'insediamento del capitano abbiamo un resoconto di Daniel Defoe in *Storie di pirati*. L'episodio si riferisce al pirata capitano North, eletto comandante dai suoi uomini:

> La cerimonia dell'insediamento del capitano è la seguente: la ciurma, conferitogli il comando, all'unanimità o a maggioranza, gli porta solennemente una spada, si congratula con lui e gli chiede di assumere il comando, essendo il più capace di tutti loro. Lo invitano a prendere possesso del salone di poppa e, appena ha accettato la carica, viene condotto in gran pompa nel salone e fatto sedere a un tavolo con due sole sedie alle estremità: una per il capitano e l'altra per il quartiermastro della ciurma. Quando i due si sono seduti, il quartiermastro gli dice brevemente che l'equipaggio, avendo sperimentato la sua condotta e il suo coraggio, gli fa l'onore di eleggerlo suo capo ... quindi afferra la spada che gli aveva dato in precedenza e che il capitano gli aveva restituito e gliela mette in pugno dicendo: «Questa è la patente in virtù della quale dovete agire; possiate avere fortuna per voi stesso e per tutti noi». Viene poi sparata una salva di cannoni e il capitano viene salutato con tre hurrà.

Tutti gli uomini s'imbarcano su una nave pirata o corsara con la clausola «niente preda, niente paga» (*No prey, no pay*). In caso di cattura di una preda esistono regole precise per la spartizione del bottino. Per prima cosa si calcola il valore complessivo e se ne detraggono le spese del viaggio. Il rimanente viene diviso nella seguente maniera: al capitano comandante trentacinque parti; agli altri ufficiali più di una parte; ai marinai una parte intera; gente di terraferma e mozzi mezza parte. Il primo uomo che avvista una preda ha diritto a un compenso speciale di cento pezzi da otto. Chi nasconde qualcosa tenendola per sé perde ogni diritto alla spartizione. In caso di mutilazioni patite in servizio esiste una tabella di risarcimenti: un occhio o un arto valgono seicento pezzi da otto, un dito cento pezzi da otto. La morte in servizio viene compensata con venti sterline, elargite agli eredi anche nel caso che non sia stata catturata alcuna preda. Perde il diritto alla sua quota chi per vigliaccheria non prenda parte a un abbordaggio o venga sorpreso ubriaco al momento dell'attacco.

Disobbedienza e ammutinamento sono repressi con punizioni corporali, che vanno dalla cella di rigore alla fustigazione sulla schiena legati all'albero di maestra, fino al «giro di chiglia». Senza escludere ovviamente, per reati gravi, l'impiccagione dopo un sommario «processo» sul ponte davanti alla ciurma. Per la fustigazione si può usare il semplice staffile o il terribile «gatto a nove code», così chiamato perché a un corto manico di legno vengono assicurate nove strisce di cuoio ritorto culminanti in altrettante palline di piombo. In genere è la stessa vittima a dover preparare il suo strumento di tortura. Una serie di colpi ben assestati provocano profonde lacerazioni; le cicatrici segneranno il dorso del marinaio per il resto dei suoi giorni. Per il «giro di chiglia» si assicura un uomo a una lunga cima fatta passare sotto la chiglia della nave; il disgraziato viene gettato in mare da un lato e ripescato dal lato opposto. Dalla velocità del «passaggio» dipendono le condizioni del recupero. Dopo un passaggio molto lento l'uomo può essere tirato a bordo semiannegato o addirittura morto.

Anche se le regole di comportamento fanno parte dell'esperienza comune, alcuni comandanti le mettono per iscritto e ne chiedono il giuramento sulla Bibbia al momento dell'imbarco. Eccone alcune: il colpevole di furti sarà sbarcato su un'isola deserta con una bottiglia d'acqua, un fucile e qualche pallottola; le candele e altre luci devono essere spente dopo le otto di sera; chi vuol bere dopo quell'ora dovrà farlo all'aria aperta; pistole, sciabole e fucili devono essere tenuti perfettamente puliti e pronti all'uso; chi porta a bordo una donna travestita è punito con la morte; così la diserzione o l'abbandono del posto di combattimento.

A bordo l'affollamento nei locali della ciurma raggiunge livelli inverosimili. Quasi sempre ogni amaca o pagliericcio serve due o più uomini. Vi si corica a turno chi è libero dal servizio. E, ovviamente, la promiscuità tra uomini mal lavati e mal nutriti favorisce la diffusione di malattie. Durante la navigazione, chi non è impegnato nelle manovre ozia in coperta fumando la pipa o giocando a carte o ai dadi. Una certa rissosità viene tollerata dagli ufficiali, che temono di più le silenziose tensioni che la lunga inattività in uno spazio ristretto può alimentare. Le occasionali risse vengono interrotte solo se compromettono l'integrità fisica o la vita dei contendenti. In caso di persistente ostilità tra due uomini può accadere che, alla prima sosta su un'isola, questi siano invitati a continuare a terra il loro duello; in quel caso lo scontro può anche diventare all'ultimo sangue.

Su una nave pirata non esistono uniformi; ognuno veste come può o vuole, il che dà alla ciurma un aspetto di variopinta, talvolta allegra eccentricità. Gli indumenti si logorano rapidamente per effetto della salsedine e per la durezza del lavoro. Ai tropici, poi, accade che il caldo umido decomponga addirittura i tessuti, così come accelera la corruzione dell'acqua conservata in barili nella stiva. Quando i pirati riescono a rapinare un carico di tessuti pregiati su qualche mercantile, subito si confezionano pittoreschi indumenti e copricapi di cui vanno particolarmente fieri.

Al momento della partenza vengono imbarcati anche «alimenti vivi», come maiali, galline, oche, vacche, via via macellati durante il viaggio. I loro escrementi restano a fermentare al sole con le immaginabili conseguenze. Le scorte possono ridursi all'osso nel caso che il viaggio sia lungo o gli approdi abituali ostili. In quel caso la razione giornaliera si riduce a qualche striscia di carne salata, un po' di galletta semiammuffita, qualche ramaiolo d'acqua dove galleggiano larve di insetti chiaramente visibili. Durante le navigazioni più lunghe le razioni di cibo diventano così scarse che i topi catturati con i sistemi più ingegnosi si vendono come ghiottoneria perfino agli ufficiali.

Malattie ricorrenti, portate dalla mancanza d'igiene e dalla pessima alimentazione, sono vaiolo, dissenteria, tifo. Un autentico flagello può diventare lo scorbuto, causato dalla mancanza di acido ascorbico, in parole povere di vitamina C. Gli uomini colpiti accusano attacchi violenti di diarrea, diventano apatici e inappetenti con le gambe che si gonfiano fino a quando la malattia esplode, con vistose piaghe sulle gengive, perdita dei denti, febbre alta.

A questi malanni abituali bisogna aggiungere quelli causati dalla navigazione in acque tropicali, dove sono in agguato parassiti e morbi infettivi che solo l'introduzione degli antibiotici vincerà. La bandiera nera che diventerà il vessillo pirata, vale a dire il *Jolly Roger*, serviva inizialmente a segnalare un cadavere a bordo, per la cui presenza dovevano esserci ragioni speciali perché, nella generalità dei casi, ci si sbarazzava alla svelta di un morto per non aggravare le già precarie condizioni igieniche. La salma veniva cucita dentro un brandello di vela assicurando ai piedi una palla di cannone, e dopo due sbrigative preghiere con le quali si raccomandava il defunto alla misericordia divina era deposta su un'asse e fatta scivolare in mare.

Se una nave pirata imbarca degli schiavi, comunque vi siano arrivati, spettano a loro i compiti più faticosi e i piccoli servigi personali, come per esempio accendere la pipa ai marinai. Esemplare il caso di una falla nella chiglia: per tenere lo scafo a galla diventa necessario azionare notte e giorno le pompe (a mano, ovviamente), una fatica estenuante giù nella sentina infestata dai ratti, a mollo fino a mezza coscia nell'acqua putrida che sciaborda. Altro compito ingrato è la caccia ai topi che infestano le navi con la loro esplosiva capacità di riproduzione.

Una delle pene che gli uomini devono sopportare è l'astinenza sessuale, protratta a volte per mesi. La Marina Reale reprime la sodomia con punizioni durissime; sulle navi pirata vige, invece, una certa liberalità nei confronti delle frequenti relazioni omosessuali. Naturalmente, se nel gruppo di schiavi presi a bordo ci sono donne, tocca a loro soddisfare le esigenze della ciurma.

Notorio il caso di Francis Drake, che durante la circumnavigazione del mondo tenne come preda personale una bellissima ragazza di colore di nome Maria, facendone per un buon tratto del viaggio la sua amante. Accadde che un giorno la ragazza si scoprisse incinta. L'idea di un figlio bastardo non piacque al capitano che, secondo una versione, consegnò la povera Maria all'equipaggio, esortando gli uomini ad approfittare di quella fortuna. Secondo una versione meno crudele, ma anche meno credibile, sarebbe stata la stessa Maria a giacersi con più uomini, sicché il disappunto di Drake sarebbe derivato dall'incertezza sulla paternità del nascituro. Comunque sia, infastidito dal contrattempo, Drake decise di sbarcare la ragazza con provviste e utensili adatti alla sopravvivenza, in compagnia di altri due schiavi, su un'isola detta dei Granchi, nell'arcipelago delle Filippine.

Nel corso dei combattimenti le armi migliori di cui i corsari dispongano sono esperienza e coraggio, in particolare durante quella vera e propria scommessa che è un arrembaggio. Si tratta di saltare sulla nave avversaria, ma più spesso di scendervi o di salirvi (tutto dipende dall'altezza dei rispettivi ponti), avvalendosi di strette e malcerte scale di corda che oscillano sotto il peso, tirate da ogni parte. Arrivati a contatto, decine di uomini cominciano a lottare corpo a corpo con ogni tipo di arma in uno spazio ristrettissimo, colpi di sciabola e d'arma da fuoco (soprattutto dall'alto delle coffe), uncini e mazze ferrate che roteano. Vincere o perdere è questione di attimi, il risultato può dipendere da un passo in più o in meno, da uno scarto improvviso, un piede in fallo, il beffardo gioco della sorte. Al termine dell'assalto, quando una delle due parti è stata ricacciata o s'è arresa, il ponte è scivoloso per il sangue, i feriti gemono o urlano e sono quasi sempre finiti con un colpo di grazia. I cadaveri sono gettati a mare; spesso anche i prigionieri, quando non vengono impiccati. Un pirata come Drake, che in qualche occasione si mostra generoso con i prigionieri, resta più un'eccezione che la regola.

Quando le tecniche di combattimento si perfezionano, i più abili tra i capitani pirata, prima di cominciare l'assalto, fanno sparare qualche colpo di cannone per disalberare il vascello che si vuole attaccare. Impedito nella manovra, il legno nemico diventa una preda inoffensiva, che può essere abbordata con più calma.

A proposito di ferocia, Daniel Defoe, nelle sue *Storie di pirati*, racconta questo episodio all'interno del capitolo sul capitano Edward Low:

> Nello stesso tempo un altro furfante, nel tirare un fendente contro un prigioniero, sbagliò la mira e il colpo molto opportunamente toccò sotto la mascella il capitano Low, che si trovava in quella direzione e ne ebbe i denti messi a nudo. Al che venne chiamato il chirurgo che cucì immediatamente la ferita. Ma poiché Low aveva da ridire sull'operazione, il chirurgo, che era piuttosto ubriaco secondo il suo costume, diede a Low un tale pugno da rompere tutti i punti, poi gli disse di ricucirsi la mascella da solo e andarsene al diavolo; sicché Low per qualche tempo ebbe un aspetto veramente pietoso.

La crudeltà di Low è dimostrata da un altro episodio raccontato da Defoe. Finita di espugnare una nave, il pirata vuole sapere dove sia stato nascosto il tesoro:

> Low torturò parecchi dell'equipaggio per far loro rivelare dove si trovasse il denaro. Così estorse la confessione che il capitano, durante l'inseguimento, aveva appeso fuori della finestra della sua cabina un sacco con undicimila pezzi. Al momento della cattura aveva tagliato la corda e fatto cadere il sacco in mare. All'udire quale preda gli era sfuggita, Low diede in escandescenze con mille bestemmie, ordinò di tagliare le labbra al capitano e gliele arrostì davanti agli occhi. In seguito assassinò lui e tutto l'equipaggio, che era di trentadue uomini.

Negli attacchi non esiste una norma sempre valida. Le normali navi corsare dispongono di un numero di cannoni da 8 a 30, pochi rispetto a un galeone. Per di più sono cannoni montati su affusti di legno fissi, possono cioè sparare solo dritto davanti a sé. Una manovra classica consiste nel disporre la nave parallelamente al legno da attaccare e aprire un primo fuoco di bordata. Dopo la prima salva, si manovra velocemente, coperti dalla cortina di fumo delle batterie, e si inverte il bordo, facendo fuoco con i cannoni della parte opposta. In questo tipo di attacco i cannoni sparano spesso a palle incatenate, espellono cioè due palle di cannone unite da una breve catena, devastanti per il sartiame e l'alberatura della nave nemica.

Se i cannonieri sono sufficientemente veloci e hanno avuto tempo per ricaricare, la manovra può essere ripetuta. Il più delle volte, però, scaricate le due bordate, il vascello corsaro punta di prua contro il nemico, offrendo così la minore superficie possibile al fuoco di risposta. Arriva allora il momento dell'abbordaggio. In un magnifico racconto Defoe ricostruisce l'ultimo fatale abbordaggio del celebre pirata Edward Teach, meglio conosciuto come *Blackbeard*, Barbanera, una specie di feroce colosso. Dicono i cronisti che Barbanera «durante le azioni indossava una fascia attorno alle spalle con appese tre paia di pistole nelle loro fondine a mo' di bandoliera», ma soprattutto che nascondeva degli spezzoni di miccia sotto il cappello, ai quali dava fuoco al momento dell'attacco presentandosi così al nemico con il capo avvolto dal fumo e dalle fiamme; «e avendo i suoi occhi un naturale fiero bagliore facevano una tal figura che l'immaginazione non saprebbe dipingere una furia dell'inferno d'aspetto più terrificante». Un giorno Barbanera incrocia davanti alle coste della Virginia la corvetta *Ranger*, al comando del luogotenente Maynard, che a prima vista sembra abbandonata dall'equipaggio. Barbanera ordina l'arrembaggio, ma è una trappola: Maynard ha fatto nascondere i marinai sottocoperta.

Coperto dal fumo di una bottiglia incendiaria Barbanera balzò a bordo con quattordici uomini, scavalcando la prua della corvetta di Maynard, il quale non li vide finché il fumo non si fu diradato. Istantaneamente però diede il segnale ai suoi uomini che salirono tutti in un attimo e attaccarono i pirati col massimo coraggio. Barbanera e Maynard spararono per primi l'uno contro l'altro, il pirata rimase ferito. Duellarono poi con le sciabole finché per disgrazia quella di Maynard si spezzò. Mentre il luogotenente faceva un passo indietro per scaricare una pistola, Barbanera fu sul punto di colpirlo con la sciabola, uno degli uomini del luogotenente però gli fece una terribile ferita al collo e alla gola e grazie a ciò Maynard se la cavò con un semplice taglio alle dita. Lo scontro era ormai nel suo vivo, il luogotenente e dodici uomini contro Barbanera con quattordici, l'acqua intorno alla nave era colorata di rosso. Barbanera ricevette una ferita al corpo dalla pistola scaricata dal luogotenente ma non arretrò e continuò a combattere con grande furia finché non ebbe ricevuto venticinque ferite, di cui cinque da arma da fuoco. Alla fine, mentre caricava un'altra pistola dopo le parecchie che aveva già scaricate, cadde morto.

Il valoroso luogotenente Maynard, una volta ucciso il pirata, «fece spiccar dal corpo la testa di Barbanera che venne infissa sulla punta del bompresso, quindi fece vela alla volta di Bath-Town per curare i suoi feriti».

Defoe, oltre a darci la cronaca della morte di uno dei pirati più famosi, ci offre anche una buona descrizione di che cosa avvenisse durante un arrembaggio. Nei combattimenti all'arma bianca non si usavano le cosiddette armi «di punta», come il fioretto o la spada dei duelli tra gentiluomini o tra «moschettieri», bensì robuste armi «da taglio», e cioè scimitarre o pesanti sciabole, nel maneggio delle quali non esistevano regole. Vinceva chi riusciva ad assestare con maggiore velocità il maggior numero di colpi. La robustezza delle lame era tale che con quelle armi si potevano anche danneggiare alcune sovrastrutture, nonché sfondare le porte di cabine o stive dove passeggeri o equipaggio si fossero rifugiati. I combattimenti si trasformavano, insomma, in uno scontro selvaggio, concluso in genere da una carneficina. Così diffusa doveva essere la consapevolezza di questa ferocia, che perfino Emilio Salgari, che pure ritrae il suo Corsaro Nero quasi come un eroe romantico-decadente, dominato da «un non so che di malinconico», perfino lui descrive con truce realismo ciò che resta nel forte di Maracaibo dopo l'assalto del Corsaro e dei suoi accoliti:

Vi erano mucchi di morti ovunque, orribilmente deformati da colpi di sciabola e di spada, o colle braccia tronche, o coi petti squarciati, o col cranio spaccato, orrende ferite dalle quali sfuggivano ancora getti di sangue che correvano giù per gli spalti o per le gradinate delle casematte, formando delle pozze esalanti acri odori. Si vedevano alcuni che avevano ancora conficcate nelle carni le armi che li avevano spenti; altri che stringevano ancora gli avversari, coi denti confitti nella gola di questo o di quello, ed altri ancora che stringevano, con un ultimo spasimo, la spada o la sciabola che li aveva vendicati.

Pirati e corsari, spesso indistinguibili per le azioni che commisero, alimentano le cronache per più di due secoli con nomi che si tramandano avvolti da un alone di leggenda: Sir Walter

Raleigh e l'Olonese, Sir Henry Morgan e il capitano Singleton, Samuel Bellamy, Thomas Thew e Avery, nato anch'egli nel Devonshire come Drake. E ancora Sir Henry Mainwaring, pirata di grande successo, come dimostra anche in questo caso il suo titolo nobiliare. Ci furono perfino alcune «piratesse» che convissero per anni con ciurme tutte maschili riuscendo a tenere celato il loro sesso. Anne Bonny, che fece parte della banda di John Rackham, detto «Calico Jack», e Mary Read, capace di imprese eccezionali. Del resto non sono le sole donne avventurose di questa epopea marinaresca. Dalla fantasia di Salgari escono, fra i tanti personaggi, anche donne in grado di dominare uomini e situazioni. Anna Hill, l'adolescente figlia del capitano, forte e indipendente, raffigurata in cima a un albero di maestra o perfettamente a suo agio mentre si fa largo sul ponte d'una nave in mezzo a tigri e forzati, influisce sugli eventi come e meglio di un uomo. Ci sono poi Jolanda, la figlia del Corsaro Nero; miss Annie Cleyfort, la Sovrana del campo d'oro; la marchesa Dolores, che comanda lo *Yucatan*, un vascello destinato alla guerra.

Su un ultimo pirata bisogna soffermarsi prima di abbandonare il capitolo e l'argomento, che spero abbia interessato il lettore quanto ha appassionato me. Si tratta di William Kidd, il famoso capitan Kidd il cui nome, scrive Defoe: «è meglio conosciuto fra noi di chiunque altro la cui storia sia qui riportata; capitan Kidd che in seguito al processo e alla condanna a morte divenne oggetto di discussione generale, tanto che le sue gesta venivano ricordate per le strade dai cantastorie».

Perché Drake o Raleigh diventano baronetti e frequentano la corte mentre Kidd finisce sulla forca? Questa è la domanda. Kidd era nato scozzese, a Greenock, intorno al 1645 e finì appeso per il collo nel 1701, a cinquantasei anni. Visse e si sposò a New York dopo che, nel 1664, la città ebbe cambiato mano e anglicizzato il suo nome. Agli olandesi, che l'avevano chiamata Nuova Amsterdam, e all'amministrazione di Peter Stuyvesant e della Compagnia olandese delle Indie Occidentali subentrarono gli inglesi, che ne fecero una colonia.

Kidd se ne sarebbe potuto restare a fare il mercante in una

città che cominciava già allora a vivere largamente su attività illegali. Scelse il mare invece e, sul mare, la pirateria.

Sul suo comportamento abbiamo la seguente testimonianza:

Kidd nel comando dimostra una padronanza diversa dagli altri pirati, perché la sua lettera di marca gli ha procurato rispetto e ammirazione; a ciò si aggiunge la sua forza fisica, perché è un uomo possente che viene alle mani con i suoi uomini per ragioni anche futili, spesso chiedendo che gli si portino le pistole e minacciando di far saltare le cervella a chiunque dica qualcosa che non gli va a genio.

Dicono che, tutto sommato, non fu un grande pirata. Certo, comandò navi, saccheggiò, stuprò, uccise, fece quello che facevano gli uomini come lui. Tra le sue vittime, però, ce ne fu una di troppo. Un giorno, in uno scatto d'ira, scagliò un secchio di legno sulla testa di William Moore, il cannoniere di bordo, che lo aveva sfidato. Bradinham, il chirurgo, si precipitò sul ferito e lo fece trasportare sottocoperta. Ma il giorno seguente il pover'uomo era morto per la frattura del cranio. Era un uomo irruento Kidd, poco incline al ragionamento sottile. Forse fu anche la lunga permanenza in mare a impedirgli di capire che nei confronti della pirateria l'atmosfera stava cambiando. Un peso lo ebbero certo anche l'invidia nei suoi confronti e i molti errori commessi. Nel febbraio 1698 s'impadronì della *Quedah Merchant*, un superbo vascello che trasportava nelle sue stive merci per un valore di 700 mila sterline, una tale fortuna che nemmeno lui se la sentì di farla sbarcare a New York. Arrivato poco lontano dal porto, scese a terra per seppellire gran parte del bottino nella Gardiner's Island, ed è uno dei pochi episodi documentati che rendano concreta l'immagine letteraria del pirata che alla pallida luce della luna nasconde in una profonda buca un baule cerchiato di ferro e ricolmo d'oro.

Troppi nemici congiuravano contro Kidd, lui però è tutto concentrato nelle sue razzie e non se ne rende conto. Appena sbarca a New York viene arrestato. Cerca invano di far intervenire gli uomini influenti che lo hanno sempre protetto e che lui ha ripagato col denaro della corruzione. Quelli, fiutato il vento, si tengono in disparte. La notizia della sua cattura giunge a Londra nel bel mezzo di una seduta alla Camera dei Comuni. L'assemblea si aggiorna e ordina che il pirata sia tradotto in Inghilterra. Si forma un comitato ad hoc del quale fanno parte, si può immaginare con quali intenzioni, mercanti ed esportatori.

Un mese dura la traversata. A Londra Kidd viene rinchiuso in isolamento in quel pestilenziale letamaio che è il carcere di Newgate; le condizioni delle celle sono tali che molti medici rifiutano di metterci piede. Quando si apre la nuova sessione parlamentare, nella primavera del 1701, i Tories, ora in maggioranza, si dichiarano pronti a far scontare ai Whigs supposte complicità con i pirati. Il processo contro Kidd dura due giorni, 8 e 9 maggio, in un'aula decorata con i simboli dell'Ammiragliato. Pende sul capo dell'imputato e di certi suoi complici l'accusa di pirateria ma, soprattutto, quella di omicidio nei confronti del cannoniere William Moore. La sentenza è morte per impiccagione; la pena viene eseguita venerdì 23 maggio.

Il corteo dei condannati, preceduto da un remo d'argento emblema dell'Ammiragliato, attraversa la città tra le consuete ali di curiosi eccitati. Siccome l'esecuzione è prevista sulle rive del Tamigi, alla folla che arriva a piedi, contenta di vedere qualcuno che scalcia a mezz'aria prima di tirare le cuoia, altri si uniscono arrivati in barca. In prima fila ci sono amici e parenti dei condannati. Può accadere che il tratto di corda sia troppo corto o il nodo mal fatto e che il condannato penzoli mezzo soffocato in una lunga, crudelissima agonia. I parenti in quel caso si precipitano a tirargli le gambe in modo da finirlo spezzandogli la vertebra cervicale. Nel caso di Kidd pare che sia stata la fune a spezzarsi, sicché il boia dovette trascinarlo, mezzo stordito, in cima al patibolo per poi gettarlo nuovamente di sotto con al collo una fune più robusta.

Singolare fu il suo destino anche dopo morto. Il cadavere, stretto in un corsetto di ferro modellato sul suo corpo per fargli conservare sembianze umane, rimase appeso per giorni insieme a quelli di altri pirati e fuorilegge. Tutti quei corpi in putrefazione, lasciati a dondolare al vento, indicavano che l'Alto tribunale dell'Ammiragliato era sempre meno disposto a tollerare imprese simili.

Kidd finì dunque impiccato, anche se qualcuno ha scritto che molte sue azioni non sfigurerebbero al confronto con quelle di

Robin Hood. Un elemento di contatto tra le due figure effettivamente esiste. Pirati e corsari non furono soltanto ladroni del mare o uomini animati da un ribollente spirito di avventura. La pirateria è un fenomeno che possiede altre facce oltre a quella esistenziale: la faccia politica e la faccia economica. Francis Drake si guadagna il titolo di baronetto anche perché buona parte dei proventi delle sue rapine finisce nel tesoro della regina. Passa un secolo e la situazione cambia. Tra coloro che vogliono Kidd appeso a una forca ci sono i rappresentanti della Compagnia delle Indie Orientali, tredici uomini i cui interessi sono stati profondamente lesi dalle imprese del pirata e che rappresentano la più potente istituzione economica del regno. Non si tratta di esercitare una vendetta, bensì di colpire un simbolo: l'uomo che turba il libero esercizio del commercio. Anche gli assicuratori hanno un forte interesse professionale da difendere. Per tutto il Seicento le due principali piazze europee per le assicurazioni marittime sono state Amsterdam e Rotterdam. Verso la fine del secolo un signore che si chiama Edward Lloyd trasforma la sua caffetteria londinese in una borsa delle assicurazioni. Avrà dalla sua l'avvenire, come sappiamo.

In questo periodo si rafforza inoltre l'idea che sia lo Stato il solo legittimato all'uso della forza, e cominciano a diffondersi le marine militari. Gli storici dell'economia sottolineano un'ulteriore novità: Londra, nel corso del Diciassettesimo secolo, è stata al centro di una rivoluzione finanziaria che l'ha trasformata nella più seria rivale di Amsterdam. Ancora più dei mercanti, coloro che muovono la finanza e le borse desiderano essere circondati dalla pace sociale; il più concreto dei beni, il denaro, è anche il più suscettibile agli sbalzi emotivi.

Drake è stato il simbolo esemplare del libero commercio, nel quale investire tutto, compresa la vita, contro le proibizioni del papa e il potere monopolistico del re cattolico. Kidd diventa un simbolo negativo quando il commercio mondiale avverte il bisogno, per continuare a prosperare, di autoimporsi delle regole, trasformandosi da avventura esistenziale in vero capitalismo mercantile.

È risaputo che all'origine di tante fortune individuali c'è un atto di banditismo. È quasi una regola che nessuna accumulazione primaria sia possibile senza un atto illegale che consenta il formarsi di una fortuna sufficiente come capitale d'impresa. La vicenda dei pirati e dei corsari inglesi conforta l'ipotesi che la medesima regola valga anche per le fortune nazionali. Furono uomini come Drake a contribuire al risanamento dei conti pubblici, all'accumulazione del capitale, allo sviluppo delle manifatture e dunque, maturate le necessarie tecnologie, alla rivoluzione industriale. Anche per questo, avventure e ribalderie risultano ai nostri occhi tipiche sia dell'epoca sia dello spregiudicato ardimento inglese, e in definitiva un momento fondativo dello spirito capitalistico moderno. Come dice lo storico Eric Hobsbawm: «Il banditismo sociale è un fenomeno universale e praticamente immutabile».

L'economia legale ha quasi sempre convissuto con un'economia fondata sulla frode, alimentata da circuiti semiclandestini semitollerati, dalla grande criminalità. Succedeva nel Sedicesimo secolo; nessuno può stupirsi che succeda, in misura certamente maggiore, anche oggi.

IX

LE ANIME BELLE DI GORDON SQUARE

Alle spalle del British Museum c'è una bella piazza, Russell Square. È, di fatto, il centro del quartiere di Bloomsbury, famoso per piazze e giardini, dove si trova, oltre al celebre museo, la London University. In una sera di moderata foschia, con le foglie dei platani imbrunite dall'autunno, le facciate chiare delle case che si bagnano dell'ultima luce del giorno e le finestre che si accendono una qua una là, si ha, come in pochi altri luoghi, il senso di un'intimità dignitosa contrapposta al disordine, alla fretta, alla brutalità dei rapporti, al traffico spaventoso, alla violenza urbana dilagante nel mondo. La statua nel mezzo del giardino è dedicata a Francis Russell, quinto duca di Bedford (1765-1802), che fu un innovatore in campo agricolo, ragione per cui è stato immortalato nell'atto di stringere un fascio di mais. Quel quartiere, quel nome, sono più di un'indicazione topografica nel cuore della metropoli: sono diventati quasi una località dello spirito che evoca una delle leggende della civilizzazione europea. Lì si stabilirono alcuni tra gli ingegni più brillanti vissuti a Londra tra Diciannovesimo e Ventesimo secolo. I suoi giardini e le sue case di costruzione garbata sono stati luoghi familiari per intelletti che hanno animato, o rinnovato, il corso delle lettere, delle scienze, dell'economia. Lytton Strachey, grande biografo dell'età vittoriana; John Maynard Keynes, l'uomo che ha trovato un nuovo modo di pensare l'economia; Roger Fry, il critico d'arte che ha fatto scoprire agli inglesi la modernità in pittura; e soprattutto lei, Virginia Woolf, la donna che con i suoi romanzi e la sua vita ha dato a Londra e all'Inghilterra un volto nel quale riconoscersi.

Al numero 6 di Russell Square si leva un curioso edificio bianco, troppo alto e troppo nuovo, stridente rispetto al resto e infatti chiamato «Big House in Bloomsbury». Grazie a questa difformità è diventato anch'esso famoso. Si tratta della Senate House, progettata da Charles Holden e completata verso la fine degli anni Trenta del Novecento. Attualmente ospita gli uffici amministrativi della London University ma durante l'ultima guerra mondiale era sede del ministero dell'Informazione, il posto dove si recavano i giornalisti per avere notizie sul conflitto. Vi lavorò anche lo scrittore Graham Greene, perennemente irritato proprio dall'eccessiva visibilità dell'edificio, al punto che arrivò a protestare inviando una lettera allo «Spectator» che fu pubblicata con il titolo *Il faro di Bloomsbury*. Scriveva Greene che quella candida mole e la sua forte illuminazione notturna erano diventate «Un fascio di luce che guida gli aerei tedeschi su King's Cross e la stazione di St Pancras».

Anche George Orwell ha avuto a che fare con quel palazzo: la sua imponenza in stile vagamente sovietico gli diede l'idea di ambientarvi il «ministero della Verità» nel celebre romanzo *1984*: «Il ministero della Verità era completamente diverso da ogni altro oggetto visibile. Un'enorme struttura piramidale di abbagliante cemento bianco, che si leva per trecento metri, piano dopo piano, verso il cielo. Una costruzione forte che nulla potrebbe scuotere, che nemmeno un migliaio di bombe potrebbero piegare».

Poco oltre, al numero 19, merita di essere vista la facciata (ma volendo anche l'interno) del Russell Hotel, inaugurato esattamente nel 1900, forse il più bell'edificio di Bloomsbury, esempio di quello stile che gli inglesi chiamano, con un po' di enfasi, «Victorian Renaissance», in qualche modo simile sia al palazzo del Parlamento a Westminster sia alla vicina stazione di St Pancras che Greene temeva di vedere bombardata. L'albergo è stato, tra il 1888 e il 1893, la dimora di Emmeline Goulden Pankhurst e delle sue due figlie Christabel e Sylvia. Chi erano mai queste donne?

Emmeline e le sue figlie sono state le iniziatrici di quel movimento che oggi definiremmo «femminismo» e che allora veniva chiamato delle «suffragette». Queste donne chiedevano infatti il diritto al voto (suffragio) come segno di affrancamento da una consolidata minorità pubblica. Emmeline, nata a Manchester il 14 luglio 1858, nel 1903 aveva dato vita, con la figlia Christabel, alla «Women's Social and Political Union», il cui esplicito slogan era «Votes for women». Le suffragette organizzavano cortei, rompevano a sassate le vetrine per guadagnarsi qualche titolo, sia pure di riprovazione, sui giornali. La loro protesta era forte, ma lo era anche la repressione. Le suffragette venivano manganellate duramente e arrestate, se in prigione ricorrevano allo sciopero della fame erano nutrite a forza. Se vicine comunque all'inedia, le si liberava temporaneamente in base a una legge detta «Cat and Mouse Act» la cui intestazione ufficiale era: «Prisoners' Temporary Discharge for Health Act», vale a dire «Legge sul temporaneo rilascio di prigionieri per motivi di salute», ma erano di nuovo arrestate appena in condizione di affrontare il carcere.

Nel 1912 Emmeline, che aveva cinquantaquattro anni, fu incarcerata per dodici volte di seguito. Disse: «La militanza maschile nel corso dei secoli ha inzuppato il mondo di sangue. La militanza femminile ha messo in pericolo solo la vita di coloro che si battevano per i propri diritti». La scrittrice Rebecca West, giovanissima, confessò d'averla ascoltata in lacrime durante un comizio: «Tremando come una canna levò dal palco la sua voce roca e dolce. Ma la canna era d'acciaio, la sua forza immensa». Quando nel 1914 scoppiò la Prima guerra mondiale, Emmeline venne rilasciata e, messo da parte il femminismo, si dedicò con le figlie e altre donne a sostenere lo sforzo bellico.

Dopo un soggiorno in Canada, nel 1926, a guerra finita, tornò in Inghilterra, trasformata ormai, alla soglia dei settant'anni, in una veneranda figura. Morì nel 1928 proprio mentre progettava di candidarsi al Parlamento (nel partito conservatore). Una legge per la quale si era molto battuta consentiva finalmente anche alle donne di accedervi. La prima a essere eletta deputata fu, nel 1918, Constance Markiewicz la quale però, come tutti gli altri MPs (*Members of Parliament*) membri dell'organizzazione irlandese del *Sinn Fein*, rifiutò di sedere a Westminster. Solo nel dicembre 1919 ci fu la prima reale presenza femminile in aula con la deputata Nancy Astor. La prima donna a essere nominata ministro fu Margaret Ban-field, nel 1929. La prima donna nominata capo del governo è stata Margaret Thatcher, nel 1979.

C'è un'altra bella piazza a Bloomsbury, Gordon Square. Più intima e raccolta di Bloomsbury Square, con un grazioso giar-dino nel mezzo, uno di quei giardini inglesi diversi da quelli così curati e «colti» della tradizione italiana e francese, dove la natura viene domata, resa artificiale, piegata alle simmetrie, agli accostamenti di colore voluti dagli uomini. Il giardino in-glese (passato poi nella tradizione americana) è piuttosto un pezzo di natura lasciato per quanto possibile intatto, uno squarcio di terra e foglie e rami che interrompe il manto delle strade perfettamente pavimentate, il succedersi dei robusti cordoli dei marciapiedi allineati con un rigore vorrei dire mili-taresco.

Questa piazza è all'origine di ciò che oggi intendiamo per «Bloomsbury», cioè il gruppo, il sodalizio che da lì prende nome.

Tutto comincia con i quattro fratelli Stephen: Vanessa, Thoby, Virginia e Adrian. La madre Julia è morta prima del volgere del secolo; il padre Leslie, eminente critico letterario, muore settantenne nel febbraio del 1904 dopo una malattia penosissima. Le due sorelle – di loro dobbiamo soprattutto parlare – reagiscono in modo quasi opposto. Per Vanessa (pri-mogenita, venticinquenne) è quasi una liberazione, per Virgi-nia (ventiduenne) una tragedia. È lei che ha avuto con il padre i rapporti più stretti, che ha condiviso l'amore per la letteratu-ra con quell'uomo schivo e malinconico che ebbe non pochi meriti culturali, non ultimo dei quali l'aver fondato e in gran parte redatto il *Dictionary of National Biography*. Il dolore di Virginia fu devastante, anche se più tardi avrebbe annotato nel suo diario: «Se fosse vissuto più a lungo avrebbe distrutto la mia vita. Che cosa sarebbe accaduto? Niente scrittura, nien-te libri; inconcepibile».

Una delle più rilevanti conseguenze pratiche del trapasso è il cambio di domicilio dei quattro fratelli Stephen. Fino a quel momento avevano abitato al 22 di Hyde Park Gate a Kensington in una grande casa opprimente povera di luce, ricolma di un cupo mobilio. Lì è morta la madre nel 1895, lì s'è deciso di far ricoverare in un asilo per alienati la sorellastra Laura, nata dal precedente matrimonio di Leslie con Harriet Marian Thackeray, figlia dello scrittore William. Rimasti senza genitori, i ragazzi decidono di trasferirsi in un alloggio più economico in modo da aggiungere al loro reddito i proventi dell'affitto della dimora paterna. (In realtà la casa, data la loro incapacità di occuparsene, finì per rimanere disabitata a lungo. La decisione suscita una forte disapprovazione nella loro cerchia, anche perché Bloomsbury non gode di buona reputazione e comunque non sembra abbastanza alla moda per quattro rampolli di una così distinta famiglia.

Vanessa racconta nelle sue *Note* i disagi e il sollievo di quel trasloco:

Ricordo ancora lo sconforto per la scomodità, la sporcizia e i libri e il vasellame e poi gli arnesi da cucina che avremmo dovuto tirare fuori subito, ma il fatto che dovessimo mangiare anche nei primi giorni non ci aveva sfiorato e passarono settimane, forse mesi, prima che la vita riprendesse il suo corso normale ... Ma ricordo anche la curiosa eccitazione provocata dall'inizio della nuova vita, lo spazio dopo la vecchia casa vittoriana che avevamo lasciato, il giardino al centro della piazza.

Nella nuova casa accade qualcosa che nessuno avrebbe potuto immaginare. Quell'edificio di quattro piani dalla facciata di mattoni rossi diventa il punto di riferimento per gli amici, compagni dell'Università di Cambridge, di Thoby. È lì che si ritrovano ogni giovedì sera, tra le dieci e mezzanotte, con un appuntamento che in breve acquista carattere rituale.

Cambridge, a differenza di Oxford, aveva mostrato in quegli anni notevoli aperture verso un laicismo spinto a volte fino alla miscredenza. Nei college gli allievi si riunivano in circoli culturali dove si dibattevano accanitamente le più singolari credenze e passioni. Del resto in pochi luoghi al mondo ci si prende sul serio fino alla caricatura come nelle università inglesi. A Cambridge s'era formato, tra i tanti, il circolo detto degli «Apostoli», del quale avevano fatto parte, oltre a Thoby, Clive Bell, Lytton Strachey, John M. Keynes. Tutti molto intelligenti, molto eccentrici, anche se il più eccentrico di tutti era probabilmente Strachey, alto, dinoccolato, sconnesso nei movimenti, capace di restare a lungo muto oppure di scoppiare in fulminanti battute. A chi gli opponeva l'indispensabile presenza di un Dio creatore, rispose: «Creatore? Ma se ha fatto l'uomo a sua immagine e somiglianza!». Su una materia molto più profana, il gioco del golf, un giorno disse: «Il golf? Ha molto a che vedere col sesso. Tutto ruota intorno a palle e buche». Bisogna riportarsi alla moralità d'allora per valutare il valore dirompente di queste battute.

Univano quei giovani pochi elementi molto importanti, la centralità della cultura come garanzia di un civile livello di convivenza, il rispetto per la libertà degli individui (a cominciare dalla propria) anche quando diventa eccentricità, trasgressione della moralità vigente, l'orgoglio di uscire da una scuola di prestigio, la fiamma dell'intelligenza, l'amore per la teatralità, la forza della giovinezza; non di rado appassionati rapporti omosessuali. Nel suo raffinato cinismo Keynes affermava: «Anche quelli cui piacciono le donne si atteggiano a sodomiti per paura di non essere considerati rispettabili». Che ci fosse un po' di esibizionismo nel praticare l'amore greco lo si evince anche dal commento rilasciato da Frances Partridge quando venne legalizzata l'omosessualità: «Mi chiedo se parecchi di quelli che erano spinti dal pensiero di essere dei ribelli non proveranno ora un po' di delusione».

Battute, eccentricità, gusto dello humour, raffinatezza, anche di questo era fatto il gruppo. Molly Mac Carthy li battezzerà spiritosamente *bloomsberries*, gioco di parole raffinato, ironico, difficilmente traducibile. E proprio su questa «leggerezza» i detrattori hanno lavorato, additandoli ora come una conventicola di virtuosi del pettegolezzo, ora come una congrega di tiranni delle lettere. Sono rimaste le opere a smentire queste insinuazioni; ma sono rimaste, perché no, anche alcune battute che condensano in poche parole lo spirito del gruppo. Keynes: «Contro la stupidità anche gli dei sono impotenti. Ci vorrebbe il Signore. Ma dovrebbe scendere lui di persona, non mandare il Figlio; non è il momento dei bambini».

E sono rimasti alcuni episodi che confermano la loro inclinazione al divertimento. Un giorno il gruppo ideò addirittura una beffa alla Marina di Sua Maestà, organizzando una finta visita di Stato dell'imperatore di Abissinia a bordo della nave ammiraglia della Home Fleet, una Dreadnought, corazzata, che era la più formidabile nave da guerra che battesse i mari. Uno degli amici di Adrian invia un finto telegramma del Foreign Office al comandante in capo della flotta annunciando l'imminente arrivo dell'imperatore di Abissinia. Distribuitisi i ruoli, i sei partecipanti partono dalla stazione di Paddington alla volta di Weymouth. All'ultimo momento è stata reclutata anche Virginia che, felicissima, si nasconde sotto un turbante e dietro un paio di baffi neri. Il travestimento consiste in un po' di cerone; «costumi» piuttosto approssimativi cui si aggiungono poche parole di un improbabile swahili. All'arrivo i ragazzi scoprono, con un certo spavento, che il comandante della nave è William Fisher, un cugino degli Stephen. La beffa comunque riesce, l'imperatore di Abissinia viene ricevuto con tutti gli onori, l'ammiraglio non riconosce i congiunti, terminata la piccola riserva di termini swahili l'interprete, cioè Adrian, comincia a cantilenare in latino versi di Virgilio e i sei tornano incolumi a casa. La notizia però trapela e alcuni giornalisti cominciano a porre domande, la stampa commenta l'accaduto con toni tra l'indignato e il divertito, gli amici lo giudicano un bellissimo scherzo, i parenti si dichiarano oltraggiati.

Degli amici che si riuniscono nelle serate del giovedì a Gordon Square fanno parte, oltre ai fratelli Stephen, Clive Bell che sposerà Vanessa, Leonard Woolf che sposerà Virginia, Lytton Strachey, John Maynard Keynes, lo scrittore Edward Morgan Forster, Desmond Mac Carthy e sua moglie Molly, il critico d'arte Roger Fry, il pittore Duncan Grant che avrà un complicato legame con Vanessa. Alcuni di loro sono stati allievi del filosofo George Edward Moore (1873-1958), che appartiene, insieme a Bertrand Russell, alla nuova corrente analitica cui poco tempo dopo darà un decisivo contributo Ludwig Wittgenstein. La sua opera più conosciuta è *La difesa del senso comune* del 1925. La sua forza e la sua grandezza di insegnante stanno nel tentativo di dissipare i fumi dell'idealismo rimettendo la filosofia con i piedi per terra, fedele in questo a quell'empirismo anglosassone che appunto sul senso comune ricerca il suo più solido radicamento. Nel suo *Principia Ethica* (1903) scrive: «Le cose di gran lunga più apprezzabili sono il piacere dei rapporti umani e il godimento di begli oggetti. È questo che forma il più alto scopo razionale del progresso umano».

Moore sostenne un comportamento etico fondato più sulle scelte della propria coscienza, purché suffragate da un parere autorevole, che non sui dettami della moralità ufficiale. La sua può essere vista come una rivolta contro l'ipocrisia dominante, una ricollocazione di valori in base alla quale il Bene diventa non più un oggetto preciso dettato dal senso comune, bensì una condizione mentale di cui ognuno è responsabile. Il fine della sua filosofia dal volto umano era «rendere possibili rapporti personali felici».

Quando Keynes pubblicò il suo opus magnum *Teoria della probabilità*, ci si rese conto che la sua ipotesi economica nasceva sul tronco dell'etica di Moore. Anche Keynes pensava che non esistano verità rivelate idonee a stabilire che cosa sia il bene e dove si trovi. A ciascuno però è dato di vivere secondo decenza e ragione perché ogni individuo ha l'intuizione di che cosa sia buono. Ognuno ha la possibilità di scegliere, nell'incertezza, condotte razionali probabili.

Di che cosa discutevano i *bloomsberries* durante quelle serate? Vanessa, nelle sue *Note*, ha risposto con schiettezza:

> Di qualunque cosa ci passasse per la testa. Naturalmente i ragazzi che venivano da Cambridge avevano la testa piena del «significato del Bene». Io non avevo letto il loro profeta G.E. Moore ... i giovanotti non avevano nemmeno loro le idee chiare e così non erano dispiaciuti dalla prospettiva di doverne discutere con delle signorine che magari avrebbero visto le cose da una diversa prospettiva.

A repentini scoppi di accesa conversazione succedono prolungati silenzi. Si alternano tentativi di avviare una conversazione su temi convenzionali a discussioni astratte che vorrebbero dimostrare la verità di questa o quella tesi filosofica. Nel bel mondo londinese dell'epoca nessuno avrebbe chiesto a due ragazze da marito dell'alta borghesia come Vanessa e Virginia di adoperare più di tanto il loro cervello. Alle riunioni del giovedì invece non gli si chiede altro. I giovani presenti non si preoccupano delle buone maniere, nel senso corrente del termine, gli argomenti vengono criticati anche se a tirarli fuori è stata una donna. Prima che in campo letterario o scientifico, l'importanza del gruppo si manifesta sul piano del costume. A una ragazza, tanto più se da marito, si chiede di saper conversare con grazia sul nulla, di accennare qualche motivo al pianoforte, di cavalcare (all'amazzone), di ricevere e intrattenere gli ospiti. Anche Vanessa e Virginia erano state preparate a questo ruolo nella vecchia casa paterna di Hyde Park Gate.

Questa essendo la normalità, si può immaginare quale clamorosa rottura rappresentò vederle conversare disinvoltamente con i loro coetanei su qualunque tema, compresi quelli sessuali. Uno degli episodi più celebri, citato in ogni storia del gruppo, è ciò che accadde in un tardo pomeriggio di primavera nel 1908. Vanessa, che aveva già sposato Clive Bell, era intenta a cucire nel soggiorno della casa di Gordon Square; Virginia stava chiacchierando con alcuni amici quando nella stanza entrò improvvisamente Lytton Strachey che, indicandole una macchia sull'abito bianco, le domandò ad alta voce: «Sperma?». La parola proibita risuonò con tale fragore psicologico che le loro conversazioni da quel momento non furono più le stesse. Virginia commentò: «Scoppiammo tutti a ridere. Bastò quella parola ad abbattere le barriere della reticenza e del pudore. Un torrente del sacro liquido sembrò travolgerci». Il sesso da allora diventò uno dei temi sul quale intrattenersi con maggiore frequenza.

Una lettera di Vanessa fa capire bene fino a che punto questa disinvoltura si fosse spinta. Nella primavera del 1914, poche settimane prima che il Grande conflitto deflagrasse, Vanessa e suo marito Clive erano stato ospiti di Keynes nella sua casa di campagna nel Sussex. Keynes praticava un'aperta omosessualità, non priva di rischi in quei tempi. Tornata a casa Vanessa gli scrive:

Caro Maynard, ... hai passato un pomeriggio piacevole a sodomizzare uno o più dei giovanotti che ti abbiamo lasciato? Dev'essere stato squisito sulle colline, nel sole del pomeriggio, una cosa che ho spesso desiderato fare ma non si ha mai l'occasione e il desiderio al momento giusto. Ti immagino comunque con le tue membra nude intrecciate alle sue e tutti gli estatici preliminari della Sodomia Succhiante ... dev'essere stato divino.

Composizione e fraseggio sono perfetti ma i dettagli, è il caso di dire, vengono messi a nudo.

Tra le caratteristiche del gruppo c'è anche l'intrico delle reciproche relazioni sessuali. Per esempio: Duncan Grant, pittore, ama David Garnett, bel ragazzo poco più che ventenne da lui ritratto in modo chiaramente amoroso. Più tardi Grant avrà però una relazione con Vanessa, che aveva già avuto due figli (Julian e Quentin) da suo marito Clive Bell. Con Grant Vanessa avrà una figlia, Angelica, che il generoso Bell riconoscerà come sua. D'altra parte il bel giovane David Garnett aveva in precedenza tradito Grant sposando Rachel Alice Marshall. Anche Keynes aveva avuto una relazione con Grant, mettendo in certo modo le corna a Lytton Strachey che non lo perdonò mai. Garnett, poi, arrivato a cinquant'anni s'innamora di sua figlia Angelica. Lasciata la prima moglie la seduce, la sposa, le fa mettere al mondo quattro figli. Molto tempo dopo Angelica racconterà in un libro (*Ingannata con dolcezza*) la sua difficile esistenza.

Un altro complicato poligono, tra i tanti che si susseguono, è quello della coppia Ralph Partridge e Lytton Strachey. I due vivono, amandosi, insieme a Dora Carrington che a sua volta ama Lytton. A un certo punto, siamo nel 1923, Ralph conosce Frances, una ragazza che lavora in una libreria, se ne innamora e la introduce in quella specie di comune. Per dieci anni va avanti questa singolare (ma fruttuosa, a giudicare dai risultati) convivenza fino a quando Lytton, a soli cinquantadue anni, muore e Dora poco dopo si suicida. Ridotti a vivere da soli Ralph e Frances finalmente si sposano.

Da parte sua, Keynes, l'uomo salito così in alto da negoziare per l'Inghilterra la nascita del fondo monetario e gli accordi di Bretton Woods, mise fine ai suoi turbinosi rapporti omoerotici sposando Lydia Lopokova, ballerina russa arrivata a Londra all'inizio degli anni Venti con la celebre compagnia di Diaghilev.

Alcuni anni dopo, nel 1924, nel saggio *Mr Bennet and Mrs*

Brown, Virginia riflette sulla rivoluzione «umana» di cui il gruppo di Bloombsbury era stato sia attore sia spettatore:

All'incirca intorno al dicembre del 1910 il personaggio uomo è cambiato. Non dico che si uscì di casa, come si potrebbe uscire in giardino, avvedendosi che è fiorita una rosa, che la gallina ha fatto l'uovo. Il cambiamento non fu così improvviso e radicale. Ma un cambiamento c'è stato, nondimeno; e visto che non si può che essere arbitrari, datiamolo all'anno 1910. ... Le relazioni umane sono cambiate – tra servi e padroni, mariti e mogli, genitori e figli. E quando le relazioni umane cambiano, cambiano allo stesso tempo la religione, il comportamento, la politica e la letteratura.

La prova che una tale disinvoltura nei rapporti non era arrivata all'improvviso la si può trovare, volendo, anche nel bel romanzo di Henry James *Ciò che sapeva Maisie*, del 1897. Perfino uno scrittore come lui, tentato dal moralismo, vi ritrae insieme la storia di un matrimonio infelice visto attraverso gli occhi di una bambina, e un vero intrico di relazioni, un susseguirsi di effimere unioni nelle quali curiosità o convenienza hanno sempre la meglio sull'amore.

Anche la personale vita amorosa delle sorelle Vanessa e Virginia è movimentata e irregolare. Virginia mostra fin dall'adolescenza una personalità disturbata ed è quasi frigida. Vanessa ha una vitalità più accentuata, appetiti forti, compresi quelli sessuali. Come reagirono in modo diverso alla morte del padre, così avevano reagito in modo diverso alle molestie sessuali patite in famiglia. Sia il padre Leslie sia la madre Julia erano arrivati alle nozze con un precedente matrimonio alle spalle. Da quella prima unione Julia aveva avuto tre figli – George, Stella, Gerald – che dopo le nuove nozze erano divenuti i fratellastri di Vanessa e Virginia. Prima Gerald, poi George aggredirono sessualmente Virginia quando lei aveva tredici anni e George ventisei. Fino a che punto le molestie si siano spinte non è mai stato chiarito del tutto, anche se la stessa Virginia ne ha parlato e scritto più volte, sempre però evitando i dettagli. «*My incestuous brother*» scrive parlando di George in una lettera del 1936. Quentin Bell, biografo della Woolf e suo nipote, conferma queste notizie apprese dal marito di Virginia, Leonard, e data le «*malefactions*» di George all'anno della morte della madre. In età adulta lei scriverà che il suo fratellastro George aveva rovinato la sua vita prima ancora che cominciasse, impedendole così di trarre alcun godimento dal suo corpo: «*I never remember any enjoyment of my body*». Un'altra possibile causa della frigidità che l'afflisse furono, per sua stessa ammissione, le aspettative sproporzionate che il padre aveva riposto in lei. La giovane donna si sentiva schiacciata da quel peso, anche se poi dimostrerà, con i suoi romanzi, di poter arrivare molto più lontano di quanto Leslie avesse mai sperato.

Al contrario della sorella che ebbe un'intensa e appassionata vita amorosa, Virginia non nascose mai di essere frigida. Con molta onestà lo confessò al suo futuro marito nel momento in cui accettava la sua proposta di matrimonio: «L'aspetto sessuale avrà un ruolo tra noi? Come ti ho detto brutalmente l'altro giorno non provo alcuna attrazione fisica per te. Ci sono momenti – uno è stato l'altro giorno quando mi hai baciato – in cui non mi sento molto diversa da un sasso».

Virginia ha avuto numerose intense amicizie con altre donne alcune delle quali potrebbero avere assunto carattere sessuale, anche se in un solo caso ne abbiamo indiretta conferma. La scrittrice Vita Sackville-West, lesbica dichiarata, disse di aver avuto rapporti fisici con lei in due occasioni e in una lettera al marito Harold Nicolson scrisse: «Sono spaventata a morte all'idea di alimentare in lei un'attrazione fisica, data la sua pazzia. Non so che effetto potrebbe avere, capisci? È un fuoco col quale non ho alcuna voglia di scherzare». Probabilmente nemmeno Virginia aveva molta voglia di scherzare con quel fuoco. Mentre sul piano teorico e ideale si dimostra così disinibita da descrivere per lettera a un'amica le polluzioni notturne (*wet dreams*) del marito, dal punto di vista pratico era consapevole di poter essere giudicata addirittura «vile».

Quanto a Vita (su di lei Virginia modellò il protagonista del suo celebre romanzo *Orlando*), la sua relazione più conosciuta e più lunga fu quella con Violet Trefusis, lesbica appassionata, il che non le impedì di sposare Harold Nicolson e di generare con lui un figlio: Nigel. Quando Vita morì, nel 1962, Nigel rinvenne una lunga e dettagliata confessione di sua madre dentro una valigia e non esitò a pubblicarla, inserendola in un libro (*Ritratto di un matrimonio*) che è il racconto della bizzarra vicenda dei suoi genitori, bisessuali entrambi.

Sul temperamento così disturbato di Virginia ebbe certamente un peso l'eredità genetica. Nella famiglia di sua madre c'erano stati numerosi casi di disordine mentale. Anche suo fratello Adrian, che in seguito diventerà psicanalista insieme alla moglie Karen, da ragazzo aveva manifestato una certa debolezza nervosa. Sua sorella Vanessa ebbe a sua volta un episodio acuto di depressione nel 1911, a trentadue anni, a seguito di un aborto spontaneo. Ma era dal lato paterno che predominavano i temperamenti con inclinazione alla malinconia. Sir Leslie era stato un eccentrico tendente alla depressione, anche se dotato di notevole ardimento come alpinista. Di se stesso diceva: «Sono un misantropo disperato». Il nonno di Virginia, Sir James, ottimo amministratore coloniale, aveva avuto numerosi esaurimenti nervosi, uno dei quali a seguito della morte di un figlio per tifo. Un cugino di Virginia, James K. Stephen, omosessuale dichiarato, che si era segnalato a Eton per valentia sportiva ed era stato per un certo periodo «tutore» del duca di Clarence a Cambridge, superati i vent'anni aveva manifestato pure lui squilibri nervosi che lo portavano, alternativamente, da uno stato di acuto eccitamento alla depressione. Lo psichiatra George Savage, che in seguito si occuperà anche di Virginia, ne consigliò il ricovero in manicomio, dove il giovane si lascerà morire di fame. Il breve legame con il duca di Clarence fece avanzare l'ipotesi che fosse lui il misterioso omicida seriale noto come Jack the Ripper, anche perché in un suo poemetto giovanile figuravano alcune disordinate fantasie su delle prostitute assassinate.

Nel 1912 Virginia sposò Leonard Woolf, che in passato è stato molto criticato per non averne impedito il suicidio. In realtà il povero Leonard dedicò buona parte della sua vita al tentativo di alleviare le sofferenze della moglie, da ciò che si può leggere si ricava che pochi o nessuno avrebbero fatto meglio di lui. Al momento di sposarsi avevano progettato di guadagnarsi da vivere scrivendo, ma Leonard, che in gioventù era stato autore di un paio di romanzi, avrebbe preferito di lì a poco la politica e il giornalismo, oltre alla redazione di una scrupolosa autobiografia.

Virginia pubblica il suo primo romanzo tre anni dopo il matrimonio: *La crociera*. Vista con i parametri della normalità, la sua sembrerebbe una vita realizzata; invece a ogni passaggio critico dell'esistenza lei sembra ripiombare nell'abisso della follia. Le cure che i medici prescrivono in casi del genere sono riposo, buona alimentazione, tranquillità, poche tensioni intellettuali. La tumultuosa vita a Londra è annoverata tra i possibili fattori nocivi, così i Woolf fanno continua spola tra città e campagna. Sul finire del 1914 si stabiliscono a Richmond, una località abbastanza vicina alla capitale da consentire a Leonard di continuare la sua attività, ma abbastanza lontana da impedire che impegni mondani troppo pressanti aggravino gli squilibri psichici di Virginia. Il loro indirizzo ufficiale, indicato nell'intestazione delle lettere, diventa: Hogarth House, Paradise Road, Richmond-on-Thames, Surrey.

La vita di campagna è, soprattutto all'inizio, molto dura. A poco a poco la casa verrà arricchita da alcune rustiche comodità, ma Virginia si lamenterà di frequente nelle lettere della nebbia che incombe, della necessità di tenere sempre la luce accesa. Scorata, scrive a un amico: «Non parlarmi della campagna...».

L'idea di acquistare un torchio tipografico, realizzata nel 1917, è almeno in parte una misura terapeutica: Leonard è convinto che un'occupazione manuale possa giovare alla moglie, e inoltre la possibilità di stampare direttamente le opere che produrranno sembra allettante. Freud all'epoca è quasi sconosciuto in Inghilterra e Virginia rimarrà anche in seguito scettica sulle ipotesi del rivoluzionario medico viennese, eppure, nonostante questo, la Hogarth Press, di loro proprietà, negli anni Venti ne pubblicherà l'opera omnia in inglese (curata e tradotta da un fratello di Lytton, James Strachey) e in seguito Virginia mitigherà il suo scetticismo approfondendo il pensiero del padre della psicanalisi. Intorno al 1939 si sorprenderà scoprendo che il viennese aveva previsto e analizzato i sentimenti ambivalenti che lei stessa nutriva verso suo padre.

I crolli psichici di Virginia si susseguono durante l'intero corso della sua vita; il primo lo patì a tredici anni. Nel biennio

1913-15 i suoi disordini sono così frequenti, aggravati da un tentativo di suicidio, che comincia a temersi la follia. La giovane donna soffre di ciò che chiameremmo psicosi maniaco-depressiva accompagnata da frequenti palpitazioni, mal di capo, dismenorrea. Nella fittissima corrispondenza che tenne con la cerchia degli amici le tracce di questa depressione affiorano di continuo. Impressionante, per esempio, questo breve brano in una lettera del 13 novembre 1918 alla sorella Vanessa. La Grande guerra è appena finita e Londra, come ogni altra capitale europea, festeggia la fine del massacro. L'impressione che quella disordinata allegria produce su Virginia è orribile:

> Un ragazzino fu quasi stritolato ai miei piedi nella sotterranea; eravamo così stipati da faticare a tirarlo su; tutti sembravano semiubriachi: bottiglie di birra passavano di mano in mano, le donne baciavano tutti i soldati feriti; nessuno aveva la minima idea di dove andare o cosa fare; pioveva incessantemente; la folla fluttuava su e giù per i marciapiedi agitando bandierine e saltando sugli omnibus, ma in uno stato così disorganizzato, esitante, meschino, che mi fece sentire sempre più malinconica e senza speranza per la razza umana. I poveri di Londra, semiubriachi e molto sentimentali, o completamente apatici con le loro voci spaventose, i loro vestiti, i loro denti guasti, fanno dubitare che ci possa mai essere una vita decente e che importi davvero se ci sia la guerra o la pace.

I momenti di malattia si alternano crudelmente a intervalli di salute. Allora Virginia diventa gaia, si mostra gran conversatrice, spiritosa, curiosa, pettegola. Anche quando è malata conserva la lucidità, e anzi dalla sofferenza trae non di rado spunto per i romanzi. Il 16 febbraio 1930, per esempio, annota sul diario:

> Stare sdraiata sul divano una settimana. Mi sono alzata, oggi, nel solito stato di vitalità irregolare. Al di sotto del normale, con un desiderio spasmodico di scrivere, poi di sonnecchiare. È una bella giornata fredda ... ma dubito di poter scrivere con profitto. Una nube fluttua nella mia mente. Sono troppo cosciente del mio corpo e sbalzata fuori per tornare al romanzo.

Due anni dopo, il 17 agosto 1932, in un bel pomeriggio di mezza estate, è seduta all'aperto in compagnia di qualcuno quando d'improvviso il male l'assale:

Guardavamo le colline ritrarsi in una delicata oscurità dopo aver bruciato tutto il giorno come smeraldo compatto. Ora un velo morbido, delicato, le appannava. ... Allora il mio cuore balzò e si fermò, balzò ancora, ed io sentii quello strano gusto amaro in fondo alla gola; e il polso mi balzò nella testa battendo e battendo, più selvaggio, più rapido. «Sto per svenire» dissi, e scivolai dalla seggiola e giacqui sull'erba. Oh no, non ero svenuta. Ero cosciente, ma posseduta da questa coppia di ansimanti cavalli che nella mia testa galoppavano pesanti, pesanti ... sarei riuscita a trascinarmi fino a casa? Raggiunsi la mia stanza e caddi sul letto. Poi dolore, come di parto, poi anche quello lentamente si smorzò ed io rimasi distesa a vegliare sui frammenti scheggiati e sconvolti del mio corpo.

Il dramma precipita negli ultimi mesi prima della morte. Leonard scrive che la perdita del controllo mentale cominciò all'inizio del 1941. È il periodo in cui l'Inghilterra sta resistendo eroicamente (mai definizione fu più appropriata) agli attacchi ininterrotti dell'aviazione nazista. Il paese è scosso, nessuno esclude la possibilità di uno sbarco tedesco. La casa londinese di Virginia e Leonard è stata colpita dalle bombe. Progettano, se i tedeschi davvero sbarcheranno, di suicidarsi insieme: «Ci mettemmo d'accordo» scrive Leonard «che se quel momento fosse arrivato avremmo chiuso la porta del garage e ci saremmo suicidati».

Lo scrittore John Lehmann, che in quei mesi svolge alcuni incarichi per la Hogarth Press, nota che Virginia appare sempre più spesso tesa e nervosa. Di tanto in tanto le sue mani sono colte da un tremito irrefrenabile, e anche se il suo eloquio è coerente e intelligibile, la malinconia è aumentata: «Ho perso ogni potere sulle parole» scrive Virginia «non so più che cosa farci».

Medico di famiglia dei Woolf è Octavia Wilberforce, che ha anche fatto un po' di pratica in un asilo per alienati. I Woolf sono vicini di casa e si vedono spesso, a volte casualmente. Il 26 marzo 1941 Leonard convoca la dottoressa per una visita. Virginia è nervosa, si dice dispiaciuta che Octavia, influenzata, si sia dovuta alzare dal letto per visitarla. Resiste alle sue domande, si fa solo promettere che l'amica non ordinerà il suo ricovero in una clinica psichiatrica.

Il 28 marzo 1941, all'età di cinquantanove anni, Virginia Woolf si toglie la vita gettandosi nel fiume Ouse con un grosso sasso nella tasca del cappotto. Il suo corpo viene scoperto solo il 18 aprile da un ragazzo che cammina lungo la riva. Il referto del medico legale è: suicidio in condizioni di alterazione psichica. La salma verrà cremata il 21 aprile e le ceneri sparse sotto un olmo nel prato di Monk's House, vicino a Lewes.

Prima di uscire di casa, intorno a mezzogiorno, aveva scritto due lettere. Una per la sorella Vanessa e una per Leonard:

> Carissimo, sono certa che sto nuovamente per diventare pazza. Non me la sento di passare un altro di quei terribili periodi. E questa volta non voglio essere ricoverata. Ho cominciato a sentire le voci e sono incapace di concentrarmi. Così sto per fare quella che sembra la cosa migliore. Mi hai dato la più grande possibile felicità. Giorno dopo giorno sei stato sotto ogni aspetto ciò che ognuno dovrebbe essere. Credo che nessuno sarebbe potuto essere più felice di noi fino a quando non è arrivata questa terribile malattia. Non me la sento più di combattere. So che sto rovinando la tua vita e che senza di me potrai ricominciare a lavorare.

Anche se questo non è il libro in cui affrontare come meriterebbe un tema di tale portata, vorrei ora accennare a una questione che è stata oggetto di molte discussioni: il fatto che gli inglesi, dotati in tante arti, soprattutto in quelle basate sul dialogo e la conversazione, siano però carenti in musica e pittura. C'è del vero in questa osservazione. Verso la fine dell'Ottocento, mentre sul continente si dibatte in modo acceso su che cosa la pittura possa raffigurare dopo la scoperta della fotografia, in Gran Bretagna il solo movimento pittorico che contrasti l'accademismo ufficiale è quello detto dei preraffaelliti. Nato verso la metà del secolo intorno a personalità come W. Holman Hunt, J. Everett Millais, Dante G. Rossetti, il movimento si propone una pittura in controtendenza rispetto alle convenzioni vittoriane. Ai mali della nascente società industriale s'intende rimediare proponendo un'arte fortemente ispirata alla natura, che abbia come modello ideale i pittori italiani fino a Raffaello (da qui il nome). Soggetti e temi vanno dall'intimismo a una vaga socialità, dai temi storici a quelli religiosi, al Medioevo recuperato spesso attraverso la mediazione romantica. Uno stile che oggi incanta soprattutto per l'inconfondibile cifra e anche perché in molte di quelle opere si possono scorgere i primi segni di ciò che saranno Art Nouveau e simbolismo.

Ma perché accennare a questi argomenti in un capitolo dedicato al gruppo di Bloomsbury? È stato uno dei membri di quel circolo, Roger Fry, a organizzare nel 1910 a Londra la prima grande mostra degli impressionisti francesi. Mentre l'orgogliosa Britannia tenta il recupero di una pretesa pittura italiana preumanistica, a Parigi è nato il movimento degli impressionisti che sta rivoluzionando il concetto stesso di pittura. Perfino nella piccola Italia appena fatta di Cavour e Giolitti, più o meno negli stessi anni dei preraffaelliti, nasce il movimento dei macchiaioli, che dal caffè Michelangelo di Firenze propugna una pittura antiaccademica che riproduca, per usare le parole di Fattori, «l'impressione del vero».

È Vanessa, lei stessa pittrice, a introdurre Roger Fry nella cerchia di Bloomsbury, ed è Fry, uomo di grande energia, a organizzare una mostra che intitola *Manet and the Post-Impressionists* (sebbene qualcuno abbia fatto osservare che dal punto di vista critico la dizione non è del tutto corretta). Alle pareti delle Grafton Galleries figurano Cézanne, ma anche Van Gogh, Gauguin, Seurat, Signac, Picasso, Manet, Vlaminck, Matisse, Rouault. C'è un po' di confusione, troppi quadri di uno e troppo pochi di un altro; troppi di un periodo e troppo pochi del successivo; tutto sommato, però, è un'iniziativa coraggiosa e culturalmente importante. Anzi, di tale coraggio che Desmond Mac Carthy, uno degli amici di Bloomsbury, scrive nell'Introduzione al catalogo:

Non si può negare che l'opera dei postimpressionisti sia piuttosto sconcertante. Può persino sembrare ridicola a chi non ammetta che un bel cavallino a dondolo è spesso più simile a un vero cavallo della fotografia di un vincitore del Derby.

Cautele, come si vede. Prudenze che il direttore della National Gallery, Sir Charles Holroyd, spinge al punto da chiedere che il suo nome non compaia nella presentazione. I quadri dei francesi sono così lontani dal gusto dominante da sembrare sfrontati, insensati, dipinti in maniera grezza e approssimativa, il «prodotto di un manicomio», come scrive un vecchio pittore sulla «Pall Mall Gazette». Il critico del «Times», volendo essere più analitico, riesce a diventare ancora più offensivo e (possiamo dire oggi) ridicolo:

> Questo tipo di arte professa la semplificazione e per ottenerla butta via tutta la sapienza tecnica che gli artisti del passato hanno acquisito e perpetuato. Ricomincia tutto da capo e si ferma a risultati simili a quelli dei bambini.

Infatti pare che qualcuno abbia inviato a Fry i disegni dei figli chiedendo, provocatoriamente, se avrebbe voluto organizzare con quelli la mostra successiva. In pratica gli unici a sostenere in modo compatto la mostra furono gli amici di Bloomsbury. Con i due pittori Vanessa Bell e Duncan Grant in testa.

Nonostante critiche e sberleffi, l'esposizione accoglie una media di circa quattrocento visitatori al giorno. Katherine Mansfield, che all'epoca ha ventidue anni, è così impressionata dai dipinti di Van Gogh che decide di occuparsi maggiormente della contemporaneità. La stessa Virginia, che nel 1940 scriverà una biografia di Roger Fry, ammetterà l'importanza che la mostra ha avuto per lei. Sua sorella Vanessa dirà: «Credo impossibile che un'altra singola rassegna abbia avuto sulla generazione più giovane un effetto paragonabile a quello. Lo sconcerto e la rabbia degli anziani rendeva tutto più piacevole». E Roger Fry? È stupito dalla reazione del pubblico, che di solito rimane indifferente ai quadri. La cosa che più lo indigna è l'atteggiamento dei più colti, che insorgono contro la mostra come se si trattasse di un'offesa personale a una cultura considerata esclusivo privilegio sociale. È snobismo, lo trova insopportabile.

Alle serate organizzate per la seconda mostra dei postimpressionisti, nel 1912, il bel mondo londinese e gli artisti si ritrovano fianco a fianco, Vanessa e Virginia sono vestite come le donne dei quadri di Gauguin e, grazie a loro, ancora una volta lo scandalo è assicurato. Ma quella corrente pittorica ormai è diventata di moda. E poiché i giovani artisti inglesi non riescono a campare con la pittura, l'instancabile Fry decide di fare qualcosa. Se non vendono i loro dipinti, dichiara, forse possono guadagnarsi da vivere decorando sedie e porcellane, facendo tappeti e vasi: «Così sarebbero liberi di dipingere quadri, come i poeti scrivono poesia, per piacere e non per denaro». Sembrava il modo giusto per rivendicare la libertà dell'arte affrancandola da ogni mecenatismo o capriccio. Nel luglio 1913 Fry fonda quindi i Laboratori Omega, sempre a Bloomsbury, al 33 di Fitzroy Square. Nonostante difficoltà di ogni genere, che vanno dai problemi economici alle faide interne e soprattutto alla mobilitazione bellica che costringe molti amici a partire per il fronte, l'esperimento sembra reggere: assicura un piccolo stipendio agli artisti e in qualche caso un impiego agli obiettori di coscienza.

L'orribile guerra del 1914-18 diventa per il gruppo di Bloomsbury un ulteriore motivo di divisione. A metà luglio del 1914, due settimane prima che il conflitto esploda in tutto il continente, il cancelliere dello scacchiere, David Lloyd George, mette in guardia la popolazione sulla critica condizione del Regno Unito. I ferrovieri scioperano reclamando la settimana di quarantotto ore e il riconoscimento del loro sindacato. In Irlanda gli scontri tra protestanti e cattolici sono arrivati quasi alla guerra civile, con migliaia di uomini che si affrontano in armi. In India e in Egitto sono scoppiate sommosse a carattere nazionalistico. Il 28 giugno, con l'assassinio dell'arciduca d'Austria Francesco Ferdinando e di sua moglie Sofia a Sarajevo, scocca una scintilla dalle conseguenze devastanti.

La guerra della Gran Bretagna alle Potenze Centrali viene dichiarata il 4 agosto e le prime settimane di combattimenti sono catastrofiche. I rovesci del corpo di spedizione inviato sul continente mettono addirittura a repentaglio la sterlina, e sono necessari drastici interventi del Tesoro per scongiurare questo pericolo. Le truppe inglesi devono ritirarsi sia da Ypres sia da Mons, e solo la disperata resistenza dei francesi sulla Marna impedisce agli austro-tedeschi di arrivare per la terza volta a Parigi dopo il 1815 e il 1871. Quel terzo appuntamento, la sfilata delle armate del Reich sugli Champs-Elysées, viene rimandato al 1940. Per una volta sono i mangiatori di rane (*frog-eaters*, come inglesi e americani chiamano spregiativamente i francesi) a dare una lezione di resistenza morale prima che bellica. Lo sbandamento però dura poco. Passate le prime infernali settimane la tradizionale tempra britannica prevale. Gli scioperi cessano, l'intero paese si mobilita. Lloyd George dichiara, in uno di quei solenni discorsi pieni di pathos di cui gli inglesi sono maestri (e che in italiano sembrano spesso pura retorica), che si tratta di una guerra a sostegno dei principi liberali, e anzi di una crociata in difesa di piccole nazioni, come il Belgio, che i tedeschi hanno brutalmente invaso. La guerra in realtà mette in gioco valori e certezze consolidate, capovolge l'idea di progresso. Il giorno dopo lo scoppio del conflitto Henry James scrive a un amico:

> [Il fatto] che la civiltà sia precipitata in questo abisso di sangue e di tenebre ... distrugge a tal punto tutto il lungo periodo durante il quale avevamo creduto che il mondo, nonostante qualche oscillazione, sarebbe gradatamente migliorato, che dover ora accettare tutto ciò cui in realtà tendevano quegli anni traditori, dover ora accettare ciò che essi davvero hanno significato, è una tragedia troppo grande per poter essere espressa.

Il prezzo pagato dalla Gran Bretagna è altissimo: 750 mila morti e oltre 2 milioni e mezzo di feriti, molti dei quali invalidi permanenti. Un semplice dato dà la misura dei vuoti creati da questa ecatombe. All'inizio della guerra, per essere arruolati come volontari si doveva raggiungere la statura di quasi 1,80 cm. Qualche mese dopo, in ottobre, viene abbassata a 1,72. In novembre, dopo che in poche settimane sono caduti quasi 300 mila uomini, viene ulteriormente ridotta a 1,67.

E Bloomsbury? Allo scoppio della guerra gli amici di Bloomsbury non hanno una posizione omogenea: c'è chi diventa obiettore, chi si arruola, chi serve il paese in altri modi. S'interrompe la consuetudine d'incontrarsi con regolarità, anche perché molti lasciano Londra e si trasferiscono in campagna. Il gruppo sembra dissolversi «come la nebbia al mattino». Nessuno di loro «crede» davvero nella guerra o si converte alla religione del nazionalismo e dello sciovinismo, all'odio di un nemico che la propaganda descrive come l'incarnazione del Male. Quando nel 1916 viene approvata la coscrizione obbligatoria, diversi giovani di Bloomsbury si trovano di fronte all'alternativa se combattere per una causa in cui non credono o finire davanti a un tribunale che, dopo averne valutato la sincerità, può mandarli a lavorare per la produzione bellica o in carcere oppure a servire nei corpi ausiliari, non meno rischiosi dei reparti combattenti.

Il circolo ritrova una sua coesione: Lytton Strachey, Clive Bell, Duncan Grant considerano la guerra una cosa orrenda, inutile e assurda. Lytton, che per ragioni fisiche non rischia di essere perseguito dalle autorità militari, si serve dell'aula del tribunale per attaccare i membri della corte. Alla domanda di routine rivolta agli obiettori di coscienza: «Che faresti se un ufficiale tedesco cercasse di stuprare tua sorella?», Lytton risponde con la frase memorabile: «Cercherei di insinuarmi tra di loro». Questo atteggiamento è oggetto di satira o attira le invettive di chi crede, invece, che la guerra sia necessario farla. Scrittori come Wells giudicano i pacifisti persone intelligenti e raffinate, ma in fondo capaci solo di tapparsi occhi e orecchie di fronte alla realtà. D.H. Lawrence, pur non conoscendo quasi nessuno dei «membri», estende all'intero gruppo la più sentita antipatia. In una lettera del 1915 scrive:

Ascoltare la conversazione di questi giovani mi riempie di furia cieca: parlano senza fine, e mai, mai, che dicano qualcosa di buono o di vero. Il loro atteggiamento è irriverente e sfacciato. Sono tutti rinchiusi in un guscio personale dal quale emettono parole. Non c'è mai, neppure per un secondo, una corrente di sentimento, e nessun rispetto, non un granello di rispetto. Non lo tollero. Aborro le persone così, preferisco la solitudine. L'altra notte ho sognato uno scarafaggio enorme che mordeva come uno scorpione. L'ho schiacciato ed è scappato, ma l'ho raggiunto di nuovo, e l'ho ucciso. Non sopporto l'orrore di questi piccoli esseri brulicanti.

È proprio con l'irriverenza e la dissacrazione che Bloomsbury combatte la sua guerra contro l'establishment, come del resto hanno sempre fatto non solo le avanguardie ma tutti i gruppi che si considerano fuori dell'ufficialità. «Fin da piccolo mi pareva che chiunque assumesse un atteggiamento autoritario desse lo spunto per farsi prendere in giro» aveva scritto Adrian Stephen nel suo resoconto sulla beffa della Dreadnought. E aggiungeva: «Se tutti condividessero il sentimento che mi suscitano gli eserciti del mondo, la terra potrebbe essere un luogo più felice per i suoi abitanti».

Quando nel 1918 viene pubblicato *Eminenti Vittoriani*, l'opera con cui Lytton Strachey diventa celebre, i lettori scoprono che nelle sue pagine il culto quasi amorevole del passato va insieme all'esercizio dell'ironia e all'aperta messa in discussione delle debolezze o addirittura degli aspetti ridicoli di tanti personaggi considerati «eroici». Dopo le carneficine della guerra la retorica dell'eroismo ha perso ogni fascino, una sorta di scetticismo, una specie di disincanto ha sostituito le gloriose certezze di un tempo. L'atteggiamento scanzonato di Bloomsbury comincia a essere compreso da un pubblico più vasto.

Ebbero un'ideologia i *bloomsberries*? In quel loro fitto conversare di letteratura e sesso, filosofia e frivolezze, trapela di tanto in tanto qualche riferimento politico o ideologico. Stephen Spender tra gli ultimi superstiti della generazione dei poeti inglesi degli anni Trenta, in gioventù era stato per un brevissimo periodo comunista. Quella fede lo spinse a prendere parte alla guerra civile spagnola a fianco dei sostenitori della repubblica aggredita dai fascisti di Franco. Del gruppo faceva parte anche Julian Bell, figlio di Vanessa, che morì in combattimento a ventinove anni. Essere comunisti allora, dirà Spender in seguito, «era il solo modo possibile di essere antifascisti. Uscivamo dal disastro del 1929, il capitalismo sembrava un sistema finito, incapace di soluzioni adeguate». Perfino l'omosessualità poteva rientrare in questa visione, «potendo rappresentare in certo senso un canale di rapporti interclassisti, una via d'uscita dalla separatezza costruita sul privilegio nel quale vivevamo. Credo che a Oxford fossero molto rari i rapporti intimi tra i due sessi. Le donne erano in certo senso un continente remoto e misterioso».

Con coloro che sono diventati comunisti in quel periodo, l'Inghilterra ha continuato a fare i conti fino agli anni Sessanta e Settanta, quando è venuta alla luce una rete spionistica rimasta per tutta la guerra fredda al servizio dell'Urss. I casi di comunismo dichiarato all'interno del gruppo furono comunque una netta minoranza. Se volessimo connotare i *bloomsberries* politicamente, dovremmo piuttosto rifarci alla tradizione liberal, cui Keynes riconosce gran parte del merito nel progresso intellettuale e civile britannico: «La tradizione legata ai nomi di Locke, Hume, Adam Smith, Darwin e Mill, una tradizione segnata dall'amore per il vero e dalla più nobile lucidità di pensiero, da una prosaica sanità immune dal sentimentalismo e dalla metafisica, e da uno smisurato spirito di abnegazione».

Nasce da qui la distinzione tra religione ed etica, la convinzione che si possa agire moralmente senza bisogno di una disciplina religiosa. Per molti, questo atteggiamento culminerà nell'agnosticismo inteso come premessa di una religione laica e personale. Non più i dogmi imposti da una fede bensì l'imperativo di una *social obligation*. Non più la «salvezza dell'anima» in un ipotetico rapporto con Dio, bensì la dignità di individui capaci di rapporti liberi e civili. Una «*True theory of ethics*», che tuteli, come scrive Keynes, «il diritto a giudicare ogni singolo caso come a sé stante, solo contando sulla propria saggezza, esperienza e autodeterminazione».

L'ultima annotazione che voglio fare riguarda i sentimenti di questa cerchia di amici nei confronti dell'Europa del Sud, Italia in particolare. Come ho già accennato nel capitolo introduttivo, il romanticismo nordico ha sempre avuto un rapporto ambivalente con il Mezzogiorno, visto nella sua abbagliante luminosità ma anche come terra d'intrighi, tradimento, sangue. Un misto di attrazione e repulsione che, da Shakespeare in poi, volle dire fascinazione del pittoresco e dell'esotico, e al tempo stesso ricerca di concrete esperienze iniziatiche, comprese quelle sessuali. John William Polidori nella biografia del giovane Byron lo ammette apertamente:

> Il nostro eroe avvertì dunque i tutori che era giunto il tempo che compisse quel Grand Tour da molte generazioni ritenuto indispensabile per la compiuta formazione d'ogni giovane. Si riteneva infatti che i giovani dovessero acquisire una certa qual familiarità con il vizio, sì da poter tenere testa agli anziani ed evitare di passare per allocchi.

Intrighi, vizi, avventure, rischi, il Grand Tour diretto nell'Europa mediterranea si presentava pieno di imprevisti eccitanti e pericolosi, e come tale andava affrontato. Quando nell'estate del 1906 gli Stephen decidono di fare un viaggio in Grecia, Thoby e Adrian prima di partire redigono addirittura il testamento. Il loro bagaglio, a parte gli immancabili abiti di lino bianco e i larghi panama ombrosi, comprendeva generi alimentari e materiale sanitario. Precauzioni non esagerate:

Vanessa si ammalò quasi subito, di lì a poco anche l'amica Violet Dickinson che s'era unita al gruppo. L'incidente più grave accadde però a Thoby, che rientrò a Londra colpito dal tifo e in novembre morì. Aveva solo ventisei anni e pareva destinato al più brillante avvenire.

Due anni prima, nel 1904, poco dopo la scomparsa del padre, i quattro fratelli Stephen avevano fatto una lunga gita a Venezia. Quando nel novembre 1849 era arrivato a Venezia John Ruskin, l'assedio austriaco dopo i moti risorgimentali capeggiati da Daniele Manin era finito da appena tre mesi. Quando vi giunsero gli Stephen il campanile di San Marco era crollato, ridotto da due anni a un cumulo di macerie. Di anni ce ne sarebbero voluti altri otto perché risorgesse «com'era e dov'era». In entrambi i casi, anche se per ragioni diverse, Venezia appariva una delle città più belle e malinconiche d'Europa. A Shelley, che l'aveva contemplata dai Colli Euganei, le sue torri erano apparse: «Sepolcri, ove umane forme / Simili a vermi nutriti di putredine / S'aggrappano al cadavere della grandezza / Assassinata e ormai in sfacelo». Acquitrini, lugubri distese lagunari, palazzi in decadenza, nelle pietre l'orma di un'antica bellezza ormai disfatta, ovunque il sentore della morte. Che cosa potevano chiedere di più quattro giovani vittoriani vibranti di ogni più eletto pensiero?

Ma l'Italia riservava anche sorprese d'altro genere. Angelica Garnett, figlia di Vanessa, racconta un ripugnante incidente occorso durante un viaggio nel Mezzogiorno non molti anni più tardi:

> Credo sia stato da qualche parte vicino a Caserta che ci fermammo per la notte in un albergo poco raccomandabile ... Non c'era alcun tipo di conforto. Le lenzuola erano più grigie che bianche. Mi sono svegliata nel mezzo della notte e l'ho vista, alla fioca luce d'una lampada che lottava mezza nuda contro le cimici. Sembrava un disegno di Caravaggio.

Il riferimento pittorico non cancella il disgusto della scena. Del resto pure Keynes, visitando negli anni giovanili Napoli, l'aveva definita: «Una città miserabile».

«*Conversation, talk, interchange of ideas... how good it was!*» esclamerà uno dei *bloomsberries* quando la rara combinazione di affinità elettive comincerà a svanire. Maynard Keynes, ricordando quel tempo, dice: «Rivedo noi come ragni d'acqua mentre sfioravamo delicatamente, leggeri e ragionevoli come l'aria, la superficie della corrente». Anche questo era lo spirito di Bloomsbury. Ma per creare un certo contrasto che «stacchi» le persone in carne e ossa dall'icona in cui il tempo le ha trasformate, nulla mi pare più adatto delle parole finali del diario di Virginia Woolf. Le scrisse domenica 8 marzo 1941, venti giorni prima di uccidersi in un'Inghilterra devastata dai bombardamenti. Una nota di poche righe che chiude così:

Voglio affondare con la bandiera spiegata. Questo, lo so, è sull'orlo dell'introspezione; ma non vi cade ancora. Mettiamo che mi abboni alla biblioteca, ci vada tutti i giorni in bicicletta, a leggere libri di storia. Mettiamo che io scelga una figura dominante in ogni epoca e la descriva. Occuparsi è essenziale. Ed ora, con un certo piacere, mi accorgo che sono le sette e mezza e che devo preparare la cena. Merluzzo e salsicce. Credo sia vero che scrivendone ci si rende in qualche modo padroni del merluzzo e delle salsicce.

Del merluzzo e delle salsicce certamente; meno facile esser padroni di sé, povera Virginia.

X

IL GIORNO IN CUI NACQUERO I PARLAMENTI

L'edificio del Parlamento è inconfondibile nel profilo di Londra, con le fitte merlature gotiche e le due torri che lo delimitano, una delle quali, all'estremità settentrionale, è la celebre Torre dell'orologio, che contiene la non meno famosa campana da quattordici tonnellate detta Big Ben. Il luogo è così carico di simboli, memorie da sembrare ridondante. In modo piuttosto bizzarro, nel paese di più antica tradizione parlamentare, il Parlamento ha però una sede relativamente moderna.

E perché mai dovremmo occuparcene in un libro intitolato ai segreti di Londra? Cosa può esserci da scoprire in un edificio, o nell'istituzione che ospita, che per un motivo o per l'altro è tutti i giorni sotto gli occhi del mondo? Questo capitolo tenta una risposta a una domanda, molto meno ovvia nella realtà di quanto si potrebbe pensare.

Dove ora sorge il complesso delle Houses of Parliament, c'era una volta un vecchio palazzo che era nello stesso tempo residenza reale – con Enrico VIII trasferita nel palazzo di San Giacomo – e sede dell'assemblea dei rappresentanti delle province. Nel 1834 il palazzo soffrì un incendio così devastante che la sola parte rimasta in piedi fu la Westminster Hall, con le sue imponenti dimensioni, l'immensa finestratura che riempie un'intera parete, le possenti travature di quercia dello Hampshire che ne sorreggono il soffitto.

Per la ricostruzione venne bandito un concorso, vinto da Charles Barry, che aveva presentato un progetto in uno stile gotico molto slanciato per armonizzare il nuovo edificio con la retrostante abbazia di Westminster. Gotico ottocentesco dunque, una cifra riconoscibile che diventa addirittura evidente all'interno: dorature traboccanti, frenetico affollarsi degli ornamenti, ansia di occupare ogni spazio, anche solo con un intarsio, una tappezzeria, un affresco, un quadro, un mosaico, una modanatura.

Nella Queen's Robing Room, dove il sovrano indossa l'abito cerimoniale e la corona per il discorso alle Camere riunite, tutto rifulge di una luce dorata, dalla parete del trono a quella occupata da un gigantesco caminetto. Lo stesso si può dire della Galleria reale che il sovrano percorre per raggiungere la Camera dei Lord. Alti soffitti, travi, grappoli di lampadari, sfarzo di dorature, due immensi dipinti con l'ennesima raffigurazione di altrettanti momenti fondamentali nella storia del paese (che infatti a Londra s'incontrano di continuo): da un lato la morte di Nelson a Trafalgar, sulla parete opposta l'incontro tra Wellington e il generale prussiano Blücher a Waterloo.

Delle due Camere, quella dei Lord è la più fastosa: dorata, affrescata, ornata con alti candelieri e statue severe; i finestroni sono chiusi dagli stessi vetri istoriati delle cattedrali. I Lord, o Pari del regno, sono poco meno di settecento; novantadue lo sono per diritto ereditario, non possono intervenire sulle leggi di bilancio e a molti di loro il governo Blair ha tolto la potestà sia di parola sia di voto. Un autorevole analista della vita inglese ha così commentato: «Blair ha fatto l'opposto del Gattopardo, secondo il quale bisognava cambiare tutto perché nulla cambiasse. Lui, al contrario, ha cambiato molto facendo finta di non cambiare nulla».

Diversi Lord si sono illustrati in vari campi: dalla politica alle arti, dalle scienze agli affari, alla religione. Sono Lord i vescovi della Chiesa d'Inghilterra a cominciare dal primo di loro, l'arcivescovo di Canterbury. Alcuni seguono di rado le sessioni, altri non ci vanno quasi mai, e le numerose assenze contribuiscono a risolvere il problema dei posti in aula, che non sarebbero sufficienti per tutti. Il presidente della Camera Alta (Lord Cancelliere) durante le sessioni deve sedere – scomodamente, si suppone – su un grosso cuscino, rosso come tutto il resto, chiamato *woolsack*, all'origine un vero e proprio sacco riempito di lana a ricordare una delle principali fonti di ricchezza del paese.

Un'altra curiosità di questa Camera riguarda una storia lontana, trasformata in tradizione e come tale perpetuata. Nel 1605 un fanatico cattolico di nome Guy Fawkes fece piazzare trentasei barili di polvere da sparo nelle gallerie sottostanti l'aula. Le ragioni per protestare indubbiamente c'erano: nel paese la messa era proibita anche in privato, non si potevano battezzare i bambini né ci si poteva far seppellire con il rito romano. Il complotto (*The Gunpowder Plot*) mirava a sbarazzarsi in un solo colpo del Parlamento e del re. Scoperto per tempo insieme ai suoi complici, Fawkes venne torturato e messo a morte. A quattro secoli di distanza, ogni anno il 5 novembre la sua figura viene a suo modo «celebrata»: si festeggia, con luminosi falò accesi ovunque, la sua esecuzione.

La Camera dei Comuni (noi diremmo «deputati») è più sobria. Verde il cuoio dei banchi, che anche qui sono allineati su file contrapposte, come gli stalli di un coro, e separati da una distanza (indicata da due strisce rosse sul pavimento) che supera di poco la lunghezza di due lame di spada, poiché un tempo i rappresentanti del popolo entravano armati; che almeno dovessero alzarsi e avanzare nel caso la foga della discussione li avesse portati a trascendere. Il presidente della Camera è chiamato «speaker» perché una volta era lui a riferire al re ciò che l'assemblea aveva discusso e deliberato. Non che raccontasse tutto al sovrano; era autorizzato a dire solo ciò che i deputati volevano che il re sapesse; le sedute erano segrete. I cronisti parlamentari non erano ancora stati inventati; soltanto nel 1770 si cominciò a tollerarne la presenza, e uno dei primi reporter fu, il che onora la categoria, Charles Dickens, che negli anni Trenta dell'Ottocento sedeva spesso in tribuna prendendo appunti per il periodico «The Mirror of Parliament». Nel nuovo edificio vittoriano, costruito dopo il rovinoso incendio del 1834, si pensò di riservare nelle gallerie un po' di spazio per i giornalisti. Tribune stampa, le definiremmo oggi.

I deputati inglesi sono 659, eletti in altrettanti collegi uninominali detti *Constituencies*. All'apertura di ogni seduta lo speaker raggiunge l'aula attraverso il corridoio centrale e la sala dei visitatori (Central Lobby). È preceduto da poliziotti che intimano a tutti gli estranei di togliere il cappello: «*Hats off, strangers!*». Anche per i Comuni si presenta il problema che i posti a sedere sono poco più di quattrocento, per cui un certo numero di assenti agevola i più assidui. Più volte è stata avanzata, invano, la proposta di aumentarli, ma poiché sono poche le sedute che, per il rilievo dell'argomento, risultano veramente affollate, si trattava di scegliere tra due mali: o costringere molti deputati a stare in piedi nei passaggi laterali durante le sedute importanti, o mostrare un'aula desolatamente vuota durante le sedute normali. Si è preferito il primo male. Del resto, i deputati non votano dal posto, bensì sfilando in un corridoio davanti ai commessi e dando uno alla volta il proprio nome per poi radunarsi in due sale, una a sinistra dell'aula per il sì (in antico inglese *Aye*) e una a destra per il no. Finito l'appello, i commessi presentano al presidente la conta dei voti.

La legislatura inglese dura, come quella italiana, cinque anni. Il partito che nelle elezioni politiche ha ottenuto il maggior numero di voti viene incaricato di formare il governo. Di un gabinetto fanno parte in genere una ventina di ministri e circa ottanta viceministri o sottosegretari. I partiti politici nel senso moderno del termine sono nati al tempo di Carlo II Stuart, a metà Seicento. La diversità delle opinioni, soprattutto su temi di potere e di religione, in quel momento molto pressanti, aveva portato i Whigs a rifiutare in linea di principio e in modo assoluto un re cattolico e papista, mentre i Tories non escludevano tale possibilità. C'erano, ovviamente, anche altre istanze che separavano i due gruppi, ma questa era una delle principali. A poco a poco i Tories si trasformarono nell'attuale partito conservatore sempre mantenendo il loro nome, mentre i Whigs si trasformarono, negli anni Trenta dell'Ottocento, in un partito d'indirizzo liberale. Il Labour Party, un partito di tipo socialista simile a quelli del continente, prese forma in Gran Bretagna solo a partire dal 1906. Diventerà il principale partito d'opposizione, e nel 1924 sarà incaricato per la prima volta dal sovrano di formare un governo.

Il 10 maggio 1941 la Camera dei Comuni venne colpita e seriamente danneggiata dai bombardamenti tedeschi. I deputati furono costretti a trasferirsi nella Camera dei Lord e questi ultimi dovettero trovare altrove un luogo provvisorio di riunione. Ricostruita l'aula nel 1950, Churchill ordinò che una delle pareti dell'anticamera venisse lasciata come era stata ridotta; e così è rimasta. Le pareti dell'aula non presentano il tripudio di dorature della Camera dei Lord; le ricoprono alte *boiseries* scure che raggiungono la base inferiore dei finestroni posti in alto. Il legno dei pannelli è stato donato da vari paesi del Commonwealth: Nuova Zelanda, Canada, Australia. Nell'antisala sono state collocate le statue dei due premier che hanno retto il paese durante le due ultime guerre mondiali: Lloyd George a destra, Churchill a sinistra, fissato nel bronzo in una posa molto disinvolta, proteso in avanti nell'atto di camminare, la giacca aperta, le mani sui fianchi. Sotto l'arco ci sono, uno per lato, due stalli per i portieri. Uno contiene una scatola di tabacco da fiuto, altra tradizione diventata col tempo solo una curiosità.

Uno dei dipinti che ornano i corridoi raffigura, come nell'illustrazione di un libro per bambini, i «Padri pellegrini» che s'imbarcano per le colonie della Nuova Inghilterra. Quel piccolo nucleo di puritani, che lasciavano la madrepatria nel 1620, era solo una tra le tante conseguenze delle lotte fra il Parlamento e la Corona durante il periodo degli Stuart. Furono avvenimenti drammatici, culminati nell'evento che gli inglesi chiamano *The Glorious Revolution*, la gloriosa rivoluzione. Accadde sul finire di quel secolo orribile che fu per loro il Seicento: il secolo della peste e del grande incendio che nel 1666 distrusse buona parte di Londra; il secolo in cui un re venne mandato al patibolo; il secolo delle lotte senza quartiere per stabilire chi dovesse esercitare il potere; il secolo in cui la Gran Bretagna raggiunse l'equilibrio costituzionale sul quale ancora si regge.

Quel popolo conservatore per eccellenza, quei sudditi che ancora sopportano gli eredi di una dinastia costituzionalmente inutile e che dà spesso prova di un comportamento biasimevole, sono stati i primi in Europa a capire che il potere di un re va equilibrato da una serie di contrappesi perché a nessun sovrano venga in mente di scambiare lo scettro regale per il bastone del tiranno.

Come mai allora della *Glorious Revolution* si parla così poco al di fuori della Gran Bretagna? I fatti che sto per narrare coinvolgono eventi sanguinosi e alta speculazione intellettuale, congiure, tradimenti e una fiera visione della libertà; una concezione modernissima del bilanciamento dei poteri, ma anche la testarda difesa dei privilegi di casta e di censo.

Molti grandi paesi moderni sono nati da una rivoluzione, anche se questa non è sempre stata l'elemento decisivo. Tutti conoscono le rivoluzioni sudamericane, il loro rumoroso folclore, gli esiti in genere incerti, la durata breve, la sostanziale immobilità delle condizioni prima e dopo gli spari e le grida. O la rivoluzione cinese, relativamente recente, con le speranze che accese, le crudeltà che l'accompagnarono, il fallimento finale. O la rivoluzione russa, finita com'è finita dopo settant'anni di regime sovietico e di orrori. O, ancora, la rivoluzione per eccellenza: la Rivoluzione francese del 1789, che nel sangue e nel Terrore ha tuttavia dato un volto riconoscibile alla moderna convivenza e allo statuto delle libertà civili.

Mai, o quasi mai, nell'elenco di queste rivoluzioni viene inclusa quella inglese. Alcuni storici, non saprei dire se siano la maggioranza, tendono a considerare i fatti del 1688 più una rivolta di palazzo che un genuino trasferimento di poteri sociali e politici da una classe a un'altra, che sarebbe, in termini di dottrina, il connotato che definisce una rivoluzione. Uno di questi, François Furet (in *Le due Rivoluzioni*), avanza l'ipotesi che la rivoluzione inglese e quella americana non furono «forme di sradicamento» del passato, bensì «forme di ricongiungimento» con la tradizione, di ripresa o addirittura di restaurazione della stessa. Se l'ipotesi è corretta, è chiara la ragione della minore visibilità di questa rivoluzione rispetto a quelle del 1789 o del 1917.

Il primo episodio cruciale avviene nel 1642 all'epoca di Carlo I Stuart, re debole, e proprio perché debole tentato dall'assolutismo. Carlo finì con la testa sul ceppo del boia a nemmeno cinquant'anni, il 9 febbraio 1649, unico sovrano inglese a essere stato decapitato. Re Carlo si presenta un giorno al Parlamento, seguito da armigeri e cortigiani, con l'idea di far arrestare cinque «deputati» colpevoli, a suo dire, di tradimento.

Lo speaker della Camera, Lenthall, gli sbarra il passo con queste parole: «Col permesso di Vostra Maestà, io non possiedo né occhi per vedere né lingua per parlare in questo posto, ma poiché la Camera si è compiaciuta di ordinarmi...».

A Carlo, insomma, viene impedito di eseguire il suo piano contro la volontà dei «deputati». Da allora nessun altro re ha mai più osato mettere piede nella Camera dei Comuni. Ancora oggi, nel giorno in cui, ai primi di novembre, il sovrano pronuncia il suo annuale discorso di Stato, è nella Camera dei Lord che va a sedere. Un gentiluomo di corte (*Gentleman Usher of the Black Rod*) è inviato alla Camera dei Comuni. Al suo primo annunciarsi gli viene letteralmente sbattuta la porta in faccia. Soltanto dopo che ha bussato tre volte, la porta si apre. Il gentiluomo può quindi entrare e pronunciare le parole con le quali richiede la presenza *of this honourable House* nella Camera dei Lord. Lo speaker si alza e guida in processione i deputati verso la Camera Alta. Lì, chi in piedi chi seduto in una zona speciale, ascoltano *The Gracious Speech* chè il Lord Cancelliere porge al sovrano, in cui è contenuto il programma di governo.

Lo sventurato Carlo I aveva sposato Enrichetta Maria, figlia di Enrico IV di Francia, di religione cattolica. Per molti dei suoi sudditi questo è già un torto; Carlo lo aggrava tentando di avvicinare la Chiesa anglicana a Roma. Con una mossa che vorrebbe forse equilibrare la sua politica, ma che finisce per sembrare solo contraddittoria, cerca anche di soccorrere gli ugonotti assediati a La Rochelle nel 1628. Ma ciò che suscita maggiore ostilità è la pesante politica fiscale che è costretto a imporre per finanziare le guerre.

Prima di finire sul patibolo, Carlo I – lo abbiamo visto – prova sulla propria persona che cosa vuol dire per un sovrano dare un ordine ed essere disobbedito, tentare di imporre un punto di vista e vederlo sconfitto da un potere antagonista. Il contrasto continuo tra Corona e Parlamento, la sproporzione tra la sua volontà e i poteri di cui dispone, come sempre accade quando è questione di un'arrogante debolezza, conducono alla guerra civile. La forza crescente del Parlamento limita il potere regio; le incertezze tattiche del sovrano provocano la sconfitta sul campo delle sue truppe. Estremo oltraggio: Carlo I sarà rimpiazzato non da un altro sovrano ma da un tiranno, quell'Oliver Cromwell, leader dei puritani, che nel 1649 proclama la repubblica (Commonwealth) e nel 1653 assume il titolo di Lord Protettore d'Inghilterra, Scozia e Irlanda.

Finita la dittatura di Cromwell, la restaurazione degli Stuart vede sul trono prima Carlo II (1660-1685) e poi Giacomo II (1685-1688), figli entrambi del defunto Carlo I.

Quando si dice che la *Glorious Revolution* è stata un evento rapido e incruento, non si fa quindi un'affermazione del tutto esatta: si può sostenere che il suo svolgimento fu rapido (circa tre mesi) e le sue vittime relativamente poche, solo se non si tiene conto che gli avvenimenti di cui Giacomo II sarà protagonista sono l'evoluzione del conflitto cominciato quarant'anni prima durante il regno triste e convulso di suo padre.

Come se quell'esperienza a nulla fosse servita, Giacomo II ripete in gran parte gli stessi errori. Ostenta il suo cattolicesimo, e ciò gli mette subito contro i più influenti circoli anglicani. Malgrado non sia giovane e inesperto (è salito al trono a cinquantadue anni), sfida i protestanti, affidando ovunque possa (governo, forze armate, università) posizioni importanti ai cattolici. Estende il proprio potere al di là della corte, nelle città e nei distretti sostituisce ai rappresentanti della *gentry* (piccola nobiltà locale) propri uomini fidati. Per la prima volta dal 1558, ristabilisce un rapporto diplomatico con la Santa Sede a Roma, e questo suona davvero eccessivo, tanto più che Giacomo è cattolico a titolo personale ma è anche, in quanto re, capo della Chiesa anglicana. Un conflitto d'interesse patente, diremmo oggi. Il peggiore dei paradossi è che, nonostante una politica così dichiaratamente filocattolica, il numero delle conversioni non aumenta, né la minoranza cattolica lo appoggia a sufficienza. Molti scelgono di non scoprirsi per mantenere buoni rapporti con la maggioranza protestante; molti ministri del culto mettono in guardia i fedeli contro una possibile repressione anticattolica. A Londra e in altre città si registrano gesti ostili contro i preti fedeli a Roma.

Al di là dei singoli episodi ed errori, comunque, c'è un'atmosfera di fondo che sfugge alla prudenza del sovrano. Dopo l'esecuzione di Carlo I e la dittatura di Cromwell, il paese è attraversato da un desiderio profondo di ordine è di legalità. Stanca delle guerre di religione, l'Inghilterra è pronta ad accogliere il messaggio di John Locke e di altri illuministi, che propongono la tolleranza religiosa e il principio che nessuna fede possa essere imposta; che si possano sì guidare gli uomini verso una Chiesa, ma che non sia lecito forzarli. Il contrario di quanto sostiene in quegli anni papa Innocenzo XI.

A queste numerose incertezze, si aggiunge un grave screzio tra Giacomo e la regina sua moglie, Maria Beatrice d'Este. Nata a Modena, cattolica, Maria finisce per trovarsi coinvolta, non si sa quanto consapevolmente, nella congiura per rovesciare suo marito. Giacomo è di natura sensuale, comunemente giudicato *a lusty and amorous man*. Intrattiene, come del resto quasi tutti i sovrani, frequenti rapporti con qualche dama. Gli accade di averne uno più durevole degli altri con una certa Catherine Sedley, che finisce per diventare la sua amante *en titre*. Maria Beatrice non tollera l'oltraggio e riesce a farla espellere dalla corte, causando uno scandalo di proporzioni tali che, ancora in tarda età, Giacomo si diceva convinto che fosse stato lo sfacciato adulterio la vera causa della sua deposizione.

Non ci sono solo questioni di tipo religioso e privato a rendere problematici i suoi giorni. I rapporti con Luigi XIV di Francia sono pessimi, papa Innocenzo XI non lo aiuta quanto potrebbe, la sua politica estera sembra in più di un'occasione vacillante. Appare ogni giorno più probabile una guerra tra Inghilterra e Olanda, anche se nessuno può prevedere se si tratterà di una nuova guerra commerciale o di un vero conflitto armato.

Statholder d'Olanda, cioè governatore, è Guglielmo d'Orange, l'uomo al quale molti eminenti inglesi guardano come a un possibile sostituto del debole Giacomo. Per uno di quei complicati intrecci così frequenti nella storia europea, Guglielmo d'Orange è il genero di Giacomo, avendone sposato nel 1677 la figlia Maria, che è anche sua cugina, quando lei aveva appena quindici anni. Vincoli di parentela che non impediranno agli interessi del potere di prevalere.

Giacomo sente che la situazione gli sta sfuggendo di mano

e pensa di cavarsela con nuove elezioni. Per due volte è però costretto a spostarne la data, e mentre il tempo passa e la situazione si aggrava, s'intensificano i contatti e le missive tra i suoi avversari, sempre più numerosi, e lo statholder Guglielmo. Nel maggio 1688 una delegazione di notabili inglesi si reca in Olanda per chiedere ufficialmente a Guglielmo d'intervenire. Lui risponde che se ciò che gli si chiede è uno sbarco di truppe sulle coste inglesi e quindi un intervento armato, ha bisogno, per legittimare la mossa, di una richiesta scritta firmata da un numero significativo di notabili. L'invito arriva il 30 giugno sottoscritto da un certo numero di persone eminenti, anche se non del livello che Guglielmo avrebbe desiderato. Gli eventi però premono e la pressione, non solo in politica, è tale da far superare ben altri ostacoli che il prestigio di un pugno di firme.

Di quale natura è questa pressione? Il 10 giugno Maria Beatrice ha dato alla luce un figlio maschio, al quale sono stati imposti i nomi di James Francis Edward e l'usuale titolo di principe di Galles. Adesso Giacomo ha un erede. Per Guglielmo si tratta di muoversi subito o di rinunciare ai propri interessi sull'Inghilterra. Per anglicani e protestanti la nascita di quell'innocente bambino accresce i rischi di una discendenza cattolica sul trono d'Inghilterra. A complicare ancora di più le cose, un giallo ne ha accompagnato la venuta al mondo. Durante la gravidanza, la regina non è quasi mai apparsa in pubblico e pochi hanno potuto constatare i segni visibili della sua condizione. Lo stesso parto è avvenuto un mese prima del previsto, circondato da molta riservatezza e in assenza di testimoni. In breve comincia a circolare la voce che Maria Beatrice non sia mai stata incinta o abbia avuto un aborto spontaneo, e che la creatura presentata come figlio del re sia in realtà un bambino introdotto con un sotterfugio a corte per assicurare la discendenza. C'è addirittura chi sostiene che Giacomo sia incapace di generare a causa di una vecchia malattia venerea. In alcuni circoli la notizia viene giudicata politicamente favorevole: se si riuscisse a dimostrare che il neonato è in realtà un bastardo, la causa di Giacomo ne sarebbe compromessa. Altri invece approfittano proprio di quella nascita per esercitare su Guglielmo le ultime decisive pressioni.

La posizione di Giacomo continua a peggiorare. L'arcivescovo di Canterbury e buona parte del clero anglicano hanno rifiutato di obbedire all'ordine di leggere dal pulpito la nuova edizione della *Dichiarazione d'Indulgenza* promulgata da Giacomo, in forza della quale tutti i sudditi sono ritenuti uguali di fronte alla legge, senza distinzione di religione. Il sovrano, infuriato, vorrebbe trascinare i vescovi ribelli in giudizio ma ne viene sconsigliato: una loro non improbabile assoluzione, gli dicono, renderebbe ancora più evidente la sua debolezza. Il re insiste e il processo, concluso da un verdetto di non colpevolezza, si trasforma come previsto in uno smacco. Alcuni storici fanno cominciare da quella sentenza la fase conclusiva della sua rovina.

Un altro errore, frutto della convulsione del momento, è la minaccia di sospendere l'«Habeas Corpus Act» (in vigore dal 1679), salvaguardia della libertà personale nei processi penali, la cui sostanza era che in un'inchiesta giudiziaria gli inquirenti avevano il dovere di motivare nel più breve tempo al giudice le ragioni di un arresto. Si trattava di un istituto giuridico molto importante e caratteristico della concezione britannica dei diritti individuali, rivoluzionario in un'epoca nella quale le persone semplicemente sparivano per volontà o capriccio del re o di qualche potente. Non c'è bisogno di dire quale enorme errore Giacomo commetta andando a ledere questa fondamentale garanzia.

Messo in guardia sul pericolo di un'invasione, il re si dice certo che Guglielmo, suo genero, non oserà fargli un tale affronto: sua figlia Maria impedirà al marito di marciare contro il padre. Si crede, ciecamente, protetto anche da un'altra garanzia: gli alleati cattolici di Guglielmo si opporranno al progetto di sbarco contro un sovrano cattolico. Infine, in un momento in cui l'Europa è percorsa da venti di guerra, potrebbe Guglielmo distogliere truppe e mezzi da conflitti molto più importanti? Giacomo ignora che Guglielmo ha già arruolato, oltre a una brigata anglo-olandese, un'armata mercenaria formata per lo più da danesi e tedeschi guidati dal duca di Schomberg. Quanto al trasporto delle truppe, la flotta sarà agli ordini di Arthur Herbert, un valido comandante che Giacomo (altro errore) ha destituito appena l'anno prima.

L'impresa si presenta imponente e non priva di rischi. Il braccio di mare non è molto vasto, ma si tratta di affrontare le tempeste autunnali con un convoglio di duecentoventicinque navi da trasporto, scortate da una cinquantina di vascelli da guerra. Il piano prevede il trasferimento di dodicimila uomini più carriaggi e cavalli, intendenza e logistica, attrezzature e munizioni.

Quando Giacomo si rende finalmente conto della gravità raggiunta dalla situazione, tenta, con affanno, le sue ultime mosse: promette tutto a tutti, cattolici e anglicani, e assicura che il governo non influenzerà in alcun modo le elezioni per il Parlamento. Se nelle settimane precedenti era apparso debole, adesso mostra chiaramente di essere spaventato, il che è anche peggio.

Il 30 ottobre 1688 Guglielmo salpa e fa vela verso occidente. Le navi di Giacomo lo attendono all'imboccatura del Tamigi, ma un po' per sfruttare il vento un po' subodorando la loro presenza, Guglielmo ordina di passare lo stretto di Dover e d'inoltrarsi a ovest. Sceglie come luogo dello sbarco Torbay, nel Devon, dove approda il 5 novembre. È la prima volta dal 1066 che un esercito sbarca sulle coste inglesi con intenzioni ostili. Le prime mosse sono caute, Guglielmo si limita a conquistare Exeter e a far circolare avvisi nei quali assicura libere elezioni per il Parlamento e un'inchiesta sulla strana nascita del principe di Galles.

Giacomo non sa bene che fare: andargli incontro con le sue truppe, lasciandosi alle spalle una capitale sguarnita, oppure trincerarsi attorno a Londra e aspettarne per un tempo pericolosamente indefinito l'arrivo? Stretto tra queste due rischiose possibilità, ne sceglie una terza. Manda l'esercito a Salisbury, più o meno a metà strada tra Londra ed Exeter, annunciando che al più presto lo raggiungerà. Il 19 novembre in effetti è a Salisbury, dove si trattiene per qualche giorno. Intanto, però, alcuni tra i migliori dei suoi generali lo abbandonano per unirsi alle

truppe anglo-olandesi. Gli unici ufficiali su cui può fare affida-
mento sono i cattolici, i quali tuttavia, contrariamente a quanto
dice la voce popolare, occupano solo il dieci per cento delle posizioni di comando. Giacomo allora rientra a Londra per tentare
di giocare le sue ultime carte politiche; perché, se è vero che Guglielmo dispone di forze superiori, è anche vero che la sua posizione è giuridicamente insostenibile. Nessuno saprebbe dire
con quale diritto stia marciando contro un legittimo re e la sua
capitale.

Più volte durante quelle convulse giornate Giacomo ricorda
all'ambasciatore francese e al nunzio papale il destino di
Edoardo II, Enrico IV e Riccardo II, assassinati da loro stretti
congiunti. Guglielmo ha garantito a sua moglie che la persona
di suo padre, Giacomo, non sarà violata, ma tutti sanno quanto poco basti a contraddire la promessa di un potente. Basterebbe che una qualunque testa calda vibrasse una pugnalata,
certo d'interpretare il più autentico e inconfessabile desiderio
di Guglielmo.

Uno dei tanti timori del sovrano è che il neonato possa essergli sottratto per essere allevato come un protestante. Ordina quindi a uno dei pochi fedeli ancora disposti a rischiare per
lui di prendere sua moglie e il bambino e di portarli in salvo
in Francia. Il francese conte di Lauzun si dice disposto a farlo.
Lo strano terzetto parte il 10 dicembre alla volta di Parigi. Giacomo dà loro ventiquattro ore di vantaggio, poi, nottetempo,
fugge a sua volta, dopo aver dato ordine di sciogliere l'esercito. Provvede egli stesso, mentre attraversa il Kent, a gettare in
un fiume il Sigillo dello Stato. Fino a questo momento la sua
fuga notturna verso l'esilio è accompagnata da una certa tragica grandezza. Gli avvenimenti che seguono si incaricano
però di volgerla quasi in farsa. Non è il solo potente cui sia accaduto un infortunio del genere, come noi italiani sappiamo
molto bene.

Scambiato per un prete, Giacomo viene fermato lungo la
strada e costretto a tornare a Londra. Guglielmo, che sta già
trattando per la successione con i Pari del regno e con altri
membri del Parlamento, apprende la notizia con dispetto.
Quel ritorno complica ulteriormente le cose. Per chiarire la

L'East Side, la parte della città che più conserva i caratteri della vecchia Londra. Vi sorge la più antica sinagoga sefardita d'Inghilterra. Al numero 9 di Brune Street si trova la Jewish Soup Kitchen, aperta nel 1902, dove venivano distribuiti pasti caldi agli ebrei indigenti del quartiere.

Princelet Street, una piccola strada dell'East Side carica di memorie. Al numero 19, uno dei tanti edifici costruiti per i setaioli ugonotti.
Sotto, la facciata della London Jamme Masjid, la grande moschea di Spitalfields.

LONDON JAMME MASJID

Scalone della casa di Wellington
(Apsley House), il vincitore di Waterloo.
La colossale statua del Canova
che la orna rappresenta, ironia della storia,
la gloria di Napoleone.

La cattedrale di Saint Paul circondata
dal fumo dei bombardamenti tedeschi
durante la Seconda guerra
mondiale. L'immensa cupola rimase intatta
nonostante la violenza degli attacchi.
All'interno della cattedrale si trova,
fra le altre, la tomba di John Donne,
per la quale il poeta volle posare di persona.

Interno di uno dei più vecchi pub londinesi: Ye Olde Cheshire Cheese, al numero 145 di Fleet Street dal 1667. Arredi in legno, scure *boiseries* alle pareti, illuminazione molto fioca, vetri piombati dai quali filtra una luce debolmente colorata, massicce tavole di quercia sono tra le caratteristiche del locale.

Salma imbalsamata del filosofo Jeremy Bentham (1748-1832), esposta nel Main Building dell'University College of London.

Samuel Johnson (1709-1784) scrisse
in meno di dieci anni il primo grande
Dizionario della lingua inglese,
con definizioni spesso insuperate, argute
e polemiche soprattutto per i termini
politici. In questa casa al numero 17
di Gough Square abitò per dieci anni.
Nella piazzetta antistante si trova
la statua del suo gatto: un tributo al felino
che gli tenne a lungo compagnia.

Charles Dickens (1812-1870) abitò
al numero 48 di Doughty Street
dal 1837 al 1839.
Questa è la sua sola casa rimasta intatta:
un bell'edificio georgiano di due piani
oltre al rialzato, riarredato con scrupolo
e oggi trasformato in un museo
con mobili d'epoca e oggetti originali.

A Horatio Nelson, il vincitore
di Napoleone, è dedicata la colonna
di Trafalgar Square eretta
negli anni 1839-1842. Un bassorilievo
alla sua base rappresenta il momento
in cui venne mortalmente colpito.
In alto a sinistra, l'uniforme che
l'ammiraglio usava indossare durante
i combattimenti in mare;
a destra, il sontuoso mausoleo
dell'ammiraglio nella cattedrale
di Saint Paul.

Al numero 57 di Wimpole Street
e al numero 34 di Montagu Street
si trovano i due appartamenti
in cui i Beatles abitarono negli
anni Sessanta.
A fianco, esterno e muro di cinta
degli studi di Abbey Road
nel nord di Londra, a Saint John's
Wood, dove i Favolosi Quattro
incisero molti dischi.

Nella pagina accanto:
The Globe, il teatro dove vennero
rappresentati i drammi
di Shakespeare, fu distrutto
dal disastroso incendio del 1666.
Ricostruito sulla base di stampe
d'epoca, fu riaperto al pubblico
nel 1997.

Pianta della Torre di Londra.
La torre vera e propria,
la Torre bianca, sorge al centro
della cinta muraria ed è anche
la parte più antica del complesso.
Nei suoi giardini sorgeva
il patibolo sul quale vennero
giustiziati numerosi personaggi,
tra cui la moglie di Enrico VIII
Anna Bolena.

THE TOWER *of London*

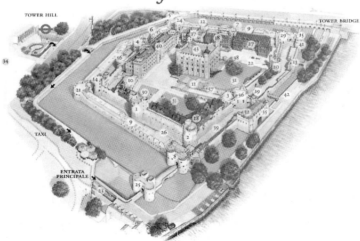

TOWER HILL

TOWER BRIDGE

TAXI

ENTRATA
PRINCIPALE

1. Beauchamp Tower
2. Bell Tower
3. Bloody Tower
4. Bowyer Tower
5. Brass Mount
6. Brick Tower
7. Broad Arrow Tower
8. Byward Tower
9. Casemates
10. Chapel Royal of St Peter ad Vincula
11. Coldharbour Gate (remains)

12. Constable Tower
13. Cradle Tower
14. Devereux Tower
15. Develin Tower
16. Flint Tower
17. Fusiliers' Museum
18. Hospital Block
19. Henry III's Watergate
20. Lanthorn Tower
21. Legge's Mount
22. Line of the Roman City Wall

23. Lion Tower Drawbridge Pit
24. Martin Tower
25. Middle Tower
26. Mint Street
27. New Armouries
28. Queen's House
29. Salt Tower
30. Scaffold Site
31. Site of the Great Hall
32. St Thomas's Tower
33. Tower Green

34. Tower Hill Memorial
35. Traitor's Gate
36. Wakefield Tower
37. Wall of the Inmost Ward
38. Wardrobe Tower
39. Water Lane
40. Waterloo Block, Crown Jewels
41. Well Tower
42. Wharf
43. White Tower

L'alloggio del padre di tutti gli investigatori, Sherlock Holmes, si trova al numero 221b di Baker Street. La casa-museo è stata aperta nel 1990, quasi un secolo dopo che la stravagante coppia formata da Sherlock Holmes e dal fido dottor Watson aveva lasciato i locali in cui era «vissuta» per oltre vent'anni, dal 1881 al 1904.

In alto, la HMS *Belfast*, nave
da battaglia ora trasformata
in museo.
A sinistra, il *Cutty Sark*,
che è stato il veliero
(clipper) più veloce
del mondo. *Sopra*, l'orologio
di Greenwich, posto
a cavallo del meridiano zero.

Edifici del quartiere di Bloomsbury, da cui ha preso il nome uno dei più famosi gruppi letterari europei.

A destra: la facciata del Russell Hotel, inaugurato nel 1900, probabilmente il più bell'edificio di Bloomsbury, esempio dello stile vittoriano.

In alto, l'edificio delle
Houses of Parliament;
una delle torri
che lo delimitano
è la famosa
Torre dell'orologio.

A fianco e *sotto*, due
vedute dei magnifici
Kew Gardens,
il più bel giardino
botanico del mondo.

La casa in Dean Street in cui
Karl Marx alloggiò
nel periodo di più cupa miseria.

Il cimitero di Highgate, dove si trova il monumento funebre di Marx, è forse la massima
espressione in Europa di romanticismo connesso all'idea della morte.

Particolare dell'interno
del John Soane's Museum.
Un busto del pittore
William Hogarth,
tra i massimi esempi
di artista «borghese».

The Old Operating Theatre, la più antica sala operatoria. Aperta nel 1821 rimase
in funzione per più di quarant'anni.

Le Cabinet War Rooms, locali sotterranei in King Charles Street, dove durante la guerra si tennero le riunioni di governo.

Un particolare del «santuario» situato nel seminterrato dei magazzini Harrod's, fatto erigere da Mohamed Al Fayed in memoria del figlio Dodi e di Diana Spencer.

sua posizione e decidere del futuro ha bisogno che il trono sia libero. Giacomo riceve a quel punto il suggerimento, o l'ordine, di abbandonare la città e di recarsi all'estero, ovunque ritenga. Il 23 dicembre si diffonde la notizia che il re è «fuggito». Pari e deputati chiedono a Guglielmo di convocare una *Convention*, cioè una riunione congiunta delle due Camere per decidere il futuro istituzionale del paese. Guglielmo obbedisce incaricandosi nel frattempo di mantenere l'ordine e di assicurare l'ordinaria amministrazione dello Stato.

Questi i fatti, sommariamente riassunti, che sono la premessa della *Glorious Revolution*. Guglemio sbarca il 5 novembre; Giacomo fugge il 23 dicembre; il Parlamento si riunisce nella seconda metà di gennaio; il 13 febbraio 1689 a Guglielmo e a sua moglie Maria, congiuntamente, viene offerta la corona d'Inghilterra.

Anche se non è del tutto vero che gli eventi si svolsero in modo incruento, resta che la *Glorious Revolution* non diede luogo al bagno di sangue del 1789 in Francia o del 1917 in Russia. In Scozia si dovettero respingere con le armi alcuni sostenitori del deposto re. Reazioni più sanguinose si ebbero in Irlanda, dove le vittime furono così numerose da occupare ancora oggi un posto preminente nelle memorie e nei conflitti locali.

Era accaduto, infatti, che il deposto sovrano, sbarcato in Irlanda con poche truppe fedeli, rinforzate da alcuni reggimenti concessigli da Luigi XIV, aveva tentato di riprendersi il trono partendo da quell'isola in maggioranza cattolica. Il nuovo re Guglielmo dovette combattere contro le forze franco-irlandesi che appoggiavano lo Stuart; la sua repressione fu di tale durezza che il nome di «orangisti» distingue tuttora i sostenitori della sovranità inglese sull'Irlanda. L'impresa di Giacomo non riuscì: nuovamente sconfitto, cercò un rifugio definitivo in Francia.

Questi gli episodi che accompagnarono il cambio di dinastia: battaglie, morti, feriti, ma non a Londra, non nel cuore del paese, non nei palazzi del potere. Data l'entità della posta in gioco, possiamo considerarle violenze tutto sommato modeste e circoscritte.

Nel gennaio 1689 si riunisce a Londra, su iniziativa dei Pari del regno, un *Convention Parliament*, con poteri, diremmo oggi, di assemblea costituente. Già all'apertura del dibattito si capisce che la tendenza al compromesso prevale. La situazione è stata forzata, l'allontanamento di re Giacomo è stato un atto illegittimo o, se si vuole, rivoluzionario; si tratta ora di far rientrare nella legittimità ciò che fuori della legittimità è nato. L'assemblea addossa al deposto re ogni colpa, il trono è dichiarato vacante e, in assenza di un sovrano, viene approvata una Dichiarazione dei diritti (*Bill of Rights*), che circoscrive i poteri della corona e garantisce alcuni fondamentali diritti civili. Qui sta la grandezza del momento: quel Parlamento, che in una certa misura rappresenta il popolo inglese, sposta peso e responsabilità del potere dall'organo semiteocratico del re all'organo collegiale costituito da se stesso. L'assemblea si attribuisce, cioè, poteri sovrani introducendo un principio poi ereditato da tutte le moderne costituzioni.

Insomma, si vuole arrivare a un compromesso, ma quel compromesso fonda un diritto che ha dalla sua l'avvenire. D'altra parte non è azzardato dire che quella convenzione salva l'istituto monarchico e lo rende accettabile, sia pure limitandone i poteri, per i tempi nuovi in arrivo.

Nell'aprile 1689 Guglielmo e Maria vengono solennemente incoronati sovrani d'Inghilterra. I conservatori avrebbero preferito che Maria sedesse da sola sul trono o che un reggente esercitasse il potere in nome di Giacomo. Guglielmo, però, che si è già dovuto impegnare a rispettare la nuova costituzione, si dice disposto all'incarico solo come re di pieno diritto.

Si oppongono alcuni ecclesiastici, i conservatori si mostrano riluttanti ad accettare un re legittimato da una decisione del Parlamento anziché da un decreto divino. Tra i contrasti comincia però a trapelare quella «volontà della nazione» che da lì in avanti si accompagnerà sempre più spesso alla «grazia di Dio» per dare ai sovrani piena legittimità. Tutto questo, ricordo, avviene in un'epoca in cui l'assolutismo sembra a molti la sola forma possibile di monarchia, come dimostra nella vicina Francia *le Roi Soleil*. In Inghilterra nasce invece l'embrione di ciò che diventerà la monarchia parlamentare. Tra le funzioni attribuite al Parlamento è compresa anche quella fondamentale del controllo di bilancio, vero strumento per il governo del paese.

Fino al 1688 la monarchia inglese non era mai stata un'istituzione veramente salda. A partire dal 1066 nell'isola non c'era più stata una casa regnante davvero inglese: Guglielmo il Conquistatore era normanno, i Plantageneti erano francesi, i Tudor gallesi, gli Stuart scozzesi, gli Hannover tedeschi. Una serie di avvicendamenti che senza dubbio facilitarono il passaggio di parte dei poteri al Parlamento. Una casa regnante di lunga tradizione avrebbe complicato le cose, opposto maggiori resistenze. La rotazione delle dinastie agevolò invece il trapasso, così come lo agevolò la determinazione di Giacomo II nel privilegiare la componente cattolica andando contro i sentimenti profondi del popolo, che Enrico VIII, al contrario di lui, aveva così ben intuito.

In Inghilterra i cattolici erano pochi e mal considerati. I non cattolici, per altro verso, erano divisi, allora come oggi, in due gruppi che costituivano anche due classi sociali: gli anglicani e i protestanti, sottoposti pure loro, non meno dei cattolici, a diverse restrizioni. Daniel Defoe (il creatore di *Robinson Crusoe*) scrive nel 1702 *La via più breve con i dissenzienti*, dove suggerisce di risolvere il problema alla radice eliminandoli tutti. È un'ironica provocazione, ovviamente, che affonda però in un sentimento così diffuso da essere presa sul serio. Defoe viene processato per diffamazione, imprigionato e messo per tre volte alla gogna.

Le confessioni protestanti in Inghilterra erano consentite, sebbene non tutte avessero i medesimi diritti; i cattolici, invece, venivano in varia misura discriminati. Si tratta di un argomento molto delicato, che ha conservato una certa importanza anche ai nostri giorni. Nel 1689 il filosofo John Locke scrive la sua *Lettera sulla tolleranza*, nella quale propone un programma di politica religiosa in parte recepito dalla *Glorious Revolution*. Per togliere ogni componente (e tentazione) politica dalla fede, Locke chiude il credo religioso nella sfera intima del singolo. Molti autori si pongono lo stesso problema, perché hanno capito che i dissidi di natura religiosa sono difficilmente componibili e possono facilmente causare conflitti sanguinosi. Spinoza, Hobbes, Bayle, Voltaire, Erasmo, fra gli altri, cercano di individuare, e descrivere, i limiti entro i quali il potere politico può concedere l'esercizio della libertà religiosa senza pregiudicare la pace sociale. Si argomenta sottilmente per distinguere tra libertà di pensiero, libertà di parola, libertà d'azione. Ognuno ha la sua ricetta, alcuni privilegiano l'idea della tolleranza, altri quella dei diritti. La teoria di Locke nasce da discussioni costituzionali e religiose che implicano la difesa della Chiesa anglicana, vista come baluardo delle libertà civili, contro le ingerenze dei papisti e i rischi dell'assolutismo teorizzato dagli Stuart. L'idea di fondo è che la religiosità dei singoli non deve interessare lo Stato fino a quando non rappresenti un pericolo per la convivenza civile.

È il principio cardine di ogni ordinamento laico che anche gli Stati Uniti d'America faranno proprio. Quando il padre costituente James Madison comincia ad architettare la costituzione americana del 1787, uno dei principi ai quali si attiene è che nessuna religione dovrà mai acquisire carattere di ufficialità. A suo giudizio la religione non è autentica se non esprime una scelta volontaria basata su «un atto di ragione e convinzione». La libertà religiosa è a tal punto un «diritto naturale e inalienabile degli individui» da includere la libertà di non credere. Madison apprezzava Voltaire, lo spirito dell'illuminismo francese, ma aveva anche presenti i principi della *Glorious Revolution*. Era convinto che quando una fede o una confessione religiosa acquistano una posizione ufficiale tendono a prevalere sulle altre. A quel punto la libertà religiosa, compresa la libertà di credere o no, è messa a repentaglio.

Perfino il filosofo inglese Hobbes, che con il suo *Leviatano* non può certo dirsi un fautore della tolleranza, ritiene importante per l'esistenza dello Stato la neutralizzazione politica della religione. È un punto comune a molti pensatori del Diciottesimo secolo che ci permette di capire meglio un altro controverso aspetto della questione: l'esclusione nei confronti dei cattolici.

Locke li esclude dal beneficio della tolleranza sulla base di un preciso argomento: «perché, dove essi hanno il potere, si ritengono obbligati a negare la tolleranza agli altri ... fino a quando saranno tenuti a una cieca obbedienza a un papa infallibile, che ha le chiavi della loro coscienza attaccate alla cintura ... io penso che non debbano godere del beneficio della tolleranza».

La discriminazione nei confronti dei cattolici nasce, dunque, non da considerazioni teologiche, bensì da una valutazione pragmatica che è insieme politica, civile e di libertà religiosa. Perché i cattolici sono esclusi? Perché li si sospetta di nutrire una specie di doppia lealtà, mescolando ciò che si deve a Cesare con ciò che si deve a Dio, o al papa, suo rappresentante in terra. Sono del resto gli anni in cui Isaac Newton pubblica i *Principi matematici della filosofia naturale*, saggio fondamentale in cui enuncia la legge di gravitazione universale, e Bernard de Fontenelle dà alle stampe *Storia degli oracoli*, nella quale denuncia ogni forma di superstizione religiosa. È un complesso di opere che elaborano lo spirito dei tempi e nelle quali si possono scorgere i primi balenii del grande movimento che culminerà nella *Révolution* del 1789. È a Parigi, sulle rovine della Bastiglia, che il riconoscimento formale della libertà di culto andrà ben al di là di ciò che si era ottenuto nel resto d'Europa. Voltaire vi scorgerà un momento fondamentale dello sviluppo di una società libera.

La logica conseguenza del principio esposto da Locke può essere riassunta in queste parole: «Le leggi non proteggono la verità delle opinioni bensì la sicurezza e l'incolumità dei beni di ogni cittadino e della società nel suo complesso». In una visione laica, lo Stato non si assume compiti etici nei confronti dei cittadini, le leggi non sono fatte per difendere una verità, ma solo la sicurezza e l'incolumità sociale. Al contrario, in alcune concezioni «religiose» e nelle correnti della filosofia idealistica viene delineato uno «Stato etico», i cui sostenitori trovano riduttiva l'idea liberale che lo Stato sia poco più d'un patto per mediare tra gli egoismi degli individui e delle classi. Si potrebbe dire che per i liberali il fine ultimo della politica consiste nella salvaguardia dei diritti individuali. Lo Stato è ridotto a uno strumento che regola la vita sociale e può limitare (anche con la «violenza») le libertà personali per impedire reciproche sopraffazioni. Per gli idealisti invece, impregnati di romanticismo, l'individuo trova la sua dimensione universale e concreta solo nello spirito del pópolo cui appartiene. Lo Stato è visto come una comunità organica, il vero soggetto della vita sociale e storica.

Hegel giunse addirittura a sostenerne la divinità: lo Stato unifica in sé tutto ciò che di universale il popolo produce, è la summa del suo «spirito».

Da questa concezione sono derivate molte dottrine (e pratiche) politiche di stampo autoritario. L'empirismo liberale, che percorre le principali correnti filosofiche anglosassoni, spiega quasi da solo perché né fascismo né comunismo siano mai state ideologie particolarmente diffuse in Gran Bretagna.

Il dibattito e gli scontri sollevati dagli eventi del 1688 sono la prima manifestazione moderna dell'eterno conflitto tra cittadino e Stato, tra potere centrale e libertà degli individui. In ogni società umana questo conflitto si è riprodotto nelle forme che le condizioni del tempo dettavano. La *Glorious Revolution* offre il vantaggio di presentarcelo in termini ancora oggi pienamente riconoscibili.

L'ultima volta che questo conflitto teorico si è riproposto, accompagnato da imponenti moti di piazza negli Stati Uniti e in Europa, è stato nel 1968. A distanza di tanti anni dagli avvenimenti, si possono isolare due figure che incarnano in modo esemplare due opposte posizioni: Karl Popper e Herbert Marcuse.

A chi non abbia presente la figura di Popper, teorico della «società aperta», grande estimatore della *Glorious Revolution*, ne ricordo il tratto fondamentale con le parole, mirabilmente sintetiche, del suo esegeta italiano Dario Antiseri: «La società aperta è lo stato di diritto caratteristico delle nostre società democratiche occidentali. La società aperta è aperta a più visioni del mondo filosofiche e religiose, a più valori, a più partiti; è la società aperta al maggior numero di idee e di ideali diversi e magari contrastanti. La società aperta è chiusa solo agli intolleranti e ai violenti». Si sente echeggiare, in lontananza, lo spirito di Locke. Popper è stato anche un vigoroso polemista, pronto a rintuzzare ciò che gli sembrava tradisse lo spirito della filosofia e la verità. Citava volentieri queste parole di Kant, facendole proprie:

> L'illuminismo è l'uscita dell'uomo dallo stato di minorità che egli deve imputare a se stesso. Minorità è l'incapacità di valersi del proprio intelletto senza la guida di un altro. Da imputare a se stesso è questa minorità se la sua causa non dipende da difetto di intelligenza ma dalla mancanza di decisione e di coraggio nel far uso del proprio intelletto senza essere guidati da un altro. *Sapere aude!* Abbi il coraggio di servirti della tua intelligenza! Questo è il motto dell'illuminismo.

Così scriveva Kant, esprimendo l'idea dell'autoliberazione attraverso la conoscenza; così Popper entusiasticamente lo recepiva.

Herbert Marcuse è una delle figure chiave del 1968, celebrato autore dell'*Uomo a una dimensione* (1964). Già nel suo *Eros e civiltà* (1955) Marcuse aveva esaminato la teoria di Freud secondo la quale la civiltà si fonda sulla repressione permanente degli istinti. Non può esservi progresso, aveva argomentato il padre della psicanalisi, senza repressione degli individui. Marcuse polemizza con questa tesi di Freud, scrive che non bisogna considerare immanente alla convivenza umana il contrasto tra principio di piacere e principio di realtà.

Il prezzo da pagare alla civiltà in termini di repressione non deve durare per sempre. Gli enormi progressi tecnologici della seconda metà del Novecento, ragiona, consentirebbero una trasformazione radicale della società: più tempo libero, meno lavori alienanti, minore repressione. Ma il «sistema» non vuole che ciò avvenga e, nonostante gli interventi brutali dei secoli passati non siano più necessari, continua a opprimere gli individui, alienandoli da se stessi, riducendoli a «una dimensione».

Queste in estrema sintesi le tesi che allora si confrontarono. Popper che credeva alla possibilità di un graduale progresso, Marcuse che sosteneva invece la necessità di un cambiamento rivoluzionario perché potesse attuarsi la liberazione degli uomini. Ognuno può liberamente optare per l'una o l'altra delle due tesi riproponendo a se stesso alcune classiche domande: è emendabile la natura umana? Si possono correggere i difetti – e le minacce – della società? Si può rendere umano il potere?

È straordinario (e inquietante) che a distanza di tanti secoli gli uomini del terzo millennio debbano porsi argomenti già dibattuti nell'Atene del Quinto secolo a.C. o nell'Inghilterra di Giacomo II. L'agghiacciante ipotesi è che le stesse domande ritornino perché a esse non c'è risposta possibile. Le idee politiche (e religiose) che vogliono rendere gli uomini perfetti e felici sono la premessa dell'inferno sulla terra, questo è indiscutibile.

La critica alla società è stata coronata da successo soltanto là dove gli uomini hanno imparato ad apprezzare le opinioni altrui e a essere modesti e sobri nei loro obiettivi politici.

XI

LE CENERI DELL'IMPERO

Se si cerca a Londra un luogo che richiami le memorie dell'Impero, la prima visita dovrebbe essere a un museo dedicato fin dal nome all'argomento: Imperial War Museum. Con la chiarezza pedagogica dei musei inglesi, vi si possono ammirare uniformi, oggetti, manifesti, fotografie, filmati, ricostruzioni di celebri battaglie, molte armi di epoche diverse, compresi aerei, sommergibili e carrarmati. Tra questi ultimi fa impressione il vero carrarmato color sabbia con il quale il maresciallo Montgomery nel 1942 combatté a El Alamein, luogo per noi di tragiche memorie. A ricordare i fasti imperiali, disseminati nella città ci sono statue, archi, cenotafi, lapidi, piccoli obelischi nonché sezioni di musei che richiamano vicende militari svoltesi oltremare, in altri continenti.

Appena fuori città c'è anche un memoriale improprio, voglio dire di tipo particolare: i Kew Gardens, sicuramente il più bel giardino botanico del mondo. Molte grandi capitali e anche numerose città che capitali non sono hanno dei giardini botanici. Raccolte di piante che si svilupparono di pari passo con i giardini zoologici a scopo di studio, classificazione, esperimento, divertimento. I giardini di Kew vanno visti non soltanto per la scenografica riposante bellezza della sistemazione, ma anche per la sterminata varietà degli esemplari provenienti da ogni parte del mondo. Proprio questo ne fa un'indiretta testimonianza dell'Impero; mettere insieme quelle migliaia di piante d'ogni dimensione (dalle minime alle gigantesche) denota una forte attitudine collezionistica, un grande amore per la vegetazione, vaste possibilità di movimento in qualunque angolo della terra, doti tutte molto britanniche.

Un residuo completamente diverso dell'Impero, piuttosto impressionante, è un curioso oggetto di buona fattura e dal sinistro significato custodito nel reparto d'arte indiana al Victoria and Albert Museum. È conosciuto come Tippoo's Tiger, vale a dire Tigre di Tippoo, dal nome del sultano Tipu, acerrimo nemico degli invasori inglesi. L'oggetto, in legno realisticamente colorato, rappresenta una tigre nell'atto di dilaniare la gola di un soldato britannico. All'interno nasconde un meccanismo che, azionando una manovella, fa muovere in modo convulso la mano dell'infelice, mentre un insieme di pipe e mantici fa emettere alla tigre vigorosi ruggiti di soddisfazione. Per il povero sultano che aveva voluto sfidare la potenza britannica, le soddisfazioni durarono comunque pochissimo. Dopo un'epica battaglia, gli invasori conquistarono nel 1799 Seringapatam, capitale del suo territorio, il Mysore. Tipu morì e il suo giocattolo animato finì come ornamento nel museo londinese. Sul suo trono andò a sedere un altro ragià, molto più docile e con il ruolo decisamente ridimensionato di dipendente della Compagnia delle Indie Orientali.

È quasi impossibile pensare alla Corona britannica priva della sua qualifica imperiale. Tra tutte le potenze europee, la Gran Bretagna è stata la prima ad avere un Impero e l'ultima a perderlo. Se corsari e pirati ne avevano posto le premesse, sono state le forze armate di Sua Maestà a perfezionarne la conquista, mentre un'efficiente (e occhiuta) amministrazione l'ha conservato fino a quando è stato possibile. Ancora oggi, decenni dopo la fine di quell'era, la lira sterlina e la Borsa di Londra godono di una posizione unica in Europa grazie a quel lungo dominio.

L'Inghilterra consolida le sue conquiste negli ultimi venticinque anni dell'Ottocento. Quando da numerose nazioni europee partono gli emigranti, molti inglesi vanno all'estero per contribuire al mantenimento dei più estesi possedimenti della terra. Se tanti italiani arrivano negli Stati Uniti (o nella stessa Inghilterra) pronti ai lavori che i locali rifiutano, i *civil servants* britannici partono confortati, oltre che dalla prospettiva del guadagno, dalla fiducia di contribuire a un'opera quasi planetaria di civilizzazione.

Anche se è tramontata l'epoca dei grandi colonizzatori come Cecil Rhodes, che ha dato il suo nome a un intero paese (Rhodesia), la bandiera inglese continua a sventolare in tutti i continenti. In Africa il dominio britannico si estende dall'Egitto al Sudan, dalla Nigeria al Corno d'Africa, dal Kenya alla Costa d'Avorio, dall'Uganda alla colonia australe del Capo, e la crudele vittoria sui boeri consente l'annessione del Transvaal e dell'Orange. In Asia, il British Raj si consolida in tutto il subcontinente indiano, dalla Birmania alla Malesia fino all'Afghanistan. In Medio Oriente, ancora alla fine della Grande guerra, gli inglesi controllano Palestina, Iraq, Giordania e Arabia Saudita. L'Australia, popolata dal 1788 come colonia penale, nel 1901 acquisisce lo status di *Dominion*; nasce così il Commonwealth d'Australia, che unifica sei precedenti colonie britanniche.

Nel 1800 l'Europa conta 180 milioni di abitanti, su una popolazione complessiva del pianeta di circa 900 milioni. Ma l'Europa da sola occupa o controlla quasi l'85 per cento della superficie terrestre. Nel 1890, due terzi di tutte le navi di lungo corso battono bandiera inglese, e metà del commercio marittimo mondiale si avvale di vascelli fabbricati in Gran Bretagna. Durante i quasi quattro secoli in cui il colonialismo rimane uno strumento politico consueto, la Gran Bretagna mantiene i suoi possedimenti grazie a questa supremazia sul mare. Commercio a parte, la sua forza sta nella possibilità di sbarcare, tempo poche settimane, truppe e rifornimenti in qualsiasi parte del globo. La Gran Bretagna è, insomma, presente nei cinque continenti semplicemente perché è l'unico paese al mondo che ha la capacità militare per poterlo fare.

«British Empire» è un'ambigua dizione, la cui data iniziale può essere collocata nel 1603, quando Giacomo I «unificò» la Scozia con l'Inghilterra e il Galles; o nel 1620, quando un centinaio di dissidenti puritani inglesi, attraversato l'Atlantico a bordo del *Mayflower*, sbarcarono sulle coste del Massachusetts per fondarvi una colonia cristiana di spiriti eletti; o nel 1707, quando venne ufficialmente coniata la dizione «Great Britain». Quale che sia la data d'inizio, dopo la perdita delle colonie americane nel 1776, la Gran Bretagna si ritrova alla fine dell'Ottocento a poter issare la sua bandiera su un territorio di circa 13 milioni di miglia quadrate con una popolazione di 320 milioni di individui.

Nel novembre 2002, il ministro degli Esteri Jack Straw dichiarava che molti problemi che la Gran Bretagna deve tuttora affrontare – dal Medio Oriente all'Iraq, dal Kashmir allo Zimbabwe – sono «conseguenza del nostro passato». Numerosi storici britannici ammettono ormai gli errori commessi dalla diplomazia e dall'esercito di Sua Maestà. Straw ha lamentato alleanze messe frettolosamente in piedi, la creazione di Stati fantoccio, l'eccessivo potere concesso a dittatori impresentabili, magari perché parlavano con il buon accento appreso in un'università dell'isola, i confini tracciati con un segno di matita su una carta geografica, tagliando a volte in due il territorio di un'etnia o di una radicata tradizione culturale (come per esempio l'Iraq o la Giordania o il Kashmir).

È una storia complessa, quasi impossibile da raccontare nella sua vastità. D'altra parte, in qualche modo va raccontata, perché non si può capire Londra, le sue dimensioni, il suo carattere e i suoi attuali problemi, se non si considera questo passato. Quelle che seguono sono cinque storie scelte in altrettante zone del pianeta: Estremo e Medio Oriente, India, Africa. Cinque fra le moltissime possibili vicende di un'avventura durata quasi quattro secoli, intrisa di sangue, di sopraffazione, spesso di ferocia, dove tuttavia non sono mancati gli scatti di generosità né alcuni tentativi di mitigare lo sfruttamento con la contropartita di lavori pubblici, miglioramenti igienici e sanitari, fondamenti di disciplina collettiva, oltre all'insegnamento d'una lingua destinata a diventare strumento planetario di comunicazione.

Vorrei iniziare con quella che è passata alla storia come la prima vera guerra fatta per lo spaccio di una droga, la cosiddetta «guerra dell'oppio».

La Gran Bretagna, prima tra le potenze cristiane, ha intrapreso questa guerra contro un monarca pagano che aveva solo cercato di stroncare un vizio nocivo per il suo popolo. Questo è il punto di vista dei cinesi sull'argomento; ma sarà sempre anche il punto di vista di ogni storico che voglia restare equanime, e sarà conosciuta come «guerra dell'oppio».

Così scriveva lo studioso britannico S. Wells William nel suo *The Middle Kingdom*. Tono deciso e tuttavia inadeguato all'enormità di ciò che accadde.

Dal punto di vista botanico, l'oppio è un lattice che si ottiene per incisione delle capsule non ancora mature del *Papaver somniferum*. Il fluido biancastro contiene un alcaloide dalle forti proprietà narcotiche che, assunto in dosi massicce, può arrivare a uccidere. Anche l'eroina è un alcaloide oppiaceo, la radice è la medesima. L'oppio è insomma un veleno, ma come spesso accade è al tempo stesso un medicamento, e in quanto tale usato in Cina fin dall'antichità per curare dissenteria e colera. Un annuario cinese del 1916 precisa che

il papavero è stato usato in Cina per almeno nove secoli come medicinale. È stato solo verso la metà del Diciassettesimo secolo che è stata introdotta nel paese la pratica di fumarlo, puro o mescolato al tabacco. I primi a indulgervi sono stati gli olandesi a Giava. Sono poi stati i portoghesi di Goa all'inizio del Diciottesimo secolo a importare per primi l'oppio dall'estero. Nel 1729, quando il livello delle importazioni dall'estero era di duecento casse annue, l'imperatore Yung Chin ha emanato il primo editto contro l'oppio nel quale si prevedevano pene severe per la sua vendita e per i gestori di fumerie.

Così, dunque, era cominciato il malinconico spettacolo delle «fumerie», con gli avventori abbandonati come morti su luridi giacigli, immersi in un sonno affannoso e debilitante. Il fumatore abituale di oppio diventa infatti rapidamente apatico, incapace di attività produttive e perfino di adeguate reazioni nervose.

I mercanti inglesi scoprono presto che quel velenoso frutto della natura può avere un largo mercato. La Compagnia delle Indie Orientali era stata fondata nel 1600, ma è solo verso la metà del Diciottesimo secolo che i suoi gestori e agenti intuiscono le immense potenzialità dell'impresa, oppio compreso. L'India è in quel momento il territorio dove la coltivazione del papavero da oppio è più diffusa.

Accadde insomma che mentre l'arretrato governo cinese cercava di frenare il disastroso consumo della droga, gli inglesi si organizzavano per incrementarne il trasporto e lo spaccio. Mai contrasto di interessi si è più chiaramente delineato fin dalle premesse, mai confronto di ragioni è stato più diseguale: l'interesse generale di un paese contro la brama speculativa di mercanti che avevano dietro di sé la complicità, o almeno la connivenza, di una delle potenze più avanzate del pianeta. Per dare un'idea delle dimensioni del traffico, basta pensare che la vendita dell'oppio in Cina passa dalle 200 casse del 1729 a 2300 nel 1788; 17.200 nel 1835; 70.000 nel 1858, l'equivalente di molti milioni di sterline. In quello stesso anno il governatore generale dell'India scrive: «Stiamo provvedendo a estendere la coltivazione del papavero in modo da poter incrementare in modo adeguato i rifornimenti di oppio». Un atteggiamento che giustifica da solo la voce corrente che definisce l'Inghilterra di quel periodo come la più grande organizzazione criminale mai esistita nel traffico della droga.

La premessa della prima guerra dell'oppio (1839-1842), o guerra anglo-cinese, è già in queste cifre. Più volte il governo imperiale chiede all'amministrazione britannica e alla stessa regina d'intervenire per interrompere quel micidiale commercio. Dall'Inghilterra non giunge risposta. Al contrario, l'immensa quantità di droga rovesciata dalle navi inglesi nei porti della Cina meridionale (in particolare Canton) provoca una tale diffusione del consumo da trasformare quasi una generazione di cinesi in una massa di drogati che sopravvivono in uno stato perenne di semisopore. In pratica tutti gli uomini al di sotto dei quarant'anni divengono consumatori abituali. Interi settori dell'amministrazione e reggimenti dell'esercito vengono travolti dal vizio. Ufficialmente l'importazione dell'oppio è diventata illegale dal 1836, ma tali sono i ricavi del traffico che i mercanti inglesi aggirano con facilità il divieto, corrompendo i funzionari doganali e le indebolite forze armate imperiali.

La devastante piaga provoca anche una pesante ripercussione economica che inverte il saldo della bilancia commerciale tra i paesi occidentali e la Cina. Fino a quel momento, la Cina ha compensato le importazioni di beni dall'Europa esportando alcune merci assai ricercate in Occidente, come la seta, le porcellane e soprattutto il tè. Con le continue importazioni di oppio, però, le merci tradizionali non bastano più e si deve far ricorso all'argento, anch'esso molto apprezzato all'estero per la sua qualità. Lo sfruttamento massiccio delle miniere argentifere aggrava tuttavia l'impoverimento del paese e indebolisce vieppiù il già debole governo.

L'estrema risorsa per i cinesi è il tentativo di sradicare con ogni mezzo il traffico. Nel marzo 1839 il governo centrale invia a Canton un energico funzionario, Lin Ze-Xu, incorruttibile e dotato di ampi poteri. La sua azione è efficace, ai limiti della brutalità. Interi carichi appena sbarcati vengono sequestrati, il prodotto viene distrutto; ventimila casse sono gettate in acqua; i depositi di droga dati alle fiamme e le ceneri teatralmente sparse in mare.

Inebriato dall'efficacia del suo operato, il commissario straordinario scrive una toccante lettera alla regina Vittoria implorandola di adoperarsi per far cessare l'immondo commercio. Ma sul tavolo delle controversie fra l'Inghilterra e la Cina non c'è soltanto l'oppio. Fra i due paesi non esistono trattati di alcun genere, gli inglesi rifiutano di sottostare alla legge imperiale vigente nel territorio cinese, atteggiamento condiviso dalle altre nazioni europee. Non è solo una questione di orgoglio; gli inglesi considerano (non del tutto a torto) il sistema giudiziario e repressivo cinese corrotto e barbarico. I cinesi, invece, invocano (nemmeno loro a torto) lo *jus soli*, nel senso che chiunque avesse commesso un crimine sul loro territorio doveva essere giudicato dalla giurisdizione locale.

In questo aspro contrasto si nasconde il vero nodo del contendere, droga a parte. Scrive H. Wells Williams:

Quella guerra è stata straordinaria nelle sue origini in quanto determinata da un malinteso commerciale; nel suo sviluppo in quanto condotta tra una forza e una debolezza, una consapevole superiorità e un barbaro orgoglio; nelle sue conclusioni in quanto obbligò il più debole a pagare per la diffusione dell'oppio entro i propri confini contro il dettato di tutte le sue leggi così paralizzando l'esiguo potere morale di cui un debole governo ancora disponeva per tutelare i suoi sudditi.

Quella che è passata alla storia come «la guerra dell'oppio» ha, insomma, una complessa serie di concause che la controversia sull'oppio, per drammatica che sia, serve solo a far esplodere.

Nella sua decisa e incauta azione, il commissario Lin non si limita alla distruzione dei carichi, ma intraprende anche azioni legali contro i trafficanti, tutti di nazionalità inglese. Un provvedimento senza precedenti. Nel novembre 1839 le giunche militari cinesi costringono alcune navi mercantili britanniche ad abbandonare le acque territoriali e a riprendere il largo. Ma nel giugno dell'anno successivo gli inglesi, con aperto gesto di sfida, mandano le loro navi a pattugliare i porti cinesi. Sarà chiamata la «politica delle cannoniere», ed è la miccia che fa esplodere un conflitto crudele e impari. Non c'è confronto possibile tra le navi da guerra inglesi, in acciaio, e le giunche di legno; tra l'artiglieria occidentale e quella imperiale. Dal mare il conflitto si trasferisce sulla terraferma dove, data la disparità delle forze, gli scontri si trasformano quasi sempre in massacri. L'inviato del foglio britannico «The India Gazette» scrive a proposito del sacco di Chusan: «Non è possibile concepire un saccheggio più orribile di questo. Ogni casa è stata sventrata, ogni cassetto frugato, le strade sono ingombre di pezzi di mobilio, quadri, tavole, sedie, granaglie di ogni sorta. Il tutto reso ancora più drammatico dai corpi morti o vivi di coloro che non hanno avuto modo di evacuare la città a causa delle ferite inferte dai nostri micidiali fucili ... il saccheggio ha avuto fine solo quando non c'era più nulla da rubare o da distruggere». Tutti i resoconti grondano orrore; ecco quello del «Morning Herald»: «Mai, nemmeno negli oscuri anni della barbarie, è stato commesso un crimine peggiore del bombardamento di Canton». Il corrispondente del «Times» registra che in dieci minuti la metà di uno schieramento di diecimila uomini viene passata a fil di spada o annegata nelle acque del fiume. In questa guerra breve e feroce gli inglesi risolverano anche i metodi della pirateria. Navi britanniche risalgono il fiume Yangtze catturando le giunche che trasportano verso la capitale i proventi dei prelievi fiscali. Il governo centrale perde così gran parte delle sue entrate.

La guerra finisce nell'agosto 1842 con il Trattato di Nanchino. Dopo la disfatta militare e la perdita di decine di migliaia di uomini, la Cina deve anche affrontare una delle più gravi umiliazioni diplomatiche della sua storia, mentre l'energico commissario Lin, reo di eccessivo zelo, viene esiliato in una lontana provincia del Nordovest. I vincitori inglesi impongono un pesante risarcimento: il paese sconfitto si obbliga a pagare ai mercanti inglesi 15 milioni di dollari per la perdita dei carichi (di droga). Cinque porti cinesi devono restare aperti ai traffici con l'Inghilterra. Alle concessioni europee sul territorio cinese viene dato lo status di «zone extraterritoriali», sottratte, cioè, alla competenza dell'amministrazione imperiale. Usufruiscono di questo vantaggio, oltre alla Gran Bretagna, Germania, Austria, Francia, Russia. I cittadini europei, inglesi in particolare, sono altresì sottratti alla giurisdizione cinese. Si può immaginare la quantità di abusi favoriti dalla presenza di queste «concessioni» extraterritoriali. In molte grandi città, attraversando un confine immaginario, i cinesi possono rifornirsi a piacere di tutto l'oppio che sono in grado di acquistare; come ha scritto uno storico inglese: «Le concessioni diventano un paradiso per la criminalità cinese». Ultima clausola: la Cina cede alla Gran Bretagna l'isola e la zona di Hong Kong. Con un successivo accordo, nel 1898, si precisa che la zona è ceduta per novantanove anni, venuti infatti a scadenza nel 1997.

Altre guerre seguirono, altri sanguinosi tributi alla superiorità tecnologica occidentale, altre sconfitte per la Cina. Con il trattato di Tientsin (26 giugno 1858) la vendita dell'oppio viene legalizzata in tutto il paese. Le conseguenze di quei massacri non furono però solo negative. Pagando un prezzo altissimo, la Cina imparò ad aprirsi verso l'esterno, a conoscere l'Occidente per meglio combatterlo, ma anche per prenderne ciò che poteva servire al suo sviluppo e a contrastare meglio la stessa piaga dell'oppio. Nel 1906 il governo cinese decise di porre fine a un uso di droga al quale soggiaceva più di metà della popolazione. Venne siglato un accordo con la Gran Bretagna, gli Stati Uniti diedero la loro assistenza. Il programma di progressiva diminuzione nei consumi aveva una durata decennale. Il 1° aprile 1917 il governo cinese ne annunciava, con sostanziale rispetto della verità, il successo.

C'è un altro tipo di colonialismo, dove ciò che prevale è il senso dell'avventura individuale. È il caso di Thomas Edward

Lawrence, meglio conosciuto come Lawrence d'Arabia, per gli arabi El Aurans, o anche El Aurans iblis, Lawrence il diavolo. A distanza di tanti anni dalla morte, avvenuta nel 1935, è ancora difficile separare ciò che realmente è stata la sua vita e le ragioni che determinarono la sua incredibile audacia, dalla persistente leggenda che lo circonda. Molti elementi contribuiscono a questa difficoltà: il periodo in cui i fatti avvennero, i luoghi, lo stato d'animo prevalente in patria, l'ambiguità del personaggio, diviso intimamente tra una sincera vocazione di avventuriero e un'altrettanto sincera pulsione letteraria; non da ultimo, il film di David Lean (del 1962), che ebbe in Peter O'Toole un protagonista ideale e accanto a lui un cast di magnifici comprimari: Alec Guinness, Anthony Quinn, José Ferrer, Omar Sharif.

Thomas Edward (in famiglia detto Ned) era nato il 16 agosto 1888 nel Galles, secondo di cinque figli illegittimi di sir Thomas Chapman, baronetto di bassa nobiltà, e di Sarah Madden, che prima di diventare la sua convivente era stata la governante dei suoi figli legittimi, nati da un primo matrimonio con una cugina. Quando Thomas e Sarah decidono di fuggire lasciandosi tutto alle spalle, prendono il nome di Lawrence. Il loro rampollo Thomas Edward frequenta comunque un ottimo liceo a Oxford, laureandosi a ventidue anni con una brillante tesi in archeologia sul tema: *The Influence of the Crusades on European Military Architecture*, titolo che racchiude in modo singolare i punti salienti del suo futuro: campagne militari in quel Medio Oriente teatro delle crociate. Fin dagli anni del college Thomas dimostra amore per la solitudine, il vagabondaggio, l'avventura, l'attività fisica.

Per preparare la tesi visita la Palestina, percorrendola in gran parte a piedi. In una lettera alla madre rivela di aver camminato per un mese di seguito coprendo settecento chilometri. Il giovanotto segue un itinerario preciso; visita tutto ciò che rimane degli antichi castelli, li fotografa e li disegna, annota le distanze e le quote, effettua il rilievo delle piante scoprendo così, per esempio, che il castello dei cavalieri a sudest di Tripoli (oggi in Libano) nella sua cinta difensiva è costruito in modo da essere praticamente imprendibile, dato lo smisurato spessore di venti metri delle sue mura.

Durante il suo viaggio dorme e vive in un modo che nessun altro europeo accetterebbe: sotto una tenda o addirittura all'aperto, con un sole implacabile in posti poveri d'acqua, bevendo latte inacidito, mangiando la frutta trovata lungo la strada (fichi, qualche melone) e il pane senza lievito cotto dai beduini sulla brace.

Il suo primo lavoro è da archeologo. Non è retribuito, ma è comunque di grande prestigio e potrà essergli utile per un eventuale dottorato. Si tratta di una campagna di scavi condotta dal British Museum a Karkemish (Gerablus), sulla riva occidentale dell'Eufrate, allora nel nord della Siria. Nel 1912 partecipa ad altri scavi in Egitto, poi torna in Siria, e quando la campagna di scavi finisce decide di restare in Libano. È un giovanotto di nemmeno venticinque anni, parla già l'arabo così bene da riconoscerne i dialetti e, soprattutto, ha messo in luce una dote che in seguito si rivelerà preziosa: sa come rivolgersi agli arabi, come trattare gli operai dei cantieri per ottenere il massimo e placarne le inquietudini. Tra i suoi amici e confidenti c'è un giovane di grande bellezza, Dahoum, al quale Lawrence insegna a fotografare e a fare rilievi topografici.

L'Impero ottomano, che comprende tutti i territori del Medio Oriente, mostra con evidenza i segni del collasso. Da tempo i sultani hanno cessato di essere un punto di riferimento politico e militare per i loro sudditi; vivono confinati nei loro palazzi e nell'harem, dediti a una vita oziosa dominata dai piaceri del sesso e della gola. Nelle province dilagano dispotismo, corruzione, indolenza. Nelle armate imperiali, una volta temute in tutto il Mediterraneo, i soldati sono spesso abbandonati a se stessi; nelle guarnigioni più lontane la truppa rimane non di rado a corto di cibo e di munizioni, abbondano le diserzioni.

Nella primavera del 1909 il sultano Abdul Hamid viene deposto con violenza dai rappresentanti dei Giovani Turchi, ma la situazione non migliora. Al suo posto sale il mediocre Maometto V, ma sono i Giovani Turchi a detenere di fatto il potere, guidati da Ever Pascià, che non nasconde il suo amore per la Grande Germania. Sono infatti tedeschi gli ingegneri che in Mesopotamia (Iraq) e in Siria stanno costruendo alcune ferrovie strategiche, tra le quali quella che unisce Aleppo a Damasco e Damasco a Medina, attraversando la regione quasi totalmente desertica dell'Higiaz.

È chiaro a molti che se dovesse scoppiare una vera guerra, ciò che resta dell'Impero ottomano non reggerebbe. Gli inglesi si preparano a sfruttare la situazione. Nei primi mesi del 1912 Lawrence incontra al Cairo Lord Herbert Kitchener, governatore dell'Egitto, uno dei pilastri dell'Impero. Quando Lawrence lo conosce, il generale ha più di sessant'anni e un passato militare tumultuoso. Nel 1885 non è riuscito ad arrivare in tempo a Khartum (capitale del Sudan) per salvare il generale Gordon, che ha eroicamente resistito per dieci mesi alle truppe ribelli. È una sconfitta che brucia, e un impegno che non dimentica. Tre anni dopo torna con forze maggiori e riconquista la città guadagnandosi il titolo di conte di Khartum.

All'inizio del Novecento è in Sudafrica, aiutante di campo di Lord Frederick Sleigh Roberts nella guerra contro i boeri, un feroce conflitto finito ufficialmente il 31 maggio 1902 e dopo di allora troppo raramente ricordato. Si deve a Bruna Bianchi, docente di storia delle dottrine politiche all'Università di Venezia, uno degli studi più recenti e documentati (*Deportazione e memorie femminili*, 2002).

Quella guerra ha anticipato molti orrori del Novecento. La Gran Bretagna proclama di voler difendere la popolazione di colore; in realtà vuole impossessarsi degli sterminati giacimenti di diamanti della regione. Poiché i boeri combattono con metodi che oggi chiameremmo di guerriglia partigiana, Lord Roberts taglia corto: «A meno di non infliggere sofferenze ai civili come ritorsione per le azioni degli uomini in armi contro di noi, questa guerra non finirà mai» dice, e mantiene la parola. In breve tempo sorgono cinquantotto campi di concentramento (orribile invenzione britannica) dove viene rinchiusa quasi metà della popolazione boera. In quei campi moriranno ventiduemila bambini, quattromila donne, quasi duemila uomini adulti. Tale l'entità della strage che nel 1941 Adolf Hitler, di fronte alle prime denunce di genocidio, ha buon gioco a ribaltare l'accusa proprio sugli inglesi.

Una filantropa inglese, Emily Hobhouse, tenta di scuotere

l'opinione pubblica del suo paese, descrivendo quegli orrori: «È impossibile immaginare le condizioni e le sofferenze delle donne e dei bambini. Il tifo infuria ovunque».

In Inghilterra le componenti idealistiche tipiche della società britannica non restano indifferenti. A prevalere però sono altre componenti, tipiche anch'esse, attente a valori più tangibili: la conquista, il profitto. Tra le molte testimonianze reticenti o di comodo dei corrispondenti di guerra c'è quella del celebre Arthur Conan Doyle, padre di Sherlock Holmes. È lì per il «Daily Mail», e scrive: «Le donne che come spie prendono parte attiva alla guerra forse tradiscono la propria natura femminile, ma poiché lo fanno, non possono aspettarsi dagli uomini alcun comportamento "cavalleresco"».

Non ci fu alcuna galanteria, le donne (bambine e anziane comprese) vennero stuprate in massa.

Lawrence d'Arabia e Kitchener sembrano fatti apposta per capirsi. Lawrence è un giovane archeologo di ventiquattro anni che ha già dimostrato come, cercando tracce eloquenti dell'antichità, si possono acquisire anche notizie strategiche. L'altro è un vecchio gigante indurito dagli scontri e consumato nel governo coloniale. Il governatore fa una profezia che si dimostrerà esatta: entro due anni, dice, Inghilterra e Germania saranno in guerra.

Nell'agosto 1914 la guerra effettivamente scoppia e Lawrence torna di nuovo al Cairo, distaccato questa volta presso l'ufficio di spionaggio militare (*Military Intelligence*). Il suo incarico è studiare i movimenti nazionalisti arabi. Al pari di quanto sta accadendo in Europa con l'agitazione delle minoranze etniche dell'Impero austroungarico (italiani compresi), gli inglesi stimano che proprio i nazionalisti arabi potrebbero diventare la leva per far crollare i fragili resti dell'Impero ottomano.

Queste sono le premesse delle imprese audacissime che Thomas E. Lawrence compirà. È possibile che in un paese diverso dall'Inghilterra non sarebbero bastate. Non ovunque si trova un giovane archeologo, un aspirante scrittore, disposto a farsi spia e guerrigliero. Lawrence accetta l'incarico con la più assoluta tranquillità. Tutto il personale che in Africa, in India e nel lontano Oriente è impegnato a diffondere le nozioni della cultura occidentale, dell'igiene, della viabilità, quasi sempre viene anche impiegato per raccogliere informazioni, studiare località, fonti d'acqua e d'approvvigionamento, sistemi difensivi e movimenti di truppe. Lawrence fa parte di questo esercito silenzioso che lavora nell'ombra.

La prima missione importante è dell'ottobre 1916, quando viene inviato come ufficiale di collegamento nella regione dell'Higiaz (Arabia Saudita occidentale). Lo sceriffo della Mecca, al-Husain ibn Alì, sobillato e finanziato dagli inglesi, si è proclamato re degli Arabi, cioè indipendente dalla Sublime Porta di Istanbul. Inizialmente Lawrence ha solo il compito di riferire come stanno le cose, ma la qualità dei suoi rapporti è tale che il comando lo conferma nell'incarico. La rivolta araba sta dilagando. Il consiglio degli inglesi è che le truppe rivoltose attacchino la ferrovia turca che unisce Damasco a Medina, esile e unica linea di comunicazione indispensabile per i rifornimenti alle guarnigioni.

I turchi sono consapevoli della fragilità di un avamposto come Medina, della relativa inutilità di cercare di difenderlo; preferirebbero abbandonarlo, ma è proprio ciò che gli inglesi vogliono impedire. Le truppe che lasciassero Medina andrebbero a rafforzare il fronte palestinese; è più opportuno che restino dove sono.

Lawrence, aiutato da ufficiali sabotatori, elabora una tattica micidiale: la ferrovia diventa oggetto di continui attacchi. Gruppi di pochi uomini appaiono e scompaiono. Piccole cariche, giusto il necessario, mettono fuori uso qualche metro di binari. Uno stillicidio che i turchi devono correre a riparare con un lavoro senza fine. Ripristinato un tratto, un'altra esplosione ne mette fuori uso uno diverso. Il risultato strategico è che ritirare le truppe da Medina diventa praticamente impossibile, così come lo diventa rifornirle di armi e cibo. Al contrario, un buon numero di reparti dev'essere dislocato lungo la linea, nel costoso tentativo di tenerla al riparo dai sabotaggi.

L'impresa che consegna Lawrence alla leggenda è però la conquista di Aqaba, una spedizione nella quale audacia e fortuna, genialità tattica e resistenza fisica si mescolano come raramente nella storia. Aqaba è un modesto porto situato al vertice del Mar Rosso: una sola banchina e un fondale così basso che le navi di maggiore stazza devono restare in rada. La sua importanza non è tanto militare, quanto politica: i turchi hanno perso tutti gli altri porti sul Mar Rosso, perdere anche Aqaba sarebbe uno smacco dalle incalcolabili ripercussioni. D'altronde, la sua esistenza è per gli inglesi che controllano l'Egitto un fastidio e un pericolo.

Come farla cadere? Verso il mare è difesa bene: la rada è fortificata, ci sono piazzole con cannoni Krupp costruiti in buon acciaio tedesco, anche se di modello un po' antiquato. Dalla parte di terra il porto è raggiungibile solo attraverso un canalone, difeso da un battaglione turco. Poco più a nord c'è il presidio di Abu Lissan (Maan), altro punto bene armato a difesa della ferrovia Damasco-Medina. Rimane una sola via per arrivare ad Aqaba, non difesa perché si è pensato che nessuno avrebbe osato percorrerla: si tratta infatti di attraversare settecento chilometri di un deserto detto «l'incudine del sole», dove perfino i beduini temono di avventurarsi, perché i raggi del sole trafiggono come dardi e le improvvise tempeste di sabbia accecano uomini e animali, li sfiniscono portandoli vicini alla pazzia. Lawrence sceglie quella strada. Gli sono accanto Feisal, uno dei figli di al-Husain ibn Alì, che gli inglesi faranno diventare re di Siria, e, soprattutto, partecipa all'impresa Auda Abu Tayi, guerriero leggendario, cavalleggero impareggiabile, venerato dai beduini come un eroe. Ci sono anche alcuni ufficiali inglesi esperti di esplosivi e sabotaggio. Lawrence è stato promosso capitano, ma ha abbandonato l'uniforme kaki di ordinanza; ora indossa una magnifica veste bianca ricamata d'oro, donatagli da Feisal; alla cintura porta un pugnale, anch'esso intarsiato d'oro; il capo è coperto dalla kefiah beduina trattenuta da un doppio cordone di seta. Gli arabi adesso lo chiamano Aurans Bey.

Si mettono in marcia il 9 marzo 1917; in Europa la guerra sta mietendo centinaia di vittime al giorno, i migliori soldati d'Inghilterra marciscono nelle trincee sul fronte francese; sul fronte sud gli italiani non riescono ad avanzare e anzi in autunno conoscono a Caporetto la più dura delle sconfitte. Nessuno, nemmeno al Cairo, ha tempo per pensare a quella curiosa carovana guidata da un piccolo ufficiale inglese travestito da beduino. Dura quattro mesi la marcia sfibrante; il 6 luglio Lawrence e i suoi entrano ad Aqaba dopo aver battuto sul campo il battaglione turco che sbarrava il passo verso il porto. «I morti sembravano molto belli» dirà Lawrence. «La luce notturna brillava tenera, ammorbidendo i contorni come avorio nuovo. La pelle dei turchi, dove prima era stata coperta, si mostrava molto più bianca che non negli arabi; soldati tutti giovanissimi.»

Mentre i suoi uomini pensano alle vendette e al bottino, il capitano di Sua Maestà riesce a mettersi in contatto con lo Stato maggiore e a raggiungere il Cairo. Quando comunica agli alti gradi che Aqaba è stata presa, sulle prime non gli credono, poi non sanno come ringraziarlo.

Questa non è tutta la storia di T.E. Lawrence. Ho raccontato solo quel momento epico della sua vita che rivela un altro aspetto del colonialismo inglese. Un fenomeno che ebbe tante facce quanti furono i suoi sterminati territori. Lawrence finirà come finirà, con una morte banale, dopo aver scritto qualche libro. Nemmeno la sua opera più famosa, *I sette pilastri della saggezza*, scioglie però il dilemma se si sia trattato di uno scrittore chiamato dall'avventura o di un avventuriero tentato dalla letteratura. Neanche l'altra insistente domanda su di lui sarà mai sciolta: era omosessuale, come tanti segni porterebbero a credere? L'orrore provato quando, prigioniero dei turchi, venne violentato in carcere farebbe piuttosto pensare a un rifiuto totale della sessualità. Forse i suoi unici veri amori furono l'avventura, la solitudine, il rischio, la luce accecante del deserto.

Vorrei ora passare a parlare di quello che fu un leader carismatico capace di far insorgere un intero continente. Un uomo macilento, spesso provato dal digiuno, spesso reduce da un periodo di reclusione, un uomo che attraversò l'India come un moderno Cristo, coperto solo da una tunica bianca annodata ai fianchi e un paio di occhiali tondi di metallo sul naso. Il suo nome era Mohandas Karamchand Gandhi, ma le folle sterminate del subcontinente lo chiamavano semplicemente «Mahatma», grande anima. E grande dovette esserlo davvero, grande quanto la sua ostinazione, la fede, la convinzione che il metodo di lotta da lui concepito, il *satyagraha*, avrebbe avuto la meglio contro le mitragliatrici di Sua Maestà britannica imperatrice delle Indie.

«Consideriamo un peccato davanti agli uomini e davanti a Dio continuare a sottometterci più a lungo a un potere che ha provocato nel nostro paese una quadruplice catastrofe.» Con quelle parole si apriva un documento del Congresso nazionale indiano del dicembre 1929. Le quattro catastrofi erano quelle verificatesi nella vita economica, politica, culturale e spirituale di un immenso paese, l'India. La novità e il senso del messaggio non stanno tanto nella veemenza del tono, quanto nell'uomo che l'ha ispirato, Gandhi, appunto.

Oppressione e sfruttamento sono parole molto forti, o molto logore. Sono però le sole che descrivano quelli che sono stati per secoli i rapporti tra la Gran Bretagna e l'India. Il 31 dicembre 1599 era stata la regina Elisabetta I a firmare la prima concessione alla East India Company per lo sfruttamento delle Indie Orientali. Mentre nelle Indie Occidentali (vale a dire le Americhe) la preoccupazione inglese è di rompere la supremazia spagnola nel trasporto dell'oro, dalla parte opposta del mondo si tratta d'interrompere il monopolio olandese nel commercio delle spezie, a cominciare dal pepe, indispensabili in un'epoca che non conosce la refrigerazione degli alimenti. Per due secoli e mezzo una società commerciale privata domina un subcontinente abitato da duecentocinquanta milioni di esseri umani, ricco di una cultura e di una spiritualità almeno pari a quella dei suoi dominatori.

In quell'Ottocento che vede il risveglio di tante nazionalità in Europa e fuori, anche l'India ha un sussulto. Nel 1857 i sepoy, milizie dell'esercito coloniale del Bengala, si rivoltano agli ufficiali inglesi; la sommossa dilaga, i ribelli arrivano a prendere Delhi. Il segnale è grave e viene colto. Nell'agosto 1858, con il «Government of India Act», la regina Vittoria firma l'atto di passaggio dell'India direttamente alla Corona. Nel 1876 assume lei stessa il titolo di «Imperatrice delle Indie». Viene creato un ministero apposito e inviato un viceré che risponde direttamente al governo di Londra. L'India diventa da quel momento il vero gioiello della Corona, la colonia più grande e popolosa, la più redditizia. Il nuovo ordinamento sarebbe durato più o meno un secolo prima di crollare. Il 15 agosto 1947 è la data ufficiale di nascita di un'India indipendente dichiarata *Dominion* nell'ambito del Commonwealth, suddivisa in un'Unione indiana a maggioranza indù e nel Pakistan, a maggioranza musulmana.

L'Ottocento è stato un secolo pieno di tensioni, di equivoci, di rivolte represse, di ferocia che ha stimolato di tutto, comprese alcune importanti espressioni letterarie. Tra i tanti che hanno descritto quel rapporto c'è Rudyard Kipling, nato in India e diventato cantore dell'Impero e della superiorità britannica sulla folla spesso indistinta degli indigeni, individui di razza inferiore. La razza eletta ha il dovere di civilizzare anche contro la loro volontà i popoli inferiori perché questo è: «*The white man's burden*»; c'è poi Edward Morgan Forster, lo scrittore che con *Passaggio in India* racconta l'impossibilità di una comunicazione reale tra popoli quando la distanza culturale è inquinata da equivoci e pregiudizi e dal fondamentale disprezzo che l'uno prova per l'altro: «Non esistiamo per noi stessi, ma solo per come veniamo visti dall'altro» afferma uno dei personaggi.

L'Ottocento, però, è stato soprattutto il secolo dominato dalla figura di Gandhi. Il «piccolo uomo» è nato il 2 ottobre 1869 nell'India occidentale da una famiglia che appartiene alla casta dei *vaisya*, terza nel sistema castale indiano dopo quella dei sacerdoti e dei guerrieri. A tredici anni sposa una ragazzina sua coetanea alla quale rimane legato per tutta la vita, anche dopo che nel 1906, a trentasette anni, fa voto, sua moglie consenziente, di assoluta castità. Finito il liceo va a studiare legge in Inghilterra, diventa avvocato, esercita senza particolare successo la professione fino al trasferimento in Sudafrica. In quel paese sarebbe dovuto restare un anno come consulente giuridico di un'impresa, ve ne passa in realtà venti, diventando nel frattempo un esponente politico molto popolare. Un brutto episodio razzistico ferisce il suo senso della giustizia il giorno stesso del suo arrivo. In quanto indiano viene buttato fuori da uno scompartimento di prima classe, nonostante abbia comprato un regolare biglietto. Ha ventiquattro anni, non tollera l'affronto, riunisce tutti gli indiani di Pretoria e costringe le autorità del paese a scusarsi garantendo che episodi del genere non accadranno più.

In Sudafrica, comunque, Gandhi diventa un noto e ricco avvocato nonché il leader del movimento di protesta contro le discriminazioni. Fonda un giornale («Indian Opinion»), capeggia le manifestazioni di protesta contro le leggi razziste e nel 1906, a trentasette anni, conia il termine *satyagraha*. Letteralmente *satyagraha* vuol dire non violenza, disobbedienza civile, resistenza passiva. Ma c'è chi sostiene che nella lingua di Gandhi il suo significato sia più sottile, includa concetti come forza della verità, essenza dello spirito, e che la sola aura di quella parola permetta d'intravedere una luce nuova nei rapporti umani, un'alternativa morale all'oppressione e allo sfruttamento.

Il 18 luglio 1914 Gandhi lascia il Sudafrica per l'Inghilterra. Sono i giorni in cui l'Europa sta per entrare in guerra. A Londra Gandhi invita gli indiani residenti nell'isola ad arruolarsi nell'esercito britannico. L'uomo che fa ritorno in India nel gennaio 1915 è un leale suddito dell'Impero, animato da un forte ed equanime senso della giustizia. Ma in India si scontra ben presto con quelle leggi inglesi che si spiegano o con la miopia politica o con la totale inconsapevolezza di sentirsi padroni in un paese che li considera invece degli usurpatori.

Anche se con due ottiche opposte, sia Kipling che Forster illustrano bene quali fossero i rapporti e lo stato d'animo dei colonizzatori inglesi nei confronti dei locali, e viceversa. Per un indiano che volesse fare carriera, la sola strada consentita era tenere un atteggiamento umile fino al servilismo nei confronti dei dominatori. Lo stesso William Shirer, americano, uno dei biografi di Gandhi, racconta che durante un party, con disinvoltura tutta yankee, aveva invitato a ballare una ragazza locale appena incontrata. Era una studentessa di medicina che si trovava in compagnia dei genitori, invitarla a ballare era stato un gesto di spontanea cortesia. Il giorno dopo, scrive Shirer, «alcuni conoscenti inglesi mi mandarono a chiamare per dirmi che "non si faceva così" e che avrei dovuto imparare a comportarmi meglio».

Uno degli elementi che aggravano la situazione è l'attività dei numerosi missionari cristiani che cercano di convertire i «pagani», si tratti di indù o di musulmani, i quali soffrono per le loro insistenze, le considerano un affronto tanto più grave in quanto il loro rifiuto comporta dei rischi.

Per un inglese, d'altra parte, intraprendere la carriera di funzionario nel Servizio civile indiano apre buone prospettive. Dalle patrie università arrivano nelle colonie ottimi quadri che organizzano l'amministrazione, danno nerbo alla burocrazia, diffondono l'uso della lingua. 250 milioni di persone sono governate da poche migliaia di funzionari, 10 mila ufficiali, 60 mila uomini di varie specialità militari. I ranghi sono infoltiti da circa 200 mila soldati indigeni, spesso impegnati anche per l'ordine pubblico, si può immaginare con quale stato d'animo.

Nel marzo 1919 il «Rowland Act» rende permanenti le misure restrittive introdotte durante la guerra per controllare meglio eventuali disordini. Gandhi, diventato nel frattempo un leader molto popolare, lancia per il 6 aprile una giornata di *hartal*, una forma di disobbedienza civile e astensione da ogni attività. In varie città ci sono disordini, l'episodio cruciale avviene ad Amritsar, la città dei sikh nel Punjab. Cinque inglesi sono uccisi, una missionaria aggredita, vengono attaccate banche, scuole e chiese inglesi. Gandhi, informato, vi si dirige immediatamente, ma lungo il tragitto gli inglesi lo fermano impedendogli di proseguire.

Il generale Reginald E. Dyer, che comanda la guarnigione, dichiara la legge marziale che vieta ogni assembramento. Il 13 aprile alcune decine di migliaia di persone, indù e musulmani insieme, si radunano pacificamente e senz'armi nella Jallianwalla Bagh, la piccola piazza cittadina. Vogliono protestare per la repressione in corso e per gli eccessi degli estremisti responsabili degli atti di violenza. Vogliono ricordare agli inglesi che nella guerra europea appena finita hanno combattuto al loro fianco più di un milione di indiani, che più di centomila di loro sono morti, che il paese ha versato un miliardo di dollari alla causa dell'Inghilterra. E che, come contropartita, i padroni dell'India hanno emanato il «Rowland Act» che priva i locali di molti elementari diritti.

La piazza è interamente chiusa su tre lati, unica via d'accesso è un lungo viale largo tre metri. Quando l'assembramento è al massimo, il generale Dyer, al comando di due plotoni, fa mettere in posizione alcune mitragliatrici e senza preavviso ordina di aprire il fuoco con alzo zero. In dieci minuti vengono esplose 1600 raffiche, le armi hanno di fronte un muro di folla, nemmeno volendo si potrebbe mancare il bersaglio. Alla fine si contano 380 morti e 1137 feriti. Una strage. Un'inchiesta successiva del Congresso nazionale indiano accerta che alcune vite avrebbero potuto essere salvate se gli inglesi non avessero impedito il passaggio dei medici, subito accorsi. L'ordine era che tutti, medici compresi, dovessero rispettare il coprifuoco. Il generale Dyer diventa un eroe per gli inglesi dell'India e per i conservatori in patria; si organizzano con successo collette in suo favore anche se, bisogna aggiungere, verrà poi allontanato dall'esercito e messo a riposo (con trattamento di pensione completa). Il generale si difenderà dicendosi sicuro di aver evitato un altro ammutinamento e confermando che, in circostanze analoghe, avrebbe fatto esattamente le stesse cose.

Quando Gandhi, tempo dopo, commentò la strage disse due cose. La prima riguardava lo sgomento per i morti e per l'ordine del generale che tutti gli indiani dovessero «strisciare» passando per la strada dove la missionaria era stata aggredita: tutti, donne, bambini, vecchi, dovevano percorrere quel tratto carponi nella polvere, sotto lo stretto controllo di sentinelle armate con la baionetta inastata.

La seconda, che quell'episodio lo aveva convinto di dover lottare con tutta la forza della sua fede contro la dominazione coloniale inglese. Il massacro di Amritsar, affermò, aveva mostrato a lui e a tutti «le atrocità commesse sul popolo del Punjab. Ha dimostrato fino a che punto il governo inglese è capace di arrivare e quali barbarie e gesta inumane è capace di commettere pur di mantenere il potere».

Il 15 agosto 1947 l'India viene dichiarata indipendente e subito riprendono i contrasti e le divisioni sempre più feroci tra musulmani e indù che porteranno alla nascita del Pakistan musulmano. Gandhi ne soffre, ma nemmeno lui, che ha guidato il paese fino alla libertà, può fare niente contro l'odio che nasce dal cieco oltranzismo religioso. Il suo sogno si spegne il 25 gennaio 1948, quando un fanatico indù che ritiene troppo blanda la sua azione gli spara a bruciapelo tre colpi di pistola. L'assassino della «grande anima» si chiama Nathiram Vinayak Godse; Gandhi cade invocando il nome di Dio.

Un ultimo significativo episodio prima di lasciare questa immensa figura. Winston Churchill, futuro leader d'Inghilterra nei suoi anni più cruenti, aveva seguito le trattative svoltesi nel 1931 tra Gandhi e il viceré Lord Irwin nella Golden Hall di Nuova Delhi. Parlandone alla Camera dei Comuni ribadì con forza il suo «disgusto», raccontando «lo spettacolo umiliante e nauseabondo di quell'ex avvocato del Foro di Londra, oggi fachiro sedizioso, che sale seminudo la scala del palazzo del viceré per discutere da pari a pari con il rappresentante del re-imperatore».

A dispetto di ogni equivoco, il rapporto tra Gran Bretagna e India è stato, comunque, intensissimo. Forse si può addirittura vedere come una compensazione la recente fioritura di un filone letterario anglo-indiano, aperto una ventina d'anni fa dal capolavoro di Salman Rushdie *I figli della Mezzanotte*, e che poi è continuato con Hanif Kureishi, Amitav Gosh, Anita Desai, Arundhati Roy, Vikram Seth, Naipaul e, ultimamente, con Hari Kunzru. *L'impero colpisce ancora*, hanno titolato più volte i giornali britannici alludendo a questo fenomeno. Sono scrittori che dal grande crogiolo dell'India derivano, se non le loro dirette origini, certamente la loro cultura.

Tra le numerose battaglie che hanno segnato la colonizzazione britannica, racconto una delle più terribili, di una ferocia addirittura primitiva, ingiustificata sul piano etico e giuridico, orribile nello svolgimento, crudele nella conclusione, tanto da poterla considerare una delle pagine più vergognose del colonialismo britannico. Tuttavia esemplare, se esaminata da un punto di vista esclusivamente militare. È la battaglia che prende il nome dalla località Rorke's Drift. Ebbe luogo nel corso della guerra contro gli zulu.

Gli zulu (non «zulù») sono una popolazione bantu dell'Africa australe stanziata nell'allora Zululand, zona a nordest della Repubblica sudafricana sulle rive dell'Oceano Indiano. Il re zulu Cetywayo (sovrano dal 1873) mal sopporta la presenza britannica ai confini delle sue terre. Inglesi e boeri, d'altra parte, lo considerano una minaccia. L'alto commissario, Sir Bartle Frere, gli invia nel dicembre 1878 un ultimatum con il quale ordina di sciogliere l'esercito. Il re zulu non risponde. Gli inglesi però non hanno alcun decente pretesto per invadere lo Zululand. Il re ha ordinato ai suoi uomini di non oltrepassarne mai i confini; vi sono stati tuttavia degli incidenti. Un capo zulu, Sihayo, ha fatto prelevare due sue mogli adultere nel territorio del Natal (protettorato britannico) riportandole con la forza nello Zululand, dove sono state giustiziate. Una spedizione geografica inglese è stata fermata al confine tra Natal e Zululand da una squadra di cacciatori zulu, timorosi che i rilevamenti sul terreno potessero avere finalità militari. Piccole cose di questo tipo. Gli storici sono tuttora incerti sulle vere ragioni che scatenarono il conflitto anglo-zulu, anche se i più propendono per un'iniziativa quasi personale di Sir Bartle Frere, che immaginava una facile conquista al termine della quale avrebbe potuto controllare un'immensa estensione di territorio.

Ai primi del gennaio 1879, 17 mila soldati, al comando di Lord Chelmsford, attraversano il fiume Buffalo-Tugela invadendo il territorio zulu. Hanno al seguito 725 carri trainati da buoi, 7 mila casse di viveri, tende, artiglieria, 2 milioni di cartucce. Scopo dichiarato: eliminare la minaccia dell'esercito zulu (40 mila uomini circa su una popolazione di 300 mila anime) al confine di insediamenti boeri e britannici.

Il primo scontro avviene il 22 gennaio a Isandhlwana ed è rapidissimo, tra mezzogiorno e le due. Si risolve in un disastro per gli inglesi che registrano mille caduti (dei quali ventuno ufficiali) tra uomini dell'esercito, volontari coloniali, addetti alle salmerie. «C'erano morti dappertutto, ogni corpo era mutilato» scrive un testimone. Per alcuni aspetti (errori di schieramento e di tattica), la tragedia di quella battaglia ricorda la sconfitta italiana a Adua nel marzo 1896. Alle due e trenta del pomeriggio la notizia del massacro arriva a Rorke's Drift, dove un centinaio di soldati presidia una stazione di rifornimento e un piccolo ospedale. In quel momento il comando è nelle mani di due tenenti, i quali hanno pochi minuti per decidere se fuggire o tentare di resistere all'orda zulu che sta per abbattersi. Viene subito scartata l'idea di fuggire: i lenti carriaggi trainati dai buoi e i feriti costituiscono un impaccio che si rivelerebbe fatale. La sola possibilità è cercare di resistere. Uno dei due ufficiali, il tenente Chard, appartiene al Genio militare. Il campo è stato piantato tra due piccoli edifici in muratura. Chard fa costruire un parapetto che colleghi le due costruzioni ammassando grandi sacchi di mais e pesanti casse che contengono gallette e altri viveri. Un'ora e mezzo dopo il lavoro è terminato e nessun nemico è ancora in vista. I fucilieri inglesi si appostano dietro l'esile barricata. Il reparto ha in dotazione alcune rudimentali mitragliatrici Gatling, tutti gli uomini sono armati con il fucile Martini-Henry, un'arma precisa con una gittata utile di oltre un chilometro, che spara devastanti pallottole calibro .45. È comunque un'arma a colpo singolo e siamo nel 1879. Già da alcuni anni gli americani hanno in dotazione la celebre carabina a ripetizione Winchester calibro .32, con una velocità di fuoco tre volte superiore. Lo stato maggiore britannico non ha ritenuto di adottarla nell'arrogante convinzione che contro indigeni armati di lancia le armi a ripetizione siano un lusso inutile.

È vero, gli zulu attaccano correndo incontro al nemico praticamente nudi, armati solo di un fragile scudo e di una lancia. Contano sulla velocità, la sorpresa, il numero. Possono coprire anche ottanta chilometri in un solo giorno, correndo scalzi. Il loro re ordina che prima di un combattimento ingeriscano un emetico per espellere dal corpo con il vomito ogni impurità. I guerrieri che attaccarono Rorke's Drift non mangiavano da due giorni. Dopo la battaglia gli zulu usano sventrare i nemici caduti per liberare così la loro anima; è per loro un gesto di pietà, che gli inglesi scambiano per bestiale ferocia. Gli inglesi (e in generale gli europei) pensano anche che tutti i popoli indigeni dovrebbero essere felici di abbracciare la religione, la cultura e la lingua di una razza superiore. Convertire gli zulu al cristianesimo voleva dire la fine della poligamia, di un occasionale cannibalismo, della sodomia e di altre pratiche sessuali aberranti, come, per esempio, l'uso di «pulire l'ascia» dopo ogni battaglia, ovvero un rapporto sessuale completo per gli uomini sposati e un rapporto senza penetrazione per gli scapoli. I missionari cristiani con la loro riprovazione per tali pratiche contribuiscono a dare un fondamento «morale» alla colonizzazione.

Il fucile Martini-Henry ha un rinculo molto forte e tende ad arroventarsi. I bossoli d'ottone al contatto con la culatta rovente si deformano, per estrarli e caricare un nuovo colpo si perdono secondi preziosi. In compenso gli zulu, quando afferrano un'arma per la canna, si ustionano gravemente al contatto con il metallo incandescente. I guerrieri indigeni che riescono a impadronirsi di un fucile sparano non mirando al nemico ma puntando in alto, cercando, in pratica, di dare al proiettile la stessa traiettoria di un giavellotto. Altri sparano contro il punto in cui scoppiano le granate, convinti che l'esplosione liberi piccoli uomini bianchi pronti a ucciderli.

La tecnica di attacco consiste nel lanciarsi urlando contro le linee nemiche con straordinario coraggio e nella speranza che il numero, il chiasso, la velocità, il tentativo di accerchiamento facciano sbandare l'avversario. I soldati inglesi hanno spesso la carnagione chiara ustionata dal sole; sono per lo più proletari e sottoproletari arruolati nei distretti industriali dell'isola. Sono combattenti che mangiano a sufficienza, affardellati con un fucile del peso di quattro chili e mezzo e una trentina di chili di cibo, acqua, munizioni. Hanno ricevuto un addestramento efficiente e severo.

Questi due tipi di uomini, queste due culture, si affrontarono a Rorke's Drift in un combattimento durato sedici ore, con una pausa notturna dalla mezzanotte all'alba. Alla fine gli zulu, esausti, abbandonarono l'assedio, ritirandosi oltre la linea dell'orizzonte. In oltre otto ore di fuoco ininterrotto ciascun fuciliere inglese aveva esploso una media di duecento cartucce. Per ogni inglese caduto erano morti oltre trenta zulu. Come ha scritto uno storico militare: «Rorke's Drift dimostrò che una solida compagnia di fanteria, un centinaio di uomini armata di fucili, era in grado di respingere quattromila zulu». Da dove veniva questa strenua capacità difensiva? L'esercito inglese dell'Ottocento rispecchiava tutte le divisioni di classe della società britannica. Solo verso il 1860 si cominciò a eliminare la vendita dei brevetti di ufficiale e a valutare gli avanzamenti in base al merito. Nonostante le differenze di classe e di censo, furono soprattutto tre i fattori che resero l'esercito un formidabile strumento di guerra e, per quanto riguarda le colonie, anche di polizia. Il primo fattore era il temperamento, la proverbiale cocciutaggine, misto di determinazione e orgoglio, che fa degli inglesi il vero popolo combattente d'Europa.

L'ultima prova di questa *stubbornness* è stata, in ordine di tempo (nel 1982), l'impresa delle isole Falkland (o Malvinas), quando il primo ministro Margaret Thatcher decise, nel tripudio generale, l'invio della flotta dall'altra parte del mondo per riprendere agli argentini quattro scogli sperduti nell'Atlantico meridionale, quasi all'altezza della Terra del Fuoco.

L'addestramento era il secondo fattore. Le giubbe rosse erano le meglio addestrate d'Europa. Le loro formazioni a quadrato (ogni lato con uomini sdraiati, in ginocchio, in piedi), capaci di un fuoco di fucileria ritmato e ininterrotto, erano una macchina bellica micidiale, come poté constatare lo stesso Napoleone a Waterloo.

Terzo: la disciplina. Nelle ore che precedettero l'attacco a Rorke's Drift, alcune decine di coloni e uomini dei reparti indigeni che accompagnavano i soldati si dettero alla fuga. Non un solo uomo della compagnia di fucilieri abbandonò il posto, anche se in quel momento l'unica prospettiva ipotizzabile per ognuno di loro era una morte orribile, squartati dalle affilate lame degli zulu.

Dell'Impero e del suo mantenimento, però, fa parte anche un altro elemento; potremmo definirlo la sua ideologia. L'Africa, *the Dark Continent*, il continente nero, come l'ha chiamato Henry Stanley nel titolo di un suo libro, sembrava fatta apposta per essere teorizzata come terra di conquista con i suoi vasti territori seminesplorati, l'abbondanza di materie prime, la spaventosa bellezza di una natura sconfinata e selvaggia, il fascino d'un tenebroso esotismo, una popolazione formata da creature inferiori che si caratterizzavano a volte per la ferocia (spinta fino al cannibalismo), altre volte per la docilità, in ogni caso per una ridicola e affascinante arretratezza. Un ghiotto boccone offerto alle fauci dell'Inghilterra, e dell'Europa. Come tale venne trattata, e dilaniata, si trattasse di aiutarla sulla via della civilizzazione o di sfruttarne le smisurate risorse.

David Livingstone (1813-1873) era un missionario ed esploratore scozzese che aveva studiato teologia e medicina. Quando cominciò a battere l'Africa aveva ventisette anni e i neri abitatori delle foreste e delle savane del Bechuanaland lo adoravano, perché con qualche pasticca e qualche tampone disinfettante era in grado di placare le febbri e sanare le piaghe. Provò a scendere a sud, ma i coloni boeri avevano il loro da fare a sfruttare i loro ricchi giacimenti e non volevano tra i piedi lagnosi rompiscatole armati di Vangelo e di chinino. Risalì allora a nord, scoprì le cascate Vittoria, esplorò il corso dello Zambesi studiando la possibilità di un'attività missionaria in quella zona, devastata dai portoghesi cacciatori di schiavi. Quando partì per risolvere il secolare problema delle sorgenti del Nilo, l'Europa rimase così a lungo senza sue notizie che un avventuroso giornalista, John Rowlands Stanley, un gallese di appena ventiquattro anni, incoraggiato dal suo direttore Gordon J. Bennett, fondatore del «New York Herald», modello di ogni futuro giornale popolare, decise di mettersi sulle sue tracce. Alla fine riuscì a trovarlo in mezzo alla foresta, e quando fu a portata di voce pronunciò la famosa battuta cortese e fredda, spoglia di ogni possibile emozione o entusiasmo, destinata anch'essa a diventare modello di ogni futura *englishness*: «*Doctor Livingstone, I presume*».

Diventato famoso, e poiché l'Africa gli era entrata ormai nel sangue, Stanley proseguì. Su incarico di un paio di giornali attraversò l'intero continente da est a ovest (1874-77), da Bagamoyo presso Zanzibar alla foce del fiume Congo, esplorò il lago Vittoria, scoprì il lago Alberto, discese lungo il corso del gigantesco fiume. In seguito, accettando l'invito del re dei belgi Leopoldo II, entrò a far parte del comitato di studi dell'Alto Congo e rifece in senso inverso il corso del fiume, tra il 1879 e il 1884, ponendo in questo modo le basi del futuro Congo Belga. Nella celebre Conferenza di Berlino del 1885, con la quale le potenze europee si spartirono l'Africa, re Leopoldo era riuscito a ottenere che lo Stato del Congo fosse posto, a titolo personale, sotto la sua sovranità. Fino a quel momento il territorio era stato oggetto di scorribande da parte di trafficanti di schiavi sia portoghesi sia arabi; il Belgio riuscì ad accaparrarsene in esclusiva lo sfruttamento.

Ho indugiato intorno al Congo perché sullo sfondo di quel paese si svolge uno dei più bei racconti di Conrad e dell'intera letteratura inglese: *Cuore di tenebra*. Stavolta affido a un personaggio non reale ma di fantasia, e proprio per questo fortemente delineato, l'illustrazione di ciò che è stato il colonialismo inglese ed europeo nell'Africa centrale.

Teodor Józef Konrad Korzeniowski (1857-1924), di origini polacche, diventa cittadino britannico solo nel 1886, lo stesso anno in cui, ventinovenne, riceve il brevetto di capitano di mare. Ha cominciato a navigare a diciassette anni, quando ne ha trentasette decide di lasciare la Marina per mettersi a scrivere con lo pseudonimo di Joseph Conrad. In quei vent'anni ha visitato tutti i luoghi del colonialismo, dall'Estremo Oriente all'Australia, dall'Africa al Sudamerica. Quando inizia a scrivere, l'Impero britannico ha raggiunto il suo zenit, si estende su tre quarti delle terre emerse in Africa, Asia, India, Australia, Nuova Zelanda. Questa gigantesca espansione s'è accompagnata a un'altrettanto cospicua produzione letteraria, dal momento che a molti inglesi piace rivivere le avventure dell'Impero leggendole sotto forma di racconti dal gradevole gusto esotico.

Anche a Conrad piacciono i racconti d'avventura, tutti i suoi romanzi lo sono, un paio addirittura di spionaggio e terrorismo. Ma, attraverso il filtro della sua mente complessa, le vicende diventano altro che episodi movimentati dall'incerto finale. Quello di Conrad è un gioco dove Bene e Male s'intrecciano così strettamente da diventare indistinguibili e dove la nozione di verità si confonde in un labirinto di sentimenti contrastanti.

Cuore di tenebra esce per la prima volta sulla rivista «Blackwood's Magazine» (febbraio-aprile 1899), poi in volume nel 1902. Narra, in modo trasfigurato, un episodio reale accaduto nella vita di Conrad, svoltosi proprio alle foci del Congo. È un racconto misterioso che si apre sul Tamigi, a bordo di una piccola nave da crociera che sta aspettando il riflusso di marea per scendere verso il mare. Per ingannare l'attesa, un certo Charles Marlow rievoca quando dovette risalire il fiume Congo nel tentativo di rintracciare un cercatore d'avorio, un enigmatico personaggio di nome Kurtz, che abitava nel buio cuore della foresta.

Prima di addentrarsi nella storia, Marlow ricorda come la corrente di cui stanno aspettando il picco sia stata testimone di tutte le grandi imprese del passato. (La traduzione di cui mi avvalgo è quella, molto bella, di Ugo Mursia, che ha anche editato tutte le opere di Conrad.)

La corrente di marea va avanti e indietro nel suo incessante servizio, piena di memorie di uomini e navi che ha portato al riposo in patria o alle battaglie del mare. Essa ha conosciuto e servito tutti gli uomini che sono orgoglio della nazione, da Sir Francis Drake a Sir John Franklin, tutti cavalieri con o senza titolo – i grandi cavalieri erranti del mare ... A caccia d'oro o inseguendo la fama, erano tutti partiti da quel corso d'acqua, reggendo una spada e spesso la fiaccola, messaggeri della potenza insita in quel paese, portatori di una scintilla del sacro fuoco...

Non cavalieri del mare né portatori di sacre scintille incontra Marlow nella sua avventura bensì grigi, pedanti amministratori, opachi contabili delle ricchezze strappate all'Africa, ciechi di fronte ai tormenti che lo sfruttamento operato dalle loro «compagnie commerciali» va procurando. Dopo essere stato arruolato a Bruxelles, Marlow s'è imbarcato su un lento piroscafo; a ogni scalo ha visto soldati e doganieri salire o scendere mentre il viaggio prosegue lungo una costa sempre uguale:

Il ciglio di una giungla colossale, di un verde talmente tenebroso da sembrare quasi nero, orlato dalla bianca risacca, correva dritto come una linea tirata con la riga, lontano, lontano lungo un mare azzurro il cui scintillio era velato da una strisciante foschia.

Non voglio citare di questo stupendo racconto più di quanto sia necessario a illustrare il punto di vista di Marlow, e cioè dell'autore, che si trova contemporaneamente dentro e fuori la logica del colonialismo, dentro e fuori l'ottica europea che considerava i neri abitatori del continente o come poveri infelici da convertire o come forza lavoro quasi gratuita da sfruttare.

Ecco il primo incontro di Marlow con i selvaggi della costa:

> Di tanto in tanto un'imbarcazione della costa ci dava un contatto momentaneo con la realtà. Era spinta con le pagaie da uomini neri. Da lontano si distingueva il bianco rilucente dei loro occhi. Gridavano; cantavano; i loro corpi grondavano di sudore; avevano facce simili a maschere grottesche; ma avevano ossa, muscoli, una vitalità selvaggia, un'intensa energia di movimento, naturale e vera come la risacca lungo la loro costa.

Ecco una delle scene più lugubri e belle, balenante e significativa della crudele idiozia del comportamento dei dominatori europei:

> Una volta, ricordo, ci imbattemmo in una nave da guerra ancorata al largo della costa ... A quanto pare i francesi avevano in corso da quelle parti una delle loro guerre. La bandiera nazionale pendeva flaccida come uno straccio; le bocche dei lunghi cannoni da sei pollici sbucavano tutt'intorno dallo scafo basso; l'oleoso e viscido mare la dondolava pigramente su e giù, facendo oscillare i suoi esili alberi. Nell'immensità vuota della terra, del cielo e dell'acqua eccola là incomprensibile, a far fuoco entro un continente. Pum, faceva uno dei cannoni da sei pollici; una fiammella dardeggiava e svaniva, un po' di fumo bianco spariva, un minuscolo proiettile faceva un lieve stridìo – e non accadeva nulla. C'era un pizzico di follia in quel comportamento, un senso di lugubre buffonata in quello spettacolo; non si dissipò neanche quando qualcuno a bordo mi assicurò calorosamente che un accampamento di indigeni – li chiamava nemici! – era nascosto laggiù da qualche parte.

Ancora due citazioni. La prima è quella in cui Marlow racconta il suo incontro fortuito con una piccola colonna di schiavi. Li annuncia uno strano suono:

> Un lieve tintinnio dietro di me mi fece volgere il capo. Sei negri procedevano in fila salendo faticosamente per il sentiero. Camminavano con il busto eretto e lentamente, tenendo in equilibrio sulla testa cestelli pieni di terra, il tintinnio accompagnava a tempo i loro passi. Avevano le reni coperte da stracci neri le cui corte estremità si dimenavano dietro da una parte e dall'altra come code. Potevo vedere ogni singola costola e le giunture delle membra parevano nodi fatti su una corda; ciascuno aveva un collare di ferro e tutti erano legati fra loro da una catena i cui festoni dondolavano tintinnando ritmicamente.

L'altra scena, forse la più terribile del racconto, di quasi dantesca intensità, è quella in cui il protagonista penetra in un boschetto dove ombre nere languono distese a terra o appoggiate al tronco degli alberi. È una scena orribile, popolata da uomini diventati come larve, poveri relitti che per una qualunque ragione non sono più adatti al lavoro e che lì giacciono come animali in agonia:

Forme nere stavano accovacciate, distese, sedute tra gli alberi, appoggiate ai tronchi, abbarbicate alla terra, metà in risalto, metà obliterate dentro la penombra, in tutti gli atteggiamenti del dolore, dell'abbandono e della disperazione. ... Stavano morendo lentamente, era molto chiaro. Non erano nemici, non erano criminali, non erano affatto di questa terra ora – nient'altro che nere ombre di malattia e d'inedia, stese confusamente nell'oscurità verdognola. Portati da ogni recesso della costa con tutta la legalità di contratti a termine, perduti in un ambiente non congeniale, nutriti con cibi sconosciuti, essi si ammalavano, diventavano inefficienti e allora veniva loro concesso di trascinarsi in disparte a riposare. Quelle forme moribonde erano libere come l'aria – e quasi altrettanto tenui.

Di questo magnifico racconto ho isolato solo il volto orribile del colonialismo, così come lo registra il gelido occhio di Marlow. Non è un occhio compassionevole; il suo sguardo ha, anzi, una precisione da entomologo e la sua prospettiva è comunque europea. I selvaggi, i negri, sono altro da lui e dai bianchi in cui s'imbatte lungo il percorso. Per non parlare di Kurtz, il misterioso personaggio sul quale la narrazione si conclude in tutta la ricchezza del suo significato. Ma è proprio il fatto che l'osservatore mantenga una tale distanza dal soggetto osservato a rendere il quadro ancora più raccapricciante. La freddezza di Marlow è l'equivalente di ciò che il drammaturgo tedesco Bertolt Brecht chiamava *Verfremdung*, cioè distanziazione: allontanare le cose per renderle ancora più evidenti. Si allontanano in questo modo anche le accuse di razzismo che qualche volta sono state mosse al racconto, al quale va al contrario riconosciuta, a parte ogni altro pregio, una quasi profetica intensità.

Possiamo dire che l'ultimo tentativo fatto dall'imperialismo britannico risale a quasi mezzo secolo fa, 1956, e si svolse sulle rive del Canale di Suez. Quando il colonnello Nasser prende il potere nel 1954, una delle sue prime preoccupazioni è di liberare l'Egitto da ogni controllo straniero, a cominciare dalla residua presenza di truppe inglesi. Già l'anno successivo l'Egitto firma un'alleanza vincolante con Siria e Arabia Saudita, mentre l'antica questione sudanese è risolta concedendo l'autodeterminazione: il 1° gennaio 1956 viene proclamata la Repubblica del Sudan. Questo attivismo e il chiaro indirizzo filoarabo del nuovo governo creano ovviamente una serie di attriti con l'Occidente, in particolare con Gran Bretagna e Francia che ritengono di avere diritti particolari sul Medio Oriente. Per un altro aspetto influisce sulla situazione l'avvertibile presenza dello Stato di Israele, nato nel 1948.

Nel luglio 1956 Nasser decide di nazionalizzare il Canale di Suez. Il suo scopo è di incassare i pedaggi di attraversamento con i quali intende finanziare la costruzione di una diga ad Assuan. Francia e Gran Bretagna insorgono e sollecitano un intervento di Israele. Il 29 ottobre 1956 gli israeliani passano il confine, appoggiati dall'aviazione francese e inglese. Solo pochi decenni prima la cosa sarebbe sembrata normale amministrazione, perché così venivano trattati gli affari africani. I tempi, però, sono cambiati; quella che va sotto il nome di «crisi di Suez» non piacque a nessuno. L'Onu pronuncia una netta condanna, gli Stati Uniti prendono le distanze, l'Unione Sovietica dà addirittura un ultimatum minacciando l'intervento. Nasser perde sul piano militare, ma vince politicamente. Il 22 dicembre l'Onu fa evacuare le truppe inglesi e francesi, Nasser diventa leader del mondo arabo. L'Inghilterra capisce che l'era del colonialismo imperiale, quanto meno quella appoggiata dalle cannoniere e dagli sbarchi di truppe, è finita.

XII

IL SOGNO DI UNA COSA

Il giorno in cui sono andato a visitare il cimitero di Highgate era, ai miei fini, ideale. Dal primo mattino cadeva una pioggia leggera, una di quelle piogge londinesi che paiono passate al setaccio, ostinate ma in fondo inoffensive in confronto agli acquazzoni di tipo quasi equatoriale cui siamo abituati alle nostre latitudini. Il cielo molto nuvoloso spandeva una coltre di grigio uniforme su ogni cosa visibile, anche sull'erba fradicia, le murature delle tombe, le edere. Tutto sembrava grigio. Il pesante cancello del cimitero era chiuso, ma da una finestrina poco lontana filtrava la fioca luce di una lampada, accesa nonostante fossero le due del pomeriggio. Ho bussato ai vetri e un'anziana donna, che si trovava all'interno, ha capito al volo che cosa volessi. Infatti è uscita, senza nemmeno l'ombrello, mi ha chiesto due sterline (dandomene ricevuta) e ha spinto con vigore il cancello, solo accostato, che ha doverosamente cigolato mentre girava sui cardini rugginosi. Mi ha detto: «Vada fino al bivio, prenda a sinistra, la tomba la troverà in fondo al viale sulla destra». Non si poteva sbagliare e infatti non ho sbagliato.

Credo che il cimitero di Highgate rappresenti il massimo dell'espressività cimiteriale in Europa. Lo dico a malincuore, perché ho sempre prediletto il Père Lachaise. Il cimitero parigino, di cui non sto assolutamente discutendo il fascino, è però assai curato, come ormai lo sono molte cose a Parigi. Curate le tombe, i viali, le recinzioni, il verde: una manutenzione scrupolosa che sottrae in parte al luogo il suo alone di romantica malinconia. Highgate invece, lasciato a se stesso, s'è quasi trasformato in un monumento alla concezione vittoriana della morte. Venne aperto due anni prima che la regina Vittoria salisse al trono al fine di alleggerire, trovandosi in posizione periferica, l'affollamento e le cattive condizioni igieniche dei cimiteri cittadini. Alcune delle tombe più antiche sono abbandonate da anni, certi monumenti pericolano o sono semicancellati dal selvaggio proliferare dei rampicanti. Alberi d'alto fusto sono cresciuti tra le lapidi, protendono radici e braccia minacciando la stabilità dei manufatti. Le tombe sono fittamente affiancate le une alle altre; le lapidi sono severe e in genere prive di quei segnali di riconoscimento e di devozione rappresentati, nei cimiteri italiani e cattolici, dal lumino detto «luce perpetua» e dalla foto del defunto. Nei cimiteri inglesi (e in quelli tradizionali americani) le lapidi recano iscrizioni scarne, essenziali risultano anche gli elogi del trapassato.

Se dovessi indicare oggi il luogo che meglio esemplifica l'immagine letteraria del romanticismo ottocentesco, una di quelle scenografie da teatro d'opera dove la luce spettrale della luna fa emergere dall'ombra una rovina e il ramo nodoso d'una quercia, una croce semidivelta e un nero animale randagio, dove ci raggiungono l'eco di un grido, un ululato lontano o un sinistro fruscio, ecco, direi che questo luogo è il cimitero di Highgate. In un piovoso e quasi buio pomeriggio d'autunno, il cimitero londinese mi è sembrato la più logica spiegazione della nascita in Gran Bretagna del romanzo gotico e delle storie di fantasmi.

La tomba che stavo cercando era quella di uno dei pochi uomini di cui possa dirsi, senza paura di sbagliare, che hanno cambiato il corso della storia, illuminando di speranza la vita di milioni di persone ma anche causando, come spesso avviene ai profeti, inenarrabili sofferenze. Parlo, come si sarà capito, di Karl Marx.

Marx voleva essere seppellito accanto a sua moglie, sotto una semplice lastra con le date di nascita e di morte. Così è stato per un certo tempo. Poi, nel 1954, il Partito comunista di Gran Bretagna ha affidato a Laurence Bradshaw l'incarico di scolpire una testa in bronzo del filosofo. Il risultato è una testa imponente che fissa con severità il visitatore dall'alto di un solido basamento di granito di Cornovaglia. Una tomba tutto sommato un po' retorica, ma è possibile pensare che all'uomo non sarebbe dispiaciuta.

Dopo l'ultima dimora di Marx a Londra, ho visitato una delle prime. Si trova nel popolare quartiere di Soho, al numero 28 di Dean Street. Una casa curiosa, come del resto lo è l'origine del nome Soho. Deriva dal grido di caccia «So-ho!», frequente in un luogo che era un tempo un insieme di campi e pascoli con pochi edifici sparsi nel vuoto di una campagna dove i gentiluomini scorrazzavano a cavallo inseguendo le loro prede.

Il quartiere cominciò a riempirsi di strade e case alla fine del Diciassettesimo secolo, dopo il disastroso incendio del 1666. L'edificio dove Marx ha abitato – oggi occupato da un ristorante, la cui entrata corrisponde all'ingresso dell'abitazione del filosofo – risale al 1734. Le stanze al terzo piano non si possono visitare. In compenso, è possibile vedere i due locali al secondo, che hanno una pianta identica. Lì, nonostante le piccole dimensioni, hanno abitato per un certo tempo ben otto persone: Karl, sua moglie Jenny, una cameriera, una balia, quattro bambini. Per Jenny non dev'essere stato facile abituarsi a una tale angustia. Una volta, in un momento di particolare angoscia, confidò al marito: «Vorrei stare con i bambini sotto terra».

Quando Marx arriva a Londra, il 27 agosto 1849, è un giovane uomo di trentun anni, sposato con una baronessina tedesca dalla quale ha già avuto tre figli. Un quarto è in arrivo. Ha alle spalle un periodo molto movimentato, ancora di più lo sarà il futuro. La capitale inglese è quella che Doré ha illustrato crudamente e Dickens descritto in tanti suoi romanzi. Nella *Bottega dell'antiquario*, per esempio:

Case umide e fradicie, molte da affittare, molte ancora in costruzione, molte fabbricate a metà e già cadenti, alloggi dove sarebbe stato difficile dire se fossero più meritevoli di pietà i padroni o gli inquilini che venivano ad abitarvi. Bimbi denutriti e seminudi, sparsi per ogni strada, ruzzavano nella polvere; madri ciabattone sgridavano, pestando i piedi sul selciato con rumorose minacce; padri cenciosi, dagli occhi spiritati, si dirigevano frettolosamente al lavoro che fruttava «il pane quotidiano» e poco più. Stiratrici, lavandaie, ciabattini, sarti, droghieri esercitavano la loro attività in anditi, cucine, sgabuzzini e soffitte, talvolta tutti insieme sotto lo stesso tetto. Fornaci ai margini di giardini circondati da doghe di vecchie botti o da legname rubato nelle case incendiate, annerito e screpolato dalle fiamme; grovigli di lappola, di ortiche, di ruvide erbe, di gusci di ostriche, ammucchiati in una terribile confusione...

La rivoluzione industriale ha impresso la sua orma sulla città che sta crescendo a dismisura e in pochi anni ha attirato nuovi abitanti esteso le sue periferie, gremito tutti gli spazi abitabili, diventando la più grande e popolosa capitale del mondo. Un avventuroso cronista, che proprio in quel periodo si alza in pallone al di sopra della sterminata distesa, scrive che nemmeno da lassù si riusciva a distinguere dove la città finisse e dove cominciasse quella che una volta era la campagna. Molti nuovi arrivati vengono dal contado, molti dall'estero e, tra questi ultimi, numerosi sono i profughi politici, migliaia di rivoluzionari europei affluiti nel paese più industrializzato del mondo che offre asilo a ogni esule.

Le prime officine non avevano l'ordine produttivo e il ritmo frenetico che sarebbe arrivato con la cosiddetta fabbrica fordista dei tempi regolamentati e delle catene di montaggio. Nel suo stadio primitivo, l'industrializzazione si presenta piuttosto con ripugnanti fucine nere di fuliggine, luoghi di una servitù più abietta di quella delle campagne, poiché priva finanche di quel minimo di umano che il contatto con la vita degli animali e della vegetazione può dare. Il ferro domina questo paesaggio, ferro dei macchinari, delle pensiline, delle costruzioni, dei binari che stanno coprendo l'Inghilterra e l'Europa come una ragnatela. Un'intera civiltà modellata nel ferro. Ancora una volta è Dickens a raccontare questa realtà:

Da ogni lato, fino a dove l'occhio poteva arrivare nella fosca distanza, alte ciminiere strette l'una all'altra presentavano alla vista un'interminabile ripetizione della stessa forma monotona e brutta che costituisce l'orrore dei sogni opprimenti, rovesciavano il flagello del fumo, oscurando la luce e insozzando l'aria malinconica. Su cumuli di cenere, a fianco della strada, riparati soltanto da alcune rozze tavole o da tettoie fradicie, strani congegni giravano e si contorcevano come creature torturate, sbattendo le catene di ferro, cigolando di tanto in tanto nel loro rapido roteare come per un insopportabile tormento, facendo tremare la terra con i loro spasimi.

Dickens vede il paesaggio protoindustriale come Dante ha immaginato l'inferno. Le macchine si contorcono e le catene cigolano come creature tormentate, la terra trema ai loro movimenti spasmodici. In quell'inferno il trentunenne Marx si getta a capofitto, trovandovi la conferma alle sue intuizioni; ma in quell'inferno lui, sua moglie e i figli sono anche costretti a vivere, provando di persona il sapore di privazioni oggi quasi inconcepibili. Alcuni documenti descrivono il loro stato di penosa indigenza. Per esempio, una lunga lettera scritta da Jenny a Joseph Weydemeyer, capo della Lega dei comunisti di Francoforte. Il 5 novembre 1849 Jenny ha dato alla luce il quarto figlio. Per il poco tempo che vivrà, avrà come nomi Karl, Heinrich e anche Guido, per via che il suo giorno natale coincide con quello in cui in Inghilterra si ricorda Guy Fawkes, protagonista cattolico della celebre «congiura delle polveri». Così scrive Jenny nel maggio 1850:

Il povero angioletto aveva succhiato tante preoccupazioni e tanta mia celata angoscia che era sempre malato e soffriva giorno e notte di dolori violenti. Da quando è nato non ha ancora dormito una notte intera, al massimo due o tre ore. Negli ultimi tempi si sono aggiunti anche dei crampi talmente forti che il bambino è stato in continuo pericolo di vita. A causa di questi dolori egli succhiava così forte che il mio seno si è ricoperto di piaghe che spesso si aprivano per cui il sangue si mischiava al latte scorrendo nella sua piccola bocca.

Una situazione che sembra tolta di peso da un racconto del verismo più crudo e che invece per i coniugi Marx è semplicemente la realtà quotidiana. Leggiamo questo ulteriore racconto di Jenny:

Mi trovavo in questa situazione quando ad un tratto entrò la nostra locatrice, alla quale nel corso dell'inverno avevamo pagato più di 250 talleri, convenendo per contratto di pagare il rimanente non a lei bensì al proprietario della casa che l'aveva fatta pignorare; entrò e disdisse il contratto pretendendo le 5 sterline che ancora le dovevamo. Siccome non le avevamo subito, fecero irruzione due uomini con l'ordine di pignoramento mettendo sotto sequestro ogni nostro avere, letti, biancheria, vestiti, tutto, perfino la culla del mio povero bambino e i giocattoli migliori delle bambine che piangevano disperate. Minacciavano di prendere tutto in due ore; io allora ero sdraiata sul nudo pavimento con i miei bambini infreddoliti, il mio seno dolente ... Il giorno dopo dovemmo lasciare la casa, faceva freddo e piovigginava; mio marito cerca un appartamento, ma nessuno ci vuole quando lui parla di quattro bambini. Finalmente ci aiuta un amico, paghiamo e io vendo in fretta i nostri letti per pagare i vari farmacisti, panettieri, macellai, lattai che, allarmati dal pignoramento, improvvisamente si sono precipitati con i loro conti. I letti venduti furono portati davanti alla porta, caricati su un carro ... e cosa successe? Si era fatto tardi, il sole ormai era tramontato, la legge inglese vieta il trasloco di sera, il padrone di casa si presenta con due poliziotti e afferma che ci poteva essere anche roba sua tra quella che volevamo portarci via. In meno di cinque minuti si forma una folla di due-trecento curiosi davanti alla porta, tutta la gentaglia di Chelsea. I letti ci vengono restituiti, e solo il mattino successivo, dopo l'alba, poterono essere consegnati al venditore; appena in grado di pagare ogni debito vendendo le restanti masserizie, ci siamo trasferiti con i nostri piccoli nelle attuali due stanzette dell'albergo tedesco in Leicester Square, dove abbiamo trovato un'ospitalità umana per cinque sterline e mezzo alla settimana.

Chi è la donna che affronta con tale rassegnato coraggio una situazione così penosa? Ciò che Marx ha fatto e scritto lo deve ovviamente alla sua genialità, ma se questa poté esplicarsi fu merito di sua moglie, dell'amore che gli portò a dispetto delle circostanze esterne e dello stesso carattere, dolce e terribile, di suo marito.

Prova ne siano le parole che chiudono quella lettera disperata e che dimostrano di quale tempra Jenny fosse fatta e quanto grande fosse il suo amore:

> Mi perdoni, caro amico, se ho descritto così lungamente addirittura solo un giorno della nostra vita qui; lo so, ciò è indiscreto, ma stasera il mio cuore era tutto nelle mie mani tremanti, e bisognava che una buona volta mi sfogassi con uno dei nostri più vecchi, migliori e fedeli amici. Non creda che queste meschine sofferenze mi abbiano piegata, io so anche troppo bene che la nostra lotta non è isolata e che io in particolare faccio parte delle donne felici e favorite dal destino, perché il mio caro marito, il sostegno della mia vita, è ancora al mio fianco.

Jenny von Westphalen era nata il 12 febbraio 1814 a Salzwedel, nel nord della Germania, anche se tutta la sua giovinezza, come del resto quella di Karl, è legata alla città di Treviri, adagiata sulla riva sinistra della Mosella (Renania-Palatinato). Suo padre Ludwig era il più giovane dei quattro figli di Philipp von Westphalen e di Anne Wishart, nobile scozzese. Il nonno Philipp, più del padre Ludwig, era il nume tutelare della famiglia. È lui che riesce a ottenere il titolo baronale, trasformando così il borghese Westphal nel più altisonante von Westphalen. È ancora lui a consolidare un patrimonio di cui pure Jenny riuscirà in parte a godere. Di quel titolo anche Karl andava fiero. Quando arrivano a Londra, nelle condizioni che abbiamo visto, con mobili e abiti che vanno e vengono dal monte dei pegni, vuole che sua moglie si faccia stampare i biglietti da visita nei quali si legge «Mrs Karl Marx née Baroness Jenny von Westphalen».

Alle dieci del mattino del 19 giugno 1843, Karl Marx, dottore in filosofia, sposa la signorina Johanna Bertha Julie Jenny von Westphalen, di anni ventinove, «senza professione». Di anni lui ne ha venticinque, ce ne sono voluti sette di fidanzamento per arrivare alle nozze; alla famiglia di lei non faceva certo piacere che una ragazza così altolocata sposasse un ebreo senza un soldo, una testa calda senza una professione certa. Jenny è una ragazza intelligente, romantica, la più bella di Treviri, corteggiata dai migliori partiti, che ha tuttavia rifiutato perché innamorata fin dall'infanzia di Karl. È noto che gli amori cominciati sui banchi delle elementari o con i giochi infantili di rado resistono alle prove della maturità e della vita, in quel caso invece dovevano preparare un matrimonio durato quarant'anni, davvero «finché morte non vi separi», secondo la formula rituale.

Jenny, che avrebbe potuto avere un'unione brillante, una vita agiata, di certo una professione propria, considerata la sua intelligenza, preferì lottare con la miseria, al fianco di un uomo tenerissimo e molto difficile da sopportare, conducendo un'esistenza «eternamente in lacrime», come Karl scrisse in una lettera, sempre schiacciata dall'ombra possente del marito.

Karl Marx era nato il 5 maggio 1818 all'una e trenta del mattino nella casa paterna in Brückenstrasse a Treviri. Ha una giovinezza romantica, entro certi limiti scapestrata: ufficialmente studia legge, prima a Bonn poi a Berlino, in realtà scrive poesie, passa le serate nelle taverne, dove beve, gioca, sfida e viene sfidato a duello, s'impegna soprattutto in interminabili discussioni filosofiche.

Trascorre una notte in guardina per disturbo della quiete pubblica, viene ferito sopra l'occhio sinistro da uno studente della corporazione di Borussia. Ha rapporti con donne, compresi quelli mercenari, in apparenza dimentico di Jenny, che al momento di partire ha salutato amorosamente. Scuro di carnagione, villoso per natura, addirittura irsuto, si lascia crescere una folta barba, nera anch'essa, che rimarrà per sempre parte della sua icona e che infatti lo caratterizza in tutti i ritratti, compreso quello in bronzo sulla stele mortuaria. «Cervo nero» lo battezzerà affettuosamente Jenny, ma il soprannome che lo accompagnerà tutta la vita sarà «il Moro».

Da Berlino manda a Jenny delle sue raccolte di poesie secondo l'uso romantico dell'epoca; la prima si chiama *Il libro dell'amore*, una seconda *Il libro dei canti*. La dedica in entrambi i casi recita: «Alla mia cara sempre amata Jenny von Westphalen». Sua sorella gli scriverà per riferirgli che: «Proprio ieri Jenny è venuta da noi e dopo aver ricevuto i tuoi versi piangeva lacrime di gioia e di dolore». Lui, così burbero di carattere, la ricambierà amandola come sa fare. Nel 1856, quando ha ormai trentotto anni, e hanno avuto sei figli, Karl può ancora scriverle durante un periodo di assenza: «Il mio amore per te è ciò che mi fa di nuovo uomo. Non l'amore per l'essere di Feuerbach, non quello per il proletariato, ma l'amore per l'essere amato, e in particolare per te, rifà di me un uomo».

A Berlino Karl evita di frequentare, come sarebbe suo dovere, le lezioni di giurisprudenza; in compenso è attivissimo nelle discussioni. Diventa membro del *Doktorclub*, un circolo di giovani che si riunisce regolarmente al caffè Hippel per discutere della filosofia di Hegel, morto nel 1831 ma il cui insegnamento ancora aleggia. Marx continua a considerarlo un nume tutelare; di temperamento acceso, sostiene con calore le proprie idee, sbeffeggia quelle degli altri, continuerà a farlo per tutta la vita; fuma grossi sigari pestilenziali, discetta di Dio e degli uomini. La maggior parte di quei giovani infiammati si dice atea; uno dei suoi amici, Bruno Bauer, docente di teologia, definisce i Vangeli «mediocri opere di mestieranti». Il padre scrive preoccupato a Karl chiedendogli, inutilmente, di moderare linguaggio e comportamento, di fare spazio nelle sue giornate a «sentimenti terreni. Ma che siano teneri».

Il padre di Karl, Heinrich Marx, è uno dei più noti avvocati di Treviri. Il suo vero nome è Hirschel Halevi Marx e discende da un'antica famiglia rabbinica. Il giovane Hirschel vuole dedicarsi alla giurisprudenza ed essere uomo di legge, profittando del fatto che dopo l'entrata in vigore in Renania del Codice napoleonico le professioni liberali non sono più interdette agli ebrei. Accade però che con la restaurazione che segue al 1815 la liberalità del periodo napoleonico subisca delle restrizioni. Con una lettera molto deferente al presidente prussiano della Renania, Hirschel chiede allora di poter esercitare la professione di avvocato nonostante la sua ebraicità. Un decreto della corte suprema renana impedisce, però, che la domanda venga accolta, sicché a Hirschel non resta che rinnegare o la sua fede o la sua professione. Suo fratello Samuel è rabbino a Treviri, sua moglie Henriette Pressburg è figlia di un rabbino olandese; è probabile che Hirschel Halevi Marx si sia tormentato sul dilemma. Alla fine decide per la professione e nell'estate del 1816, due anni prima della nascita di Karl, si converte al protestantesimo diventando Heinrich Marx. Possiamo interpretare questo «tradimento» come sintomo d'una natura nella quale scelte decisive sono dettate dall'ambizione o dalla convenienza? Può darsi che nel comportamento di Heinrich abbia avuto un peso il suo pratico uso del mondo. Ma può anche darsi che si sia trattato di una scelta di tipo diverso. Heinrich sentiva poco l'ebraismo come religione e rito, nutriva inoltre inclinazioni di tipo liberale e modernizzante. Si dice che nel suo circolo fosse addirittura arrivato a cantare la *Marseillaise*, un «eccesso» per il quale venne schedato dalla polizia. Comunque la conversione qualche vantaggio glielo procurò, tra questi la nomina a regio Consigliere di giustizia della Prussia.

Visto che siamo in argomento, vale la pena di accennare (non più di questo) alla celebre questione se Marx sia stato un ebreo antisemita, come certi passi del suo *La questione ebraica* potrebbero far pensare. Vi si legge per esempio «Qual è il fondamento mondano del giudaismo? Il bisogno pratico, l'egoismo. Qual è il culto mondano dell'ebreo? Il traffico. Qual è il suo Dio mondano? Il denaro».

Una delle ipotesi probabili è che Marx, polemizzando con Bruno Bauer, facesse suoi, con l'abituale brutalità, i più logori luoghi comuni sugli ebrei. È possibile che intendesse ribattere che tali dicerie non sarebbero cessate fin quando non si fosse permesso agli ebrei di esercitare tutte le funzioni pubbliche, comprese quelle politiche. In ogni caso egli non fu un buon ebreo, ignorò i precetti e alla sua ebraicità non dedicò troppa attenzione. Il suo fine restava quello di liberare l'umanità da tutte le religioni, a cominciare da quella cristiana, considerate, tutte, strumenti di oppressione sociale.

Il 15 aprile 1841, a ventitré anni, Marx si laurea in filosofia a Jena. Ha cambiato sede per la laurea temendo che Friedrich Wilhelm von Schelling, docente a Berlino e antihegeliano della vecchia guardia, trovasse da ridire sulla sua tesi dedicata a un confronto tra Democrito ed Epicuro. Marx si proponeva di dimostrare che la teologia deve arrendersi di fronte alla saggezza della filosofia.

La sua tesi di laurea ha, nella prima pagina, queste parole: «La filosofia, finché una goccia di sangue pulserà nel suo cuore, assolutamente libero, dominatore del mondo, griderà sempre ai suoi avversari, insieme ad Epicuro: "Empio non è chi nega gli dei del volgo, ma chi le opinioni del volgo applica agli dei"».

In un'appendice aggiungeva polemicamente: «È tempo di annunciare all'umanità migliore la libertà degli spiriti e di non tollerare più a lungo che essa pianga la perdita delle sue catene». Una frase che, sette anni più tardi, risuonerà ancora, a conclusione di uno dei più abili manifesti politici mai scritti.

A Parigi, nel 1844, Marx conosce l'uomo che sarà suo amico e benefattore per la vita: Friedrich Engels, uomo alto, magro, gran seduttore, di famiglia agiata, pensatore meno forte e meno creativo di lui ma forse più metodico. Suo padre possiede industrie tessili con vari stabilimenti, uno dei quali a Manchester. E proprio a Manchester Marx ha modo di osservare per la prima volta dal vivo le condizioni della classe operaia. L'impresa storica alla quale il binomio è legato è il *Manifesto del partito comunista*, forse il documento politico più letto della storia umana, presentato con un titolo illusorio dal momento che alla sua uscita un «partito comunista» in senso proprio ancora non esisteva.

Nel 1847 l'Europa è attraversata da una profonda crisi finanziaria, premessa di quelli che saranno i celebri «moti» dell'anno successivo. La prima stesura del documento è redatta da Engels come un «catechismo», in forma di domande e risposte. Negli ultimi mesi dell'anno i due vanno a Londra per partecipare al secondo congresso della Lega dei comunisti, che si tiene presso l'associazione culturale degli operai tedeschi in Great Windmill Street, a Soho. Un appartamento al primo piano sovrastante un pub, il Red Lion. Il congresso dura dieci giorni, una sequenza di interminabili discussioni largamente dominate dalla facondia di Marx, dalla sua abilità oratoria, teatrale, logica, e si chiude con l'approvazione di uno statuto nel quale si rivendica: «l'abbattimento della borghesia, il dominio del proletariato, l'abolizione della vecchia società borghese poggiante su antagonismi tra le classi, la fondazione di una nuova società senza classi né proprietà privata». L'incarico che l'assemblea conferisce a Marx ed Engels è appunto la stesura di un «Manifesto» che riassuma questi principi.

Dopo molti rinvii, fu il solo Marx a scrivere materialmente il testo definitivo nel suo studio di Bruxelles, al 42 di rue d'Orléans; intere nottate avvolto nella nuvola di fumo acre del suo sigaro, correggendo più e più volte ogni pagina, ogni periodo.

La borghesia che il comunismo avrebbe dovuto annientare viene all'inizio lodata da Marx in termini ora lirici ora pratici:

La borghesia ha avuto nella storia una funzione sommamente rivoluzionaria. Dov'è giunta al potere essa ha distrutto tutte le condizioni di vita feudali, patriarcali, idilliache ... non ha lasciato tra uomo e uomo altro vincolo che il nudo interesse, lo spietato «pagamento in contanti»

Essa per prima ha mostrato che cosa possa l'attività umana. Ha creato ben altre meraviglie che le piramidi d'Egitto, gli acquedotti romani e le cattedrali gotiche; essa ha fatto ben altre spedizioni che le migrazioni dei popoli e le Crociate.

Marx arriva a scorgere quella che sarà la rivoluzione prossima ventura della borghesia:

La borghesia non può esistere senza rivoluzionare di continuo gli strumenti di produzione, quindi i rapporti di produzione, quindi tutto l'insieme dei rapporti sociali.

Intuisce che tutto continuerà a cambiare, anche se gli sfugge che proprio grazie alla sua continua capacità d'adattamento la

borghesia rimedierà alle abiette condizioni di vita del proletariato di fine Ottocento dando vita a quel «neocapitalismo» al
quale deve la sua sopravvivenza e anzi il suo trionfo. Un'altra
cosa intuisce Marx nel geniale documento:

> Il bisogno di sbocchi sempre più estesi per i suoi prodotti spinge la bor-
> ghesia per tutto il globo terrestre ... Sfruttando il mercato mondiale la bor-
> ghesia ha reso cosmopolita la produzione e il consumo di tutti i paesi. Con
> gran dispiacere dei reazionari ha tolto all'industria la base nazionale.

Adombrato in queste righe c'è il fenomeno che chiamiamo
globalizzazione, intravisto con più di un secolo d'anticipo rispetto alla forma compiuta a noi nota.

Nel complesso, *Il Manifesto* è un formidabile testo di oratoria
politica che alterna, come ha scritto Umberto Eco, toni apocalit-
tici e ironia, slogan di efficacia quasi pubblicitaria e spiegazioni
chiare. L'opuscolo è composto (lo ha notato Eric Hobsbawm)
da «capoversi brevi, per lo più di poche righe. Solo in cinque
casi su più di duecento essi raggiungono o superano le quindici righe». Si tratta d'uno stile così inusuale nella prosa tedesca
ottocentesca da imprimere al testo «un vigore quasi biblico. È
impossibile negare la sua forza come testo letterario».

È curioso notare che quando Marx scrisse *Il Manifesto* egli
non era ancora «marxista». Nella fase iniziale del suo pensiero, deduceva l'inevitabile sbocco comunista della storia umana non dall'analisi dello sviluppo capitalistico, bensì «da un
argomento escatologico sulla natura e sul destino dell'uomo».
I critici del marxismo vedono proprio in questo la sua principale debolezza teorica. Sottolinea questo aspetto il pensatore
francese Raymond Aron (1905-1983), profondo conoscitore di
Marx, anticomunista di tipo razionale, tenace difensore dei
valori laici e liberali dell'Occidente, critico oggettivo del filosofo tedesco. Aron è pronto a riconoscere i molti meriti di
Marx, ma individua la sua debolezza esattamente nel collegamento che egli fa tra l'analisi socioeconomica della società capitalistica e una filosofia della storia.

Come scienziato dell'economia che studia la società a partire dalle forze produttive, Marx fa compiere grandi passi avanti alla conoscenza umana. Sbaglia, però, quando da scienziato

si trasforma in profeta e dall'analisi razionale dei dati economici fa derivare un esito conclusivo dello sviluppo umano:
l'autodistruzione del capitalismo. Cogliere il passato e il presente della storia per prevedere il futuro non ha nulla di scientifico, assomiglia piuttosto a una di quelle intuizioni «religiose» verso le quali Marx provava una così forte insofferenza.

Naturalmente non è stato solo Aron a rendersi conto di questa giuntura debole nell'edificio marxiano. A differenza di altri, però (Schumpeter, per esempio), egli non ritiene che il
Marx economista (e sociologo) possa essere separato dalla po-
sticcia cornice filosofica di stampo hegeliano nella quale ha
calato le sue analisi.

I fatti hanno convalidato queste critiche. D'altra parte, proprio per il suo carattere profetico *Il Manifesto* ha continuato a
parlare ai «dannati della terra» al di là del trascorrere del tempo e della maggiore o minore fortuna dei regimi da esso ispi-
rati. Al di fuori di ogni metafisica messianica, quello che Marx
lascia è che a ogni uomo tocca (e spetta) il diritto di prendere
in mano il proprio destino. Crollati tanti sogni, è lì il Marx vivente cui continuano a ispirarsi coloro che non credono, quale
che sia la loro fede religiosa o filosofica, che l'ineguaglianza e
il profitto siano l'una un dato di natura, l'altro un fine.

Il testo si apre con un colpo di timpano non meno forte di
quello della *Quinta* di Beethoven: «Uno spettro si aggira per
l'Europa, lo spettro del comunismo».

Tutta la prima parte, dalla quale ho estratto anche le poche
frasi citate sopra, è una descrizione delle lotte secolari che
hanno portato al trionfo dello spirito borghese, visto come forza inarrestabile sospinta dal bisogno di piazzare le proprie
merci. Sono pagine piene di sincera ammirazione per l'intraprendenza, l'inventiva, la capacità commerciale, che però s'interrompe all'annuncio che in questo processo trionfale e
drammatico la borghesia ha suscitato nel suo stesso seno i nemici che la colpiranno:

> Le armi con cui la borghesia ha abbattuto il feudalesimo si rivolgono
> ora contro la borghesia stessa. Ma la borghesia non ha soltanto fabbrica-
> to le armi che le recano la morte: essa ha anche creato gli uomini che
> useranno quelle armi – i moderni operai: i proletari.

I proletari sono dapprima usati dalla borghesia per combattere il proprio nemico, le monarchie assolute, la piccola borghesia dei produttori artigianali; poi, però, essi scoprono la realtà della loro condizione e cominciano a ribellarsi; si riconoscono, entrano in contatto sfruttando un'altra conquista borghese, la facilità delle comunicazioni. Alla fine fanno il loro ingresso i comunisti, e qui è parzialmente rimasta l'originaria formulazione di Engels. Marx, ponendosi dalla prospettiva del borghese atterrito da quello «spettro», pone una serie di domande sulla proprietà privata da abolire, le donne da mettere in comune, le religioni («oppio dei popoli») da distruggere. A queste domande risponde, ora apertamente, ora con cautela, salvo venire allo scoperto in chiusura di capitolo:

> Lo sviluppo della grande industria toglie dunque di sotto ai piedi della borghesia il terreno stesso sul quale essa produce e si appropria dei prodotti. Essa produce innanzitutto i propri seppellitori. Il suo tramonto e la vittoria del proletariato sono ugualmente inevitabili.

Un cenno a parte merita il frequente ricorso di Marx a metafore funebri o sinistre: lo spettro, le tombe, i seppellitori. Siamo, il lettore di questo libro già lo sa, all'interno di quell'atmosfera postromantica narrativamente modulata sul romanzo gotico e d'appendice, allora trionfanti in Inghilterra. Marx approfitta di quegli stilemi trovandoli uno strumento retorico adatto ai suoi scopi e all'uditorio che vuole raggiungere. Dopo un'ampia parte programmatica, meno appassionante per il lettore comune, il testo si chiude con altri due colpi di timpano, la cui dinamica, su una partitura musicale, sarebbe indicata con «*fff*», fortissimo: «I proletari non hanno nulla da perdere... salvo le loro catene» e «Proletari di tutti i paesi, unitevi!».

Marx giunge, dunque, a Londra alla fine d'agosto del 1849. Dopo tanto peregrinare, la capitale britannica diventa il suo rifugio definitivo. Scacciato dalla Germania, da Parigi, da Bruxelles, il grande rivoluzionario trova ospitalità liberale, tuttavia non priva di sorveglianza, nella capitale più estesa del mondo, la prima città ad avere superato il milione di abitanti.

Al di fuori dei quartieri dichiaratamente eleganti vi proliferano quelli della miseria e dell'abiezione: sudici abituri oppressi notte e giorno dal fumo nero, grasso, intriso di nebbia, eruttato da mille ciminiere. La mortalità infantile è altissima, l'igiene meno che rudimentale. Le fogne mancano, quando ci sono scaricano direttamente nel Tamigi, che è anche la principale fonte d'approvvigionamento idrico.

L'aspetto peculiare, e inquietante, della personalità di Marx è che di queste orribili condizioni di vita, e dello sfruttamento che le determina, egli apprende più per via intellettuale (diari, resoconti, cronache) che per esperienza diretta. Nonostante sia un così vigoroso polemista, Marx non ha l'animo del cronista, non va in giro per i quartieri poveri a constatare di persona. Forse non ne ha il tempo, quasi certamente non ne ha nemmeno la voglia, o l'attitudine. Il suo approccio è di natura sintetica; si potrebbe dire che vuole vedere i risultati, l'esito, diciamo così, storiografico. Molto più delle vicende individuali, lo interessa l'andamento generale dell'economia e delle sue leggi. Non è nemmeno un filantropo; è uno studioso di fenomeni. Non vuole medicare le conseguenze del male, sogna di rimuoverne le cause. Le condizioni in cui la povera gente vive, s'ammala, prolifica, muore, non lo coinvolgono. Del resto, sembrano interessarlo moderatamente, come vedremo, anche le condizioni in cui egli stesso, e la sua famiglia, sono costretti a vivere.

Jenny, incinta, lo raggiunge alla metà di settembre con i bambini. I primi anni della famiglia Marx a Londra sono segnati dalla miseria. All'inizio del 1851 si trasferiscono al 28 di Dean Street, il misero alloggio citato in apertura di capitolo.

I casi della politica vogliono che di questa casa si sia conservata una cruda descrizione. Ministro degli Interni della Prussia fu per qualche tempo Ferdinand von Westphalen, fratellastro di Jenny. Per ragioni in parte d'ufficio in parte familiari, il ministro aveva inviato a Londra una delle sue spie più abili, Wilhelm Stieber, munito di falso passaporto da giornalista (sotto Bismarck l'uomo diventerà capo dei servizi segreti), perché lo informasse sulle attività del cognato. Scopo della missione era soprattutto cercare di scoprire i piani dei comunisti tedeschi, con particolare riferimento alla Germania. Ma nei suoi rapporti Stieber si occupò anche della vita privata di Marx, compreso il suo alloggio:

> Egli abita in due stanze; una con vista verso la strada che fa da salotto, quella che dà sul cortile fa da stanza da letto; tutto è a pezzi, a brandelli, dappertutto v'è uno strato di polvere, dappertutto regna il massimo disordine; in mezzo al salotto è stato messo un vecchio tavolo coperto da un'incerata, sul quale giacciono manoscritti, libri, giornali, giocattoli dei bambini, il lavoro di cucito della signora; accanto ci sono tazze dal bordo screpolato, cucchiai sporchi, coltelli, forchette, candelieri, calamaio, bicchieri, pipe olandesi di terracotta, cenere di tabacco, insomma tutte le miserie sparse confusamente sopra un unico tavolo; una bottega di rigattiere dovrebbe scappar via dalla vergogna di fronte a quello strano coacervo. Quando si entra dai Marx gli occhi vengono talmente accecati dal fumo della stufa e del tabacco, che lì per lì uno crede di trovarsi in una spelonca, finché lo sguardo non si abitua a quella nebbia e riesce a scorgervi la sagoma di alcuni oggetti ... Tutto è sporco, tutto è pieno di polvere, mettersi a sedere è veramente pericoloso. Là sta una sedia con tre sole gambe, lì i bambini giocano a cucinare sopra un'altra sedia che per puro caso non è rotta; proprio quella sedia viene offerta all'ospite, senza che sia stata ripulita; se uno si mette a sedere, rischia i pantaloni. Tutto questo non mette né Marx né sua moglie in imbarazzo, si è ricevuti con estrema gentilezza, vengono offerti pipa, tabacco e tutto ciò che c'è in casa con grande cordialità; una conversazione intelligente ripaga infine delle carenze domestiche e rende il disordine sopportabile; allora uno si riconcilia con la compagnia, la trova interessante, addirittura originale. Questa è la fedele immagine della vita familiare del capo dei comunisti Marx. ... Conduce una vera esistenza da zingaro. Lavarsi, pettinarsi, cambiare la biancheria sono per lui delle rarità; alza volentieri il gomito. Spesso se ne sta tutto il giorno stravaccato, ma se ha da fare lavora giorno e notte con una resistenza inesauribile; il sonno e la veglia non sono distribuiti nella sua vita in modo regolare; molto spesso rimane sveglio tutta la notte, poi verso mezzogiorno si getta vestito sul canapé e dorme fino a sera, senza preoccuparsi di chi gli gira intorno, in quella casa in cui tutti vanno e vengono liberamente.

Bisogna immaginarla la vita di una famiglia così numerosa in quelle due povere stanze. Marx che scrive, legge, fuma il suo sigaro nell'unico ambiente diurno disponibile, mentre intorno a lui la famiglia bene o male vive, si muove. Poi, a notte, Karl, sua moglie, tre o quattro figli, la fedele governante e cameriera Helene Demuth (detta Lenchen) si ritirano nell'altra stanza, trasformandola in un soffocante dormitorio. Per spiegarsi in che modo Jenny potesse rimanere così spesso incinta in una così affollata promiscuità, bisogna immaginare che i due sposi approfittassero di ogni minimo momento di libertà per dare sfogo alla passione. La stessa promiscuità, come vedremo, creerà a Jenny l'imbarazzo di un'altra gravidanza in famiglia.

Complessivamente Jenny partorì sette figli, uno dei quali nato morto nel luglio 1857. Di questi, solo tre femmine arrivarono all'età matura; ma anche le loro esistenze, più lunghe di quelle dei fratelli, non furono per questo più liete.

Finito il periodo della più nera indigenza a Soho, la famiglia Marx nel 1856 s'era trasferita, grazie a una piccola eredità, al numero 9 (oggi 46) di Grafton Terrace (a Kentish Town). Nel marzo 1864, con l'eredità della madre di Karl, i Marx poterono prendere in affitto per tre anni una spaziosa casa signorile al numero 1 di Modena Villas, Maitland Park, una zona purtroppo così pesantemente bombardata dalla Luftwaffe che buona parte di ciò che era rimasto ha dovuto essere demolito dopo la guerra.

Nella nuova casa Karl riuscì ad avere una stanza sua per lavorare. Il genero Paul Lafargue, detto «il negro», così la descrive: «Di fronte alla finestra e ai lati del caminetto, le pareti erano ricoperte da scaffali pieni di libri e ingombri fino al soffitto di giornali e manoscritti. Di fronte al caminetto, a fianco della finestra, c'erano due tavoli coperti di giornali, libri e altre carte. In mezzo alla stanza, bene in luce, una piccola scrivania di novanta centimetri per sessanta e una sedia di legno a braccioli. Tra la sedia e la libreria un divano in pelle sul quale Marx era solito stendersi di tanto in tanto».

Le sue giornate sono metodiche, rigidamente scandite. Sempre nella descrizione cronistica di Lafargue: «Sebbene si coricasse a ora molto avanzata, era sempre in piedi tra le otto e le nove del mattino, prendeva un caffè nero, scorreva i giornali, poi passava nel suo studio dove lavorava fino alle due o alle tre di notte. Interrompeva il lavoro solo per i pasti e la sera, tempo permettendo, per fare una passeggiata verso Hampstead Heath; durante il giorno dormiva un paio d'ore sul divano».

Nel 1867 Marx finisce il suo capolavoro, *Il Capitale*. «Un libro maledetto al quale hai dedicato una così lunga fatica da farmi pensare che sia lì il nocciolo di tutte le tue disgrazie» scrive con enfasi Engels. L'opera richiese in effetti quasi vent'anni di lavoro e si potrebbe usare per Marx l'espressione che Giuseppe Verdi rivolse a se medesimo definendo il periodo di maggior lavoro: «anni di galera». Nell'aprile di quell'anno Marx confidava di essere stato più volte «sull'orlo della fossa e di aver sacrificato a quest'opera salute, fortuna, famiglia».

Nonostante ogni sforzo, il filosofo riuscì a pubblicare solo il primo tomo: ottocento pagine affidate all'editore Meissner che ebbero naturalmente una modestissima fortuna commerciale. «Il libro non mi ha ripagato nemmeno i sigari fumati mentre lo scrivevo» dirà l'autore. Altri due volumi saranno pubblicati postumi nel 1885 e nel 1895 a cura di Engels. Un quarto verrà editato da Karl Kautsky e uscirà all'inizio del Novecento.

Il libro è un'opera poderosa dal punto di vista concettuale, contraddittoria da quello economico e in parte smentita dai fatti successivi alla sua uscita. Per averne in estrema sintesi un'idea ci si può affidare alle parole di Engels, che così ne descrive la tesi portante: «Il capitalista, anche quando compra la forza-lavoro del suo operaio al pieno valore che questa ha sul mercato delle merci, ne ricava in ogni caso un valore maggiore del prezzo pagato; questo "plusvalore" forma, in ultima istanza, la somma dei valori grazie alla quale nelle mani della classe padronale si accumula la massa crescente del capitale».

Quest'uomo, posseduto dall'idea di fondare un «socialismo scientifico», basato cioè su formule verificabili matematicamente, è stato in famiglia – quando ha trovato il tempo per dedicarvisi – un padre eccellente: porta i bambini a cavalluccio avanzando carponi sul pavimento, vizia i figli nei limiti del possibile, nei giorni di festa si dedica gioiosamente a un picnic nei prati di Hampstead Heath, il che comporta una lunga preparazione che i bambini trovano molto eccitante. Scrive Liebknecht: «I bambini ne parlavano per tutta la settimana e anche gli adulti l'aspettavano con gioia». Il cestino veniva riempito con un pollo, una robusta porzione di vitello arrosto preparato da Lenchen. Aggiunge Liebknecht: «La marcia si svolgeva in genere nel seguente ordine. Io camminavo all'avanguardia con le due ragazze, ora raccontando storielle, ora facendo un po' di ginnastica. Dietro venivano alcuni amici. Poi il grosso delle forze, Marx e la moglie più alcuni ospiti della domenica che esigevano particolari riguardi. Dietro di loro Lenchen».

Si discuteva di politica, i bambini giocavano a nascondino, si mangiava il pollo sdraiati sui prati. Niente di diverso da ciò che oggi molte persone, quantomeno nel «primo mondo», possono permettersi.

Il maggiore sforzo che Marx fece, come uomo e come padre, fu tentare di evitare alle figlie le sofferenze e le privazioni che lui e Jenny avevano patito. Le ragazze frequentarono scuole private (Ladies College), ebbero lezioni di piano e di danza, furono nel complesso educate come signorine borghesi che aspettano un buon partito, una «sistemazione». Non fu così. Il comune destino delle ragazze Marx fu una certa latente infelicità, che in più d'un caso divenne sofferenza acerba.

Nessuna di loro era particolarmente bella, almeno non quanto lo era stata in gioventù la madre. Di Eleanor, detta Tussy, e di Jennychen si disse che se avessero avuto la barba sarebbero state indistinguibili dal padre. Per due fanciulle in fiore non era proprio un complimento. Eleanor diceva, scherzando, di aver ereditato dal padre «solamente il naso ma non il genio». Lo stesso Marx riconosceva che le due figlie gli assomigliavano molto, una poi in modo impressionante: «Jenny è molto simile a me, ma Tussy... *è* me».

Le ragazze Marx furono tanto fragili nel corpo quanto determinate nell'impegno. Nei mesi successivi alla caduta della Comune, in almeno un'occasione suscitarono qualche sospetto nella polizia francese poiché alcune loro lettere vennero scambiate per messaggi rivoluzionari; la cosa finì sui giornali, ne nacque un piccolo caso politico.

La primogenita Jenny jr, detta Jennychen, da bambina aveva rischiato di morire per l'inesperienza di sua madre nell'alimentarla. Dal padre aveva preso il colorito bruno, i capelli neri, i lineamenti marcati, l'ampia fronte e anche alcune passioni intellettuali, tra le quali quella per Shakespeare. Insieme alla madre, Jenny jr fece anche da segretaria a Karl, copiando i suoi illeggibili appunti, i documenti politici. Più che la lotta di classe sembravano appassionarla i moti per l'indipendenza nazionale che in quegli anni scuotevano l'Europa.

A ventotto anni (nell'ottobre 1872) Jenny sposò con una cerimonia civile Charles Longuet (1833-1903), profugo della Comune, lettore di francese all'Università di Londra. Jenny madre non era favorevole alle nozze. Le dava fastidio la nazionalità del futuro genero, come ebbe a confessare in una lettera a Wilhelm Liebknecht: «Longuet è un uomo molto capace e buono... tuttavia non posso guardare a quest'unione senza cupi pensieri. Speravo che *for a change* Jenny scegliesse un inglese o un tedesco invece di un francese che, naturalmente, insieme a tutte le amabili qualità della sua nazione, non è esente dalle sue debolezze e carenze».

Come sempre accade, vinse l'amore e in ogni caso, al momento delle nozze, il consenso della famiglia fu unanime. Il matrimonio, però, non fu felice. Longuet si rivelò un marito egoista e cupo («Non fa che sgridarmi per tutto il tempo che sta a casa» confidò Jenny alla sorella). Ma non si limitava a sgridare sua moglie; anche Jenny jr si ritrovò costantemente incinta e mise al mondo sei figli, uno dei quali morì quasi subito. Dopo l'amnistia del 1880, Longuet poté rientrare in Francia e la famiglia andò a vivere ad Argenteuil. Charles era stato nominato direttore del quotidiano radicale di Georges Clemenceau, «La Justice». Non durò a lungo. Ben presto Jenny cominciò a soffrire di acuti dolori al ventre che si rivelarono causati da un cancro alla vescica. Fra l'altro aveva da poco messo al mondo una figlia, chiamata anche lei Jenny (ma in famiglia Mémé): «Non auguro a nessuno le torture che soffro ormai da otto mesi: sono indescrivibili e, insieme all'allattamento, rendono la mia vita un inferno». Jenny morì l'11 gennaio 1883, a trentotto anni.

Anche Laura, di un anno più giovane della sorella, s'era innamorata d'un francese: Paul Lafargue, pure lui con un passato di militante politico. La prima volta che Marx lo vide fu nel 1866, in occasione del suo ingresso nel Consiglio generale dell'Internazionale. Lafargue era uno studente di medicina e faceva parte dell'ala proudhoniana della delegazione francese. Karl si lamentò, vivacemente come al solito, proprio con Laura: «Questo birbante mi infastidisce col suo proudhonismo, non troverà riposo fino a quando non gli avrò dato qualche botta su quel suo cranio di creolo». Non c'è dubbio che l'appellativo, «creolo», fosse usato in senso spregiativo. Lo dimostra una successiva lettera, dove Karl appare più che irritato dalla «corte» accesa che Paul aveva cominciato a fare a Laura: «Se lei intende continuare il suo rapporto con mia figlia, dovrà abbandonare il suo modo di "farle la corte" ... Il vero amore si rivela nella discrezione, nella modestia e anzi timidezza dell'innamorato davanti al suo idolo, mai in eccessi sentimentali e in confidenze premature. Se lei si richiama al suo temperamento di creolo, è mio dovere frappormi con il mio buon senso tra il suo temperamento e mia figlia. Nel caso che il suo amore non fosse in grado di manifestarsi nella forma corrispondente al parallelo di Londra, bisognerà che si rassegni ad amare da lontano».

Lettera di stampo vittoriano, che rende il rivoluzionario Karl Marx indistinguibile da un qualsiasi padre borghese, a Londra o altrove. Ciò che soprattutto lo infastidiva era la «brutta menomazione di Lafargue a causa della sua discendenza negra». Lafargue era nato a Cuba, e queste sue ascendenze franco-ispano-indo-africane davano decisamente sui nervi al vecchio Karl. Arrivò a scrivere al futuro genero che bisognava che desse una qualche prova di sé nella vita prima di pensare al matrimonio. Nella stessa lettera c'è, tuttavia, una frase che apre uno squarcio umanamente commovente sulle sue motivazioni: «Se dovessi ricominciare la mia vita farei le stesse cose con la sola differenza che non mi sposerei. Per quanto è in me, voglio proteggere mia figlia dalle difficoltà che hanno fatto naufragare la vita di sua madre». Dunque, in certe circostanze, era disposto ad ammettere di aver rovinato la vita alla moglie.

Nemmeno questi ostacoli poterono alcunché contro la travolgente passione «creola». Un mese dopo quella specie di diffida, nel settembre 1866, i due innamorati annunciarono il loro fidanzamento. Seguirono, nell'aprile 1868, le nozze davanti all'ufficiale di stato civile. Sappiamo da una lettera che, durante il pranzo di nozze, Engels «raccontò un sacco di barzellette sciocche a spese di una sciocchissima ragazza fino a farla piangere». Laura aveva solo ventitré anni, tutte quelle storielle e battute allusive la fecero scoppiare in singhiozzi. Il primo figlio nacque esattamente nove mesi dopo, segno che, in definitiva, l'ardente Paul aveva rispettato il divieto e dato sfogo alla passione solo quando gli era stato ufficialmente consentito. I Lafargue ebbero altri due bambini a distanza di un anno uno dall'altro, ma nessuno di loro oltrepassò la prima infanzia. Lafargue aveva tentato anche lui una specie di «manifesto», con l'operina *Il diritto all'ozio*, nella quale aveva raccolto una serie di articoli scritti per la rivista «L'Egalité». Vi leggiamo, fra le altre, questa massima: «Diamoci all'ozio in ogni cosa, fuorché nell'amore e nel bere, fuorché nell'oziare».

A tale elogio dell'ozio Paul resterà fedele. Dopo la morte dei tre figli, abbandona deluso la medicina. Tenta, senza fortuna, alcune iniziative commerciali, e in pratica tira a campare, insieme a sua moglie, con i soldi avuti da Engels. Verso la fine del 1911, Paul e Laura decidono di averne abbastanza: lui sfiora ormai la settantina, lei è di soli tre anni più giovane. Non vedendo davanti a sé sufficienti ragioni per continuare a vivere, si suicidano insieme.

Al loro funerale prese la parola, in rappresentanza dei comunisti russi, un certo Vladimir Il'ič Ul'janov, un uomo di quarant'anni, noto col soprannome di Lenin. Disse che molto presto le idee del padre di Laura si sarebbero realizzate. Nell'ottobre di sei anni dopo quella profezia parve trovare una conferma nei fatti.

Delle figlie di Marx, Eleanor, detta Tussy, era la più giovane, essendo nata nel 1855. A diciassette anni anche lei (assai curiosa coincidenza) s'innamora di un francese: Hyppolyte-Prosper-Olivier Lissagaray. Tre generi tutti e tre francesi parvero francamente troppi, tanto più che Lissa, come veniva chiamato in famiglia, dall'alto dei suoi trentaquattro anni esibiva con quella ragazzina di diciassette un atteggiamento paternalistico che irritava molto Marx. Unico punto a suo vantaggio, l'aver scritto un libro sulla breve storia della Comune. Geloso di Tussy ancora più che delle altre figlie, Marx ostacolò per quanto possibile un amore che giudicava squilibrato. Nel maggio 1873 Eleanor trovò lavoro come insegnante in una scuola femminile, ma nemmeno la sua fu un'esperienza felice. Era spesso malata e insonne, soffriva come il padre (e probabilmente a causa sua) di frequenti mal di testa che a lungo andare la costrinsero ad abbandonare l'impiego. Di tanto in tanto, timidamente, tornava a chiedere a Karl (chiamato con affetto «Mohr», Moro) di poter vedere l'innamorato: «Carissimo Moro, non potrei andare, ogni tanto, a fare una passeggiatina con lui?».

Lasciato l'insegnamento, cercò la sua strada iscrivendosi a una scuola di recitazione. Entrò nella New Shakespeare Society e nella Browning Society, associazioni fondate dall'insegnante socialista Frederick James Furnivall. Fu in quel periodo che conobbe un giovane irlandese che lavorava come lei (e come in precedenza suo padre) nella biblioteca del British Museum, si chiamava George Bernard Shaw. Qualche anno dopo, scriveva assai eccitata alla sorella maggiore di aver cominciato a frequentare salotti pieni di «letterati»: «Sono stata invitata a una riunione molto affollata dalla signora Wilde, madre di quel giovanotto molto fiacco e molto cattivo, Oscar Wilde, che si sta rendendo maledettamente ridicolo in America».

Un altro aspetto curioso di questi rapporti è che i due generi di Marx, Longuet e Lafargue, nonché l'innamorato di Tussy, Lissagaray, avevano tutti avuto a che fare con la brevissima e infelice esperienza della Comune. Marx, com'è noto, non approvò il comportamento dei comunardi ritenendolo debole, inutilmente appesantito da rituali democratici inadatti alla drammaticità del momento. Fosse dipeso da lui, avrebbe ordinato alle truppe di marciare su Versailles per deporre con la forza il governo e farla finita.

Nella primavera del 1871 la Comune di Parigi era stata il primo tentativo di governo della classe operaia. La capitale francese era assediata dai prussiani, la rivolta divampò quando il capo del governo, l'avvocato liberale Adolphe Thiers, appena nominato presidente della Terza Repubblica, cominciò a trattare con la Prussia una pace che a molti parve una capitolazione. Il 1° marzo i prussiani entravano a Parigi, il governo s'era ritirato a Versailles, mentre la Guardia nazionale, che aveva conservato le armi, forniva i propri quadri alla sommossa popolare. Il 28 marzo si tennero delle elezioni a suffragio universale. Dei novantadue comunardi eletti, la maggioranza era costituita da giacobini discepoli di Blanqui, c'era poi una minoranza di moderati e diciassette membri provenienti dall'Internazionale. Quello stesso giorno, il Consiglio rivoluzionario decideva di affidare a Marx la stesura di un «Indirizzo al popolo di Parigi». Marx riuscì a consegnare il lavoro solo il 30 maggio. Troppo tardi. L'esercito di Thiers aveva già rotto la cinta fortificata entrando a Parigi. La repressione fu feroce, la «settimana di sangue» si chiuse con ventimila morti.

In quelle giornate, Longuet dirigeva il quotidiano «Journal Officiel», Lissagary figurava tra i comunardi, Paul Lafargue e la moglie Laura erano fuggiti a Bordeaux prima che cominciasse l'assedio prussiano, ma dal loro rifugio s'erano adoperati in favore della Comune.

Nel 1875 la famiglia Marx era ridotta a soli quattro membri: Karl e la moglie Jenny, la fedele governante Helene e la figlia Eleanor, l'unica che non era riuscita a costruirsi una vita indipendente. Dopo la relazione con Lissa s'era legata a un altro uomo, Edward Aveling, insieme al quale per qualche tempo riordinò le lettere e i manoscritti di Marx, di cui erano entrati in possesso dopo la morte di Engels.

Nonostante il suo aspetto non fosse molto attraente, Aveling era ritenuto uomo di grande fascino grazie a un eloquio che usava come strumento di seduzione. Tussy e lui convissero apertamente, anche se molti criticavano non tanto l'irregolarità dell'unione quanto le continue menzogne e i modi brutali con cui l'uomo trattava la compagna. Nella primavera del 1898 Eleanor scoprì addirittura che l'infedele aveva sposato segretamente un'attrice ventenne. Il trauma fu terribile. Aveling sembrò parteciparvi, propose alla sua compagna un patto suicida e procurò egli stesso l'acido prussico che avrebbe dovuto accomunarli nella morte. In realtà solo Eleanor bevve la mortale pozione, mentre Edward prontamente si allontanava riuscendo anche a evitare l'accusa di omicidio. Eleanor aveva quarantadue anni.

Nella vita privata di Karl Marx occupa un posto importante

la fedele domestica Helene Demuth, che arrivò in casa del filosofo proveniente da un precedente servizio presso i von Westphalen. Quando Helene arriva ha venticinque anni, è una giovane, solida contadina tedesca, viso tondo, occhi azzurri, ottima cuoca, fedele ai suoi datori di lavoro fino all'abnegazione, inappuntabile e calma anche nelle situazioni più movimentate e di fronte ai lavori più ingrati. Basta pensare che la casa non aveva acqua corrente e che ogni secchio per le necessità igieniche e alimentari di tutte quelle persone doveva essere caricato a mano da una fontanella nel cortile. La madre di Jenny si era privata dei suoi servizi preoccupata dai disagi della figlia. Helene, familiarmente chiamata Lenchen, talvolta Nym, resterà con la famiglia Marx per tutta la vita.

Nell'autunno del 1850, quando ha trent'anni, Helene si scopre incinta. Alla fine di giugno dell'anno successivo partorisce un figlio maschio di sana costituzione, al quale viene dato il nome di Henry Frederick e il cognome della madre, quello del padre essendo al momento ignoto.

Nel minuscolo alloggio di Dean Street la gravidanza di Lenchen ovviamente non poteva rimanere nascosta; d'altra parte, i rapporti così intimi fra tutte le persone della famiglia, compresi quelli fra le due donne, fanno escludere che Jenny non abbia chiesto alla fedele domestica chi fosse il padre del bambino. Helene tuttavia non parlò, quanto meno non disse la verità. Nella sua autobiografia Jenny si limitò a scrivere con molta reticenza che nell'estate del 1851: «accadde un avvenimento che non desidero qui riferire nei particolari, sebbene contribuisse grandemente ad accrescere i nostri dispiaceri, sia personali che d'altro genere». Anche nella corrispondenza di Karl si trovano tracce di un nervosismo fuori del comune durante quell'estate: «Le interruzioni e i disturbi sono troppo grandi, e a casa, dove tutto è sempre in stato d'assedio e fiumi di lacrime mi infastidiscono e rendono furente per notti intere, non posso naturalmente fare molto. Mia moglie mi fa pena».

Notti intere passate a discutere a bassa voce per non svegliare i figli, fiumi di lacrime, pena infinita per la donna che lo ha sposato e insieme furore per il tempo e il lavoro persi: la nascita di quel bambino getta Marx in uno stato d'animo lacerato e più irrequieto del solito.

Fu Engels ad assumersene la paternità e la cosa per il momento finì lì, anche perché il piccolo Frederick (affettuosamente: Freddy) venne subito dato a balia a una famiglia operaia che viveva nell'East Side londinese. Diventato uomo Frederick cambiò il proprio cognome in Lewis Demuth (probabilmente dal nome della famiglia che l'aveva in pratica adottato). Lavorò come tornitore e fu tra i fondatori del Labour Party nella cittadina di Hackney, dove trascorse tutta la vita morendovi il 28 gennaio 1929.

Chi era veramente suo padre? Le voci che il vero padre fosse Marx cominciarono a circolare subito. Il fondatore del socialismo scientifico aveva messo incinta la cameriera, si disse, come il più inveterato borghese. Si rise del fatto che tra l'estate e l'autunno del 1850 Marx avesse messo incinta, a poche settimane di distanza, sia la moglie (per la quinta volta) sia la cameriera.

La storia sarebbe tuttavia rimasta al livello di chiacchiera se molti anni dopo, nel 1962, lo storico Werner Blumenberg non avesse scovato in un fondo documentario conservato ad Amsterdam una lettera scritta nel 1898 da una certa Louise Freyberger, amica di Helene. La frase iniziale dice: «Che Freddy Demuth sia figlio di Marx lo so dal Generale [Engels] stesso».

Pochi giorni prima di morire nell'agosto 1895 per un cancro all'esofago, Engels aveva confidato a un amico che Freddy era figlio di Marx e non suo. Con questa rivelazione voleva probabilmente anche alleggerirsi la coscienza, allontanando i rimproveri e le critiche che gli erano piovuti addosso per aver così trascurato quel «figlio». L'amico comune Samuel Moore, uno dei traduttori di Marx, riferì la cosa a Eleanor, la quale rifiutò con sdegno quell'attribuzione di paternità. Quando Engels lo venne a sapere commentò rassegnato: «*Tussy wants to make an idol of her father*». Alla vigilia della sua morte, Engels comunque ripeté ancora una volta l'intera storia, e poiché la malattia alla gola gli impediva di parlare la scrisse su una lavagna. Quando Eleanor vide quelle parole scoppiò in lacrime.

Scrive ancora Louise: «Freddy assomiglia moltissimo a Marx e ci voleva davvero un cieco pregiudizio per vedere in

quel volto così evidentemente ebraico, dai capelli folti e neris-
simi, la sia pur minima somiglianza col Generale».

L'autenticità di questa lettera è stata messa più volte in discussione. Si è arrivati addirittura a sospettare che fosse un
falso abilmente preparato da agenti nazisti per screditare il
padre del socialismo scientifico. Le figlie di Karl, soprattutto
Eleanor che frequentò con più assiduità Freddy, rimasero a
lungo convinte che il padre fosse Engels. Nel 1882 (cioè quando Freddy aveva ormai trentun anni) Eleanor scrive a Laura:
«Freddy s'è davvero comportato in modo ammirevole sotto
ogni aspetto e l'irritazione di Engels nei suoi confronti è ingiu-
sta, anche se comprensibile. A nessuno di noi, forse, piacereb-
be incontrare il proprio passato in carne e ossa. Io incontro
Freddy sempre con un senso di colpa consapevole dell'ingiustizia che gli è stata fatta. La vita di quell'uomo! Nel sentirglie-
la raccontare provo dolore e vergogna».

Fu per allontanare quel dolore e quella vergogna, attribuen-
done il peso all'autentico responsabile, che Engels in punto di
morte si decise a rivelare la verità? Questa è in ogni caso l'ipotesi che la storia ha ritenuto autentica.

Gli ultimi mesi di vita di Marx sono penosi. I malanni di cui
ha sempre sofferto s'aggravano tutti insieme: disturbi al fegato
con conseguente foruncolosi, infezione agli occhi, bronchite
cronica (dovuta al fumo e alla nebbia), emorroidi. La morte della moglie e delle figlie lo deprime. Subito dopo la morte di
Jennychen, Eleanor parte per portare a suo padre la tristissima
notizia: «Avevo la sensazione» scrisse «di portare a mio padre la
condanna a morte».

Indebolito, svuotato, Marx passa le ultime giornate seduto in
poltrona, con lo sguardo spesso perduto nel vuoto, i piedi immersi in pediluvi bollenti. A metà marzo del 1883, esattamente
mercoledì 14, verso le due e mezzo del pomeriggio, Engels sale
dal vecchio amico, com'è solito fare. La fedele Lenchen lo accoglie sulla porta dicendo di aver lasciato Karl in poltrona «mezzo
addormentato». In realtà, quando i due entrano lo trovano morto: un trapasso, da ciò che possiamo giudicare, sereno. Annotò
Engels: «Vedendolo stasera disteso sul letto, sul viso la rigidità

cadaverica, non riesco nemmeno a concepire che questa testa geniale abbia cessato di fecondare con i suoi potenti pensieri il movimento proletario dei due mondi».

Pochi giorni dopo Marx viene sepolto in un angolo remoto del cimitero di Highgate alla presenza di undici persone. I giornali socialisti e operai di mezzo mondo danno la notizia con una certa enfasi, quelli borghesi la riassumono in poche righe.

Il monumento che oggi si può vedere e davanti al quale si può sostare con reverenza, quali che siano le idee politiche di ognuno, è stato inaugurato, a cura del Partito comunista britannico e del Pcus, nel 1956, anno della destalinizzazione e della vittoria di Kruscev.

Due frasi ornano il basamento: il famoso slogan «Proletari di tutti i paesi, unitevi» e una frase tratta dalle XI tesi su Feuerbach del 1845: «I filosofi hanno diversamente interpretato il mondo; ora si tratta di trasformarlo».

XIII

QUEL VERGOGNOSO DESIDERIO

Ci sono vari luoghi a Londra dove è possibile rintracciare ciò che resta della città «vittoriana». La grande regina regnò così a lungo (dal 1837 al 1901) da sovrapporre la sua severa effigie a buona parte del Diciannovesimo secolo. La sua immagine appare spesso al visitatore: una statua, un manifesto, un bassorilievo, una moneta o medaglione, perfino una pubblicità. Al Victoria and Albert Museum esiste una sezione tutta dedicata ai costumi (abiti e biancheria) di quel periodo. Al numero 18 di Folgate Street il progettista Dennis Severs ha ricreato una serie di ambienti storici offrendo ciò che definisce «un'avventura dell'immaginazione», vale a dire la ricostruzione fedele fino al dettaglio di ciò che furono i famosi «interni» dell'epoca.

La vera avventura, se non dell'immaginazione certo della documentazione, la offre, però, il Museum of London, tra i più grandi e completi musei di storia urbana. La raccolta di oggetti e informazioni sulla città comincia addirittura in epoca preromana, procede nel corso dei secoli, e dedica ovviamente molta attenzione e spazi adeguati all'epoca di Vittoria.

Tra i tanti oggetti e curiosità c'è anche una «passeggiata vittoriana» (Victorian Walk), cioè un percorso lungo il quale si vedono ricostruiti, con ottimo gusto e materiale autentico o ben riprodotto, botteghe e vetrine, laboratori artigiani, lampioni stradali, panchine pubbliche, banchi di negozio, lo stesso selciato cittadino. Il «walk» mostra gli agi che un'economia fiorente, alimentata da un Impero sterminato, poteva assicurare alla parte più abbiente della popolazione. Quelli furono anni di profondi cambiamenti nella vita quotidiana: il telegrafo e la luce elettrica, le macchine a vapore e i principi di igiene e di antisepsi, le ferrovie e più tardi il motore a scoppio; rivoluzioni che accorciarono le distanze, accelerarono le comunicazioni, introdussero nuove abitudini degli esseri umani, allungarono la vita.

Furono anche gli anni del ferro, un materiale con il quale ogni ardimento costruttivo sembrava consentito. Nella grande mostra del 1851, con la quale la Gran Bretagna celebrava la sua potenza commerciale e militare, il Crystal Palace in Hyde Park (costruito tutto intorno ai giganteschi olmi) suscitò l'ammirazione del mondo. Una smisurata struttura in ferro, esile e robusta nello stesso tempo, con le «pareti» formate da trecentomila lastre di cristallo che davano all'insieme leggerezza e luminosità senza pari. Un'idea in scala ridotta di ciò che il Crystal Palace, perduto in un incendio nel 1936, dovette essere la dà il padiglione centrale dei Kew Gardens, la Palm House, che risale infatti alla stessa epoca.

Accanto a tali aspetti nel Museum of London è dato spazio anche al rovescio di quella luminosa medaglia: miseria e malattie, criminalità e prostituzione. Dire che alcune giovani donne disperate si vendevano per un boccone di pane non è una metafora, ma la semplice e abituale realtà dell'epoca. Ci sono del resto a darne testimonianza Dickens e le realistiche «sceneggiature» della «Illustrated London News», con incisioni che nulla nascondono dell'abiezione in cui erano immersi interi quartieri di Londra.

Anche i mezzi di costrizione sono raccontati e illustrati al Museum of London: i ceppi, la gogna, le gabbie di fustigazione in uso nelle prigioni, le tagliole umane, potenti lame di ferro a molla dissimulate nel terreno dei giardini privati che causavano al malcapitato che le calpestasse ferite alle gambe così profonde da costringere spesso all'amputazione.

Tutto questo era la Londra vittoriana: la vita più agiata d'Europa e quella più tetra, mai illuminata nemmeno da quel sole che alla miseria dei paesi del Sud dà quantomeno il beneficio della luce. Il museo ci fa vedere Londra sopra la superficie, con i suoi commerci, le industrie, la finanza, le sterminate risorse dell'Impero. E Londra sotto la superficie, con gli operai abbrutiti dall'alcol, le donne sformate da troppe gravidanze, bambini malnutriti, coperti di cenci, trasformati precocemente in ladri o in prostitute.

Chi ha voluto dare un connotato prevalente a quel periodo lo ha racchiuso in una parola: ipocrisia. Perfette buone maniere, sotto le quali nascondere ogni sorta di vizi, tollerati proprio in quanto coperti, così come coperte dovevano essere le gambe, comprese quelle dei tavoli, o certe parti del corpo come il petto, compreso quello del pollo.

L'immagine stereotipa di quell'esasperato perbenismo potrebbe avere la seguente «configurazione»: un padre di famiglia d'aspetto patriarcale, anche se appena quarantenne, recita a capo chino lunghe preghiere prima che moglie, figli e domestici diano avvio alla cerimonia del pranzo. Quest'uomo, prosegue il cliché, ama il suo paese e la regina, crede nel futuro della patria, disprezza in modo più o meno aperto gli altri popoli, a cominciare dai francesi, appena al di là del Canale, di cui peraltro subisce il fascino su alcuni limitati argomenti come cibo e profumi. È un uomo che lavora e risparmia molto, si è sposato relativamente tardi con una ragazza giunta, come ovvio, vergine alle nozze, ma che anche dopo il matrimonio ha saputo poco della vita amorosa e sessuale: i rapporti che ha con il marito sono sporadici e frettolosi, avvengono al buio contenendo al massimo ogni accenno di piacere, con l'impaccio di vesti notturne che ostacolano i movimenti, ammesso che di movimenti, eccettuati quelli indispensabili, si possa parlare.

Questa donna, che non ha mai conosciuto altri uomini oltre al proprio sposo, passa le sue giornate afflitta spesso da estenuanti mal di capo che la costringono su un divano in una stanza oscurata. Le gravidanze l'hanno precocemente sfiancata, i figli la rispettano senza amarla. Suo marito mantiene in casa una rigida disciplina, il costume corrente gli consente di frustare i figli maschi quando non obbediscano e di lasciare le figlie femmine nella stessa ignoranza della loro madre. È tuttavia possibile che quest'uomo abbia avuto una relazione con una delle cameriere, e che l'abbia messa alla porta senza un penny d'indennizzo quando la giovinetta ha scoperto di essere incinta. Poiché il suo reddito glielo permette, ora mantiene un'amante in un alloggio discreto, dove si reca di tanto in tanto tra la fine del lavoro e il ritorno al focolare domestico. Questa amante è condivisa, senza ammetterlo apertamente, con un altro gentiluomo uguale a lui in modo che le spese risultino ripartite in modo equo. La ragazza, figlia di operai, è diventata una cocotte dopo aver cominciato come cameriera ed essere stata messa alla porta dal suo padrone il giorno in cui si era resa conto d'aspettare un bambino.

Quanto c'è di vero in questo corrotto presepio? Tutto e niente. Tutto nel senso che ogni singola qualità (vizi, durezze, «ipocrisie», appunto) potrebbe di sicuro essere rintracciata in certe diffuse abitudini della borghesia. Anche niente però, nel senso che probabilmente nessuno incarnò con tale ottusa fedeltà lo stereotipo corrente. Possiamo comunque dire, per esempio, che William Gladstone passava le sue serate a pattugliare le strade di Londra alla ricerca di prostitute da redimere. Aveva dei rapporti con loro? Forse no, anche se, rientrato da quelle escursioni, e da quei conturbanti colloqui, si flagellava a lungo per ricacciare chissà quali pensieri. Algernon Charles Swinburne, grande e raffinato poeta, era un habitué del bordello di St John's Wood, specializzato in vari tipi di piacevoli supplizi ai quali l'illustre ospite di buon grado si sottometteva.

Charles Dickens, tra i massimi geni narrativi europei, tra i più autorevoli sostenitori della moralità ufficiale, era così sconcertato dalla prolificità della moglie e dalla sua mole sempre più massiccia da costringerla ad accettare la separazione, sancita la quale si unì alla giovanissima attrice Ellen Terman. La signorina Terman, diventata l'amante del grande Dickens, dovette rinunciare alle scene e ridursi a vivere un'esistenza semiclandestina.

Mary Ann Evans, che scrisse le sue opere con lo pseudonimo di George Eliot, convisse per anni con il signor George Henry Lewes, il quale continuò peraltro a essere sposato con una donna dalla quale non riusciva a separarsi. John Ruskin, per converso, uno dei fondatori dell'estetica vittoriana, l'uomo che proclamava il valore morale e religioso dell'arte e che ebbe notevole influenza sui contemporanei, Proust compreso, quando la prima notte di nozze, a ventinove anni, scoprì che le donne non hanno il ventre polito come le statue classiche, bensì offuscato da un'immonda peluria, si alzò dal letto e fuggì inorridito. La moglie Effie aspettò per qualche anno che John si riprendesse dallo choc, poi si decise a sposare un altro John, il pittore John Everett Millais, più avvezzo alla fisiologia umana e agli usi del mondo.

In un libro dedicato alle donne inglesi (*The Women of England*) Sara Ellis consigliava (1842) di riconoscere la superiorità del marito: «semplicemente in quanto uomo. Nel carattere di un uomo nobile, illuminato, giusto e buono vi sono un potere e una sublimità così prossimi a ciò che noi crediamo siano la natura e la capacità degli angeli ... che nessuna parola può descrivere il grado di ammirazione e di rispetto che può suscitare la contemplazione di una tale personalità». Amen.

Tutto chiaro, allora? È questo il quadro della famosa società vittoriana? Consistette solo in una ipocrita sottomissione ai costumi il lungo regno durante il quale Vittoria, regina e imperatrice delle Indie, forgiò un paese lanciato verso la modernità?

Alexandrina Victoria (Alessandro I zar delle Russie era stato uno dei suoi padrini) è la donna che ha occupato il trono più potente della terra per oltre sessant'anni, ha dato il suo nome a laghi e cascate, isole e semicontinenti; ha sposato un cugino, Alberto di Sassonia-Coburgo-Gotha, lo ha amato appassionatamente avendone nove figli, lo ha perduto per una stupida infezione tifoidea quando lui aveva solo quarantadue anni, lo ha pianto al punto da vestire sempre di nero da quel giorno in poi. La qual cosa non le ha impedito di trasformare, forse, in amante il più fidato dei suoi valletti. Il personaggio, insomma, è contraddittorio come la sua epoca. C'era l'ipocrisia, indotta soprattutto dalla venerazione delle forme borghesi, ma c'era anche molto altro. Vorrei cominciare a raccontarlo con il breve ritratto di una donna eccezionale, avventuriera e seduttrice, eroina e prostituta, incarnazione di tutto ciò che l'Inghilterra vittoriana ufficialmente avrebbe dovuto rifiutare e che invece segretamente praticò.

Per l'anagrafe era Marie Dolores Eliza Rosanna Gilbert, nata nel 1818 a Limerick, in Irlanda, località nota per aver dato nome a una breve composizione poetica di contenuto quasi sempre ironico. Il padre era un ufficiale inglese, la madre una spagnola. Spagnolo comunque è lo pseudonimo che la ragazza scelse quando cominciò la sua avventura: Lola Montez.

Lola passa buona parte dell'infanzia in India, dove il padre è stato trasferito. Non ha nemmeno diciannove anni quando i genitori progettano di darla in sposa a un giudice sessantenne, amico di famiglia. La ragazza si ribella, fugge di casa, sposa Thomas James, un ufficialetto. L'unione dura poco. A ventiquattro anni, Marie Dolores diventa Lola e comincia una carriera di danzatrice solista. Per una curiosa coincidenza, anche Margaretha Geertruida Zelle, nata in Olanda il 7 agosto 1876, meglio conosciuta come Mata-Hari, aveva sposato giovanissima un ufficialetto per poi darsi alla carriera di «danzatrice sacra», oltre che di maldestra spia per la Germania. Erano gli anni della Grande guerra e le analogie finiscono qui.

I manifesti che fa stampare l'annunciano come «Lola Montez, the Spanish dancer». Gli spettacoli hanno scarso successo, la carriera comincia così male che chiunque altro si sarebbe scoraggiato. Non lei, però. Lascia l'Inghilterra, prende a girare il mondo seducendo tutti gli uomini che può, purché in posizione elevata o per intelletto o per censo, o per entrambe le cose. Occhi azzurri, capelli corvini fluenti sulle spalle spesso illeggiadriti da un velo, nero anch'esso, che piccole rose rosse fermano alle tempie, seno fiorente, vita snella, gambe da ballerina, spirito indomito: questo insieme di qualità la conduce nel letto di Franz Liszt, di Alexandre Dumas, soprattutto in quello di Luigi I di Wittelsbach, il re folle, l'uomo che abita castelli da fiaba e sperpera fortune con le donne e con gli artisti. Lola si insedia nel suo letto e quasi sul suo trono a Monaco. Ludovico ha ormai sessant'anni, proprio come il giudice che volevano farle sposare, lei nel frattempo è cresciuta, e poi non tutti i sessantenni sono uguali.

Lola dà un impulso liberale a quel regno barcollante, tenta di favorire alcune riforme, di venire incontro alle richieste degli studenti che però sono divisi, come tutti, sull'ingombrante presenza di quella donna. Ludovico, pazzo d'amore, la fa cittadina bavarese per poterle conferire un titolo e relativo appannaggio: Lola diventa così la contessa di Landsfeld. Quando scoppiano anche a Monaco, come in tutta Europa, i moti del 1848, Ludovico deve rinunciare al trono e Lola finisce prima in Svizzera, poi negli Stati Uniti, dove sposa in terze nozze Patrick P. Hull, un editore di San Francisco. Segue, dopo una tumultuosa convivenza, l'immancabile divorzio. La donna comincia a mostrare i segni di una vita troppo movimentata, certe sue eccentricità diventano un po' patetiche; per esempio il vezzo di mostrarsi in giro con un pappagallo bianco appollaiato sulla spalla. Un vicino di casa, nella Grass Valley dove l'inquieta coppia vive, scrive di lei: «Ha ancora una piacevole figura con folti capelli neri e gli occhi più scintillanti che abbia mai visto. Di solito però è una tale sudiciona da risultare francamente disgustosa. Quando si mette, e lo fa spesso, un abito molto scollato si vede chiaramente, sotto lo spesso strato di cipria, che avrebbe bisogno di un bel po' di sapone».

Troppi uomini, troppi divorzi; sembra averla abbandonata la lucida determinazione dei primi anni. Deve lasciare la California, tenta in Australia ed è un disastro, fa ritorno a New York, non più nei bei quartieri eleganti intorno alla Fifth Avenue. Adesso va a Brooklyn, in seguito si sposta addirittura nella sordida zona di Manhattan chiamata Hell's Kitchen, la cucina dell'inferno, dominio della malavita. Lì la coglie il colpo fatale che prima la rende muta poi l'uccide. Il «New York Times», ricordandola, scrive fra l'altro: «In una squallida pensione nel distretto newyorkese detto Hell's Kitchen, Lola Montez è morta il 17 gennaio 1861. La famigerata contessa di Landsfeld, un tempo molto amata per la bellezza e il temperamento, certo non per la sua abilità di danzatrice, aveva solo quarantadue anni. La sua vita è stata come una fiaba, con dentro anche un po' di verità».

Anche Lola Montez è figlia della cultura vittoriana? O fa caso a sé? La sessualità del periodo è una faccenda molto complicata, vi si trova di tutto: estremo pudore, riservatezza, contegno, ma anche le più sfrenate licenze.

Un celebre «Anonimo» si è diffuso a raccontare in molti volumi, senza nulla omettere, la sua *Vita segreta*. Nel repertorio sterminato di avventure, lo sconosciuto Walter, questa è la sua sola identificazione, fa balenare l'importanza di quelle che lui definisce «idealità» e che noi chiameremmo piuttosto «fantasie». La sua conclusione è che il piacere amoroso del genere umano non è mai solo animale. Walter racconta che al termine di un amplesso particolarmente elaborato, una sua partner una volta gli chiese: «*Ain't we beasts?*», non siamo come bestie? No, rispose il protagonista, non lo siamo proprio perché sono le fantasie a distinguerci dalle fiere.

Non tutte le donne conoscono tali ardimenti, ce ne sono anzi che considerano il pudore un requisito indispensabile alla femminilità. Un medico di Philadelphia, citato nel *Godey's Lady's Book*, si confessa orgoglioso di aver constatato che «le donne preferiscono soffrire all'estremo e rischiare la vita piuttosto che abbandonare quegli scrupoli di riserbo che impediscono l'accertamento completo delle loro malattie». In una normale visita ginecologica la paziente si limita a indicare su una figura il punto dolente, solo in casi estremi si passa a un vero esame della parte. Del resto, ancora nel 1878 il «British Medical Journal» si chiedeva se i prosciutti, maneggiati da una donna mestruata, diventassero rancidi.

Le cronache tramandano un episodio per diversi aspetti illuminante. Verso la fine degli anni Ottanta dell'Ottocento, il ginecologo Francis Imlach viene querelato dalla signora Casey, una paziente alla quale ha dovuto asportare un'ovaia a causa di una grave infiammazione. La signora lamenta che, dopo l'operazione, ha perso ogni sensibilità (leggi: piacere) nei rapporti con il marito. Il processo si chiude con una sentenza favorevole al medico, ma ciò che a noi più interessa è il dibattito che la precede. Fra gli altri, era stato chiamato a deporre uno dei più celebrati chirurghi inglesi, Robert Lawson Tait, il quale aveva eseguito numerosi interventi di isterectomia su ragazze vergini. Tait esclude che l'asportazione di una parte dei genitali interni possa avere conseguenze sulla vita erotica di una donna. Cita le testimonianze di vari mariti da lui intervistati dopo operazioni di quel genere che si dichiarano piuttosto soddisfatti delle prestazioni delle consorti. Solo un dottore insinua il dubbio che le donne avrebbero potuto simulare il piacere per non perdere l'affetto dei coniugi.

L'episodio, al tempo molto dibattuto sulle riviste mediche, dimostra che l'ignoranza della scienza sulle funzioni riproduttive e sui meccanismi del piacere è ancora enorme; dimostra, soprattutto, che il diritto di una donna a provare piacere nel rapporto è comunque riconosciuto al punto da poter essere oggetto di una causa per danni.

Ancora alla fine dell'Ottocento, la maggior parte dei medici sapeva poco o nulla su ciclo mestruale, ovulazione, fertilità, per non parlare della masturbazione, maschile e femminile, sulla quale si discuteva quasi esclusivamente in base a preconcetti di tipo moralistico. Si valuta che su materie al confine tra fisiologia, moralità, tabù religiosi e superstizioni popolari, molti medici avessero cognizioni professionali ferme più o meno alla medicina rinascimentale. Quasi tutti i dottori, inoltre, erano sottopagati e pochi se la sentivano di perdere un paziente rivelandogli aspetti della vita sessuale che potessero turbarne i più radicati pregiudizi. Come ha detto uno storico della medicina: «Il medico generico in epoca vittoriana non possedeva libertà né autorità, era al servizio del suo datore di lavoro e dei pazienti».

Parlavo prima di contrasti, eccone un altro. William Acton, noto fisiologo e sessuologo, autore nel 1857 di un saggio su funzioni e patologie degli organi riproduttivi, distillò una sentenza destinata a diventare celebre: la maggior parte delle donne («*happily for them*») non è mai molto coinvolta dalle sensazioni sessuali, quali che siano. L'assurda frase compariva in un capitolo dedicato all'impotenza e intendeva rassicurare gli uomini sull'entità di doveri e impegno amorosi richiesti dal matrimonio. Del resto, secondo la dottoressa americana Alice Stockman (siamo nel 1894), ogni marito che esiga un rapporto sessuale senza scopo procreativo trasforma sua moglie in una prostituta.

Intorno alla metà del secolo, il medico Thomas Girdwood, «specialista» di cicli mestruali, ipotizzava che l'appetito sessuale fosse poco sviluppato nelle donne salvo che durante il periodo mensile, quando toccava il suo culmine. L'idea era ricavata per analogia con il periodo di «estro» degli animali. Si riteneva anche che il flusso mestruale fosse una specie di valvola di sicurezza attraverso la quale scaricare un eccesso di impulsi animali; e che le donne fossero eccitate dall'abito o dall'odore d'un uomo allo stesso modo in cui le femmine degli uccelli o delle fiere sono sensibili al piumaggio o all'afrore dei rispettivi maschi.

Pochi sembravano preoccuparsi della contraddizione esistente tra le idee di un Acton e quelle opposte, largamente circolanti, che attribuivano alle donne una sensualità latente così pronta da poter divampare al solo sfiorarne i genitali, anche nel caso di un rapporto imposto o sgradevole. E le idee sul tipo di stimolazione idonea non erano meno confuse delle altre. Il ginecologo Isaac Baker Brown venne espulso dalla London Obstetrical Society per la disinvoltura con la quale praticava la clitoridectomia sulle sue pazienti. Il medico era convinto (come molti suoi colleghi) che l'asportazione dell'organo non ledesse le capacità sessuali delle sventurate e rappresentasse solo un freno alle tentazioni masturbatorie insorgenti dopo la pubertà.

Un'altra idea generale era che la sensualità femminile non fosse localizzabile in questo o quell'organo, bensì fosse diffusa in tutto il corpo, a partire dall'utero. Perfino alcune pioniere del femminismo come Anne Dryden o Mary Wollstonecraft (madre di Mary Shelley) condividevano questo pregiudizio anche se, ideologizzandola, attribuivano tale vulnerabilità allo stato di soggezione sociale nel quale le donne erano tenute.

La maggiore o minore partecipazione femminile al rapporto veniva comunque giudicata importante ai fini della procreazione; molti ritenevano possibile il concepimento solo se la donna avesse raggiunto «una sensazione di gratificazione animale», una superstizione che risaliva addirittura al Cinquecento. Allo stesso modo si pensava che una gagliarda partecipazione di entrambi fosse determinante per il sesso del nascituro, nel senso, ovviamente, che un figlio maschio avrebbe benedetto la coppia che avesse contribuito, con mutuo vigore, alla riuscita dell'atto.

Un altro pregiudizio molto diffuso era che un'attiva partecipazione da parte della femmina all'atto favorisse il concepimento. Ogni donna che per un qualche motivo temesse una gravidanza faceva di tutto per mantenersi fredda limitandosi, per così dire, ad assistere passivamente.

Un'altra nozione che faticò a farsi strada è quella dell'ovulazione spontanea. Fino agli ultimi decenni dell'Ottocento si continuò a pensare che l'ovulazione fosse prodotta dall'orgasmo; molti medici non smisero di diffondere questa leggenda presso i pazienti persino dopo che la spontaneità del ciclo fu abbondantemente provata. A nulla valse l'obiezione che anche le ragazze vergini avevano un normale ciclo di ovulazione. La causa veniva attribuita o alla masturbazione o a intensi pensieri «amorosi», magari inconsapevoli. La forza dei pregiudizi è tale da non cedere nemmeno di fronte alle più evidenti contraddizioni.

La masturbazione è, appunto, una delle inquietudini che attraversano l'Ottocento e buona parte del secolo successivo. Per decenni i medici, anche i più avvertiti, parlano con convinzione di danni sia fisici sia nervosi e delle disastrose conseguenze, soprattutto per gli uomini, di quell'atto degenerato: cecità, tabe dorsale, progenie tarata, indebolimento nervoso, follia. Tra i pochi che si oppongono a questa convinzione prevalente c'è a Londra il già citato professor John Hunter, il quale si ostina a spiegare che, a suo avviso, l'amore solitario non è in alcun modo nocivo e arriva al punto di sostenere che sia più «dispendioso» in termini energetici un rapporto «normale», soprattutto se appassionatamente consumato con la persona amata. La sua convinzione si fonda, più che su prove di laboratorio o su statistiche ospedaliere, sul senso comune: se l'amore solitario fosse davvero nocivo, considerata la sua diffusione tra i giovani maschi, intere generazioni ne sarebbero segnate. Cosa che per fortuna non è. Dalla premessa l'illustre clinico ricavava la domanda: che cosa in definitiva renderebbe più pericoloso l'amore in solitudine rispetto a quello consumato con un partner?

Naturalmente la razionalità dell'argomento non disarma gli oppositori, i quali obiettano innanzitutto che un atto di così semplice ed «economica» esecuzione può portare a «eccessi», sempre sconsigliabili. La maggior parte dei medici raccomandava, infatti, ai giovani sposi una certa continenza, in parole povere una frequenza non superiore a due volte a settimana. Questa regola era basata sull'idea che l'emissione di liquido seminale fosse molto debilitante per l'uomo. Si arrivò a dire che l'emissione di un'oncia di seme equivalesse alla perdita di due pinte di sangue, anche perché a lungo si credette che il seme ne fosse un derivato e da quello venisse riassorbito quando non emesso. La seconda obiezione era che il raggiungimento di uno stato di sufficiente tensione erotica fosse, in solitudine, molto più difficile e richiedesse, quindi, un dispendioso impegno immaginativo e nervoso. La terza, che il quasi totale controllo delle reazioni fisiologiche portasse a esagerare anche in termini di durata.

Un'ultima obiezione, tra le più comuni, era infine che l'atto solitario non consentiva una piena gratificazione, donde la tentazione di ripeterlo con frequenza nociva in un perfetto, è il caso di dire, circolo vizioso.

Tra le conseguenze del disastro provocato dalla masturbazione venivano indicate le polluzioni notturne e l'eiaculazione precoce, un disagio scambiato per una malattia. Nel tentativo di curarla si fece spesso ricorso alla cauterizzazione dell'uretra, con una procedura indicata dagli sciagurati pazienti come «autentica tortura».

Piuttosto stranamente la masturbazione femminile non aveva uguale rilievo nella pubblicistica medica né veniva condannata con la stessa severità; è probabile che fosse diffusa la convinzione che le donne vi indulgessero con minore frequenza. Ancora una volta, tuttavia, non mancarono i medici che, prendendo di mira il fenomeno, ne indicarono come possibili conseguenze la schizofrenia e l'epilessia. Più precisamente, nel ventennio tra il 1860 e il 1880, si sostenne che la frequente conseguenza finale del vizio solitario potesse essere, anche nelle donne, la follia.

Nei primi decenni dell'Ottocento, lo studioso Francis Place si dedica a indagare le condizioni di vita, comprese le abitudini sessuali, della classe operaia, in quello che è diventato il paese pioniere della rivoluzione industriale. La condizione operaia in Inghilterra era orribile, come del resto confermano testimonianze di ogni tipo: alloggi ripugnanti, alimentazione scarsa o inadatta, mancanza d'igiene, ubriachezza endemica, disordini sessuali. A parte i disagi, c'era l'abiezione morale che la somma di queste condizioni comportava: assenza di autostima, senso perenne di una condanna senza rimedio, vite confinate nei più oscuri e sozzi gironi della società.

L'affollamento nelle aree operaie e all'interno delle abitazioni raggiungeva indici intollerabili. C'erano famiglie in cui sei persone vivevano in un locale seminterrato di otto metri quadrati; bambini di dieci anni venivano mandati a lavorare in fabbrica con turni di dodici ore e picchiati se rifiutavano; per le ragazze era un privilegio riuscire a ottenere un posto di cameriera presso qualche famiglia delle classi superiori, se l'aspetto emaciato, il colorito verdastro, la dentatura guasta non provocavano un rifiuto a prima vista. Con una certa ironia una giovane prostituta rispose in questi termini a chi le chiedeva dei suoi inizi: «Se non fosse stato che eravamo tutti obbligati a spogliarci uno davanti all'altro e a dormire in cinque nella stessa stanza, non credo che oggi farei la vita che faccio, anche se quella forse non è stata la sola causa. Se avessi potuto dormire da sola forse avrei fatto la stessa fine, certo però non così presto».

Ciò che chiamiamo «vittorianesimo», intendendo un complesso di regole, o ipocrisie, o tabù, o semplici norme di buona educazione, scendendo a quei livelli perdeva semplicemente qualsiasi significato. Fra l'altro c'era chi sosteneva che il calore dei macchinari nelle fabbriche accelerasse la maturazione sessuale delle ragazze, accendendone precocemente i desideri. Il medico Peter Gaskell, in uno studio sulla classe operaia del 1833, scrisse che il seno delle giovani lavoratrici diventava assai presto «grande, sodo, molto sensibile», deteriorandosi però velocemente fin dalla prima maternità.

La fabbrica diventa, comunque, uno dei luoghi chiave della società, un ambiente nel quale sperimentare anche le teorie vittoriane della formazione morale. Da un lato si sostiene che il lavoro sottrae operai e operaie all'ozio, alle tentazioni degradanti dell'alcol e della depravazione; la fabbrica inserisce uomini e donne in un contesto retto dalla disciplina, indirizzato alla produzione di beni e di ricchezza per il paese, anche se non direttamente per chi vi lavora. Per converso, altri sostengono che l'utilizzazione di giovani madri mina l'unità della famiglia e, nel caso di ragazze, le sottopone a forti rischi data la contiguità con gli uomini, il calore dei reparti e quindi gli abiti leggeri quando non la seminudità. Uno dei pionieri della continenza, Joseph Livesey, sostiene che il rumore assordante nelle lavorazioni metalmeccaniche basta da solo a ridurre gli operai «quasi alla condizione di bruti».

Anche questa brutta medaglia ha comunque un suo meno deplorevole rovescio. A Londra e in Inghilterra, con encomiabile spirito empirico, sorge un vasto movimento filantropico teso al sollievo dei diseredati, dove si distinguono anglicani ed evangelici: riscatto delle prostitute, educazione dei bambini derelitti e dei figli di criminali, assistenza alle madri bisognose. Rifugi, distribuzione di cibo, classi di insegnamento vogliono migliorare in qualche modo le condizioni delle cenciose folle urbane. Ma ciò che rende ancora più apprezzabili queste iniziative è la concezione morale che le sorregge: i poveri non sono dei maledetti da Dio destinati al carcere o all'ospedale; anzi, la condizione umana può essere migliorata se l'educazione prevale sull'ambiente e sulla stessa indole degli individui. Un luminoso cristianesimo pervade la maggior parte di queste associazioni: «Il cristiano non può mai dimenticare l'umiliante consapevolezza che il male è la costante tentazione dell'umanità dopo la caduta. Tuttavia è compito dei governi considerare il lato positivo dell'umanità; migliore la considerazione che i governi hanno del genere umano, tanto più efficace la loro azione».

Il filosofo tedesco Georg Rimmel (1858-1918) negli ultimi anni dell'Ottocento afferma che la prostituzione serve a soddisfare i bisogni sessuali maschili i quali, se inespressi, finiscono per riversarsi sulle «donne oneste». Rimmel dà al fenomeno una forte connotazione sociale, lo definisce «un male necessario», destinato a esaurirsi solo con la fine del matrimonio monogamico. Con ogni evidenza le cose non sono andate come lui pensava.

In Inghilterra esistevano vari livelli di prostituzione e di locali dove esercitarla. A Londra le prostitute di maggior prezzo operavano nel raffinato West End in locali appositi, dissimulati sopra piccoli eleganti negozi di moda o sul retro di istituti di bellezza, come il costoso Beautiful for Ever di Madame Rachel. Le normali passeggiatrici esercitavano in stanze di comodo (*accomodation houses*), affittate a proprie spese per sfuggire allo sfruttamento. Altre, meno fortunate o meno abili, vivevano in stato di semicomunità (*introduction houses*), continuamente controllate da una «Madame», che aveva anche il compito di introdurre i clienti e presentare loro questa o quella ragazza a seconda della disponibilità economica e dei gusti. Un ulteriore tipo di bordello, il peggiore, era la cosiddetta *dress house*, nella quale le donne vivevano in una condizione di perpetuo indebitamento con gestori e proprietari. Una condizione simile alla schiavitù da cui era quasi impossibile uscire, a meno di non ribellarsi. In quel caso le sventurate venivano subito espulse e gettate in mezzo alla strada, dopo che uomini di mano a disposizione dei gestori le avevano duramente punite. Il giro d'affari era molto lucroso, come vari esempi dimostrano. Un reclutatore di ragazze nel lontano Oriente pagava la «merce» all'origine tra 20 e 50 dollari al «pezzo», mentre i proprietari di un bordello di San Francisco sborsavano tra 1500 e 3000 dollari. Nella Londra vittoriana i prezzi erano differenziati per classe sociale. Una ragazza sana di origini operaie tra i quattordici e i diciotto anni era valutata intorno alle 20 sterline; una ragazza di uguali caratteristiche ma appartenente alla borghesia, 100.

Nel 1885 il giornalista W.T. Stead pubblicò sulla «Pall Mall Gazette» una serie di articoli sull'industria della prostituzione nel West End londinese, da lui ribattezzato «moderna Babilonia». L'inchiesta era corredata da un autentico scoop: il cronista aveva «acquistato», direttamente dalla madre, una ragazza vergine e l'aveva portata con sé a Parigi. Nulla più di questo era accaduto. Anzi, appena arrivato nella capitale francese, Stead s'era affrettato a consegnare la piccola infelice a un'associazione caritatevole. Tale scrupolo non gli evitò una condanna a qualche settimana di prigione, ma l'animoso giornalista si ritenne ugualmente soddisfatto: aveva dimostrato con quale irrisoria facilità era possibile comprare una ragazza e portarla in giro per l'Europa, trasformandola in un oggetto sessuale.

Le cause sociali della prostituzione londinese erano in genere legate all'urbanesimo. Il reclutamento più frequente era tra le ragazze povere, arrivate da poco dalla campagna, spaesate nella grande città, in cerca di occupazione. Una buona percentuale passava quasi direttamente dal lavoro dei campi al marciapiede. Non era infrequente il caso di ragazze che si vendevano solo in certi giorni della settimana per arrotondare ciò che guadagnavano come cameriere o commesse.

Una delle conseguenze era l'incidenza piuttosto alta delle malattie d'origine sessuale, tra le quali la più temuta era la sifilide e la più ricorrente la gonorrea. Negli anni di cui parlo si riteneva che la *Spirochaeta pallida*, agente della sifilide, penetrasse nell'organismo attraverso una ferita o un taglio anche minimo, proprio come oggi si dice dell'Aids. Era però già noto che la malattia potesse essere congenita, trasmessa cioè direttamente dalla madre al feto. Molti bambini nati da madri infette morivano nella prima infanzia. Le cognizioni cliniche erano, anche in questo campo, rudimentali. I medici non sapevano neppure che gonorrea e sifilide erano due malattie diverse e scambiavano spesso i sintomi della prima per la fase iniziale della seconda. La terapia più diffusa era a base di mercurio, trattamento doloroso e di dubbia efficacia. Accadeva che venissero giudicati guariti individui nei quali perdurava invece la fase infettiva.

Una piccola notazione a margine riguarda l'origine del nome «sifilide», che dobbiamo al medico padovano Girolamo Fracastoro, autore del poema mitologico in esametri *Syphilis sive de morbo gallico* (1530), nel quale si narra come il pastore Sifilo fosse punito con le immonde piaghe per aver tradito il dio Sole. Interviene poi Apollo e per sua intercessione le cose si aggiustano. Al di là della veste mitologica, è importante ricordare che questo medico è stato il primo a parlare di *contagium vivum* come causa delle malattie infettive, cioè di germi o virus, per cui può a buon diritto essere ritenuto il padre della moderna patologia. Quanto al «mal francese», interessante notare che i francesi chiamavano la sifilide «mal napolitain» e gli spagnoli «male veneziano». Scambi di cortesie.

Le malattie veneree raggiunsero una tale diffusione che nel 1864 il Parlamento varò una legge («Contagious Diseases Act») che autorizzava la polizia a fermare le sospette prostitute per obbligarle a un controllo medico. Se malate, le ragazze potevano essere trattenute in modo coatto per un periodo fino a tre mesi. Nessun controllo era invece previsto per i clienti, il che giustificava la critica che la legge favorisse una «doppia moralità». Anche i metodi coercitivi suscitarono proteste. La segreteria della Ladies' National Association definì le ispezioni vaginali «un affronto al pudore delle ragazze».

La paura del contagio fece crescere la domanda di «prostitute vergini». Circolava infatti la diceria che il rapporto con una vergine guarisse dalla sifilide. Le conseguenze per le ragazze che, invogliate dal denaro, acconsentivano a questi rapporti erano, ovviamente, rovinose. All'inizio del Diciannovesimo secolo il prezzo per una prestazione del genere arrivava fino a cento sterline. In seguito scese molto, anche perché non era infrequente il caso di «pseudo-vergini» abili nel far credere ciò che non era con trucchi di vario genere, sia anatomici sia manipolatori. In alcuni casi la prova dell'illibatezza era un certificato medico compiacente o l'abilità chirurgica (chirurgia plastica, diremmo oggi) d'un qualche medico. Alcuni di quei trucchi erano del resto noti fin dall'antichità. Intorno all'anno Mille ne aveva già parlato il medico e filosofo persiano Avicenna. Poiché la lacerazione dell'imene produce in genere una lieve emorragia, lenzuola macchiate di sangue erano considerate la prova più convincente della purità della sposa. Già dai tempi di Avicenna era però noto che per simulare una modesta emorragia basta un frammento di spugna intrisa di sangue o l'introduzione di una sanguisuga. Nella maggior parte dei casi per restituire una perduta illibatezza venivano impiegate dosi massicce di astringenti, come vapori di aceto, acqua di mirra, infuso di ghiande, allume.

Non erano solo le ragioni sanitarie a far lievitare la domanda. Poter «iniziare» una fanciulla era considerata un'esperienza esaltante, risalendo, nella sostanza, all'usanza altomedievale nota come *jus primae noctis* o *droit du seigneur*, in base alla quale il principe o il feudatario si riservavano il diritto di deflorare la sposa novella prima di consegnarla al legittimo marito. Le vergini autentiche venivano reclutate di preferenza, oltre che nelle stazioni all'arrivo dei treni dalla provincia, nei parchi pubblici, dove governanti e bambinaie badavano ai figli dei loro datori di lavoro. I reclutatori facevano balenare una ghinea d'oro, chiedendo in cambio «un piccolo sacrificio». Se dobbiamo credere alle statistiche, la percentuale di risposte positive era alta, anche se altrettanto alti pare fossero i pentimenti dell'ultimo minuto. I bordelli specializzati in quel tipo di prestazioni avevano sempre alcune stanze debitamente insonorizzate e il cronista della «Pall Mall Gazette» poté scrivere nella sua inchiesta:

Nei bordelli le pratiche della bastonatura e della fustigazione sono molto più diffuse di quanto comunemente si creda. Una delle stanze nella casa di Mrs Jeffres era attrezzata come una vera camera di tortura ... Al soffitto erano fissati alcuni anelli ai quali poter appendere per i polsi ragazze o bambini, in ogni angolo strisce di cuoio per legarli, così come lettini speciali sui quali la vittima poteva essere immobilizzata nella postura voluta. Gli strumenti di flagellazione includevano staffili, frustini, bastoni e intere collezioni di gatti a nove code.

Circolavano anche degli opuscoli a uso delle prostitute indipendenti, nei quali si illustravano i vari tipi di fustigazione e il modo di infliggerle. Per l'abbigliamento veniva sconsigliata la completa nudità mentre si suggeriva un'esposizione di membra sapientemente parziale «in modo da provocare nel cliente il più alto grado di soddisfazione». Ampia la scelta dei «costumi»: dalla pelliccia indossata sulla nuda pelle, all'abito monacale, alla tenuta da scolaretta, alla minacciosa biancheria in cuoio nero.

Erano apprezzate le prostitute molto giovani, sia che simulassero assoluta innocenza sia che si mostrassero invece «vecchie nel peccato». L'età del consenso per esercitare cominciava a tredici anni, elevati a sedici a partire dal 1885. Josephine Butler (presidente della Ladies' National Association) rilevò nel 1869 che su novemila prostitute «millecinquecento erano sotto i quindici anni, un terzo sotto i tredici». Cifre spaventose, ma non troppo sorprendenti in un paese, e in un'epoca, in cui bambini di quell'età, e anche di età inferiore, lavoravano per dodici o quindici ore al giorno nelle miniere o negli altiforni.

Bambini più fortunati di questi aveva in mente William Acton quando, rivolgendosi a persone della borghesia urbana, dettò i suoi precetti sull'educazione sessuale dell'infanzia: «Per i soggetti sani, e in particolar modo per i bambini cresciuti all'aria pura e in mezzo alle semplici distrazioni della campagna, la regola dovrebbe essere una perfetta libertà, ovvero una completa ignoranza delle faccende sessuali. Il primo e unico sentimento manifestato tra i sessi nella più giovane età dovrebbe essere quello dell'affetto fraterno». Nel giro di pochi anni Sigmund Freud avrebbe cominciato a studiare l'inconscio, sessualità infantile compresa.

Le conseguenze giudiziarie dei reati sessuali erano molto diversificate. La violenza sessuale era considerata dalla giurisprudenza *«heinous crime»*, un crimine efferato, definito anche *«the act of a bestial, subhuman, underclass»*, l'atto di un sottoproletariato bestiale e inumano. La durezza della definizione si trasformava paradossalmente in una garanzia per i membri delle classi superiori. Infatti erano rare le violazioni punite con il carcere; nella maggioranza dei casi i giudici davano credito alla tesi difensiva che si trattasse di una falsa accusa. Influenzavano questi giudizi questioni di censo, nonché quel vago criterio, essenziale per la moralità dell'epoca, che va sotto il nome di «rispettabilità». Perché ci fosse «stupro» si richiedeva che una donna, per l'appunto «rispettabile», fosse aggredita da un uomo di una classe inferiore e che le conseguenze dell'attacco fossero evidenti lesioni fisiche. Il caso opposto, cioè di un signore «rispettabile» che avesse tentato di violentare o violentato una cameriera o impiegata, si chiudeva quasi sempre con un'assoluzione. In forza della sua rispettabilità si reputava un tale uomo incapace di un'azione tanto degradata, e la stessa severità della definizione legislativa veniva in soccorso del possibile aggressore. Si riteneva più verosimile che la ragazza, alla ricerca di soldi o di una sistemazione, si fosse inventata tutto.

Sempre in campo giudiziario, un certo equilibrio «sociale» si ristabiliva con le sentenze per casi di sospetto infanticidio. Se una ragazza nubile e povera dava segretamente alla luce un neonato morto subito dopo il parto, era rara l'accusa d'infanticidio. Se veniva imprigionata era in genere con l'accusa,

assai meno grave, di «occultamento di gravidanza». Tale benevolenza dipendeva in parte dall'oggettiva difficoltà di ac-
certare le cause della morte, ma in parte era anche un segno di
comprensione per le condizioni terribili di queste sventurate.
Infatti, diversa e più severa era la valutazione di un infanticidio commesso all'interno di una regolare famiglia borghese.

Un altro caso in cui i giudici dimostravano una certa simpatia nei confronti delle vittime era quello di una ragazza che
denunciasse un uomo per la rottura della promessa di nozze
(*breach of promise*). I buoni borghesi membri della giuria si im-
medesimavano con facilità nella parte della ragazza che aveva
ceduto per amore, certa dell'imminente matrimonio, ed era
invece stata derubata fraudolentemente della sua «virtù». Il
colpevole non subiva conseguenze penali ma veniva condannato al pagamento di un congruo risarcimento.

La società vittoriana adottò una doppia morale anche nei
confronti dell'omosessualità, allora conosciuta in Europa come
«vizio inglese». La tendenza prevalente era di ignorarla nelle
persone dotate di prestigio, fascino, censo, e di condannarla, invece, aspramente nei poveri, negli immigrati, negli anticonfor-
misti. L'esempio più illustre resta, è ovvio, Oscar Wilde. Nel
1828 in Inghilterra era stata emanata una legge che prevedeva
la pena di morte per «chiunque si dimostrerà colpevole dell'a-
bominevole delitto di sodomia, commesso sia con un esponente del genere umano sia con un animale». Minaccia, in realtà,
più teorica che reale, dal momento che per la «prova» si chiedeva la presenza di uno o più testimoni; bastava, quindi, una certa
cautela ad allontanare il cappio del boia.

Nel 1885 venne emanata un'altra legge che emendava la
precedente. Scopo principale del «Criminal Law Amendment
Act» era la protezione delle ragazze e la soppressione tenden-
ziale dei postriboli; una delle sue conseguenze, forse involon-
taria, fu però un incrudimento della condizione di omosessuale. In pratica si sanzionava anche una relazione privata tra
adulti consenzienti, mentre diventava più incerto il sottile
confine tra una vera relazione amorosa e la tipica attitudine
anglosassone a stabilire profonde amicizie virili, nelle quali
non manca mai una componente affettiva manifesta o latente.

Le più celebrate *public schools*, le università più prestigiose, sono sempre state luoghi deputati alla nascita di questo tipo di relazioni, amichevoli o amorose che siano. L'isolamento quasi monastico, la severità dei luoghi, la scarsità di compagnie femminili, la riluttanza a esternare i propri sentimenti, tutte celebri componenti dell'educazione e dell'animo britannici, hanno contribuito a diffondere questi rapporti trasformandoli, secondo alcuni, nel vero cemento che ha tenuto unita la classe dirigente facendone nel bene e nel male una casta.

Le trasgressioni più esplicite all'ipocrisia vittoriana, se vogliamo adoperare questo luogo comune, vennero dagli artisti e dagli intellettuali. In nome dell'arte la stessa Vittoria si concesse alcune deroghe alla severità puritana che voleva imporre al suo popolo. Fu lei a ordinare nel 1866 alla Royal Academy l'esposizione di un dipinto, che molti ritenevano oltraggioso, raffigurante Lady Godiva rivestita solo dei suoi lunghi capelli rossi. La dama in questione era diventata celebre essendosi esibita in quel modo (Coventry, 1067) per protestare contro il peso delle tasse. Il ritratto fece sensazione, anche perché per il corpo dell'eroina aveva posato la famosa attrice Madame Warton. L'autore del dipinto, Edwin Henry Landseer, in Francia sarebbe stato definito un *pompier*, cioè un maestro del gusto facile, abile illustratore più che vero artista.

Sempre Vittoria era solita regalare a suo marito, il principe Alberto, audaci quadri di nudo a ogni compleanno; cosa tanto più indicativa nel caso avesse ragione il critico Kenneth Clark (1903-1983) quando afferma che «la pittura inglese in fatto di nudi non è mai riuscita a superare la soglia del voyeurismo».

Dante Gabriel Rossetti (1828-1882), figlio di un patriota e poeta abruzzese, tra i fondatori della Confraternita dei preraffaelliti, tentò di reinterpretare il «candore mistico» di pittori come il Beato Angelico, anche se questo non gli impedì di diventare l'amante della signora Morris, moglie di quel William Morris grande designer *ante litteram*, creatore di tessuti e tappezzerie dominati dall'eleganza di floreali arabeschi. Rossetti era anche un buon poeta e merita di essere ricordata in questo capitolo la sua *Jenny*, dove si parla d'una prostituta che il poeta invoca «*So pure, so fall'n!*», così pura, caduta così in basso:

Our learned London children know,
Poor Jenny, all your pride and woes;
Have seen your lifted silken skirt
Advertise dainties through the dirt.

(I nostri sapienti bambini londinesi conoscono / povera Jenny, tutto il tuo orgoglio e la tua tristezza / hanno visto la tua gonna di seta sollevata / mettere in mostra le tue grazie macchiate di fango.)

Come tanti altri poeti ottocenteschi, anche Rossetti canta la grazia rimasta innocente di un giglio insozzato e la pietà che suscita. Il poeta si chiede se Jenny qualche volta sogni di lui durante i suoi sonni turbati. Si risponde non senza sarcasmo:

No, there's your bed
My Jenny, while you dream. And there
I lay among your golden hair
Perhaps the subject of your dreams,
These golden coins.

(No, ecco il tuo letto o mia Jenny mentre sogni. / Ed io colà queste monete d'oro / che forse son l'oggetto dei tuoi sogni / mescolo ai tuoi capelli d'oro.)

William Morris, tradito dalla moglie, si rifece intrecciando una relazione con la bella Georgiana, consorte del suo collaboratore Edward Burne-Jones, anch'egli autore di quadri di angelicata ambiguità, così mistici e sensuali da anticipare il simbolismo dell'ultimo Ottocento. Se Georgiana lo tradiva con il collega, altrettanto del resto faceva Edward, il quale manteneva un rapporto notorio con la scultrice greca Maria Zambaco, che qualche volta s'era prestata a fargli da modella. Ancora più trasgressivo lo scultore Boehm: venne colpito da infarto mentre s'intratteneva con una delle figlie della regina, che ufficialmente era soltanto una sua allieva. Lo scandalo fu grande.

Si potrebbe continuare ricordando i geniali disegni pornografici di Aubrey Beardsley, impareggiabile e raffinato illustratore, o le allusive fotografie del reverendo Charles Lutwidge Dodgson, meglio conosciuto come Lewis Carroll, autore di *Alice nel paese delle meraviglie*. Carroll fotografava per «ragioni artistiche» bambine impuberi completamente nude, in pose di finta innocenza. Nemmeno lui però doveva credere molto al suo pretesto; conservava i negativi in una busta con la scritta «Bruciare senza aprire». Fortunatamente alcune foto sono sopravvissute al rogo, così come si sono salvati alcuni fogli del grande pittore Joseph M. Turner che John Ruskin aveva cominciato a distruggere giudicandoli, d'intesa con il curatore del fondo della National Gallery, «osceni».

Racconto un ultimo aneddoto che ritengo significativo. *Il cavaliere errante* è uno dei quadri più celebri di John Everett Millais. Vi si vede un uomo a cavallo, rivestito d'una rutilante armatura che, snudata la spada, sta per tagliare i legacci che assicurano a un albero una fanciulla tremante nelle sue nude carni. La spada ha un'inclinazione allusiva, sul filo della lama compaiono delle macchie di sangue. In una prima versione la fanciulla fissava come in trepidante attesa il bel cavaliere suo liberatore. L'insieme era molto esplicito, come si può intuire anche da questa sommaria descrizione. Ciò che suscitò particolare scandalo fu un dettaglio che oggi farebbe sorridere: la ragazza, livida e ignuda, osava fissare un uomo, vestito e in armi. Millais, consapevole d'aver violato con quell'incrocio di sguardi un tabù più radicato della stessa nudità, s'affrettò a ritagliare la testa della fanciulla e a cucire sulla tela un tondo con un altro volto, girato, con espressione mesta, dalla parte opposta.

Negli ultimi tre decenni del Diciannovesimo secolo la natalità in Inghilterra subì una notevole contrazione ed esistono pareri diversi sulle cause del fenomeno. Alcuni lo attribuiscono alla severità dei costumi; altri alla diffusione dei primi strumenti contraccettivi. Uno dei pionieri della sessuologia britannica, Havelock Ellis, a giusto titolo considerato antivittoriano nelle sue convinzioni, era anch'egli un sostenitore dell'astinenza periodica nel matrimonio, ma per ragioni opposte a quelle «ufficiali». Astenersi periodicamente, sosteneva, evita che il piacere si trasformi in una routine. C'era poi chi attribuiva alla continenza una più generale funzione regolatrice. Scarsi seguaci aveva invece, già allora, il dettato di alcune religioni che legavano l'atto sessuale alla procreazione. Si obiettava che una coerente obbedienza al precetto avrebbe ridotto in maniera così drastica i rapporti da mettere in pericolo la stessa sopravvivenza del matrimonio.

Fra una polemica e l'altra, cominciarono comunque a diffondersi i primi strumenti contraccettivi, rispetto ai quali la classe medica si trovò ancora una volta impreparata. Secondo alcuni clinici, questi metodi importati dal continente, in particolare dalla Francia, avrebbero corrotto i costumi, consistendo prevalentemente nelle tecniche della sodomia e del *coitus interruptus*. L'impiego di preservativi, pessari, spugne e docce vaginali rimaneva pressoché sconosciuto. Il 1° luglio 1868 alla Dialectical Society si tenne un acceso dibattito nel corso del quale Lord Amberley disse chiaramente che per i medici era doveroso aiutare i propri pazienti a controllare la fertilità della famiglia. Molti dei presenti ritennero insultanti quelle parole; dovere del medico, ribatterono, era individuare la migliore terapia per sconfiggere un male, non favorire il piacere e, perché no, le avventure extraconiugali. Perfino il grande sessuologo William Acton rispettò le convenzioni dominanti omettendo qualunque accenno al controllo delle nascite. Il rifiuto di prendere in considerazione il preservativo era così diffuso che un famoso ginecologo di origine americana, J. Marion Sims, non volle utilizzarli nemmeno quando si trattava di raccogliere lo sperma dei suoi pazienti per sottoporlo ad analisi. Nel trattamento delle coppie sterili, usava il singolare metodo di appostarsi fuori della camera da letto irrompendovi appena terminato l'amplesso per prelevare, diciamo a caldo, uno striscio vaginale.

Una così forte diffidenza nei confronti del preservativo era in parte scusata da una fabbricazione tanto grossolana da risultare imbarazzante. Casanova diceva che il «guanto protettore» era stato inventato proprio dagli inglesi; in Francia, al contrario, veniva chiamato «sacchetto di pelle di Venezia». Lo storico sociale Paolo Sorcinelli ricorda che l'invenzione si deve probabilmente al chirurgo e anatomista modenese Gabriele Falloppio, il quale diede il suo nome ai canali bilaterali (tube di Falloppio) che nella femmina umana congiungono l'ovario all'utero. Il preservativo veniva consigliato, quando succedeva, non tanto a fini contraccettivi ma per evitare il contagio sifilitico (donde il nome «profilattico»). Sappiamo che James

Boswell ne acquistò alcuni pezzi a Londra nel 1763 in un negozio di Half Moon Street per usarli con una compagna occasionale nonché, alcuni mesi dopo, in occasione di un fugace rapporto con la moglie del sindaco di Siena. Quanto all'imbarazzo nell'uso, Sorcinelli precisa che: «fino alla scoperta della vulcanizzazione della gomma era per lo più composto da un intestino cieco di pecora che veniva immerso in acqua e quindi lavato in una soluzione di soda per cinque o sei volte ... si assicurava al pene mediante un nastro ed era espressamente consigliato per prevenire infezioni o gravidanze». Un attrezzo così laborioso costava naturalmente in proporzione. Un po' com'è successo con il passaggio dalla pergamena alla carta, anche i profilattici sono diventati un prodotto di massa grazie al lattice liquido e alla fabbricazione industriale.

Come sempre accade, anche per l'epoca vittoriana la sessualità, pubblica e privata, diventa insomma un potente rivelatore sociale. Quando si tenta di reprimere o indirizzare l'istinto base degli esseri viventi, i risultati possono diventare imprevedibili, ma restano comunque eloquenti. Londra ai tempi della regina Vittoria non fa eccezione. La fine dell'Ottocento conobbe una reazione, estesa all'intera Europa, contro i soffocanti costumi dei decenni precedenti. Da allora quella reazione non s'è più fermata e anzi, dopo la Seconda guerra mondiale e l'avvento della pubblicità, è diventata corsa sfrenata. Noi che viviamo in un'epoca in cui l'istinto sessuale è il richiamo di fondo per la vendita di merci, possiamo valutare consapevolmente quali guadagni e quali perdite si siano avuti nei rapporti umani, avendo trasformato la sessualità in uno stimolo ai consumi. Di tanto in tanto emerge dai sondaggi un risultato paradossale, la «caduta del desiderio». Nessuno può dire se la «pruderie» vittoriana, da cui il nostro racconto è cominciato, fu precetto ingenuo, astuzia sopraffina o semplice ipocrisia. Certo il velo enigmatico e la somma di proibizioni contribuirono a rafforzare la sessualità o comunque l'aura, il fascino, che la circondava. Lo dimostreranno gli anni tra i due secoli, detti la Belle Epoque, che dell'era vittoriana sono i figli forse non voluti, ma certamente legittimi.

XIV

UN ARTISTA BORGHESE

Su una qualunque guida di Londra il posto di cui sto per parlare si trova alla voce «musei». In realtà un museo lo è e non lo è. Lo è, perché contiene molti oggetti d'arte raccolti con pazienza e ampia disponibilità di mezzi. Non lo è, perché quegli oggetti non sono stati messi insieme con la scientificità di criterio che sovrintende alle collezioni museali. Li ha radunati sotto il medesimo tetto il capriccio, se si vuole il gusto, o l'occasione, del proprietario, Sir John Soane, un architetto nato nel 1753, amante del classicismo e appassionato collezionista, che in questa casa è vissuto dal 1792 alla morte, avvenuta nel 1837, lo stesso anno in cui Vittoria veniva incoronata regina. Sir John, tanto per colorirne il profilo, è l'uomo che ha insegnato architettura alla Royal Academy, ha disegnato la sede della Banca d'Inghilterra e l'edificio al numero 10 di Downing Street, residenza del primo ministro.

Nel 1833 Sir John riuscì a far passare un atto legislativo che dichiarava la sua dimora «pubblico museo». Le raccolte conservano, però, la forte impronta personale che determinò gli acquisti, compreso l'affollamento eccessivo rispetto agli ambienti che non è l'ultima ragione di fascino del luogo. Per chi volesse constatare di persona, la Sir John Soane's House (o Museum) si trova al numero 13 di Lincoln's Inn Fields.

Sir John ebbe parecchia fortuna nella sua lunga vita, iniziata nella modesta famiglia del padre, un muratore. Ebbe un notevole talento architettonico, rispettoso del gusto prevalente dell'epoca, e a nemmeno trent'anni sposò la nipote ed erede di George Wyatt, uno dei più ricchi costruttori del tempo; fu proprio sua moglie, nel 1802, a determinare la ragione principale per la quale vale la pena di includere la visita della loro casa in un soggiorno londinese. Quale sia questa ragione dirò tra un attimo.

Nella magione si possono ammirare una raccolta di quadri e una di statue classiche, sovente si tratta di copie; tra queste, un gesso dell'*Apollo del Belvedere*, molti calchi, ma anche molti giochi e scherzi di luce. C'è, per esempio, una stanza al primo piano i cui cupi colori, verde e rosso scuro, sono rischiarati da un ingegnoso gioco di specchi. Nel seminterrato si può vedere un antico sarcofago scavato in un blocco immenso di pietra; qua e là sono disposti disegni e modelli di progetti dello stesso Soane. Nel cortile ci sono addirittura alcuni archi recuperati dall'antico palazzo di Westminster, distrutto da un incendio. Ci sono, poi, copie di capitelli romani nel gusto di quelle *follies* (pazzie) che sul finire del Settecento erano molto in voga tra gli aristocratici. Chi ne fosse appassionato, noto di passaggio, ne può ammirare un bell'esemplare nei magnifici giardini di Kew. Lì, sul bordo di un vialetto, si erge un finto arco romano in rovina completo di finti bassorilievi, anch'essi in rovina, che Sir William Chambers si fece costruire per suo divertimento nel 1760. John Soane aveva lastricato il pavimento dei suoi cortili alternando grossa ghiaia di fiume annegata nel cemento a fondi di bottiglie di porto. Un effetto bellissimo: il cupo traslucido del vetro illumina la ghiaia circostante e offre un benemerito esempio di «riciclo» *ante litteram* di materiali.

Ci sono anche pezzi pregevoli nella collezione, ma è soprattutto l'insieme che colpisce, l'evidente ingordigia del collezionista che frequenta aste e mercati, compresi quelli clandestini, preda del demone dell'accumulazione. Si prova una sensazione analoga a quella che si ha visitando a Gardone il Vittoriale di d'Annunzio. Uguale il desiderio di circondarsi a qualunque costo della «bellezza», persino quando si deve ricorrere a copie o frammenti. La differenza è che nella collezione londinese gli oggetti raccolti sono spesso di qualità superiore.

Visto che siamo in tema, segnalo un'altra dimora di raffinata stravaganza; è la cosiddetta Leighton House, che il grande pittore vittoriano (nonché presidente della Royal Academy) Frederic Leighton (1830-1896) si fece costruire intorno agli an-

ni Settanta, al numero 12 di Holland Park Road, per soddisfare il suo gusto scenografico e, anche qui, il suo capriccio. La
dimora contiene una buona collezione di arte vittoriana, ma
motivo di richiamo sono la stessa architettura e le decorazioni,
a cominciare dalla Arab Hall, che ricostruisce un Oriente vo-
lutamente fiabesco, e poi mosaici, vetrate, tappezzerie, rin-
ghiere, *boiseries*.

Torniamo alla casa di Sir John, che veniva parzialmente
aperta agli studenti e ai visitatori già mentre lui era in vita,
durante orari precisi e sospendendo gli ingressi soltanto in caso di *wet or dirty weather*.

Accadde che, nel 1802, a un'asta da Christie's, la signora
Soane acquistasse per 5 sterline e 10 scellini una serie di otto
tele intitolate *Carriera di un libertino*, firmate da William Hogarth: un ciclo narrativo destinato a grande fama e che oggi è
una delle principali attrazioni della veneranda casa-museo. Le
tele sono esposte in una piccola stanza, che con le sue ridotte
dimensioni dà rilievo ancora maggiore alle disavventure del
povero giovane Tom Rakewell, infelice protagonista d'una vicenda alla quale s'ispirerà anche Stravinskij per un'opera dallo stesso titolo. E sono queste otto tele il motivo che vale, da
solo, una visita.

William Hogarth è stato un notevole pittore; un artista che
ha profondamente innovato nel suo mestiere e che, soprattutto, ha incarnato come pochi altri le indiscutibili virtù e i molti
vizi della società ai cui albori si è trovato a vivere. L'aspetto
curioso è la sua «vita borghese», un'esistenza mai segnata da
avvenimenti di particolare drammaticità, niente a che vedere
con le peripezie di un artista italiano del Cinquecento o di un
pittore bohémien nella Parigi dell'Ottocento. Proprio per questo, una vita assai rappresentativa di quell'epoca e meritevole
d'essere conosciuta: attraverso le vicende di un artista è possibile intravedere l'affascinante nascita dello spirito borghese in
Europa.

Del suo lavoro scriveva egli stesso, essendo anche attento
analista e giudice della propria attività: «Il perpetuo mutare
dei costumi mi ha permesso di introdurre nuovi personaggi
che, essendo tratti dalla vita d'ogni giorno, hanno maggiori

possibilità di riuscire più originali e meno insipidi di quelli che vengono continuamente ripetuti nelle vecchie storie».

Era nato il 10 novembre 1697 a Londra, nella famiglia di un intellettuale spiantato, e infatti costretto a ingegnarsi subito in cento mestieri: insegnante di un'imprecisata materia, correttore di bozze (dal che si deduce buona conoscenza ortografica della lingua), redattore di dizionari, infine apprendista nella bottega di un argentiere (*silver-plate engraver*) che si chiamava Ellis Gamble e mai nella vita avrebbe immaginato che nel Ventunesimo secolo qualcuno si sarebbe ancora ricordato di lui. Gamble aveva bottega in Cranbourne Street all'insegna dell'Angelo d'Oro. Lì il giovanissimo William trova la sua strada perché molto rapidamente, mentre il signor Gamble va in rovina, si mette in proprio. Ha poco più di vent'anni e fa già stampare i suoi biglietti da visita «W. Hogarth/Engraver». Si atteggia ad artista; da argentiere s'è fatto incisore, un'arte nella quale dà subito prove brillantissime. Nel 1721 incide alcune stampe satiriche dal titolo *The South Sea Scheme*, con le quali decide di commentare – ha solo ventiquattro anni – il più grande scandalo finanziario mai avvenuto in Inghilterra.

Gli economisti sanno bene quale somma di rovine rappresentò la «bolla dei mari del Sud» (*South Sea Bubble*), ma poiché si tratta di una vicenda molto istruttiva e piuttosto divertente (a condizione ovviamente di non esserne rimasti vittime) vale la pena di raccontarla. Anch'essa fa parte dell'incipiente spirito borghese cui accennavo.

Il nome di *South Sea Bubble,* la bolla (ma potremmo anche dire il bidone) dei mari del Sud, descrive in modo efficace il primo grande crollo azionario avvenuto in Inghilterra. Un incredibile inganno, nel quale si mescolano corruzione politica, isteria collettiva, cieca avidità. Nel 1720, per sei interminabili mesi, una poderosa ondata speculativa continuò a gonfiarsi, alimentata da migliaia di grandi e piccoli investitori. Innumerevoli vicende di individui caduti in un'unica immensa avventura che si concluderà con il crollo di altrettante piccole e grandi fortune familiari.

La favola fraudolenta ebbe inizio nel 1711 quando la Compagnia dei mari del Sud (*South Sea Company*) riuscì a ottenere dal governo inglese il monopolio per il commercio con i Caraibi e il Sudamerica. Un provvedimento che risultava più che altro una promessa sulla carta. Era infatti in corso la guerra di successione scoppiata dopo la morte del re spagnolo Carlo II, che si sarebbe conclusa solo dopo due anni con il trattato di Utrecht. Dalla fine di quel conflitto l'Inghilterra si riprometteva grandi vantaggi che nella realtà furono minori del previsto: la cessione da parte della Spagna di Minorca e della Rocca di Gibilterra (tuttora inglese, ultimo lembo di un Impero perduto), il monopolio per trent'anni della tratta degli schiavi neri nelle colonie d'America. A cose fatte, la Compagnia si assicurò il trasporto e la vendita nelle Americhe di almeno 4800 *Piezas de Indias* (dove per *pieza* s'intendeva uno schiavo in buone condizioni fisiche e con un'altezza minima di 58 pollici, un metro e cinquanta circa). In aggiunta, si precisava che la Compagnia avrebbe potuto inviare ai porti di Cartagena e Vera Cruz una nave non superiore a cinquecento tonnellate di stazza, carica di filati o tessuti di lana e similari.

Nei fatti la tratta degli schiavi si rivelò un pessimo investimento. Il prezzo da pagare ai negrieri, il costo del trasporto, le malattie e le morti durante il viaggio, fecero degli schiavi una merce costosa e deperibile dalla quale si ricavava un guadagno troppo basso rispetto all'investimento. Come se non bastasse, a ridurre ulteriormente il guadagno si aggiunsero la trafila burocratica, la venalità dei funzionari spagnoli, gli intralci creati dal sovrapporsi di diverse competenze.

La febbre speculativa rimase però nell'aria. Con l'allargamento dei confini e la crescente facilità dei viaggi per mare, la società mercantile borghese scopriva le avventure della finanza internazionale, la possibilità per masse estese di risparmiatori di investire in quel nuovo mondo dal quale tanti *conquistadores* erano tornati carichi d'oro. Né i mari del Sud erano l'unico Eldorado che alimentasse le fantasie di ricchezza dei borghesi europei. In Francia lo scozzese John Law aveva incantato tutti, a cominciare da Filippo d'Orléans, con un progetto, diciamo così, di finanza creativa che avrebbe dovuto sviluppare economicamente le colonie franco-americane semplificando il sistema fiscale e creando un diffuso azionariato popolare. A Parigi se n'era parlato con eccitazione: era il grande affare del Mississippi, così grande che l'ascesa dei titoli legati alle avventure di Law era diventata vertiginosa. Nel 1716 il dinamico scozzese fece nascere una banca generale con potere d'emissione sia di titoli sia di cartamoneta. Una delle sue teorie era che per meglio incrementare il commercio (e i consumi) bisognava demonetizzare i metalli preziosi sostituendoli con una moneta cartacea ancorata al valore della terra. Gli affari andarono a gonfie vele fino a quando ci si rese conto che le trovate del geniale Law stavano producendo una spaventosa inflazione. Appena il fenomeno fu evidente, masse di risparmiatori spaventati si precipitarono a convertire montagne di titoli che non valevano quasi più niente e il sistema fece bancarotta. Law si salvò a stento con la fuga.

I direttori inglesi della Compagnia dei mari del Sud contavano di fare altrettanto, anche per fermare l'esportazione di capitali che, con la prospettiva di lauti guadagni, cominciavano a essere indirizzati verso le banche parigine. Nel 1719 i dirigenti della Compagnia presentarono al governo di Sua Maestà una proposta inaudita: si sarebbero accollati l'intero debito pubblico della Gran Bretagna esigendo in cambio il ragionevole interesse del sei per cento. Il 12 aprile 1720 la proposta venne accettata, grazie anche all'uso generoso di bustarelle saggiamente distribuite tra esponenti del governo, dirigenti del partito Whig al potere, influenti personaggi di corte tra i quali le due amanti del re, Madame von Platen e la duchessa di Kendal, di notoria avidità. Particolare beffardo, le bustarelle non contenevano denaro o metalli preziosi, bensì partecipazioni azionarie della Compagnia.

Concluso l'affare, la Compagnia fa lievitare il valore delle sue azioni, aprendo nuove sottoscrizioni e mettendo contemporaneamente in giro la voce che il commercio con le antiche colonie spagnole sarebbe andato di bene in meglio. Da gennaio a primavera inoltrata il valore delle quote sale senza interruzione. Uno storico dell'economia ha definito il meccanismo che si mise in moto in quei mesi di ininterrotta euforia «una pompa finanziaria». La Compagnia emise 2 milioni di sterline di nuove azioni al prezzo di 300 sterline l'una, da pagarsi anche a rate. I sottoscrittori furono così numerosi che si dovettero emettere altre 250 mila sterline di azioni per accontentare un po' tutti. L'afflusso di liquidi si rivelò così abbondante, che la Compagnia annunciò di poter concedere denaro in prestito ai suoi sottoscrittori sulla semplice garanzia del possesso di azioni. Le quali, di conseguenza, aumentarono ancora di valore. Seguirono altre emissioni e quindi altri prestiti in un processo apparentemente senza fine nel quale, a ogni nuova emissione, corrispondeva un nuovo afflusso di denaro fresco e quindi nuovi prestiti e nuovi interessi sui prestiti; a ogni nuovo passo il valore di riferimento aumentava in base alla legge illusoria (molto vicina all'utopia del moto perpetuo) per cui si può raggiungere facilmente la prosperità attraverso un'illimitata espansione del credito.

Nel maggio 1720 ogni azione, a suo tempo emessa al valore nominale di 300 sterline, ne valeva 550. A fine mese il prezzo era salito a 890. Quindici giorni dopo, però, era crollato a 640. Di fronte a un certo nervosismo degli azionisti, la Compagnia, forte delle sue riserve di cassa, comincia a comprare le proprie azioni, facendole risalire fino a 750 sterline. Ad agosto il valore sale a 1000 sterline, nonostante le numerose nuove emissioni. A metà settembre, una certa diffidenza, che (finalmente) cominciava a diffondersi, fa scendere il loro valore a 400; in dicembre crolla a 120. Al picco del loro valore, il totale delle azioni inglesi era stato stimato intorno ai 500 milioni di sterline, cioè più alto dell'intera base monetaria europea. Come ha scritto Charles P. Kindleberger, economista del Mit: «Per pagare i dividendi la Compagnia aveva bisogno di raccogliere costantemente nuovo capitale e di far salire continuamente il valore delle sue azioni. E tutto questo con un ritmo sempre più accelerato». Non poteva durare, infatti non durò.

Quando il valore delle azioni crollò sotto la metà del prezzo d'emissione iniziale, migliaia di persone scoprirono di aver venduto gioielli, case, terreni e oro per accumulare carta straccia. Ci fu la solita inutile, patetica corsa alle banche, che ebbe il solo risultato di portarne alcune al fallimento. Re Giorgio I fece un precipitoso ritorno a Londra, venne convocato il Parlamento, una commissione d'indagine scoprì alcuni casi clamorosi di frode e corruzione. Qualcuno intanto s'era suicidato, perfino il geniale Isaac Newton, preso come gli altri nel giro, ne uscì con una perdita cospicua. Aveva acquistato al prezzo d'emissione iniziale, dopo poche settimane aveva rivenduto con un guadagno del cento per cento. Ingolosito, aveva provato a rientrare acquistando però nel momento di picco dei prezzi; finì per perdere ventimila sterline. Commentò sobriamente: «Posso calcolare il moto dei corpi solidi, non la pazzia della gente».

Il crack albanese degli anni Novanta del Novecento, che su scala locale fu altrettanto disastroso, la grande bolla planetaria dell'economia elettronica o virtuale, che ha chiuso il Ventesimo secolo, avevano avuto, come si vede, un illustre precedente con il quale la società «borghese», ancora in formazione, aveva cominciato a sperimentare le sue capacità illusionistiche. Il Settecento è stato anche questo.

Torniamo al nostro Hogarth, che pochi anni più tardi comincia a frequentare l'accademia del pittore di corte Sir James Thornhill. Il giovane William è intraprendente, la cerchia del pittore è un bel trampolino dal quale cominciare a lanciarsi; lui si muove con notevole abilità nel difficile mondo delle relazioni umane. Lo aiuta il suo evidente talento, certo non la condizione di partenza, che è modesta e costituisce, semmai, un handicap. Due mosse successive si rivelano risolutive. La prima è che l'artista, il quale ha ormai passato la trentina, sposa nel 1729, e senza il consenso della famiglia di lei, la figlia dello stesso James Thornhill; si chiama Jane e di anni ne ha solo diciannove. La seconda è che diventa piuttosto intimo del principe di Galles, che lo fa ammettere nella propria loggia massonica. Non sto dicendo che queste mosse siano state calcolate a freddo o che siano state motivate solo dal calcolo. È possibile che sentisse un vero amore nei confronti di Jane, così piacente e fresca, e che in nome di quell'amore fosse pronto a sfidare l'ira del padre. È anche possibile che un vero ideale filantropico lo abbia spinto verso la massoneria. Non accadde in fondo lo stesso, solo pochi anni più tardi, al giovane Mozart? Più delle motivazioni, conta nel suo caso l'esattezza dei movimenti, perché è anche con un'accurata scelta dei tempi che si determina l'ascesa di un borghese di successo.

Del resto, l'ira del suocero durò solo pochi mesi e la riconciliazione, complice la madre della ragazza, risultò soddisfacente per tutti. Bastò che la signora Thornhill disponesse in bella mostra le sei tele del ciclo *Carriera di una cortigiana* nella sala da pranzo. Il marito scrutò i dipinti, s'informò su chi li avesse eseguiti e, saputo che si trattava del genero, ebbe un moto d'approvazione esclamando, non senza una punta di veleno: «Magnifico, l'uomo che dipinge tele come queste può anche mantenere una moglie senza dote». Poco tempo dopo, suocero e genero cominciavano a lavorare insieme.

Che cosa rappresenta la *Carriera di una cortigiana*? Lo stesso Hogarth, nella sua autobiografia, ne parla in questi termini: «Cominciai a dipingere e incidere soggetti morali; un campo che non era ancora stato sfruttato in alcun paese, esprimendo temi analoghi alle rappresentazioni sceniche». L'affermazione è ardita e non completamente esatta. Hogarth trascura che Bruegel si era già prodotto in quel campo. Vero, invece, che nelle sei tele che compongono il ciclo della *Cortigiana* si racconta, come in un romanzo o in un dramma (in seguito le tavole furono effettivamente adattate per le scene), la vicenda di una giovanetta che arriva a Londra dalla provincia, viene reclutata da una mezzana che fa di lei una prostituta. La sventurata conosce le varie tappe della degradazione, fino all'arresto, l'agonia, la morte. Un romanzo appunto o, se si vuole, il canovaccio di un melodramma o il soggetto per un film del neorealismo italiano.

Spesso si usa l'espressione «leggere un quadro» nel senso metaforico di saper vedere che cosa un dipinto contiene per composizione, luce, figure, dettagli, tecnica. Nel caso di Hogarth, invece, l'espressione va intesa in senso proprio, come suggeriva lo scrittore Charles Lamb. Non solo i suoi celebri «cicli», ma quasi tutti i suoi quadri possono essere «sfogliati» come le pagine di un libro. Hogarth s'ispirò alla precisione descrittiva della pittura fiamminga, ma ciò che conta è il contenuto dei suoi racconti, la prontezza con la quale sa trasferire su tela gli avvenimenti della sua epoca e, quando non gli avvenimenti, l'atmosfera. Anzi, tale fu la sua prontezza, potremmo dire, cronistica che, per un certo tempo, si è tentato di ri-

durre Hogarth al rango di illustratore. Lui stesso s'era un po'
tirato addosso quella nomea con innovazioni di ogni tipo,
comprese quelle mercantili, con le quali aveva «promosso» la
sua pittura. Scrisse: «Ho cercato di trattare il mio soggetto come un autore drammatico; il mio quadro è il mio palcoscenico,
e attori sono uomini e donne che per mezzo di atti e gesti
figurano una pantomima».

Ecco un altro aspetto tipicamente settecentesco. Un avvicinamento piuttosto convincente (mi incoraggia in questa direzione
l'insegnamento di Mario Praz) è quello tra William Hogarth,
considerato il fondatore della tradizione pittorica inglese, e il
capostipite del romanzo inglese Henry Fielding.

«Fielding» scrive Praz «s'ispirò agli stessi principi cui si
ispirava Hogarth, anzi guardò all'opera del pittore come a un
suo modello e guida.» Fielding veniva dal teatro; quando cominciò a scrivere in prosa, intuì che i dialoghi, tipici della rappresentazione scenica, avrebbero interrotto la monotonia di
un racconto continuo. Fu così che riuscì a tenere insieme, con
la vivacità che tutti sanno, la trama complicatissima del suo
capolavoro *Tom Jones*, romanzo pieno di avventure, di colpi di
scena e di trovate che rovesciano in un baleno innumerevoli
situazioni.

Fielding, con *Tom Jones*, aggiunge al genere romanzesco il
divertimento dei dialoghi e la potenza dell'intreccio. Già il
sottotitolo ci porta all'interno di un movimentato *romance*: *Storia di un trovatello*, termine carico di pathos che evoca commozione, rischi, imprevisti, lacrime. Infatti la storia si dipana in
un turbinio di incidenti, tradimenti, agnizioni che esplorano
allegramente ogni più riposta possibilità e trovata della letteratura favolistica e melodrammatica.

Nel 1963 Tony Richardson ne trasse un film, tanto infedele
rispetto al romanzo quanto divertente, anche perché forte della splendida interpretazione di Albert Finney.

In una lucida monografia su Fielding, Elizabeth Jenkins fa
un impressionante ritratto della società settecentesca in cui
questi artisti si muovono:

L'epoca era segnata da orrori nella vita giornaliera di gran parte della
popolazione, dei quali non possiamo leggere senza fremere; il dottor

Johnson calcolava che in un anno morissero d'inedia solo a Londra un migliaio di persone; tale era lo stato delle prigioni che, quale che fosse il delitto commesso contro la società, non poteva eguagliare il delitto di cui la società si rendeva colpevole verso i suoi detenuti; lo squisito canto dell'*Opera del mendicante*, nel quale una ragazza innocente che diventa prostituta viene paragonata a un fiore che, gettato da parte «imputridisce, puzza, muore e viene calpestato», non era per il pubblico settecentesco un'allegoria bensì una pura e semplice verità di fatto.

Il tema della prostituta, nel quale motivi lacrimosi si confondono con gli allettamenti del sesso, comincia ad affiorare con insistenza proprio in questi anni, salvo esplodere pienamente dalla metà dell'Ottocento, sempre mescolato alla filantropia, alla denuncia delle ingiustizie sociali, alla prospettiva della redenzione, al torbido richiamo dell'amore mercenario. Per chi non lo ricordasse, l'*Opera del mendicante*, di cui parla la Jenkins, è un celebre *musical play* (o *Singspiel*), testo drammatico misto di parlato e di canto, scritto da John Gay. La struttura è fondata su un susseguirsi di avventure canagliesche e d'amore. Il protagonista, Macheath, è un giovane spensierato conteso dalle donne, grande frequentatore dei tre luoghi tipici della ribalderia: il bordello, la bisca, la taverna.

Li ritroveremo tutti e tre trasferiti da Hogarth nelle tele della sua serie più celebre, quella *Carriera di un libertino* che siamo andati ad ammirare nella casa-museo di Sir John Soane.

Nell'opera di Gay, politicanti, aristocratici e borghesi si trovano a confronto con libertini, prostitute, ricattatori e spie; se ne conclude che è tutta gente della stessa risma. Il finale è lieto, data l'atmosfera generale del lavoro, ma non per questo la moralità è meno pungente. Le parole conclusive sono: «Tale la somiglianza di costumi tra la vita dei grandi e quella degli umili, che è difficile dire se nei vizi correnti siano gli uomini più in vista a imitare quelli di strada o non piuttosto quelli di strada a imitare gli uomini più altolocati».

Tra i numerosi romanzi che girano intorno al tema della prostituzione si può citare anche *Moll Flanders* di Daniel Defoe, il cui vero titolo è: *Fortune e sfortune della famosa Moll Flanders* (1722). Defoe viene ricordato soprattutto come autore di *Robinson Crusoe*, in realtà ha pubblicato l'incredibile quantità di quattrocento titoli. In *Moll Flanders* racconta in prima persona l'autobiografia immaginaria di un'avventuriera e prostituta, sposata cinque volte, una delle quali con il proprio fratello, ladra professionista, deportata in Virginia, infine ricca e in odore di onestà. Il germe della storia sta nelle vicende, ampiamente manipolate, di una celebre ladra morta a Londra nel 1659 e diventata poi figura leggendaria nell'immaginazione popolare.

Vita curiosa quella di Defoe. Era figlio di un piccolo commerciante originario dei Paesi Bassi, che si chiamava James Foe. Quando Daniel fu sui quarant'anni e aveva già pubblicato buona parte delle sue centinaia di titoli, cominciò a premettere all'originale Foe un «De» che, come in italiano e in francese, alludeva a una possibile ascendenza nobiliare. Aveva quasi sessant'anni quando pubblicò, nel 1719, *Robinson Crusoe*, cominciando così una nuova carriera di romanziere, dopo quella di uomo d'affari, informatore politico, giornalista e polemista. Con i romanzi, tra i quali *Moll Flanders*, mise insieme una quantità di soldi che in seguito misteriosamente svanirono, per cui morì, povero e solo, in una camera d'affitto a Londra nel 1731 a poco più di settant'anni. Anche la sua è un'altra possibile versione di una vita borghese.

Un ulteriore titolo legato alle avventure d'una prostituta è *Fanny Hill* (1749) di John Cleland (1710-1789), racconto noto come *Memorie di una donna di piacere*. Anche Cleland, come Defoe, conobbe la prigione e proprio in carcere (per debiti) scrisse il suo romanzo considerato un prototipo della letteratura erotica, qua e là al confine della pornografia. L'opera ebbe immediato successo e numerose edizioni variamente purgate nei passaggi più arditi. Lo scrittore dovette subire un processo per oscenità, dal quale uscì assolto avendo proclamato di aver scritto il libro solo perché aveva bisogno di denaro. Tale la scabrosità di alcune descrizioni, che ancora nel 1963, quando il testo venne pubblicato in Inghilterra in edizione integrale, la polizia ne dispose il sequestro. Per la cronaca, Cleland scrisse altri quattro romanzi erotici che ebbero minor fortuna; morì povero anche lui, a settantanove anni.

Hogarth sente l'influenza di questa letteratura che fruga nel sottomondo della società; sono tempi in cui miseria e ricchezza sono contigue, spesso più di oggi. I miseri non hanno certezze, per loro non esistono quegli ammortizzatori sociali progressivamente introdotti nella seconda metà dell'Ottocento dopo l'avvento delle dottrine filantropiche e socialiste. Ma nemmeno i ricchi possono sentirsi del tutto sicuri. In una società spietata, priva di garanzie, con gli «spiriti animali» del capitalismo che hanno cominciato la loro corsa sfrenata, un rovescio di fortuna può causare una rovina improvvisa e senza rimedio. Per gli uomini si apre il baratro dell'accattonaggio o della criminalità, per le donne quello della vendita del proprio corpo.

Come nel mondo borghese, anche nei bassifondi cominciano a emergere alcune affascinanti figure di uomini che, partendo dalla condizione più umile, riescono in qualche modo ad affermare il proprio talento. Il lestofante di cui sto per parlare lo abbiamo già incontrato, anche se ridotto a puro scheletro, nel capitolo intitolato «Uno spettro nella notte». Si tratta di Jonathan Wild.

Wild è una straordinaria figura di malfattore; fu tra i primi a capire che in una società fondata e mossa dal denaro e dagli affari l'attività criminosa può rendere molto più di quella legale, e che si tratta solo di insinuarsi negli interstizi aperti dalle imperfezioni delle leggi e dalle debolezze degli uomini per sopravvivere con agio e senza eccessivi rischi.

Jonathan era nato nel 1682 in provincia, nello Staffordshire, e aveva iniziato presto, a quindici anni, a lavorare come aiuto artigiano. S'era poi sposato, aveva avuto un figlio, sembrava avere davanti a sé l'oscura vita di tanti, fatta di fatica, una parca mensa, modeste gioie. Invece, per ragioni che non sappiamo, pochi mesi dopo la nascita del bambino, lascia la famiglia e se ne va a Londra, dove comincia a convivere con una prostituta, una certa Mary Milliner, ragazza corrotta, esperta in ogni tipo di vizio. La fortuna di questa unione licenziosa è nel fatto che Jonathan, stando con lei, scopre la sua vera vocazione e, forte della sua intelligenza e di un'assoluta mancanza di scrupoli, diventa una specie di consulente dei numerosi ladri, scassinatori, borsaioli e rapinatori che la grande città ospita e nutre.

Il Parlamento aveva da poco approvato una legge che considerava la ricettazione un reato: in parole povere, chi acquistava una merce conoscendone la provenienza furtiva diventava passibile di pena. Questa legge, a lungo auspicata, doveva mettere un freno al commercio criminoso che sotterraneamente accompagnava quello legale. Proprio su quella legge Wild capì di poter costruire la sua fortuna.

L'approfondita conoscenza delle varie bande di ladri e l'ascendente che era riuscito ad avere su quelle anime quasi sempre semplici avevano fatto sì che Jonathan fosse spesso al corrente dei vari furti commessi e di quali oggetti erano stati trafugati. Vestito con i suoi abiti migliori, e con la refurtiva messa al sicuro in un posto segreto, il baldo giovane, nel fiore dei suoi trent'anni, si presentava in casa del derubato al quale teneva più o meno questo discorsetto: «Gentile signore, mi accade di essere venuto a sapere che lei è stato derubato. Un mio amico, commerciante onestissimo, ha ricevuto l'offerta di acquistare certi oggetti di pregio. Ha chiesto il mio consiglio ma avendo io avuto dei sospetti gli ho suggerito di congelare la trattativa. È possibile che alcuni di quegli oggetti siano proprio i suoi. Se così fosse, che Dio lo voglia, lei potrebbe riaverli indietro. Naturalmente la cosa è delicata, bisogna evitare di muovere le acque e mantenere la massima discrezione o tutto rischia di andare in fumo...».

Chi, avendo perduto oggetti cari o preziosi, non accetterebbe un patto del genere? Nei rari casi in cui Jonathan riceveva risposte sprezzanti, offensive, o minacciose, subito replicava: «Signore, ero venuto per aiutarla, ma vedo che reagisce molto male. Le assicuro che si sbaglia, comunque io mi chiamo Jonathan Wild, abito in Cock Alley, Cripplegate, dove mi potrà trovare ogni giorno, arrivederci». E andava via sdegnato.

La cosa andò così bene che in capo a pochi mesi le parti s'erano invertite. Adesso non era più Wild ad andare a trovare i derubati, ma erano loro a recarsi da lui, imploranti. Riceveva i disgraziati con ogni formalità, s'informava minuziosamente sulle circostanze del furto, la natura e il valore degli oggetti, eventuali sospetti e ogni altro particolare che potesse aiutarlo nella ricerca. Il più delle volte sapeva già tutto e si trattava di puro teatro; altre volte invece ignorava davvero il furto, nel qual caso i responsabili venivano da lui raggiunti e severamente diffidati per averlo tenuto all'oscuro del fatto.

Certo, un sistema così esteso di relazioni non poteva andare avanti senza una rete altrettanto estesa di complicità a ogni livello: dai giudici ai capi della polizia. Jonathan era buon conversatore, generoso e puntuale nei pagamenti. I suoi cospicui guadagni fecero però di lui un oggetto d'invidia per molti, cioè un bersaglio. Una serie di vendette incrociate avvelenò certi rapporti, alcuni ladri disobbedienti finirono sulla forca dopo essere stati denunciati proprio da lui. Quando la somma delle ostilità prevalse sul totale di amicizie e complicità, Jonathan Wild capì di essere per la prima volta davvero in pericolo e sparì dalla circolazione. Passate alcune settimane di esilio clandestino, qualcuno lo informò che le acque si erano calmate e che poteva tornare a casa. Era un tranello. Appena mise piede nella sua dimora, *The High Constable of Holborn*, come dire il commissario capo, si recò al suo domicilio con alcune guardie e lo trasse in arresto. Era il 15 febbraio 1725.

Il processo ebbe inizio all'Old Bailey il successivo mercoledì 24. Alcune testimonianze giurate svelarono la rete e gli intrighi che l'imputato aveva organizzato, la giuria lo riconobbe colpevole, la sentenza fu quella d'uso: morte per impiccagione. Tentò di sottrarsi al supplizio ingerendo del laudano, ma senza riuscire a uccidersi; unica conseguenza, lo stato di stordimento in cui venne trascinato al patibolo tra due ali di folla che lo copriva non solo d'ingiurie, ma anche di una sassaiola così fitta da mettere a repentaglio l'incolumità delle guardie. C'erano quattro o cinque criminali da appendere per il collo; il boia pensò di lasciargli l'ultimo posto per farlo un po' riprendere da quel mezzo tentativo di avvelenamento. Quando però la folla cominciò a rumoreggiare esigendo l'esecuzione, il brav'uomo si affrettò ad accontentarla. Era il 24 maggio e Wild aveva quarantatré anni. Nelle ultime volontà aveva chiesto di essere seppellito nel cimitero della chiesa di San Pancrazio, vicino ai resti della sua terza moglie Elizabeth Mann, e così fu. Qualche giorno dopo, però, la sepoltura fu violata e si vide che la salma era scomparsa, quasi certamente trafugata da uno di quei «cacciatori di cadaveri» che procuravano materiale per le esercitazioni degli studenti di anatomia. Dove finì il corpo, o quanto meno la sua parte ossea, in ogni caso lo sappiamo: oggi possiamo ammirarlo in una teca nella sinistra collezione del dottor John Hunter.

La natura «borghese» dell'artista Hogarth dà luogo, fra le altre cose, a un curioso paradosso. Un pittore che nei quadri così volentieri fustiga la volgarità e il mercantilismo dei tempi, è un grande innovatore dell'arte pittorica anche in senso mercantile. Pubblicizzava con appositi annunci a pagamento sulle gazzette le sue nuove opere, aprendo sottoscrizioni per chi volesse prenotarne l'acquisto; pubblicava le sue magnifiche incisioni accompagnandole con didascalie a metà tra il moralismo e la propaganda: «Poiché queste stampe sono state concepite più per utilità che per ornamento, l'autore le ha eseguite in modo che siano alla portata di coloro cui potrebbero maggiormente interessare». Per la serie *Carriera di una cortigiana* riuscì a raccogliere milleduecento sottoscrittori a una ghinea l'uno.

Criteri analoghi seguiva per i vari temi da ritrarre. Confessò, per esempio, di avere «scoperto, per mortificante esperienza, che chi vuol giungere al successo nel campo del ritratto deve divinizzare le persone che dipinge». La scoperta, mortificante che fosse, non lo scoraggiò. Il suo spirito solidamente mercantile lo portava a dipingere con tale realismo da fargli scrivere: «I miei ritratti hanno un destino simile a quelli di Rembrandt; secondo alcuni rivelano la vera natura umana, mentre altri li trovano esecrabili».

Il successo del ciclo intitolato *Carriera di una cortigiana* spinge Hogarth a idearne un altro simile. Se il primo ciclo si componeva di sei tele, il secondo è di otto, il suo titolo è *Carriera di un libertino* e si tratta appunto degli otto quadri conservati nella casa-museo di Sir John Soane. Il pittore lavorò a questo «romanzo pittorico» dal dicembre 1733 al giugno 1735. Subito dopo aver cominciato, mise un'inserzione sul «Country Journal» aprendo le sottoscrizioni per le stampe che ne avrebbe tirato. Le otto tele contengono la storia di un giovanotto, Tom Rakewell, che perde il padre e ne diventa quindi l'erede. Nella prima tela un sarto sta prendendo al «giovin signore», appena tornato da Oxford dove studiava, le misure per un abito da lutto. Intanto una signorina incinta e sua madre tentano di ricordare a Tom l'impegno che ha assunto mettendo la ragazza in quell'incomoda condizione. La seconda tela racconta la sua *levée* nella nuova e ricca dimora; il protagonista è circondato da sarti, musici, *clientes*, adulatori e parassiti. Animatissima la terza scena nella taverna, dove Tom comincia a perdersi. Infatti nell'episodio successivo assistiamo al suo arresto, mentre la povera ragazza incinta tenta invano di salvarlo. Tom infine si sposa, non però con la generosa ragazza da lui compromessa, bensì con una vecchia ricca e guercia. Mentre un losco prete li unisce, lui adocchia la giovane serva di sua moglie. Rifornito di denaro fresco, l'incallito Tom va a giocarselo alla bisca dove viene «ripulito»; finisce (settima tela) in una cella di prigione dove si sono recate a trovarlo sia la vecchia moglie, che gli urla nelle orecchie, sia la povera ragazza incinta, ormai disperata. La sua fine, ultima tela, è il manicomio, dove Tom giace sul pavimento, seminudo, incatenato al suolo, circondato da pazzi che intorno a lui si abbandonano ad atti dissennati o lubrichi.

Al di là degli evidenti intenti moralistici, ciò che colpisce nella serie è la precisione cronistica dei dettagli in ogni scena: indumenti, pose, arredi, documenti, controscene laterali o di sfondo. È questa abbondanza di materiale narrativo che rende i quadri di Hogarth così vicini ai romanzi dei suoi amici scrittori. Del resto, fin dai tempi della serie *Carriera di una cortigiana* le idee dell'artista sul proprio lavoro erano chiarissime.

Ho pensato che con la devozione allo stile «storico» sia gli scrittori sia i pittori avessero del tutto trascurato quel tipo di argomento che si potrebbe classificare tra il sublime e il grottesco. Perciò mi sono prefisso di comporre dipinti su tela simili alle rappresentazioni teatrali e spero che vengano giudicati con lo stesso metro e criticati in base allo stesso criterio.

Defoe, Richardson, Fielding, Sterne, che sono tra i fondatori della narrativa borghese, ricostruiscono a loro volta vicende come quelle dipinte da Hogarth in un nuovo genere di racconto che si chiama *novel*, cioè romanzo. C'è un empito quasi giornalistico nel vigore con il quale sia il pittore sia gli scrittori analizzano ogni ambiente o rappresentante della società: i giudici e i politici, i preti e le cantanti, i molto ricchi e i molto poveri, e poi le osterie e i manicomi, le fiere e i combattimenti dei galli, dame e damine, bellimbusti, criminali, prostitute.

Hogarth è il primo artista inglese a fare un vero e proprio ritratto di una criminale. Si tratta di un acuto schizzo di Sarah Malcolm eseguito per lo scrittore Horace Walpole, autore del *Castello di Otranto*. Fu il suocero Thornhill ad accompagnare William al carcere di Newgate per il lavoro di preparazione dal vero. Il giorno in cui la donna venne giustiziata, il quotidiano «The Daily Advertiser» scriveva cinicamente: «Lunedì scorso il valente Mr Hogarth ha visitato la prigioniera e ha schizzato a penna un ritratto molto somigliante talché i connotati della donna, piuttosto fuori dell'ordinario, possano essere conosciuti anche da coloro che non potranno più vederla viva».

Quando un altro criminale, Jack Sheppard, venne catturato dopo che era riuscito a evadere, ci furono decine di persone che si recarono al carcere per vedere il condannato chiuso di nuovo in cella. Si vendettero benissimo le stampe (una delle quali del suocero di Hogarth) che mostravano il galeotto avvinto da pesanti catene. Nel caso di Lord Lovat, trascinato al patibolo per aver partecipato a una rivolta, fu ancora Hogarth a recarsi sul posto per essere il primo a ritrarlo. Eseguì una stampa dall'impressionante espressività, che si vendette largamente a uno scellino la copia e con un ricavo, per l'autore, di dodici sterline al giorno per alcune settimane. Hogarth era un artista e lavorava a mano ma, nello spirito e nell'intento, nulla distingue questi suoi exploit cronistici dalla furia di certi attuali fotoreporter per avvenimenti e personaggi della stessa natura.

Nei suoi cicli moralistici, Hogarth ritrae con meticolosa precisione gesti o atteggiamenti licenziosi. Lo spingono sicuramente un fine edificante e uno scopo umanitario, ma non per questo si sottrae all'attrazione che il vizio esercita sul «virtuoso» che lo scruta da vicino. Anche Defoe si comporta nello stesso modo, per esempio con la sua Moll Flanders: scrive da attento analista, ma è nel contempo l'affascinato osservatore delle pratiche erotiche e degli ambienti criminali. Hogarth, per esempio, era rimasto molto impressionato dalla sordida scena osservata in una bettola dove una prostituta aveva sputato del vino in faccia a una collega; Defoe aveva frequentato a lungo, da giornalista, l'immondo carcere di Newgate. Ambienti e personaggi ricavati da tali esperienze vengono ritratti fino al dettaglio sulla tela o in una pagina.

Parlando delle opere di questi artisti, alcuni critici ne hanno messo in evidenza il grado di finitura, definendolo «degno di un pittore olandese». Erano stati i fiamminghi, con la minuziosa riproduzione degli interni, l'accuratezza dei personaggi, dei costumi e degli oggetti, a toccare in quel campo la vetta artistica e «narrativa». Anche perché gli italiani, non disponendo di una vera «borghesia», erano impegnati in un altro genere di pittura.

Robinson Crusoe è il primo racconto in cui le attività quotidiane di una persona normale diventano oggetto di una continua attenzione letteraria. Moll Flanders parla con l'eloquio di una persona incolta; la lingua degradata diventa un suo connotato aggiuntivo. Quando Henry Fielding scrive *Tom Jones*, aggiunge al genere romanzesco un'altra caratteristica: l'intreccio avventuroso. Anche la pittura di William Hogarth è piena d'avventure. Ne è anzi così piena da far dire a qualcuno che Hogarth è in realtà il precursore del romanzo a fumetti.

La satira sociale è un altro elemento di riconoscibilità di queste opere. Jonathan Swift (1667-1754), autore dei *Viaggi di Gulliver*, ne tocca il punto estremo con il suo celebre *Una modesta proposta per impedire ai figli dei poveri di diventare un peso per i loro genitori*. Quale fosse la modesta proposta è noto: sollevare da ogni peso i genitori poveri dandogli il permesso di vendere ai ricchi i loro figli per farglieli mangiare. Denuncia feroce, resa sotto la forma del sarcasmo, con la quale Swift (irlandese di nascita) rimandava alle orribili condizioni di miseria della sua terra.

Piccola notazione curiosa: Swift è, fra le altre cose, l'inventore della parola *Yahoo*, che non è solo il nome di un efficiente motore di ricerca, ma la denominazione da lui creata per indicare i bruti in forma umana che infestano nei *Viaggi di Gulliver* il paese dei cavalli sapienti.

La satira, nota ai latini che, anzi, ne reclamavano la paternità (*Satura tota nostra est*), poi persasi un po' per strada, diventa un altro connotato «borghese» negli anni di cui parliamo. Satira significa libertà di mettere alla berlina, sia pure con qualche cautela o discreto mascheramento, le magagne del potere, è uno dei condimenti della democrazia, uno dei termometri del suo effettivo funzionamento. La satira presuppone l'esistenza di un potere forte, ma anche di forze capaci di tenerlo sotto osservazione, all'occorrenza fustigandolo. Se a incarnare il potere c'è un uomo di robusta fisionomia, capace di controllo politico, ma così arrogante o sicuro da non far nulla per nascondere i suoi difetti, si creano automaticamente, in un paese libero, le condizioni della satira. C'era un uomo con queste caratteristiche negli anni di cui parliamo? C'era.

L'uomo che dà un connotato non solo politico, ma anche di costume a quegli anni è Robert Walpole, conte di Oxford (1676-1745). Figlio di nobili, con buoni studi alle spalle, compie una fulminea ascesa che lo fa diventare deputato nelle file dei Whigs a ventiquattro anni, segretario della Guerra a trentadue, tesoriere della Marina due anni più tardi. Seguirà un'altrettanto fulminea caduta. Quando i Tories cominciano a reagire, Walpole perde il seggio, viene giudicato per corruzione, rinchiuso per un breve periodo nella Torre. Poi il vento gira di nuovo. La regina Anna chiude la dinastia degli Stuart; subentrano gli Hannover, e Walpole, sotto Giorgio I, ricomincia a salire, appoggiato di nuovo dai Whigs, i quali però si scindono ed egli si vede costretto a tornare all'opposizione. Scoppia lo scandalo del *South Sea Bubble* che scuote l'albero whig dalle radici; Walpole è saldamente aggrappato e non cade, anzi nel 1721 è di nuovo primo Lord della tesoreria e Cancelliere dello Scacchiere. In pratica, pur non avendone ufficialmente il titolo, ha funzioni di primo ministro. Il suo demagogico genio gli suggerisce di restare, nonostante l'altissima carica, nella Camera dei Comuni, mentre la tradizione vorrebbe che passasse in quella dei Lord. Il gesto è ben accolto, e in più c'è il vantaggio, non secondario, che è la Camera dei Comuni ad avere funzioni di controllo sul bilancio.

La truffa dei mari del Sud, e le disastrose conseguenze che

ebbe, non è il gran finale dell'Inghilterra postrivoluzionaria. Al contrario, è l'inizio della prosperità, della volgarità e dell'affarismo che caratterizzeranno la metà del Settecento. Se si potessero fare dei paragoni (sono sempre discutibili, però aiutano), gli anni di Giorgio I e Giorgio II (Hannover) ricordano quelli, spensierati e corrotti, della Terza Repubblica francese dopo Sedan o, se vogliamo tendere ancora di più il confronto, quelli altrettanto spensierati e corrotti dell'Italia negli anni Ottanta del Novecento, subito prima di Tangentopoli: «la nave va», come si diceva da noi, senza che nessuno si chiedesse da dove veniva tutto quel carburante.

È con la sua disinvoltura che Robert Walpole dà un connotato all'epoca. Entra ed esce dai giochi del potere con la sicurezza dell'uomo politico che conosce le alterne fortune della vita. Viene giudicato per corruzione perché è corrotto, ma lo è non nel senso volgare del piccolo politico che intasca un po' di denaro per dare una certa agiatezza ai familiari. La sua visione della corruzione è grandiosa; quando proclama che «ogni coscienza ha il suo prezzo», lo fa con l'arrogante sicurezza di chi conosce l'animo umano ma sa anche di poter contare su un solido appoggio parlamentare, sulla benevolenza della corte, su una sterminata pletora di *clientes* e, in fin dei conti, sull'assoluta convinzione che lo scopo delle sue azioni, quali che siano gli strumenti impiegati, si confonde con il bene generale.

L'opinione pubblica coglie, conosce, sente nell'aria, il disinvolto maneggio del denaro. John Gay nella sua *Opera del mendicante* ritrae la corte di Giorgio II come una specie di caverna di briganti; Henry Fielding fa un trasparente paragone tra Sir Robert Walpole e il boss della malavita Jonathan Wild; Alexander Pope nella *Zucconeide* mette alla frusta i costumi come del resto fa, sotto metafora, Swift fingendo di far viaggiare il suo Gulliver in paesi la cui mostruosità è lo specchio dell'immoralità britannica. A detta di tutti costoro l'Inghilterra è ormai un paese dove nessuno riesce più a distinguere tra aristocratici, uomini di governo, borghesi e un qualunque tagliaborse. Forse è un'esagerazione ma gli artisti, com'è noto, vivono anche di questo.

Quando nel 1734 muore il suocero, Hogarth eredita le sue attrezzature e decide di aprire un'accademia, dove giovani dotati possano esercitarsi con un modello dal vero. La condizione è che ognuno paghi la sua quota acquisendo così il diritto a votare su ogni decisione riguardante l'associazione. Criteri innovativi, come si vede, validi ancora oggi. Da vero buontempone fonda anche, con un gruppo di amici, una società detta Sublime Society of Beef Steaks, il cui motto giocoso è «Bistecche e libertà». Da serio professionista, rivolge con altri artisti una petizione al Parlamento perché vieti di trarre opere d'arte da un'incisione senza il permesso dell'autore. Il Parlamento approva il 15 maggio 1736 quella che viene chiamata «Legge Hogarth», embrione di ciò che diventerà in seguito il diritto d'autore.

In occasione di un banchetto per ricordare lo sbarco di Guglielmo III, l'artista lancia l'idea, e il progetto, per «una mostra pubblica di dipinti», un'iniziativa ancora sconosciuta in Inghilterra che diventerà, con l'andare del tempo, una delle diffuse abitudini europee e mondiali. Un altro passo: nel 1750 organizza una lotteria nella quale mette in palio come primo premio un proprio quadro (la *Partenza delle guardie per Finchley*).

Le numerose attività che promuove rendono bene. Il «borghese» Hogarth ha appena passato la cinquantina e può permettersi di acquistare una bella proprietà in campagna, a Chiswick, nei pressi del Tamigi. Alla fine del 1753 pubblica *L'analisi della bellezza*, uno scritto teorico in cui espone e analizza la propria idea estetica, centrata sui pregi della «linea serpentina». Quattro anni più tardi, viene nominato Pittore sovrintendente di tutte le opere appartenenti a Sua Maestà. Ormai è al culmine della carriera e del prestigio e, come sempre avviene quando si raggiunge un simile livello, è circondato di amici, adulatori, nemici. Tra i primi conta David Garrick, grande attore, commediografo, impresario, l'uomo che introduce nell'arte drammatica riforme e ammodernamenti analoghi a quelli che pittori e scrittori stanno apportando nei rispettivi campi. Garrick rimane sul palcoscenico per più di vent'anni interpretando decine di ruoli tragici e comici. L'ho sempre immaginato, non so quanto legittimamente, versatile, multiforme, inquieto, un po' spaccone, molto dotato, come il nostro Vittorio Gassman. È lui che inventa lo spazio scenico moderno, cioè un palco delimitato con precisione, là dove quello elisabettiano era stato più che altro una lunga pedana proiettata verso la platea e aperta su tre lati. È ancora lui a introdurre i fondali dipinti per ambientarvi le varie scene, aggiungendo così un connotato supplementare di verosimiglianza. Diventeranno col tempo le moderne scenografie. È Garrick, infine, a far affermare definitivamente Shakespeare: *Riccardo III* è il suo primo grande successo, *Re Lear* il suo capolavoro.

Il 2 luglio 1763 il «St James' Chronicle» pubblica la notizia che Hogarth, sofferente per un colpo apoplettico, versa in gravi condizioni. Non è del tutto vero e l'artista reagisce con una caustica incisione. Ma non è nemmeno del tutto falso. Il pittore, infatti, non sta bene e nell'agosto dell'anno successivo fa testamento, legando i suoi beni a vari familiari. Borghese fino all'ultimo, si comporta, anche in questo, secondo le regole della sua classe. In ottobre il suo stato precario consiglia il trasporto dalla casa rurale di Chiswick a quella londinese di Leicester Fields. Lì giunto, viene colto da forti nausee e muore. È il 26 ottobre 1764, ha sessantasette anni: *requiescat.*

Mancano, nella vita di Hogarth, gli avvenimenti sensazionali, così come mancarono nella vita del regno dopo i tumulti e il sangue del secolo precedente. È cominciata l'epoca in cui contrasti e scandali girano di preferenza intorno al denaro o alle alcove, finiscono sui giornali più che sulle barricate. Anche per questo il pittore è specchio del suo tempo. Nella seconda metà del Settecento, la borghesia inglese sembra aver esaurito lo slancio, fatto d'interesse e di ideali, che l'ha portata a rimpiazzare gli aristocratici come classe dominante. Sono gli anni in cui assesta il suo equilibrio, quelli in cui accanto alla Bibbia compare un altro libro a guidarne le azioni: *La ricchezza delle nazioni* di Adam Smith, il nuovo vangelo della società liberale. Nascono, in quegli anni, il giornalismo, la satira e la letteratura politica, insieme al solido buon senso, alla diligente cura degli affari, alla religione del profitto come segno e conferma della divina benevolenza. Dal 1688 non è più la corte, ma il Parlamento, il centro della vita nazionale. Gli slanci, le inquietudini, il bisogno di nuovi equilibri sociali e politici si sono trasferiti sul continente, dove si manifesteranno nel luglio 1789, a Parigi.

Nessun eroismo nella vita di Hogarth, solo una lenta continua ascesa verso la prosperità. In questo l'artista non fu diverso dai commercianti, i professionisti, gli alti funzionari che, moderati o intransigenti, miopi o lungimiranti, misericordiosi o spietati, misero tutto il talento e la volontà nel perfezionamento di un mestiere capace di contenere il loro intero orizzonte, tutte le ambizioni, ogni desiderio di futuro. Bisognerà arrivare al Romanticismo perché questo cerchio di così mediocre magia venga di nuovo messo in discussione.

XV

LA DAMA CON LA LAMPADA

In un'ala del nuovo ospedale di St Thomas, in una strada dove in genere i turisti non vanno (2, Lambeth Palace Road), c'è un curioso museo. Vale la pena di visitarlo, se si è interessati alla storia della medicina e allo straordinario personaggio di Florence Nightingale, la donna che ha inventato il corpo delle infermiere e, più in generale, l'ospedale moderno. Nelle sale del museo si possono vedere i documenti, gli oggetti, le fotografie, i costumi, gli strumenti medici che richiamano il conflitto di Crimea nei suoi aspetti sanitari e ospedalieri. C'è anche un altro monumento che ricorda quella guerra. Si trova a Waterloo Place e commemora le migliaia di uomini che caddero combattendo. Alcune sue parti sono state forgiate con il bronzo dei cannoni russi catturati a Sebastopoli. Sul basamento è inserita la figura di Florence, rappresentata come *The Lady with a lamp*, e vedremo le ragioni di questo gentile soprannome.

Che cosa fossero gli ospedali alla metà dell'Ottocento, anche fuori delle drammatiche circostanze di una guerra, è presto detto: dei luoghi infetti, dove il più delle volte si andava non per essere guariti ma per morire. Prima che nascesse un sistema ospedaliero degno del nome, le case di cura appartenevano o a istituti di carità o alle autorità locali. Ma nemmeno quando cominciarono a sorgere dei veri e propri ospedali tutti gli ammalati ebbero la possibilità di esservi ricoverati. Bambini, malati incurabili, pazienti contagiosi, donne incinte, pazzi venivano in genere respinti, sicché dovevano tornare a casa o sperare di trovare altrove una più caritatevole accoglienza.

Le autorità locali si facevano di solito carico degli ospizi di mendicità con annessa «infermeria», dei manicomi, degli ospedali d'isolamento per malattie infettive o epidemiche. Le precarie condizioni igieniche, l'ignoranza delle procedure antisettiche, lo stesso vestiario di medici e infermiere, che eseguivano medicazioni e operazioni con gli abiti indossati abitualmente, erano tutti potenziali strumenti patogeni. Spesso erano proprio gli ospedali e i loro dintorni i luoghi dove era più facile contrarre un contagio. Fino alla metà dell'Ottocento la teoria prevalente era che le malattie fossero trasmesse dall'aria guasta (miasmi), dall'acqua stagnante, dai pozzi neri. Si pensava che, dopo un certo tempo, muri e soffitti di un ospedale si impregnassero di *mephitic odours* che si trasformavano in una fonte d'infezione. Il miglior rimedio pareva quello di cambiare l'aria il più spesso possibile. Grandi camerate o corsie con molti letti erano anche considerate adatte, meglio ancora se dotate di finestre sui due lati in modo da creare correnti d'aria. Soprattutto da evitare erano i locali piccoli che, se affollati, si saturavano di un puzzo pestilenziale.

Solo dopo il 1850 si comincia a credere che il vero veicolo di trasmissione possano essere dei germi, e ci vorrà l'intuizione di un ginecologo ungherese perché l'ipotesi cominci a essere verificata. Quel medico si chiamava Ignaz Philipp Semmelweis (1818-1865), lavorava in un ospedale di Vienna dove il reparto di ginecologia era adiacente alla sala delle autopsie. Accadeva che i medici che avevano appena maneggiato cadaveri passassero, senza nemmeno lavarsi le mani, a visitare donne che avevano partorito da poco, quindi con le lacerazioni ancora aperte. Erano quasi sempre le loro mani infette a causare la cosiddetta febbre puerperale che mieteva vittime in quei reparti. Quando cominciò a enunciare la sua ipotesi, Semmelweis venne ferocemente contrastato, ma rimase convinto di avere visto giusto; i metodi di profilassi da lui introdotti finirono per dargli ragione anche se, per una crudele ironia della sorte, morì egli stesso a soli quarantasette anni per una setticemia contratta durante un intervento chirurgico.

Nel vecchio ospedale di St Thomas, che si trova sempre sulla riva meridionale del Tamigi ma a qualche distanza dal nuovo edificio, si possono completare queste informazioni visitando quella che è probabilmente la più vecchia sala operatoria d'Europa (The Old Operating Theatre). Venne aperta nel 1821 ed è rimasta in funzione per più di quarant'anni. Poi l'ospedale è stato in parte demolito e trasferito. Solo per caso, negli anni Cinquanta, si scoprì nei locali sotto il tetto questo antico anfiteatro chirurgico, oggi trasformato in museo. Ci si arriva inerpicandosi per una strettissima scala a chiocciola. La sala è esigua, le pareti gialline; il tavolo operatorio agghiacciante: una tavola di legno con il pavimento sottostante cosparso di segatura per assorbire il sangue; gli strumenti chirurgici, anch'essi esposti, ricordano arnesi di tortura. I medici operavano dopo aver stordito il paziente con alcol, oppio o mandragora. Solo verso la metà del secolo si scoprirà il potere anestetico dell'etere solforico. Fino a quel momento, alle operazioni dovevano cooperare tre o quattro uomini robusti, con l'incarico di tenere per quanto possibile fermo il disgraziato che si torceva dal dolore. Grande l'entusiasmo quando ci si rese conto che si poteva operare un corpo al quale l'anestesia dava l'immobilità di un cadavere. Un certo dottor Robert Liston tenne a far sapere di essere riuscito ad amputare una gamba a un certo Frederick Churchill, il 21 dicembre 1846, in trentasei secondi.

Dobbiamo a una donna la maggior parte dei cambiamenti intervenuti nelle condizioni di ricovero e di degenza degli ammalati. Aveva il nome gentile di Florence e il cognome altrettanto gentile di Nightingale, che in inglese sta per usignolo.

Si chiamava Florence per essere nata a Firenze il 12 maggio 1820, da una famiglia molto agiata che soggiornava spesso in Italia. Una sua sorella, per essere nata a Napoli, venne chiamata Parthenope. Con ogni evidenza, la signora Nightingale non esitava a mettersi in viaggio nemmeno quando era incinta, o comunque non sentiva il bisogno di rientrare in patria quando si accorgeva di esserlo, a dispetto delle orribili descrizioni che tanti viaggiatori hanno lasciato delle condizioni igieniche dell'Italia, specie del Mezzogiorno. Si capì presto che Florence non era una ragazza come le altre. Nel febbraio 1837, quando non aveva nemmeno diciassette anni, annotò sul suo diario: «Iddio mi ha parlato chiamandomi al suo servizio». La famiglia Nightingale apparteneva alla Chiesa Unitaria ma, in età adulta, Florence aderì alla Chiesa d'Inghilterra. Per un certo periodo fu anche attratta dal cattolicesimo, ma alla fine rinunciò, spaventata dalla complessa teologia della Chiesa di Roma. Non ebbe fidanzati né mai si sposò; fu corteggiata da un giovane che l'amava e che lei ricambiava di uguale sentimento ma alla fine preferì rifiutarlo. È possibile, ipotizzano i suoi biografi, che sia morta vergine, forse tentata da un'irrisolta inclinazione saffica.

Florence disse più d'una volta di aver avuto delle visioni, ogni tanto cadeva in una specie di trance ipnotica: si trattava probabilmente di leggere sindromi epilettiche. Nel 1844 «sentì» che la sua vocazione profonda era la cura degli ammalati. Qualche anno più tardi i suoi genitori, preoccupati per la sua salute, la mandarono a fare un tour d'istruzione e di vacanza in Egitto. L'inquieta Florence risale il Nilo, vede le meraviglie della lontana gloria che adornano tuttora le rive di quel fiume maestoso. Ma, almeno per ciò che era il desiderio della famiglia, il viaggio non serve a niente. Il 12 maggio 1850, chiusa nella sua cabina a bordo della nave, annota: «Oggi compio trent'anni. L'età di Cristo quando cominciò la sua missione. Adesso, niente più sciocchezze infantili. Niente più amore. Niente matrimonio. Adesso Signore fa' ch'io pensi solo alla Tua Volontà, a ciò che Tu desideri ch'io compia. Oh, Signore la Tua Volontà, la Tua Volontà».

Al ritorno da quella intensa e drammatica vacanza, Florence decide che diventerà infermiera, gettando la sua famiglia nello sgomento. Alla metà dell'Ottocento non esisteva una riconosciuta professione d'infermiera: le donne che si occupavano dei malati erano spesso delle ubriacone inette; se appena più giovani, venivano considerate più o meno delle prostitute, e comunque bastava l'intimo contatto quotidiano con i corpi nudi degli ammalati per fare di loro delle potenziali meretrici. Inoltre, le condizioni igieniche degli ospedali erano terrificanti, basti pensare che quando un paziente moriva, un altro veniva subito messo nello stesso letto, senza nemmeno cambiare le lenzuola. Si capisce quindi facilmente quale angoscia dovette suscitare nell'agiata famiglia Nightingale l'intenzione di Florence di dedicarsi a quel lavoro duro e screditato. La ragazza, però, insistette, riuscendo a farsi mandare in Germania in un ospedale, il Kaiserswerth, retto dall'ordine delle diaconesse luterane. Al suo ritorno, grazie all'amicizia di famiglia con l'influente deputato Sidney Herbert, che resterà un suo amico per la vita, viene nominata supervisore del sanatorio di Londra.

Non voglio seguire tutta la carriera di Florence, le molte cose che fece, le innovazioni che apportò nell'organizzazione ospedaliera, che oggi possono sembrare elementari, ma allora rappresentarono quasi una rivoluzione. Per esempio, un sistema elettromeccanico di campanelli che faceva apparire in un quadro il numero corrispondente al pulsante premuto in modo da evitare alle infermiere di percorrere più volte l'intera corsia per sapere chi era stato a chiamare; oppure un sistema di smistamento dei pasti per piano che consentiva ai degenti di mangiare vivande quanto meno tiepide anziché gelate.

Ma il punto culminante della sua attività, il motivo per cui il suo nome viene ricordato, è legato alla guerra di Crimea, considerata non a torto la prima guerra moderna. In che senso questo breve e cruento conflitto fu moderno? Per le tecnologie usate, comprese quelle degli armamenti, ma anche per essere stato il primo a venir documentato quasi in diretta, sia con corrispondenze giornalistiche sia con fotografie. Come la guerra del Vietnam negli anni Sessanta del Novecento sarà la prima guerra «televisiva», così la guerra di Crimea è stata la prima guerra «fotografica». Gli inglesi, e più tardi anche gli altri alleati, permettevano ai corrispondenti di arrivare quasi alle prime linee, il che dava agli articoli trasmessi via telegrafo una vivacità e un'immediatezza senza precedenti. Un'altra importante innovazione fu la navigazione a vapore. Le navi inglesi e francesi erano per lo più mosse da macchine, mentre il naviglio turco e in buona parte quello russo restavano prevalentemente a vela, con la conseguenza che nelle manovre in mare aperto la superiorità dei primi risultava schiacciante.

Un altro vantaggio degli alleati furono le armi da fuoco a canna rigata contro le armi turche a canna liscia. I loro fucili mantenevano apprezzabile precisione di tiro e potenza letale anche a 1500 metri di distanza; i moschetti tradizionali a canna liscia non superavano la gittata utile di cento metri. Nel corso del conflitto, vennero anche progettati prototipi sia di sottomarini sia di carrarmati, anche se l'introduzione effettiva dei mezzi corazzati si avrà solo verso la fine della Prima guerra mondiale.

Ma la guerra di Crimea è stata moderna anche nel senso orribile di mietere molte vittime tra la popolazione civile, soprattutto a causa del lungo assedio alla città di Sebastopoli. Il disastro, dal punto di vista sanitario e logistico, fu totale. Le malattie (devastanti furono colera e dissenteria), la cattiva nutrizione, il freddo, le infezioni postoperatorie uccisero più militari e civili delle granate o delle scariche di fucileria. La coesistenza di un'artiglieria capace di sparare proiettili esplosivi da un quintale e armi bianche tradizionali, sciabole e baionette, provocò un gran numero di feriti, sia da scoppio sia da taglio.

Per un altro aspetto, invece, la guerra di Crimea ci rimanda a un mondo definitivamente scomparso. Alla metà dell'Ottocento giocavano ancora la loro partita mondiale quattro Imperi: russo, austroungarico, ottomano, inglese. Si potrebbe aggiungerne un quinto, quello francese, con dimensioni e peso politico tuttavia minori in confronto agli altri. Per ciò che ci interessa più da vicino, la campagna di Crimea si rivelò subito molto difficile per clima, condizioni sanitarie, abitudini, livello generale di sviluppo. Quando le prime truppe britanniche arrivarono a Gallipoli, all'imboccatura dello stretto dei Dardanelli, un chirurgo inglese annotò: «Di tutti i posti incivili e miserabili che abbiate mai visto o sentito nominare, Gallipoli è il peggiore. Appare di almeno tre secoli indietro rispetto a qualunque altro posto in cui sia stato». E dire, ironia dei nomi, che Gallipoli deriva dalla contrazione di due parole greche che significano «bella città».

Gli inglesi combatterono con l'abituale durezza. Quando la Marina di Sua Maestà bombardò dal mare la città di Odessa, scaricando migliaia di proiettili esplosivi contro le case d'abitazione, perfino i giornali francesi scrissero che s'era trattato di un attacco «eccessivo».

Il pretesto formale del conflitto era stato di irreale futilità. Nel 1850 i preti ortodossi e cattolici di Gerusalemme avevano aperto una contesa sul diritto di precedenza in certi luoghi della cristianità, a cominciare dalla «santa mangiatoia» di Betlemme. Il Vaticano, saggiamente, si disinteressò della questione. Non così lo zar Nicola, che colse al balzo l'occasione chiedendo alla Sublime Porta (la Palestina era allora un protettorato ottomano) di proteggere i cristiani di obbedienza ortodossa. Il presidente francese Luigi Napoleone, che nel dicembre 1852 sarebbe diventato imperatore con il titolo di Napoleone III, pensò d'intervenire in difesa dei cattolici. La faccenda degenerò, soprattutto perché sotto il pretesto religioso premevano interessi concreti. La Russia voleva l'indebolimento dell'Impero ottomano per guadagnare l'accesso al Mediterraneo attraverso i Dardanelli. La Francia progettava di rafforzare la sua influenza in Egitto. Quanto all'Inghilterra, uno dei suoi timori era proprio che la Russia estendesse la sua presenza in quel mare che, dopo il Congresso di Vienna, era praticamente diventato un lago inglese. Ce n'era più che a sufficienza per una guerra, che difatti scoppiò. Nell'estate del 1853 i russi aprono le ostilità, occupando i principati danubiani della Moldavia e della Valacchia. Si riuniscono in fretta e furia i plenipotenziari europei a Vienna, in cerca di un accordo che, però, non si trova. In novembre la flotta russa affonda delle navi turche. Francia e Gran Bretagna, con un intervento che oggi definiremmo «preventivo», mandano le flotte nel Mar Nero. Nel febbraio 1854 la guerra è ufficialmente dichiarata.

Nonostante la sua relativa brevità, questa guerra ha continuato per molto tempo a sprigionare un forte richiamo, sia per le conseguenze che ebbe, sia per la forte evocazione di memorie che ha suscitato. Non certo a caso, esistono a Parigi il grande Boulevard Sébastopol e il Pont de l'Alma (fiume a nord di Sebastopoli); non a caso esiste in diverse città italiane una via Cernaia, dal nome di un altro fiume sul quale aspramente si combatté.

La Crimea, infatti, diede anche modo al conte di Cavour di porre in atto una delle sue più riuscite trame politiche. Il regno di Sardegna partecipò alla campagna con un corpo di quindicimila uomini, al comando del generale Alessandro La Marmora. L'Austria-Ungheria, è ovvio, non vedeva di buon occhio la presenza dei piemontesi. Francia e Gran Bretagna rassicurarono allora l'imperatore, facendogli sapere che l'esercito sardo avrebbe sì preso parte alle operazioni ma in posizione subalterna e con un finanziamento delle casse britanniche. Cavour, però, rifiutò il finanziamento diretto, e accettò denaro dagli inglesi, ma solo come un prestito al ragionevole tasso del tre per cento.

Dove il conte dispiegò in pieno il suo genio fu a Parigi nel 1856, a guerra finita, attorno al tavolo nel quale si stabilirono le regole della pace. Già sedere alla pari con i grandi d'Europa (cioè del mondo) era stato il frutto di abili manovre. Uscire dal Congresso avendo fatto approvare due o tre mozioni presentate dal piccolo Piemonte fu un capolavoro. La conseguenza fu che della questione italiana si discusse in un consesso internazionale al più alto livello. Da quel momento, non sarebbe più stata una contesa locale tra regno di Piemonte e Impero austroungarico.

La prima grande battaglia delle quattro che segnarono la guerra è quella combattuta sul fiume Alma a nord di Sebastopoli. Tale fu l'entusiasmo di Napoleone III per la vittoria, che commissionò la costruzione di un ponte sulla Senna da intitolarsi all'evento e che i parigini conoscono per due caratteristiche: la prima, tragica, è che nei suoi pressi è morta in un terribile incidente la principessa Diana; la seconda è che, delle quattro gigantesche statue di soldati addossate ai piloni, una, quella dello zuavo, viene utilizzata dai parigini per misurare il livello del fiume.

La battaglia dell'Alma, nella quale per la prima volta le due armate si misurarono direttamente, è del settembre 1854. Sulle alture a meridione del fiume s'erano fortificati trentamila fanti e tremilacinquecento cavalleggeri russi con ottantaquattro pezzi d'artiglieria al comando del generale principe Menšikov. Per sei giorni, tanto durò l'attesa della battaglia, il principe non fece nulla per proteggere le sue linee. Memore delle guerre napoleoniche alle quali aveva partecipato, pensava di risolvere la situazione con un attacco di massa alla baionetta, ignaro del fatto che le fanterie nemiche erano molto superiori per numero e disponevano di armi più potenti e precise dei suoi moschetti a canna liscia. Sicuro d'una facile vittoria, lo sventato generale aveva fatto costruire una specie di tribunetta sulla sommità di un'altura, nella quale aveva invitato alcune giovani dame ad assistere alla battaglia come se si trattasse di uno spettacolo.

Lo schieramento franco-inglese si presentava in quella grigia giornata d'inizio autunno con rutilanti uniformi, nelle quali dominavano il rosso e il blu, oltre al bianco immacolato delle cartucciere a tracolla: turchi, zuavi francesi, lunghe file di fanteria di linea; i reparti inglesi spiccavano sulla sinistra dello schieramento con le loro giubbe rosse, gli unici a essere protetti dalla cavalleria.

I francesi avanzarono con passo baldanzoso, gli inglesi, al contrario, con andatura lenta, ritmata, immutabile, nonostante i vuoti che si creavano nelle file; quando un soldato cadeva, gli altri serravano senza cambiare ritmo. Morivano i soldati alleati, ma morivano anche i russi; anzi gli artiglieri russi, che tiravano da batterie prive di protezione, cominciarono a morire prima ancora di rendersi conto da dove arrivassero i colpi. Si diffuse il panico, le ospiti della tribunetta, sconvolte, vennero allontanate in tutta fretta; molti sprovveduti comandanti rimasero sbalorditi dall'efficacia delle armi nemiche; il generale Kiriakov, che avrebbe dovuto comandare l'ala sinistra, corse ubriaco a rifugiarsi in una buca. Lo scontro durò in tutto un'ora e mezzo. In quei novanta minuti, i russi lasciarono sul terreno seimila uomini.

Bisogna rendersi conto di che cos'era un campo di battaglia al termine di uno scontro del genere. I soldati morivano per ferite orribili: squarci, lacerazioni, dissanguamenti, ustioni, mutilazioni, immersi nel suolo fangoso, tra le viscere di uomini e di cavalli, tra urla, bestemmie, lamenti, grida atroci. Alla fine dello scontro dell'Alma quasi diecimila uomini giacevano sul terreno, nell'odore nauseante del sangue che in qualche caso scorreva come un vero rigagnolo oppure ristagnava in larghe pozze sulle quali si precipitavano famelici milioni di insetti. Finite le sparatorie, per alcuni minuti gravò un silenzio irreale, le urla dei feriti e i lamenti dei moribondi cominciarono solo quando gli uomini si riebbero dallo choc. I resoconti e i diari dalla Crimea, alleati o russi, riferiscono gli stessi orrori.

Avvicinandosi a Sebastopoli, il medico chirurgo Mikolaj I. Pirogov vede i feriti, tra i quali c'erano casi di amputazione, distesi in due o tre per carro gementi e tremanti per il freddo e la pioggia. Uomini e animali si muovevano a stento nel fango alto fino al ginocchio; ovunque si vedevano animali morti, gonfie carcasse di buoi che scoppiavano di schianto; le grida dei feriti e il gracchiare dei rapaci che calavano a stormi sulle prede. In lontananza il rombo dei cannoni di Sebastopoli.

In un'altra testimonianza si legge:

Nulla è più atroce dello spettacolo di un corpo squarciato da una palla di cannone o da un proiettile esplosivo. Un poveretto del 95° era stato colpito da due proiettili di cannone alla testa e al corpo. Un terzo proiettile gli esplose addosso e lo fece a pezzi. Solo dai frammenti di stoffa, con i bottoni reggimentali ancora attaccati, si riusciva a capire che l'informe massa sanguinolenta era stata un essere umano ... ad alcuni era stato tranciato il capo come con una scure, altri che erano stati colpiti al petto o allo stomaco erano letteralmente maciullati come se fossero stati stritolati da una macchina.

In quale modo si interveniva su quelle tremende ferite? Alla metà dell'Ottocento la chirurgia aveva ancora una tecnica piuttosto primitiva. Le ferite venivano cucite, gli arti spappolati amputati con bisturi e sega, l'unica anestesia praticata era l'inalazione di un po' di cloroformio (scoperto nel 1846) o l'assunzione di dosi abbondanti di alcol. Anche le misure antisettiche erano rudimentali e le infezioni causate da medicazioni mal fatte molto frequenti.

Si può immaginare quali condizioni ci fossero in un ospedale da campo, dove i feriti venivano scaricati a decine alla volta e dove spesso si operava all'aperto o alla luce incerta d'una lanterna, non di rado sotto il tiro delle artiglierie nemiche. Durante la campagna di Crimea i medici militari erano privi quasi di tutto. Rari i mezzi e gli strumenti che s'immaginerebbero indispensabili in circostanze di quella gravità: lacci emostatici, pinze per l'estrazione delle pallottole, filo di sutura, cloroformio, disinfettanti. Scaricati dai carri, i feriti che erano ancora vivi venivano adagiati sulla nuda terra, spesso nel fango. Le ferite agli arti non venivano bendate fino a quando un medico non aveva deciso se occorreva o no amputare. I medici correvano dall'uno all'altro nel tentativo di stabilire delle priorità, spesso intervenivano senza nemmeno muovere l'uomo da terra. Un memorialista russo ci ha lasciato questo ritratto di una locanda adiacente a un «ospedale» militare:

> I medici del pronto soccorso arrivavano correndo con i grembiuli di tela cerata irrigiditi dal sangue coagulato, le mani coperte di brandelli di carne che gli si erano seccati addosso, lucide come guanti di sangue rappreso. Ingoiavano rapidamente del pollo con le mani in quello stato e, leccandosi le dita insanguinate, si precipitavano di nuovo al loro orrendo lavoro.

Sappiamo dalle cronache che molte amputazioni erano così mal fatte che su quarantaquattro pazienti trattati, trentasei erano morti a seguito dell'operazione. Per quanto possa sembrare paradossale, il maggior numero di morti non lo causarono le ferite da combattimento ma le malattie, in particolare la diarrea che aveva una doppia causa nella dissenteria e nel colera. Scrisse un cronista che il fetore emanato dagli ospedali era così forte che lo si avvertiva da notevole distanza. Nel periodo in cui questa guerra veniva combattuta, poco o nulla si sapeva del bacillo portatore del colera.

Le condizioni degli ammalati inglesi erano forse le peggiori. I russi ricoveravano i loro feriti a Sebastopoli, i francesi avevano allestito un ospedale piuttosto ben equipaggiato nelle vicinanze del fronte, gli ammalati inglesi venivano invece caricati su navi e portati fino a Scutari, all'estremità opposta del Mar Nero, di fronte a Costantinopoli, dove il sultano aveva messo a disposizione delle truppe di Sua Maestà una caserma in disuso adattata a ospedale. I colerosi sono pazienti in stato di sofferenza perenne. A parte il continuo bisogno di defecare, sono torturati da spaventosi crampi muscolari e da conati di vomito; per di più si trovano in stato di grave disidratazione con conseguente forte concentrazione del plasma sanguigno. Le contrazioni dolorose possono assumere talvolta l'aspetto di vere e proprie crisi epilettiche.

Uomini in queste condizioni dovevano issarsi a bordo di navi per mezzo di ripide scalette a pioli. Una volta saliti, venivano fatti stendere sul ponte dove giacevano per giorni, ciascuno con una sola coperta spesso intrisa di sangue e feci. L'antropologo e psichiatra Robert. B. Edgerton, nel suo bel libro *Gloria o morte* sulla guerra di Crimea, ne descrive in questi termini la condizione durante il penoso trasporto via mare: «Giacevano nella calura del giorno e nel freddo della notte, coperti di feci; tormentati da mosche, pulci, pidocchi e vermi; con le spalle e le natiche scorticate dalle assi di legno dei ponti ondeggianti». Sulla nave inglese *Kangaroo*, capace di ospitare 250 passeggeri, furono ammassati 1500 feriti e malati. Su un'altra nave, la *Caduceus*, nel corso della traversata morirono 114 malati su 430. I cadaveri venivano gettati direttamente in mare. Scrive l'eminente vittoriano Lytton Strachey: «Chi può dire che fossero loro i più sventurati?».

Gli uomini che riuscivano a sopravvivere anche alla successiva, e non meno penosa, fase del trasporto, pigiati a bordo di carri senza molle, dovevano infine affrontare l'ultimo girone del loro inferno: quello dell'ospedale. Le condizioni dei feriti erano sostanzialmente simili, cioè pessime, sia nello schieramento franco-inglese sia in quello russo. Lo scrittore Leone Tolstoj si trovava in servizio come ufficiale a Sebastopoli, dove prese parte ad alcuni scontri e dove maturò nel marzo del 1855 la decisione di lasciare l'esercito: «La carriera militare non fa per me, prima me ne tirerò fuori, per darmi interamente alla letteratura, meglio sarà».

Lì, Tolstoj compose, fra gli altri, il suo racconto-reportage *Sebastopoli nel mese di dicembre*, nel quale descrive la situazione nelle retrovie russe:

In quella stanza fanno le medicazioni e le operazioni. Vedrete là dottori con le braccia insanguinate fino al gomito e facce pallide, cupe, all'opera accanto a una branda su cui, a occhi aperti e pronunciando come in un delirio parole insensate, talvolta semplici e toccanti, giace un ferito sotto l'effetto del cloroformio. I dottori sono intenti al compito rivoltante ma benemerito dell'amputazione. Vedrete un coltello affilato e ricurvo entrare nel bianco corpo sano; vedrete che con un grido terribile, straziante, imprecando, il ferito rientra immediatamente in sé; vedrete l'infermiere buttare in un angolo il braccio amputato; vedrete giacere su una barella, nella stessa stanza, un altro ferito che, guardando l'operazione del compagno, si contorce e geme non tanto per il dolore fisico quanto per le sofferenze morali dell'attesa; vedrete spettacoli terribili, che sconvolgono l'anima; vedrete la guerra non nella sua forma ordinata, bella e brillante, con la musica e il rullo del tamburo, con le bandiere al vento e i generali caracollanti, bensì la guerra nella sua più schietta espressione: nel sangue, nella sofferenza, nella morte.

L'immenso scrittore si ricorderà di questa esperienza quando, dieci anni dopo, scriverà *Guerra e pace*. I suoi racconti da Sebastopoli suscitano polemiche, ma in quelle pagine c'è tutta l'atroce necessità della guerra, l'eroismo del popolo chiamato sotto le armi: «Per lungo tempo resteranno in Russia le grandi tracce dell'epopea di Sebastopoli di cui è stato eroe il popolo russo». Ci vorranno i venti milioni di morti della Seconda guerra mondiale per far dimenticare la Crimea.

La Nightingale arrivò a Scutari il 4 novembre 1854, dieci giorni dopo la battaglia di Balaclava e il giorno prima della battaglia di Inkerman. Le corrispondenze di alcuni solerti inviati, soprattutto sullo stato degli ospedali militari, avevano profondamente scosso l'opinione pubblica inglese. Nelle cronache dal fronte si descriveva la situazione in termini così spaventosi che il governo di Sua Maestà si sentì spinto a adottare immediati provvedimenti. La prima idea, e la migliore, fu di ricorrere alla Nightingale, che si era già distinta come organizzatrice di strutture sanitarie. A metà ottobre il ministro della Guerra Lord Sidney Herbert chiese a Florence di radunare un certo numero di infermiere e di partire al più presto.

Non esistendo una precisa collocazione professionale per le infermiere, le donne che Florence riuscì a reclutare andavano da qualche nobildonna spinta da generosi sentimenti ad alcune religiose appartenenti a diversi ordini. In maggioranza erano protestanti, ma c'erano fra di loro anche delle cattoliche, soprattutto irlandesi. Si trattava di donne appartenenti per lo più a ceti umili, mosse dalla speranza di guadagnare qualche soldo in quella rischiosa trasferta. Molte si rivelarono forti bevitrici o di costumi talmente disinvolti da dover essere rimpatriate prima che combinassero troppi guai.

Il prototipo di queste strane volontarie può essere visto nel personaggio di Sarah Gamp, una delle figure di contorno tratteggiate da Dickens nel suo *Vita e avventure di Martin Chuzzlewit*. Lo scrittore s'era ispirato, aggiungendovi tratti caricaturali, a una delle figure tipiche della società del tempo. Sarah è un'infermiera senza scrupoli, avida, ignorante, ubriacona però simpatica; una donna volgare ma piena di rozzo buon senso popolaresco simboleggiato da un ombrello goffamente arrotolato, che si porta dietro con tale costanza da far diventare la parola *gamp* un sinonimo di ombrello. Se alcune di queste donne si dimostrarono alcoliste o licenziose, la gran parte assolse il proprio dovere con una dedizione che non è enfatico definire eroica, curando ammalati ridotti in condizioni nauseanti, uomini resi quasi folli dalle sofferenze o dall'orrore. Molte si ammalarono a loro volta di colera, alcune ne morirono.

Già la prima battaglia, quella del fiume Alma, aveva messo a dura prova la precaria organizzazione sanitaria che si era riusciti a mettere in piedi. La vecchia caserma che il sultano aveva concesso a Scutari si estendeva su una fitta rete di cloache e pozzi neri, il cui fetore invadeva i locali soprastanti. Gli inglesi vi avevano trasportato quattromila letti con la lodevole intenzione di ospitare quanti più feriti possibile. Purtroppo lo spazio disponibile ne era stato talmente invaso da non permettere quasi il passaggio tra un giaciglio e l'altro. Il sistema di aerazione era difettoso, drammatica la mancanza di suppellettili, utensili, strumenti di medicazione. In uno dei suoi primi commenti sulla situazione, Florence disse che se tutti gli insetti e i parassiti che popolavano le corsie avessero avuto il buon senso di coalizzarsi, si sarebbero potuti caricare i sei chilometri di giacigli sulla schiena «per portarli in processione fino al ministero della Guerra».

Si può immaginare che effetto fece l'arrivo di questa pattuglia di donne, guidate da un'altra donna, in un ambiente militare fatto di uomini sfiniti o dal lavoro o dalla loro stessa impreparazione ad affrontare una tale emergenza. Il capo della sanità militare dell'armata britannica, un certo John Hall, era stato richiamato in tutta fretta dall'India. Lo udirono pronunciare frasi irresponsabili come questa: «Anche se sembra barbaro, il dolore acuto provocato dal bisturi è un poderoso stimolante. È meglio udire un uomo urlare forte che vederlo sprofondare in silenzio nella tomba». Voleva probabilmente apparire come un duro, non riuscì a evitare giudizi tremendi. Dissero di lui: «Hall è il degno rappresentante di un sistema in cui predominano l'ignoranza, l'apatia e l'idiozia». Fra tutte le dicerie e cattiverie sul suo conto, a quanto pare meritate, la più feroce fu quella coniata, forse, dalla stessa Florence. Quando al dottor Hall venne conferito un KCB (Knight Commander of the Order of the Bath) come onorificenza, la Nightingale scrisse a Lord Herbert che nel caso di Hall quelle iniziali volevano piuttosto dire: *Knight of the Crimean Burial Grounds* (Cavaliere dei cimiteri di Crimea).

Nell'ospedale di Scutari ogni letto ospitava un corpo dolorante, infetto, sanguinante. Dopo la prima ricognizione, Florence non poté trattenersi dall'esclamare: «Ho visto case nelle peggiori zone d'Europa, ma non ho mai passato una notte in un'atmosfera simile a questa!». L'ospedale era privo di tutto, dal sapone ai piatti, dalle scarpe agli asciugamani. Mancava una lavanderia, molte assi del pavimento erano marce, gli insetti brulicavano, le lenzuola erano di canapa così ruvida che i feriti ne venivano ulcerati e imploravano di restare avvolti nelle coperte con le quali erano arrivati. I lavori infermieristici erano assolti da soldati in fase di convalescenza con un'approssimazione tale da diventare spesso causa di ulteriori disagi per i ricoverati.

Qualunque persona ragionevole avrebbe rinunciato all'idea di poter in qualche modo rimediare a quella situazione. Era del resto ciò che tutti avevano fatto fino ad allora. Florence non era però una persona ragionevole. La dominava quel particolare tipo di concentrata passione che consente di compiere opere per altri impensabili. Era posseduta dalla cupa devozione di coloro che vengono detti santi. Ne sono invasi i riformatori religiosi, gli accumulatori di fortune, gli ossessi del proprio ego, i folli. La Nightingale apparteneva a questa genia. Chi immagina che dietro il romantico soprannome di *Lady with a lamp* vi fosse una fragile fanciulla intenta a percorrere in lacrime i campi di battaglia o le corsie di un ospedale, un gentile angelo della misericordia, si sbaglia. Florence non era un personaggio da romanzo né una signorina intenerita dalla filantropia. Riuscì a imporre la sua volontà e le necessarie riforme solo a prezzo, come riconosce Strachey, «di un metodo rigoroso e una disciplina severa con la ferma determinazione di una volontà indomabile». Furono i poeti a idealizzarla. Nel 1857, Henry W. Longfellow scrive un poema su di lei nel quale descrive come s'aggirasse di notte per l'ospedale con una lampada in mano a controllare i feriti: «*In that hour of misery a Lady with a lamp I see...*».

Florence era solita attraversare le corsie con passo calmo, sul volto un'espressione di partecipe comprensione, apparentemente tranquilla, per nulla scossa dai lamenti o dalle grida, sollecita con tutti. Si racconta che la sua presenza esercitasse un magico potere; che quando si avvicinava a un tavolo operatorio dov'erano in corso i preliminari di un intervento, la sua vicinanza infondesse al povero paziente, che stava per affrontare i più atroci dolori, una quasi sovrumana rassegnazione. Troppe voci confermano questi dettagli, non può trattarsi solo di leggenda. Sicuramente però, perché questo avvenisse, era necessario che da piccoli segni quasi impercettibili trasparisse in qualche modo un senso di dura autorità, frutto della sua interna, tenace determinazione. Un dettaglio minimo è stato per me rivelatore: Florence parlava sempre a bassa voce. Ma bastava che sussurrasse un qualche invito o desiderio perché i presenti si affrettassero a eseguirlo. Non credo ci sia manifestazione più convincente di una naturale capacità di comando.

La sua giornata lavorativa pareva non avere né un vero inizio né una fine, né un programma in qualche modo scandito da un orologio. Nelle corsie era presente fin dalle prime luci del giorno e vi restava fino a sera. Quando le luci si abbassavano su quel mare di sofferenze mal curate, Florence si ritirava nella sua stanzetta per cominciarvi un altro lavoro necessario quanto il primo, e che anzi del primo era l'indispensabile premessa: decine di documenti da firmare e inoltrare, decine di lettere cui rispondere. In lunghi rapporti al suo vecchio amico e protettore Lord Sidney Herbert descriveva, senza nulla nascondere, il molto che restava da fare, dopo ciò che già era stato fatto. Herbert era non solo il ministro della Guerra (gli succederà, a conflitto ancora in corso, Lord Panmure), era soprattutto l'uomo che le aveva affidato l'incarico, convincendola a partire. Era, ciò che più conta, la sua copertura e la sua assicurazione contro le gelosie, le invidie e i tranelli che quella eterogenea compagnia mascolina provava o ordiva nei confronti di una donna che metteva tutti a disagio.

L'episodio forse più famoso di quella guerra crudele è noto come Carica dei Seicento, in inglese *The Charge of the Light Brigade*, una carica suicida, nata da un equivoco e da meschine rivalità, destinata, però, a trasformarsi in una pagina di leggendario eroismo. L'episodio accadde nell'ambito della battaglia di Balaclava, sanguinosa e feroce come le altre, ma con i due schieramenti nemici disposti in maniera singolare sul terreno. Comandante delle truppe inglesi era Lord Fitzroy James Henry Raglan, passato alla storia più per aver dato nome alle celebri maniche senza cucitura che per le virtù militari. Raglan già in Spagna era stato aiutante di Wellington e si era anche trovato al suo fianco durante la battaglia di Waterloo, nella quale aveva perso un braccio.

Per ragioni che solo lui avrebbe potuto spiegare, ma non lo fece, Raglan aveva affidato il comando della Brigata Leggera a Lord James Thomas Cardigan, un uomo alto, biondo, di aristocratica bellezza, comunemente giudicato uno stupido del tipo pericoloso: insultava i subalterni, li deferiva alla corte marziale per delle sciocchezze, perdeva con facilità il controllo dei nervi, cosa che per un comandante sul campo è forse il più esecrabile dei difetti. Era inoltre di salute cagionevole e, malanno assai disdicevole per un cavalleggero, pativa di emorroidi croniche.

Anche il settimo conte di Cardigan era destinato a passare alla storia per un capo d'abbigliamento: la comoda giacca di lana che da lui prese nome e che pare indossasse durante la celebre carica.

Un altro imbarazzante protagonista della giornata fu Lord Lucan, uomo alto, snello e calvo, neanche lui assistito da una particolare intelligenza. Era un gradasso che si rendeva odioso con continue spacconate. Lord Lucan comandava la Brigata Pesante (*Heavy Brigade*), ma era anche il superiore diretto di Lord Cardigan. I due conti erano cognati e si odiavano con tutta la forza del loro inaffidabile temperamento. Lord Lucan, descritto come un uomo bizzoso e altero, era tornato al comando di un reparto dopo molti anni di attività sedentarie. Quando scoprì che i segnali erano nel frattempo stati cambiati, pretese che fossero i suoi uomini a imparare la vecchia sequenza di ordini, anziché affrontare lui la fatica di aggiornarsi.

Un ultimo personaggio è il giovane capitano Lewis Edward Nolan, meno importante degli altri se si vuole, ma che in un certo momento risultò determinante. Era un cavalleggero così abile e fiero da aver scelto una vistosa gualdrappa di tigre da mettere sotto la sella. Nolan era anche noto per aver pubblicamente definito i due conti cognati, Cardigan e Lucan, due perfetti imbecilli.

Vediamo la sequenza dei fatti. Lord Raglan, dalla sommità dell'altura sulla quale si trovava con il suo Stato maggiore, vede che i russi hanno catturato alcuni cannoni inglesi e stanno per portarli via. In tutta fretta detta a un aiutante, che lo scrive a matita, il seguente ordine: «Lord Raglan chiede che la cavalleria avanzi velocemente sul davanti e cerchi di impedire al nemico di portar via i cannoni. La cavalleria francese è alla vostra sinistra. Esecuzione immediata».

A chi affidare il recapito di un tale precipitoso ordine? Raglan ha intorno molti aiutanti e staffette, ma il suo occhio cade sulla vistosa divisa rosso fiamma di Nolan, al quale decide di affidare la missiva per Lord Lucan. Nolan balza teatralmente in sella e parte al galoppo.

Il conte Lucan legge l'ordine e fraintende. Dalla sua posizione, gli unici cannoni che riesce a scorgere sono quelli dello schieramento russo, all'estremità opposta della valle e a una distanza di circa due chilometri. Lucan non è così stupido da non capire che quell'ordine, nella sua pericolosa genericità, è insensato. Attaccare frontalmente uno schieramento di cannoni vuol dire andare incontro a morte certa. Legge e rilegge il foglio e chiede al capitano: «Attaccare cosa, quali cannoni, signore?». Nolan fa un ampio gesto verso la valle e risponde: «Guardi il suo nemico, mio Lord. Guardi i suoi cannoni».

A quel punto Lucan dice al capitano di recapitare l'ordine a Lord Cardigan, comandante della brigata che deve materialmente eseguirlo. Anche Cardigan sulle prime obietta: fa notare che non solo si tratterebbe di un attacco frontale contro uno schieramento di cannoni, uomini e cavalli contro decine di bocche da fuoco, ma che lo schieramento russo è anche protetto sui lati della valle da altri cannoni e da file di fucilieri. Cardigan, giustamente impensierito, fa presente che eseguire quel comando assurdo significa annientare la brigata. Nolan risponde secco: «Questo è l'ordine».

Il tremendo capitano Nolan, dalla sommità dell'altura dello Stato maggiore non può non aver visto a quali cannoni Lord Raglan in effetti si riferisse, ma per bizzarria, sfida o capriccio non chiarisce l'equivoco e anzi chiede a Lord Cardigan se per caso abbia paura ad attaccare come gli è stato ordinato. Cardigan replica furibondo che se sopravvivrà all'azione lo deferirà alla corte marziale per oltraggio. Una volta tanto ha ragione a reagire in quel modo, tuttavia, come subito vedremo, non ci sarà bisogno di dar seguito alla minaccia. Ordina, dunque, ai suoi seicento cavalleggeri di salire in sella schierandosi in formazione di carica. Alle due circa del pomeriggio del 25 ottobre 1854, la tromba dà il segnale e la brigata leggera parte al galoppo facendo rimbombare il terreno sotto le sue migliaia di zoccoli.

La brigata era formata da cinque reggimenti di cavalleria. Il numero degli uomini che presero parte all'azione è stato ufficialmente fissato in 673, ma si tratta di una convenzione, perché la consistenza esatta dei reparti non è mai stata accertata; la metà circa di quegli uomini rimasero uccisi. Lord Cardigan, che si è lanciato alla testa della brigata, riesce ad arrivare vivo fino alle linee nemiche. Tale l'impeto e la folle audacia dell'attacco che i russi aprono il fuoco con un certo ritardo, il che permette di limitare, se è un'espressione lecita per quel carnaio, le perdite. Fra i primi a morire c'è il capitano Nolan, trafitto da una scheggia di granata al petto. Pochi istanti prima di cadere, viene visto roteare freneticamente la sciabola per puntarla in direzione delle alture dove i russi si erano impadroniti dei cannoni inglesi. Qualcuno ha interpretato quel gesto come se, in extremis, avesse voluto indicare a Lord Cardigan la vera direzione che l'attacco avrebbe dovuto prendere.

Gli inglesi arrivano con tale slancio sulla linea dei cannoni che molti artiglieri russi si danno alla fuga. Quelli rimasti ai posti vengono sciabolati senza pietà. Lord Cardigan si distingue per coraggio, nonostante sia stato lievemente ferito. Poco dopo, anche l'artiglieria inglese entra in azione, mentre la cavalleria russa tenta una controcarica. L'intervento di alcuni squadroni francesi risolve definitivamente la partita a vantaggio degli alleati. Uno dei pochi ufficiali che riesce a rientare alla base non solo vivo ma in sella al proprio cavallo, il tenente Percy Smith, scriverà che del suo reggimento, il 13° Dragoni, erano rimasti in vita solo pochi uomini e che, di questi, uno montava un cavallo russo sottratto al nemico dopo che il suo era stato ucciso: «In totale i superstiti del reggimento erano un ufficiale, io stesso, e quattordici cavalleggeri».

Tra i cento episodi di quella giornata, ce n'è uno che descrive bene la pazzesca atmosfera d'una battaglia nella quale si mescolano tragedia e commedia. Mentre sta tornando verso le linee, il tenente Smith s'imbatte in un altro giovane ufficiale, il tenente Chamberlayne, che siede a terra sfinito accanto al suo cavallo ucciso. Chamberlayne gli chiede consiglio su cosa sia meglio fare. Al che Smith gli consiglia di recuperare sella e finimenti e cercare di continuare a piedi: «Un altro cavallo lo troverai,» aggiunge «ma una buona sella sarà più difficile». Chamberlayne segue il consiglio, recupera la sella e tenendola sulla testa si avvia a piedi verso le linee inglesi. Nel frattempo i cavalleggeri cosacchi si sono scatenati per il campo, depredando i morti e finendo a colpi di sciabola i feriti. In quell'orrore, il tenente appiedato riesce a salvarsi, forse perché, quasi interamente nascosto da sella e finimenti, viene scambiato dai cosacchi per uno dei loro predatori.

L'attacco e il rientro dei superstiti nelle linee durò in tutto meno di un'ora; in quelle poche decine di minuti venne scritta una delle pagine memorabili dell'eroismo e della stupidità umani.

Gli storici militari si sono posti più volte le domande che anche il comune buon senso detta: se l'iniziale ordine di Raglan fosse stato più preciso, se Lucan avesse mandato qualcuno a chiedere chiarimenti allo Stato maggiore, se il capitano Nolan che alla fine, ma troppo tardi, pare indicasse la giusta direzione dell'attacco, non avesse irresponsabilmente giocato con le vite di tanti uomini, se... se...

Quando Cardigan rientrò esausto, Raglan lo convocò per chiedergli furibondo se non fosse per caso diventato pazzo. Il conte rispose che aveva ricevuto un ordine diretto, confermato anche a voce, dal suo superiore Lord Lucan. Raglan allora scaricò la sua ira su Lucan, che rispose di aver chiesto chiarimenti all'uomo inviato dal comando e cioè al capitano Nolan, che nel frattempo era morto. Tutta un'assurda catena di equivoci al termine della quale Nolan venne considerato da Raglan il solo responsabile.

Lord Alfred Tennyson (1809-1892), uno dei poeti più rappresentativi dell'era vittoriana, solido conservatore, scrisse un poema in onore di quella carica disperata. Dice la prima strofe:

> *Half a league, half a league,*
> *Half a league onward,*
> *All in the valley of Death*
> *Rode the six hundred.*
> *Forward, the Light Brigade!*
> *Charge for the guns! He said:*
> *Into the valley of Death*
> *Rode the six hundred.*

(Mezza lega, mezza lega, / mezza lega in avanti / dentro la valle della morte / galopparono tutti e Seicento. / Avanti, brigata leggera! / Caricate dritti ai cannoni! Disse: / dentro la valle della morte / galopparono tutti e Seicento.)

Come accennavo più sopra, la guerra di Crimea si può considerare la prima guerra moderna anche perché è stata la prima a essere raccontata in diretta da una pattuglia di corrispondenti. Il leggendario William Howard (Billy) Russell del «Times», Edwin L. Godkin del «Daily News», Thomas Chenery che scriveva, sempre per il «Times», da Costantinopoli. I loro articoli avevano allarmato e scosso il pubblico inglese con le descrizioni dal vivo di orrori osservati di persona. L'ondata di commozione era stata la ragione principale che aveva spinto Herbert e il governo a far partire la Nightingale.

Il ministro e una pubblica opinione largamente favorevole sarebbero già bastati come supporto per un incarico così rischioso. In realtà Florence aveva un terzo punto di appoggio, il più importante, il più forte, nella stessa regina Vittoria, che s'interessò ripetutamente alla sorte e alla salute della Nightingale, chiese di leggere i suoi rapporti, inviò al ministro Herbert, quando ritenne che il momento fosse arrivato, un messaggio che valse più di un salvacondotto, dove si leggeva fra l'altro: «Fate sapere alla signora Herbert il mio desiderio che la signorina Nightingale e le altre signore dicano a quei poveri e nobili feriti che nessuno prende più vivo interesse e soffre di più per le loro pene o ammira di più il loro coraggio e il loro eroismo della loro Regina. Notte e giorno ella pensa alle sue dilette truppe. E così pure il Principe».

Ricevuto l'augusto messaggio, Florence lo fece leggere ad alta voce nelle corsie con il doppio risultato di dare qualche sollievo ai sofferenti e di far sapere, a chi per caso non l'avesse ancora capito, chi comandava davvero lì dentro.

Durò all'incirca sei mesi la parte più cruda del lavoro. Nella primavera del 1855 l'ospedale di Scutari era diventato irriconoscibile: spariti i segni più vistosi e nauseanti del degrado, aumentato l'ordine, assicurate le indispensabili condizioni profilattiche. Un dato lo dimostra: l'indice di mortalità in quei sei mesi s'abbatté drasticamente rispetto alla spaventosa cifra iniziale del 42 per cento. Strachey cita un particolare che basterebbe da solo a dare l'idea del cambiamento, non soltanto logistico e sanitario ma d'atmosfera. I soldati, che fino a qualche mese prima s'abbruttivano bevendo a dismisura nel tentativo di ricacciare sofferenze e ansia, avevano ridotto a tal punto il consumo di alcol da risparmiare sulla paga, riuscendo a mandare un po' di soldi a casa. Non appena il fenomeno diventò abbastanza diffuso, la Nightingale lo trasformò in un altro dovere da assolvere, organizzando una specie di servizio bancario, da lei controllato, che s'incaricava di spedire il denaro.

Florence Nightingale lascia la Crimea nel luglio 1856, quattro mesi dopo la conclusione della pace. La sua salute è seriamente compromessa: soffre di mal di cuore, ha frequenti svenimenti, avverte un continuo stato di prostrazione, il suo sistema nervoso è debilitato.

Vivrà ancora a lungo, ma tale era stato lo sforzo al quale s'era sottoposta, da dover passare gran parte delle sue giornate chiusa in casa, sdraiata tra letto e divano, e tuttavia continuando a lavorare con ogni residua energia tra uno svenimento e l'altro.

C'erano giorni in cui la debolezza le impediva perfino di mangiare. Intorno a quella donna fragilissima e solida, debole e indomabile, si raduna una piccola corte della quale fanno parte l'ex ministro Sidney Herbert, la zia Mai, sorella del padre, che le è stata sempre vicina seguendola fino a Scutari, il poeta Arthur Clough. È in quel circolo che, con l'appoggio della regina e dell'opinione pubblica, si pensa di nominare una Commissione incaricata di indagare sulle condizioni sanitarie dell'esercito. Nonostante la forte opposizione del capo della sanità militare, Sidney Herbert finisce per esserne designato alla presidenza. Giustizia vorrebbe che anche Florence ne facesse parte, ma i tempi non sono maturi: l'idea di una donna che sieda alla pari in un organismo di quel peso e con quel compito appare semplicemente impensabile. L'implacabile Florence non resta per questo con le mani in mano. Distesa sul suo divano, attanagliata dal male, scrive in sei mesi un tomo di quasi ottocento pagine dal titolo *Notes on Matters Affecting the Health, Efficiency, and Hospital Administration of the British Army*, zeppo di notizie, indicazioni e suggerimenti.

Confortata dalla devozione della zia Mai, si alza di tanto in tanto nell'inutile tentativo di recuperare la salute, si reca per qualche settimana in una stazione climatica o termale, ma senza esiti apprezzabili. Come nota acutamente Strachey, è difficile capire se la divorino con più crudeltà la malattia o l'ansia. Un giorno invia a Herbert quella che definisce la sua «ultima lettera», il giorno dopo si offre di partire per l'India a curare le vittime dell'insurrezione. La guerra di Crimea rimane il suo grande, eroico, banco di prova, ma ciò di cui l'Europa le è particolarmente debitrice è la creazione nel 1860 della Nightingale Training School for Nurses al St Thomas Hospital, la prima vera scuola nella quale nasce la moderna figura dell'infermiera professionale.

Una tragedia personale segna l'ultimo periodo della sua vita e imprime un tratto definitivo alla forza del suo temperamento. Lord Herbert torna nel 1859 a essere ministro della Guerra nel gabinetto Palmerston. Tra i suoi compiti c'è, ed è forse il più gravoso, quello di riorganizzare il mastodonte burocratico. Le principali opposizioni vengono com'è ovvio dalla stessa burocrazia, timorosa di ogni innovazione. La lotta si fa lunga, e tra le parti in conflitto è il ministro a sembrare il più debole. Invano la Nightingale lo sprona a resistere; invece di giovarsi di quegli incitamenti, il ministro pare cedere sotto il loro peso, al punto che comincia a dire sempre più spesso di voler abbandonare la vita pubblica. I medici, consultati, ne constatano il deperimento e ordinano il riposo. La Nightingale tiene a quella riforma più che a ogni altra cosa; l'uomo vacilla e lei lo sospinge; lui parla di ritirarsi nella bella tenuta di campagna di Wilton, orgoglio della famiglia, e lei lo rimprovera incitandolo a proseguire. Alla fine, Herbert capisce che ogni ulteriore sforzo è inutile, che quella battaglia non potrà mai vincerla, non nelle condizioni in cui è ridotto. Decide di abbandonare sia il progetto di riforma sia l'incarico. Alla notizia la Nightingale reagisce con furia, lo rimprovera aspramente, lo congeda con modi gelidi. Sidney torna nella sua bella dimora coperta d'edera, situata ai margini di una vasta brughiera. Lì, il 2 agosto 1861, appena compiuti cinquant'anni, muore.

Possiamo dire che Florence contribuì a quell'esito fatale? Faccio mie le parole di Strachey, che sono chiarissime: «Quando l'impeto appassionato di uno spirito potente travolge con la propria veemenza uno spirito più debole fino a distruggerlo, è preferibile non formulare giudizi basati sui luoghi comuni della moralità». Si può credere che se la Nightingale fosse stata meno dura, Herbert non sarebbe morto. Ma è altrettanto certo che, in quel caso, lei non sarebbe stata Florence Nightingale.

Per altri dieci anni Florence continua a esercitare una forte influenza sul ministero della Guerra e sul governo, riuscendo a far migliorare sia gli ambulatori sia gli ospizi di mendicità. Venerata come un'icona nazionale, passa le sue giornate di invalida nella casa di South Street dove vive per quarantacinque anni. Da ultimo è ridotta a una grassa vecchia signora, che sorride di continuo e risponde a sproposito. Di rado esce per una passeggiata in carrozza a Hyde Park. Nei momenti di relativa lucidità scrive di tutto, si azzarda a discettare di filosofia e di teologia, propone una serie di riforme per correggere i difetti del cristianesimo, fornisce una prova a suo giudizio definitiva sull'esistenza di Dio. Inveisce contro le menzogne della vita familiare e la fatuità del matrimonio (e c'è lì una chiave che molto rivela di lei) e deride le scoperte di Louis Pasteur, dichiarando che le infezioni sono un nonsenso, dal momento che nessuno le ha mai viste. Il biologo francese ha lanciato, dice con sprezzo, un *germ-fetish*.

L'ultima volta che compare sui giornali da viva è nel 1907, tre anni prima del decesso, quando le viene conferita una delle più alte onorificenze del regno: l'Ordine al Merito. I telegrammi giungono a decine al suo indirizzo di South Street; nel giorno stabilito si recano al suo domicilio alcune tra le più importanti personalità del governo per consegnarle le insegne. Viene pronunciato un breve discorso che l'augusta inferma ascolta sdraiata sul divano sorretta da numerosi cuscini. Le appuntano l'onorificenza e lei sorride mormorando: «Troppo gentile».

Il vero significato di quell'alto riconoscimento non era più in grado di coglierlo.

XVI

SANGUE, SUDORE E LACRIME

I locali sotterranei noti come Cabinet War Rooms sono una delle più toccanti testimonianze dell'ultima guerra mondiale, insieme ai luoghi dello sbarco sulle coste della Normandia. Il memoriale londinese è intriso di vita quotidiana, emana l'aria stessa degli anni dal 1939 al 1945 in cui si decise il futuro dell'Europa. Le Cabinet War Rooms si trovano nel sottosuolo dei New Public Offices, al termine della breve scalinata che chiude la King Charles Street. Poco oltre c'è la Horse Guards Road e, subito al di là, comincia il St James's Park.

Si scende e, come se si fosse entrati in una macchina del tempo, si viene portati indietro di oltre mezzo secolo perché tutto, compresi i più minuti oggetti, i libri, le luci, i documenti, le carte e le mappe, per non parlare degli apparati di trasmissione e degli stessi arredi, è stato lasciato, o meticolosamente restaurato, per evocare l'ambiente allestito nei giorni della guerra.

Questo quartier generale della nazione, cervello operativo di un paese impegnato in un conflitto e in uno sforzo spaventosi, è vasto, ma di spartana austerità. Ospitava il primo ministro, i suoi più stretti consiglieri, i capi operativi delle tre forze armate fornendo stanze per il lavoro, le riunioni, il riposo.

Di locali come questi s'era cominciato a parlare fin dagli anni Venti, ma il problema era diventato urgente ai tempi del Patto di Monaco, nel 1938, quando le democrazie europee avevano invano blandito l'arroganza di Hitler permettendogli di fare a pezzi la Cecoslovacchia.

Ufficialmente tutti dissero che si poteva tirare un sospiro di sollievo; in realtà tutti sapevano che la bestia nazista non si sarebbe placata con l'annessione dei Sudeti. La guerra, prima o poi, sarebbe arrivata e sarebbe ricominciato l'orrore sperimentato per la prima volta con la Grande guerra, poi durante la breve e feroce guerra di Spagna, ossia i bombardamenti sulle città e la popolazione civile. Gli esperti della Royal Air Force (Raf) avevano calcolato che seicento tonnellate di bombe sganciate sul centro di Londra avrebbero potuto causare duecentomila morti solo nella prima settimana del conflitto.

Gli scantinati sembravano abbastanza robusti per resistere a un attacco ed erano per di più situati strategicamente a metà strada tra la sede del Parlamento e gli uffici del primo ministro a Downing Street. Con un tempismo eccezionale, in parte fortuito, l'allestimento venne terminato il 27 agosto 1939, cioè una settimana prima della fatale data in cui le truppe del Terzo Reich, rimuovendo la sbarra di confine con la Polonia, davano inizio alla Seconda guerra mondiale. Con il procedere del conflitto ci si rese conto che il sempre più distruttivo potenziale delle bombe richiedeva un ulteriore consolidamento della struttura. Il visitatore attento può scorgere i segni di queste opere: spessi muri di cemento armato all'esterno, pesanti travature d'acciaio all'interno.

Per sei interminabili anni le luci rimasero sempre accese in questi tenebrosi scantinati. Furono spente solo il 2 settembre 1945, dopo che il Giappone imperiale ebbe firmato l'atto di resa incondizionata. Rimaste chiuse per anni, le stanze, in origine segretissime, sono state trasformate in un museo e aperte al pubblico nel 1981 per decisione del premier Margaret Thatcher.

Un dettaglio può dare una buona idea della cura con la quale il luogo è stato predisposto. Tutti gli orologi a muro sono fermi alle cinque meno due minuti, per ricordare la prima drammatica riunione di Gabinetto, convocata per le 17.00 del 15 ottobre 1940. La notte precedente, una bomba tedesca aveva centrato in pieno la residenza di Churchill in Downing Street. Da quel momento riunirsi nel sottosuolo parve un'indispensabile misura di prudenza. Il posto in cui sedeva abitualmente Winston Churchill può essere individuato sia dalla larga poltrona di legno sia dalla tipica cassetta rossa che serviva (e tuttora serve) come contenitore dei documenti di Stato durante gli spostamenti del primo ministro.

Alla fine della guerra si scoprì che i tedeschi non avevano mai avuto sentore dell'esistenza di questo rifugio segreto. Gli inglesi, però, ignoravano quanto i tedeschi sapessero e le stanze sotterranee vennero attrezzate anche per opporre una certa resistenza in caso di attacco diretto con paracadutisti o truppe di terra. Non ci furono né i paracadutisti né uno sbarco, e tuttavia la Gran Bretagna visse a lungo nel timore che la situazione precipitasse rendendo necessario difendersi casa per casa. Non si può capire il peso e il valore della resistenza opposta dai londinesi se non si considera in quale stato d'animo milioni di persone vissero per un tempo che parve interminabile, mentre i tedeschi cercavano di fiaccarne lo spirito e le difese con massicci bombardamenti: il cosiddetto blitz.

Per nove mesi Londra subì attacchi aerei devastanti. La parola *Blitz* in tedesco vuol dire lampo, nel senso della rapidità, ma venne adottata dalla stampa per definire la tempesta di bombe che piovve sulla città dall'agosto 1940 al maggio 1941. La Luftwaffe, in venti incursioni notturne nel mese di settembre, sganciò su Londra 5300 tonnellate di bombe ad alto potenziale. I bersagli erano fabbriche, nodi ferroviari, porti, ma l'obiettivo principale era la popolazione civile, che Hitler intendeva terrorizzare («ammorbidire» era il termine usato: *zermürben*) prima della progettata invasione. Tra l'agosto 1940 e il maggio 1941 vennero sganciate su Londra milioni di bombe incendiarie e almeno quarantamila bombe ad alto potenziale. Trentamila furono le vittime accertate, cinquantamila i feriti, interi quartieri della città vennero ridotti in briciole. Il fine di un attacco di tale violenza era demoralizzare la popolazione civile per spingere la Gran Bretagna a chiedere la pace. Lo scopo venne però vanificato dalla capacità di resistenza dei londinesi, che forse mai come durante quei terribili mesi hanno dato prova della forza d'animo di cui i grandi popoli sono capaci quando è necessario.

In che modo i londinesi resistettero al blitz, mandando in fumo i piani di Hitler, è una storia che vale la pena di raccontare.

Una delle testimonianze più dirette dello stato d'animo alla vigilia dei bombardamenti della Luftwaffe su Londra è il celebre discorso che Winston Churchill pronunciò alla Camera dei Comuni il 13 maggio 1940. Bisogna fare attenzione alla data. Tra marzo e aprile di quell'anno la Germania nazista invade la Norvegia e la Danimarca, mentre i suoi panzer dilagano nelle pianure dei Paesi Bassi e della Francia. Il capo del governo Arthur N. Chamberlain, riluttante a gettare il paese in una nuova guerra disastrosa, viene sfiduciato. Tutte le grandi potenze democratiche sono state sconfitte, l'Inghilterra in quel momento è sola in Europa. La Spagna di Franco è neutrale, l'Italia fascista, ancora in condizione di non belligeranza, sta per intervenire al fianco di Hitler. Sarà, tra tutti gli errori di Mussolini, il più tragico.

Il 10 maggio 1940 Churchill viene incaricato dalla Corona di formare il nuovo governo. Gli riesce il capolavoro politico di includere nel Gabinetto anche alcuni rappresentanti dell'opposizione e tre giorni dopo, appunto il 13, si presenta alla Camera dei Comuni dove parla ai deputati rivolgendosi in realtà all'intero popolo britannico. Un discorso di pochi minuti, una delle più vigorose ed efficaci allocuzioni politiche mai pronunciate. Eccone due stralci:

> Dobbiamo ricordare che ci troviamo nella fase preparatoria di una delle più grandi battaglie della storia; che stiamo combattendo su vari fronti, in Norvegia e in Olanda, e che dobbiamo prepararci a farlo nel Mediterraneo; che gli scontri aerei sono continui e che molto dev'essere ancora predisposto qui in Patria.

Dopo questa introduzione, che nel discorso integrale è alquanto più lunga, viene l'affondo retorico destinato a passare alla storia:

> Dirò alla Camera ciò che ho già detto a coloro che fanno parte del governo: non posso offrirvi altro che sangue, fatica, lacrime e sudore ... Abbiamo davanti a noi molti, molti lunghi mesi di lotta e di sofferenza. Mi chiedete: quale sarà la nostra politica? Rispondo: muovere guerra per mare, terra e cielo con tutta la potenza e tutta la forza che Dio può concederci; muovere guerra a una tirannia mostruosa, mai superata nell'oscuro, vergognoso catalogo dei crimini umani. È questa la nostra politica. Mi chiedete: quale sarà il nostro fine? Posso riassumerlo in una sola parola: la vittoria.

Qual era intanto in quelle giornate di maggio la posizione dell'Italia? A Roma le notizie sulle travolgenti avanzate tedesche vengono seguite con ammirazione ma anche con ansietà. Galeazzo Ciano il 18 annota sul *Diario*:

Sempre più favorevoli ai tedeschi sono le notizie del conflitto. Brusselle caduta, Anversa smantellata, colonne di carri percorrono la Francia fino a Soissons, seguite, sembra, dalle fanterie germaniche. Comunque il nostro stato maggiore riserva la sua prognosi: Soddu non ritiene trattarsi di una battaglia decisiva e chiede ancora quindici giorni per pronunziare un giudizio.

In realtà, tutti gli sguardi sono rivolti a Palazzo Venezia, nell'attesa delle decisioni di Mussolini. Pochi dubitano ormai che il Duce possa sottrarsi al richiamo di Hitler e delle sue *Panzerdivisionen*. Mai come in quei giorni l'Italia è oggetto di continue attenzioni. Il 16 maggio Winston Churchill, nel pieno della bufera e quando ormai s'è convinto della disfatta della Francia, si decide a rivolgere a Mussolini un disperato e patetico appello perché l'Italia rimanga fuori dal conflitto: «È troppo tardi per impedire che un fiume di sangue scorra fra il popolo inglese e il popolo italiano? Senza dubbio, possiamo infliggerci atroci ferite l'un l'altro, straziarci crudelmente e oscurare il Mediterraneo con la nostra contesa. Se questo è il vostro comando, tale sia; ma dichiaro di non essere mai stato nemico della grandezza italiana».

Alla fine di una lettera che deve essere costata non poco all'orgoglioso Churchill, un appello disperato: «Dall'evo più lontano, sopra ogni altro richiamo giunge il grido, onde gli eredi congiunti della civiltà latina e cristiana non abbiano a schierarsi gli uni contro gli altri in una lotta mortale. Porgete a esso l'orecchio, ve ne supplico, con tutto l'onore e il rispetto, prima che l'orrendo sangue sia versato».

Mussolini è molto soddisfatto di essere al centro di un tale corteggiamento. Nella lettera di risposta a Churchill, il 18 maggio, rievoca la storia delle «inique sanzioni» e fa capire che l'entrata in guerra dell'Italia a fianco della Germania è solo questione di settimane, forse di giorni: «Voglio anche ricordarvi l'autentico stato di servitù in cui l'Italia si trova nel suo mare. Se fu per onorare la vostra firma che il vostro governo dichiarò guerra alla Germania, comprenderete che lo stesso sentimento d'onore e di rispetto per gli impegni assunti con il Patto italo-germanico guida la politica attuale e futura dell'Italia di fronte a qualsiasi eventualità».

Sempre più impaziente, Mussolini è in continuo contatto con Hitler. Il 19 maggio, ricorda Giuseppe Bottai nelle sue memorie, «Mussolini mi mostra una serie di carte del confine occidentale alpino, della Libia, dell'Africa orientale, dell'Asia Minore, dove sono segnate a vivaci colori forze e dislocazioni delle forze franco-inglesi. Le ho fatte preparare, soggiunge, per Hitler, il quale mi manda un rapporto per aereo ogni quarantotto ore. Egli dirige le operazioni personalmente. Questo è il segreto della vittoria tedesca: che la guerra non la fanno i generali. E i suoi occhi sfavillano d'ironia e di desiderio».

Prima che il conflitto termini, il Duce vuole qualche migliaio di morti da buttare sul tavolo della pace. Sente di poter rivestire i panni del comandante supremo impartendo direttive militari a Badoglio e ai tre capi di Stato maggiore. La Francia è già agonizzante, l'Inghilterra è sotto il pesante attacco della Luftwaffe, bisogna fare presto o si rischia di giungere tardi al banchetto dei vincitori. «Potremmo dare alla Germania la sensazione di arrivare a cose fatte, quando il rischio è minimo» dice Mussolini con apprensione. Perfino il re Vittorio Emanuele è più lungimirante di lui. Il 1° giugno Ciano annota: «Udienza dal re, ormai è rassegnato, niente più che rassegnato, all'idea della guerra. Crede che in realtà Francia e Inghilterra abbiano incassato colpi tremendamente duri, ma attribuisce, a ragione, molta importanza all'eventuale intervento americano. Sente che il Paese va in guerra senza entusiasmo».

Il re sa che il paese non vuole la guerra, che la preparazione delle forze armate è inadeguata e, ancora più importante, sa e teme un possibile intervento americano che il Duce, nella sua eccitazione, ha scioccamente sottovalutato. Il Duce sopravvaluta, invece, non si sa se influenzato solo da se stesso o da chi, la voglia di combattere degli italiani: «Ora due sentimenti agitano il popolo italiano; primo, il timore di arrivare troppo tardi in una situazione che svaluti il nostro intervento; secondo, un certo stimolo all'emulazione, di potersi lanciare col paracadute, sparare contro i carrarmati. Questa è una cosa che fa piacere perché dimostra che la stoffa della quale è formato il popolo italiano è soda». Che, in generale, una stoffa possa essere «soda» è discutibile. Che, in ogni caso, non sia la «solidità» la migliore qualità degli italiani è certo.

In quei giorni scrive anche a Hitler per comunicargli che «l'esercito italiano è pronto a scendere a fianco di quello tedesco. Se voi riterrete che per una migliore sincronia coi Vostri piani io debba ritardare ancora qualche giorno, me lo direte; ma ormai il popolo italiano è impaziente di schierarsi a fianco del popolo germanico nella lotta contro i comuni nemici».

Sulla «Domenica del Corriere» il popolare disegnatore Beltrame sforna copertine guerresche che trasudano simpatia per l'alleato tedesco. La didascalia di un disegno raffigurante il guado di un fiume recita: «Mentre sul cielo gli aeroplani si danno battaglia, la cavalleria germanica si getta arditamente oltre un fiume». Non bastano queste illustrazioni ingenue a stabilire un rapporto di entusiasmo o di simpatia. Che quel rapporto manchi, sia sempre mancato, lo si vedrà tragicamente durante la ritirata d'Africa e di Russia, con i reparti motorizzati del Reich che rifiutano di prendere a bordo i nostri soldati che vanno a piedi. Badoglio ha invano sconsigliato il Duce dicendogli (sembra) che il nostro esercito non è pronto. Italo Balbo, secondo Ciano, «non ritira neppure una delle sue riserve su tutta la politica dell'Asse. Balbo non discute i tedeschi: li odia». Ma ormai la decisione è presa e nulla vale a fermarla.

Il *Diario* di Ciano è uno dei più impressionanti documenti politici che ci siano pervenuti di quel periodo della nostra storia, lettura, viene da dire, indispensabile. Il 10 giugno 1940 Mussolini proclama dal balcone di Palazzo Venezia, di fronte a una piazza stipata di militanti, lo stato di guerra. Ciano ci dà una cronaca toccante e veritiera della giornata:

Dichiarazione di guerra. Per primo ho ricevuto Poncet [ambasciatore francese] che cercava di non tradire la sua emozione. Gli ho detto: «Probabilmente avete già compreso le ragioni della mia chiamata». Ha risposto: «Benché io sia poco intelligente, questa volta ho capito». Ma ha sorriso per un istante solo. Dopo aver ascoltato la dichiarazione di guerra ha replicato: «È un colpo di pugnale a un uomo a terra. Vi ringrazio comunque di usare un guanto di velluto». Ha continuato dicendo che lui aveva previsto tutto ciò da due anni, e non aveva più sperato di evitarlo dopo la firma del Patto d'Acciaio. Non si rassegnava a considerarmi un nemico, né poteva considerare tale nessun italiano. Comunque, purché per l'avvenire bisognava ritrovare una formula di vita europea, augurava che tra l'Italia e la Francia non venisse scavato un solco incolmabile. «I tedeschi sono padroni duri. Ve ne accorgerete anche voi.» Non ho mai risposto. Non mi sembrava il momento di polemizzare. «Non vi fate ammazzare» ha concluso accennando alla mia uniforme di aviatore, e mi ha stretto la mano. Più laconico e imperturbabile Sir Percy Lorraine [ambasciatore britannico]. Ha accolto la comunicazione senza battere ciglio, né impallidire. Si è limitato a scrivere la formula esatta da me usata e ha chiesto se doveva considerarla un preavviso o la vera e propria dichiarazione di guerra. Saputo che era tale, si è ritirato con dignità e cortesia. Sulla porta, ci siamo scambiati una lunga e cordiale stretta di mano. Mussolini parla dal balcone di Palazzo Venezia. La notizia della guerra non sorprende nessuno e non desta eccessivi entusiasmi. Io sono triste: molto triste. L'avventura comincia. Che Dio assista l'Italia.

Dio, com'è noto, non ci assistette. Nemmeno a Lui si possono chiedere imprese troppo difficili. L'avventura si chiuse con una catastrofe militare e con il disfacimento dello stesso tessuto del paese, riscattato solo dalla durissima guerra di Liberazione, dal movimento di Resistenza. Mio padre mi confidò anni fa che quel 10 giugno, ascoltando il Duce alla radio, non aveva potuto trattenere le lacrime tanto lo addolorava l'annuncio di aver dichiarato guerra alla Francia, e in quel modo: essere intervenuti per assestare il definitivo colpo di pugnale a una nazione già sconfitta, a un paese al quale ci uniscono cento legami culturali e, per quel che riguarda la nostra famiglia, anche affettivi.

Secondo Edward R. Murrow, corrispondente americano a Londra in quegli anni, il più grande risultato di Churchill durante la Seconda guerra mondiale è stato di «aver spedito la lingua inglese in prima linea». La sua formula abituale «*We shall never surrender*» diventò un motivo di orgoglio nazionale; molti dissero che, al solo pronunciarle, quelle parole facevano venire le lacrime agli occhi senza che si sapesse perché.

Accade ai grandi paesi di trovare un grande leader nei momenti del più drammatico bisogno: Churchill fu per la Gran

Bretagna ciò che Charles De Gaulle è stato per la Francia, Konrad Adenauer per la Germania, Alcide De Gasperi per l'Italia.

La fase centrale dello scontro noto come battaglia d'Inghilterra era cominciata, forse per sbaglio, nella notte tra il 24 e il 25 agosto 1940, quando i piloti di un bombardiere tedesco s'erano smarriti nei cieli dell'Inghilterra completamente oscurata e avevano sganciato il loro carico quasi a caso, colpendo la City. La città era già stata bombardata, mai però in un punto così centrale. Quella volta Churchill colse l'occasione e ordinò un'immediata rappresaglia su Berlino. La notte di domenica 25 agosto, ottantuno bombardieri della Raf si levarono in volo per colpire la capitale del Terzo Reich. Meno di una decina di aerei raggiunsero effettivamente il bersaglio, furono tuttavia sufficienti a scatenare l'ira di Hitler. In una riunione tenuta pochi giorni dopo in Olanda, Göring trasmise l'ordine del Führer: tutte le forze della Luftwaffe dovevano essere impiegate contro Londra. Il maresciallo Kesselring, responsabile della seconda flotta aerea, approvò con entusiasmo.

L'idea strategica di Hitler, fatta propria dai suoi generali, era che dopo un mese di attacchi contro diversi bersagli, i bombardieri tedeschi si sarebbero dovuti concentrare su un solo obiettivo per sferrare un colpo decisivo. Göring battezzò l'operazione «Loge», il dio nibelungo che aveva forgiato la spada di Sigfrido. Nessuno parve rendersi conto in quel momento del grave errore strategico che la decisione comportava. Solo dopo la cattura, nel 1945, Göring sostenne che personalmente avrebbe preferito continuare gli attacchi sulle basi aeree britanniche ma che aveva dovuto concentrare le forze su Londra per obbedire agli ordini del Führer. Non è mai stato trovato un riscontro documentale a questa affermazione.

Sappiamo, invece, che il giorno dell'attacco Göring, comandante dell'aeronautica, si trovava a Cap Blanc Nez, sulla costa francese, intento a osservare compiaciuto la forza smisurata che stava scagliando contro l'Inghilterra. Più di mille aerei, almeno un terzo dei quali bombardieri, lasciavano rombando la costa del continente per attraversare la Manica. La formazione, dicono i testimoni, sembrava un'immensa e nera nube di tempesta, alta circa tremila metri, con un'estensione di quasi duemila chilometri quadrati. Gli avvistatori inglesi dedussero, in base alla rotta rilevata dai radar costieri, che i bombardieri si stessero dirigendo a est di Londra. Soltanto dopo che la forza principale d'attacco aveva sganciato, i controllori della Raf si resero conto che l'obiettivo era la stessa capitale, e solo a quel punto lanciarono nella battaglia tutti i caccia disponibili.

Perché Hitler aveva ordinato, sbagliando, quel tipo di azione? Londra nel 1939 era la più grande città del mondo. Se si considera la superficie della Greater London, cioè la città con i suoi sobborghi (750 miglia quadrate), la sua popolazione ammontava a oltre otto milioni di abitanti, un quinto della popolazione del paese. Per fare un confronto basta pensare che la seconda città in successione era New York, con circa sette milioni. Ma Londra non era solo una metropoli, era anche la capitale dell'Impero; nel suo porto passavano ogni anno più tonnellate di merci che in qualunque altro porto del pianeta. La sua Borsa, le banche, le compagnie di assicurazione gestivano e commerciavano beni da e per ogni parte del mondo. La Camera dei Lord valeva ancora, nella sua funzione giudiziaria, come suprema corte d'appello per ogni parte dell'Impero. Fino allo scoppio della guerra l'immensa potenza degli Stati Uniti era rimasta invece come racchiusa nei confini di una nazione-continente che due oceani separavano dal resto del mondo.

Viste con gli occhi del nemico, erano tutte ragioni valide per cercare di piegare quella città che, se vinta, avrebbe trascinato alla resa il resto del paese. C'erano poi motivi pratici che consigliavano di colpire il cuore dell'Inghilterra. Per esempio: gli ingegneri della metropolitana avevano calcolato, atterriti, che se anche una sola bomba avesse centrato la galleria tra Charing Cross e Waterloo, metà della rete sotterranea sarebbe stata invasa dalle acque del Tamigi. Nessuno si azzardò a pronosticare se in quel caso i treni avrebbero funzionato da tappo o sarebbero invece stati spazzati via dall'onda di piena. In ogni caso, vennero installate venticinque robuste porte che avrebbero, all'occorrenza, dovuto trattenere il flusso delle acque. Solo nel settembre 1944 una galleria sotterranea fu effettivamente colpita. Le porte stagne predisposte tanti anni prima ressero all'urto.

Il primo bombardamento, il 7 settembre 1940, fu terribile; la battaglia accanita come nessun'altra: il cielo si trasformò in una caldaia ribollente di aeroplani, «una girandola impazzita nella quale non si riusciva più a distinguere i nostri dai loro», come riferì un pilota inglese. Ogni venti minuti, con regolarità cronometrica, tonnellate di bombe si rovesciavano sulla città.

Mentre i londinesi si davano da fare per rimediare ai danni, nel cielo la battaglia infuriava con modalità che oggi sembrano quasi ottocentesche. Anche se è improprio confrontare le forze aeree contrapposte sulla semplice base dei numeri, bisogna dire che nell'intero corso della battaglia vennero impegnati 2913 aerei da parte della Raf e 4549 da parte della Luftwaffe. Importanti, oltre alle cifre dei velivoli, le reciproche capacità produttive. I famosi aerei tedeschi Messerschmitt Bf 109 venivano prodotti con una cadenza di 140 al mese. L'industria britannica sfornò durante la battaglia i non meno celebri caccia Hurricane e Spitfire al ritmo di 500 al mese. Alla lunga, la sproporzione giocò, insieme a numerosi fattori umani, a vantaggio degli inglesi. Nel suo libro *La battaglia d'Inghilterra* Deighton riporta il drammatico resoconto di un duello aereo sopra la Manica, così come lo riferì il pilota, un certo Al Deere, neozelandese arruolato nella Raf.

Presto incontrai un altro bersaglio. Circa tremila metri davanti a me e alla stessa quota, un crucco stava finendo la virata per rientrare nella mischia. Mi vide quasi subito e con un tonneau uscì dalla virata dirigendosi contro di me. Divenne inevitabile un attacco frontale. Con le due mani sulla cloche per mantenere in linea l'aereo e tentare di stabilizzare la mira, guardai attraverso il collimatore il velivolo nemico che s'avvicinava veloce. Aprimmo il fuoco contemporaneamente e subito una grandinata di piombo tamburellò sul mio Spitfire. Per un attimo il Messerschmitt fu una forma ben definita, con le sue ali bellamente inquadrate nel cerchio del mio collimatore, ma un attimo dopo era sopra di me, un'ombra terrificante che coprì tutto il cielo sulla mia testa. Poi ci scontrammo.

L'urto terribile strappa i comandi dalle mani del pilota, il motore prende fuoco, l'elica è bloccata, la strisciata dell'aereo tedesco è stata così violenta da piegarne all'indietro le pale. Deere decide allora la sola cosa possibile: stacca i contatti e scende in planata verso la costa inglese non troppo distante. Con molta abilità e altrettanta fortuna, riesce a far atterrare il velivolo su un campo non lontano dalla base aerea di Manston. Poiché il tettuccio è distorto e bloccato, lo sfonda a pugni: «le nude mani spinte dalla forza della disperazione» disse. Una volta fuori, si allontana di corsa dal rottame che continua a bruciare mentre esplodono i serbatoi del carburante e delle munizioni. E qui accade una scena così incredibile che sembra inventata (e forse lo è), tanto pare ricalcata sugli stereotipi dell'anglicità. Mentre il pilota corre con tutto il fiato che ha, una donna uscita da una vicina fattoria gli chiede: «Vuole entrare a bere una tazza di tè?». «Sì, grazie» risponde ansimando l'aviatore «ma se avesse qualcosa di più forte preferirei.» Al Deere, che sperava in un paio di giorni di riposo, dovette tornare in volo quella sera stessa.

Un altro pilota famoso fu Peter Townsend (divenuto in seguito scudiero della regina), che comandava uno squadrone di Hurricane, e che ebbe fra gli altri uno scontro diretto con un bombardiere Dornier rimasto isolato dal suo gruppo. Townsend lo avvista nel cielo grigio e così pieno di pioggia che deve tenere il tettuccio aperto e sporgere la testa fuori dell'abitacolo per tentare di vedere qualcosa. Con una serie di brevi raffiche micidiali sparate dalle otto mitragliatrici Browning di cui l'aereo è dotato, Townsend piazza duecentoventi colpi nella carlinga dell'aereo nemico che tuttavia, forte delle sue blindature, ancorché sforacchiato, continua a volare e riuscirà infatti a rientrare alla base. Molti bombardieri tedeschi avevano corazzature a prova di mitraglia e addirittura le parti meccaniche più importanti duplicate, per poter continuare a operare anche se colpiti.

Mentre l'inglese vede la sua preda allontanarsi, lo raggiunge un ultimo colpo, che centra il sistema di raffreddamento del suo velivolo, bloccandolo. Il motore s'arresta a quaranta chilometri dalla costa inglese; Townsend si lancia con il paracadute e viene tratto in salvo dal capitano di un peschereccio che, avendolo visto scendere, è entrato in una zona minata per andarlo a recuperare.

Nonostante la data del 24 agosto sia la più accreditata, non c'è accordo sull'effettivo inizio della battaglia d'Inghilterra. Si sa che l'*Adlertag*, il Giorno dell'Aquila, come Hitler aveva battezzato la data del grande assalto aereo contro l'Inghilterra, era stato fissato inizialmente al 5 agosto. In quattro settimane l'aviazione britannica avrebbe dovuto essere annientata e a quel punto sarebbe scattata l'operazione Leone marino, che prevedeva lo sbarco a sorpresa di venti divisioni della Wehrmacht sul tratto di costa tra Ramsgate e l'isola di Wight. La sconfitta dell'Inghilterra avrebbe completato il trionfo del Terzo Reich, consacrandone il dominio sull'Europa. Il 5 agosto, però, le condizioni meteo si rivelarono proibitive: pioggia, nuvole basse, temporali. L'*Adlertag* venne rinviato al 13, anche se nel frattempo la battaglia era cominciata.

Le formazioni di Messerschmitt 109 e 110 che scortavano dall'alto i bombardieri, venivano immediatamente affrontate da squadriglie di Hurricane e Spitfire che, messe in allarme dai radar costieri, aspettavano i tedeschi al varco mentre altri velivoli si avventavano sugli aerei da bombardamento, scompigliandone le formazioni con micidiali caroselli. Come confermano molte testimonianze dirette, la battaglia si trasformava così in una serie di duelli individuali, che a volte si concludevano con un inseguimento fino alle coste francesi. Le successive ondate di bombardieri, che i comandi tedeschi in Francia facevano decollare calcolando che le precedenti avessero sfiancato la resistenza nemica, dovevano anch'esse misurarsi con gli Hurricane e gli Spitfire. Spesso erano gli stessi di prima, atterrati per rifornirsi di carburante e munizioni, e subito tornati a pattugliare il cielo. Per tutto il giorno, le barche dei pescatori inglesi incrociavano davanti alla costa per ripescare i piloti lanciatisi col paracadute.

Sulla stanchezza dei piloti sottoposti a quella massacrante routine esiste una ricchissima aneddotica. Uno Spitfire dopo l'atterraggio rullò sino a fermarsi, ma senza che nessuno ne uscisse. Meccanici e barellieri si precipitarono, aspettandosi di trovare il pilota morto o gravemente ferito. Salirono sulle ali, aprirono il tettuccio, scoprirono l'uomo rovesciato sui comandi immerso in un sonno profondo. Accadeva anche che i piloti, rientrati dalle missioni, andassero a mensa per mangiare un boccone e appena seduti, prima ancora d'avere impugnato la forchetta, cadessero addormentati.

I dirigenti del Reich avrebbero voluto applicare all'Inghilterra la tattica del colpo di maglio: paralizzare l'aviazione avversaria, distruggere le vie di comunicazione e i centri vitali, far crollare il morale della popolazione. A quel punto il terreno sarebbe stato pronto per lo sbarco e per l'avanzata delle divisioni corazzate. Adoperata con successo in Polonia, in Norvegia, in Olanda, in Francia, in Belgio, lì, però, quella tattica non funzionò. Dalle dolci campagne del Kent e del Sussex alle colline dello Hampshire e del Dorset, dalle pianure dell'Essex fino alla distesa urbana di Londra, in quella lontana estate del 1940 il cielo inglese si accese di uno spettacolo mai visto prima. Centinaia di puntini argentei brillavano in alto nel cielo fin dalle prime luci del giorno, e una miriade di bianche strisce di vapore si annodavano in ricami cangianti, mentre al continuo, sordo, rombo dei motori si aggiungevano brevi crepitii, di tanto in tanto il boato di un'esplosione, il sibilo di un aereo che si schiantava al suolo. In dieci giorni, dall'8 al 18 agosto, la Luftwaffe perse oltre quattrocento aerei, la Raf meno della metà. Il 19 agosto, Hitler aveva rilanciato una proposta di pace all'Inghilterra, che venne immediatamente respinta. Il giorno dopo il primo ministro Winston Churchill prese la parola alla Camera dei Comuni per tenere uno dei suoi periodici rapporti sulla guerra. «La gratitudine di ogni casa della nostra isola,» disse «del nostro Impero, e in verità di tutto il mondo, va agli aviatori britannici, che, sfidando tutte le probabilità, affrontando instancabilmente una sfida incessante e un estremo pericolo, stanno invertendo le sorti della guerra con la loro prodezza e la loro tenacia.» E qui venne la frase destinata a essere ripetuta innumerevoli volte: *Never was so much owed by so many to so few*», mai, nella storia dei conflitti umani, tanti hanno dovuto tanto a così pochi.

Queste parole sono rimaste uno dei brani memorabili dell'oratoria politica e patriottica inglese. Quell'allusione ai pochi, ai *few*, è forse un'eco degli *happy few* di Enrico V, il re leggendario e popolare, spietato verso i ribelli, grande protettore degli umili, l'uomo al quale Shakespeare, nel dramma omonimo, mette in bocca la famosa esortazione epica pochi attimi prima della decisiva battaglia di Agincourt: «*We few, we happy few, we band of brothers...*»: «Noi pochi, noi felici pochi, noi schiera di fratelli: perché chi oggi versa il suo sangue con me sarà mio fratello; umile che sia, questo giorno farà nobile la sua condizione». Anche per questo il richiamo di Churchill toccava nel profondo un paese tradizionalmente sensibile ai valori elitari. Quattrocento giovani salvarono l'Inghilterra morendo nella prima fase della battaglia. Fra loro erano numerosi i polacchi del generale Władisław Anders (150 piloti), che continuavano con l'uniforme inglese la guerra che non avevano avuto modo di combattere in patria; molti anche gli esuli cecoslovacchi (87), i volontari canadesi (94), i neozelandesi (101) e infine gli americani che a dispetto della neutralità del loro paese erano accorsi in Gran Bretagna così come pochi anni prima erano andati in Spagna per combattere nel *Lincoln Battalion* contro i fascisti del generale Franco.

Il nerbo di quegli ormai mitici piloti inglesi era formato da ragazzi poco al di sopra dei vent'anni, quasi tutti volontari, con un'anzianità media di dieci mesi e con una ventina di ore di volo d'addestramento. Non pochi venivano da famiglie illustri o da ancor più illustri università. Erano figli dell'educazione classicistica, tipica dell'*upper class*, che derivava la convinzione della propria *effortless superiority*, una naturale superiorità, dalle certezze della tradizione ellenistica e romana che la forza di un popolo dipenda, in ultima analisi, dal suo grado di civiltà, e che la civiltà altro non sia che il possesso della vera cultura. Quella cultura insegnava a rafforzare lo spirito attraverso le grandi letture e a osservare le stesse regole sul campo di rugby come sul campo di battaglia.

Le foto dell'estate 1940 mostrano questi ragazzi mentre, con la tenuta di volo slacciata, fra un allarme e l'altro si riposano al sole accanto al loro caccia, allungati su una sedia a sdraio, un libro abbandonato sulle ginocchia. Altri sono distesi sull'erba, intenti a leggere i romanzi e le riviste del tempo.

Il comandante in capo di questi giovanissimi piloti era, per carattere e per formazione, uno di loro. Il maresciallo dell'aria

Sir Hugh Dowding, gentiluomo scozzese, padre dell'aviazione da caccia. Al culmine di una brillantissima carriera compiuta fra l'India e il Medio Oriente, era alla vigilia della pensione quando le truppe naziste erano dilagate in Francia e avevano spinto gli inglesi alla ritirata sulle spiagge di Dunkerque. Churchill gli ordinò di impegnare la Raf al di là della Manica, ma lui si oppose. Richiamò invece tutti gli aerei in patria e approntò la forza difensiva per l'imminente scontro che avrebbe avuto come posta la sopravvivenza stessa del paese. Se c'è un uomo che va considerato artefice di quella vittoria, non c'è dubbio, è lui. Il suo licenziamento in tronco, nel novembre 1940, fu dovuto soprattutto alle invidie che Sir Hugh aveva suscitato, oltre che all'ingratitudine di Churchill. Quando Dowding morì, nel 1970, sulla seconda pagina del «Times» apparve una foto dei suoi funerali, in una mattinata nebbiosa dell'inverno londinese. Dietro al feretro si vedevano solo tre persone, fra queste Lady Clementine Churchill, la vedova dell'implacabile Winston, che a Dowding non aveva mai perdonato il coraggioso atto di insubordinazione nei giorni di Dunkerque. Il rito funebre si svolse nell'abbazia di Westminster, arca di tutte le glorie nazionali.

Nonostante i bombardamenti su Londra e le altre città britanniche, nonostante all'ultimo momento Göring avesse deciso di riprendere l'offensiva contro gli aeroporti, la battaglia d'Inghilterra finì. Si era protratta sino a metà novembre; ma intanto il Führer aveva capito che quel capitolo doveva considerarsi chiuso e pensava già ad altro. Gli storici sostengono che all'invasione dell'Inghilterra Hitler non ha mai davvero creduto. Secondo Alan John Percivale Taylor era solo un bluff, una scommessa azzardata nella speranza che la Gran Bretagna crollasse per paura. Quando si vide che la scommessa era persa, Hitler passò al fronte orientale, all'operazione Barbarossa contro l'Unione Sovietica, il cui inizio aveva fissato al maggio 1941.

Diversi anni dopo, quando un gruppo di storici alleati intervistò i generali tedeschi sconfitti, uno studioso russo chiese a Von Runstedt (che nel 1940 comandava il Gruppo A delle forze germaniche sul fronte occidentale), qual era stata a suo parere la battaglia decisiva della guerra. «Stalingrado, forse?» Von Runstedt lo deluse: «Se la Luftwaffe avesse vinto la battaglia d'Inghilterra, la Germania nel 1941 avrebbe sconfitto la Russia».

Era stato il blitz, a suo giudizio, la battaglia decisiva della Seconda guerra mondiale.

Come poté la Gran Bretagna resistere a quei micidiali attacchi aerei? Accanto al valore dei piloti che si batterono nel cielo, va messa la capacità di resistenza di milioni di uomini e donne comuni che, a terra, nelle città distrutte, con le vite sconvolte, dettero prova di immenso coraggio collettivo. L'epica di questo racconto è tessuta con cento piccoli episodi che cominciano con il massiccio fenomeno dell'oscuramento (*blackout*). In quegli anni non esistevano né le bombe oggi dette «intelligenti», cioè teleguidate, né i congegni di punteria elettronici. La manovra di sgancio veniva eseguita a vista o sulla base di rudimentali strumenti ottici che comparavano la distanza dell'obiettivo e la velocità dell'aereo. Quando mancavano punti di riferimento visibili (un parco, una cupola, un fiume) la precisione di sgancio diventava problematica a meno che non si volesse bombardare il territorio nemico in modo massiccio o «a tappeto».

I londinesi fecero in massa la straordinaria esperienza di quanto fosse difficile trovare l'orientamento o calcolare le distanze nell'oscurità totale anche in strade e quartieri conosciuti. Uno dei personaggi di Evelyn Waugh, Guy Crouchback, esce dal suo club in compagnia di un parente nella nera notte londinese che evoca in lui la sensazione «come se il tempo fosse tornato indietro di un paio di migliaia di anni, all'epoca in cui Londra altro non era che un cumulo di capanne addensate lungo le rive del fiume, e le strade che stavano percorrendo un insieme di ciuffi di falasco e di paludi». Una donna raccontò che, uscita dalla metropolitana nei pressi di Piccadilly, si ritrovò immersa in un tale buio da non sapere dove girarsi. Per sua fortuna scoppiò poco dopo un furioso temporale. Alla luce intermittente dei lampi la poveretta, bagnata fradicia, fu in grado di percorrere ogni volta pochi metri fino al successivo bagliore. Racconto questi episodi che danno un'idea del trauma di quei giorni. Secondo la scrittrice Vera Brittain, alcuni londinesi finirono per acquisire una specie di sesto senso, «qualcosa a metà tra il tatto e l'odorato», ma molti non ne furono capaci e gli incidenti notturni, anche gravi, le aggressioni e addirittura gli omicidi diventarono routine quasi quotidiana. Al processo per l'assassinio di un vecchio di ottantadue anni, aggredito nella nera notte di Londra, il giudice condannò, deprecandolo, il criminale, salvo aggiungere: «Sono anche convinto che un uomo di quell'età non avesse il diritto di stare fuori casa a quell'ora di notte».

Speciali guardie giravano in bicicletta dal tramonto all'alba, con l'incarico di sorvegliare che nessuna luce filtrasse dalle finestre delle abitazioni. Una madre che aveva acceso la luce nella camera non oscurata del suo bambino quando questi aveva cominciato a piangere, venne pesantemente multata. Scene del genere erano consuete in tutte le città europee. In Italia quel compito era svolto dagli uomini dell'Unpa (Protezione antiaerea) e chi ha vissuto la guerra ha ancora nelle orecchie il grido che si levava improvviso dal nero delle strade: «Luce al terzo piano!». Le auto potevano circolare con un solo faro acceso ma schermato di nero in modo da lasciare aperta solo una stretta fessura. Nelle vetrine dei negozi si poteva accendere una lampada fino a venticinque candele, disposta però in modo che il chiarore illuminasse solo l'interno.

L'oscuramento rimase un provvedimento molto impopolare, fonte di continue lamentele. Bisognava preparare ogni sera la casa per la notte coprendo le finestre, per un piccolo appartamento si trattava di una decina di minuti, ma per le dimore di una certa estensione ci voleva anche un'ora e più. Nonostante questo, il rispetto dell'oscuramento fu praticamente totale e anzi, sorveglianti a parte, furono spesso i cittadini a farsene tutori.

Un esempio spesso citato è quello relativo all'entrata del rifugio di Bethnal Green. Quando le autorità disposero l'installazione di una fioca luce per segnalarne l'ingresso, la lampada fu sabotata dagli stessi utenti. Uno svizzero tedesco, residente a Kensington, venne accusato di fare segnali agli aerei nazisti fumando vigorosamente il suo sigaro per poi puntarne l'estremità incandescente verso il cielo. Un sorvegliante che vide una luce troppo forte nella vetrina di un negozio, con stile più da Far West che londinese, estrasse la pistola e la fece saltare in aria.

Nella sua opera su Londra al tempo della guerra Philip Ziegler nota che soprattutto nelle prime settimane le case più ricche furono anche le più lente a adeguarsi ai nuovi standard, laddove l'obbedienza fu pressoché totale nelle abitazioni delle classi più umili. Naturalmente neppure un popolo così disciplinato poteva prescindere da qualche polemica su un tema così importante. Qualcuno si chiese se il nastro argenteo del Tamigi non fosse di per sé, nelle notti di luna, un punto di riferimento più che sufficiente per individuare i bersagli; così come lo erano i segnali lungo le linee ferroviarie, che ovviamente non potevano essere spenti; qualcun altro fece notare che la barriera di palloni frenati sospesa sopra la città costringeva gli aerei tedeschi a volare a una quota comunque superiore a cinquemila piedi (1500 metri circa) e che da quell'altezza una lampada da cinquanta candele diventava un punto invisibile. La verità, secondo gli storici, è che molte regole, oscuramento compreso, furono imposte come una specie di allenamento alla disciplina collettiva. Ai deputati vennero fornite maschere antigas e una serie di indicazioni per raggiungere, se sorpresi da un attacco durante una seduta, una serie di rifugi nelle vicinanze del Parlamento.

In Hyde Park furono scavate trincee poi coperte da sacchetti di sabbia. La città venne disseminata di decine di rifugi impiantati direttamente a terra: muri di mattoni e calce ricoperti da una lastra di cemento armato spessa una quindicina di centimetri. Si guadagnarono il sinistro nomignolo di «Morrison Sandwich», per via che a volte lo spostamento d'aria risucchiava in fuori le mura e faceva crollare al suolo la pesante lastra di cemento, schiacchiando gli occupanti.

Prima che fosse disponibile un numero sufficiente di rifugi relativamente sicuri, passarono mesi. Nella semioscurità di quei ricoveri, non di rado improvvisati, spesso con una capienza insufficiente, si vedeva di tutto: gruppi di persone raccolte in preghiera e altre dedite al gioco d'azzardo, gesti di grande solidarietà, atti di puro teppismo e violenza, qualche orgia. Un magistrato, chiamato a giudicare uno di questi reati, sentenziò: «Una ragazza che scenda senza genitori in uno di questi rifugi va in cerca di guai».

Tra il 7 settembre e il 13 novembre 1940 Londra fu l'obiettivo principale e quasi esclusivo delle incursioni tedesche. In quelle feroci settimane vennero sganciate sulla città poco meno di trentamila bombe ad alto potenziale, un numero imprecisato, ma altissimo, di spezzoni incendiari e di mine paracadutate. Una notte dopo l'altra, una media di centocinquanta o duecento apparecchi tedeschi passavano rombando, alti sopra la città, liberando il loro carico di morte. A volte si cercava di colpire un bersaglio preciso, altre volte – o per incapacità dei puntatori o per l'azione della contraerea – le bombe cadevano a caso, con un effetto ancora più terrorizzante: nessuno si sentiva più al sicuro, nemmeno se la sua casa era lontana da un possibile obiettivo.

Il 9 settembre ci furono due pesanti incursioni: 200 bombardieri durante il giorno, 170 la notte seguente. In una notte di tempo sereno e luna piena, per esempio quella del 15 ottobre, 410 aerei fecero cadere su Londra 540 tonnellate di bombe, uccidendo 400 persone e infliggendo danni incalcolabili. La notte in cui vennero ripetutamente colpiti i docks si sviluppò una serie di incendi di tale estensione e violenza da far dubitare di poter mai arrivare a spegnerli. In alcuni di quei capannoni erano immagazzinate un milione e mezzo di tonnellate di legno che andò interamente distrutto. In un'altra occasione bruciarono i depositi dov'erano accatastati centinaia di quintali di paraffina. Fiumi di ardente paraffina liquida colarono da un piano all'altro, facendo dilagare le fiamme e riversandosi infine nel Tamigi, dove solidificarono di colpo, trasformandosi in una crosta traslucida sulla superficie delle acque. Il calore sviluppato dall'incendio raggiunse tali temperature da fondere la vernice sulle murate di una nave antincendio posta a grande distanza. Quella sera in un teatro della City si dava il *Faust* di Gounod. Dopo avere sfiorato tante volte l'inferno nel corso delle vicende animate da Mefistofele, gli spettatori, uscendo dalla sala, se ne trovarono davanti uno reale con fiamme alte sessanta metri.

La mattina dopo, il primo ministro Winston Churchill sentì il dovere di farsi vedere nelle zone più colpite: passò a piedi tra gli sfollati e i volontari intenti a scavare tra le macerie, salutato ovunque, assicurano più fonti, da grande entusiasmo che, del resto, lui stesso contribuiva ad alimentare, rivolgendosi con rude franchezza ai presenti, l'eterno sigaro stretto tra i denti, l'aria imbronciata e amichevole di un padre burbero che veglia sulle sorti della famiglia. Entusiasmo a parte, i londinesi reagirono come ogni altra popolazione colpita in modo così duro. Se la tenuta collettiva fu ammirevole, e anzi tra i fattori non secondari della vittoria, le reazioni individuali furono le più diverse. Il rapporto di un autista di autobus segnala che in Trafalgar Square, all'improvviso suonare delle sirene, due donne vennero colte da un tale spavento da «sporcare l'interno della vettura, incapaci di controllare i propri sfinteri». D'altra parte i bambini, rimasti per la maggior parte in città dopo vari tentativi di farli «sfollare», giocavano a «inglesi e tedeschi» negli intervalli fra un'incursione e l'altra, come tutti i bambini del mondo che trasformano anche la carneficina in un'occasione di trastullo. Durante gli allarmi c'erano persone che si precipitavano nei rifugi e tipi spavaldi che restavano ostentatamente fuori con gli occhi al cielo per contare gli aerei nemici.

Alcuni di questi rifugi erano sicuri, altri risentivano di un precario o frettoloso allestimento. Alcuni erano tenuti in ordine, altri avevano servizi igienici così insufficienti da essere invasi dal puzzo delle latrine. In alcuni c'era spazio sufficiente per distendersi, in altri il concentramento di persone era tale da impedire l'ingresso perfino alle forze dell'ordine che volessero fare un controllo.

La soluzione più ovvia era cercare di trasformare in rifugi antiaerei le gallerie della metropolitana. Churchill si era subito dichiarato d'accordo; qualcuno gli aveva riferito che nella sola zona di Aldwych si sarebbero potute ospitare 750 mila persone. Il tema rimase sospeso fino a quando, l'8 settembre, una folla immensa radunatasi di fronte all'ingresso della stazione di Liverpool Street chiese con forza che le porte fossero aperte. Ci fu un accenno di tumulto, un reparto di soldati ven-

ne inviato per mantenere l'ordine, ma le porte furono aperte o
vennero abbattute e la gente prese possesso delle piattaforme
e di parte delle gallerie.

Non erano certo rifugi comodi; si trattava di stendersi a terra su giacigli di fortuna, raggelati dai venti provocati dal movimento dei convogli a volte così impetuosi da far volare le
coperte. Durante un'incursione, una bomba colpì la stazione
di Trafalgar Square esplodendo proprio al di sopra della scala
mobile. Il cemento armato cedette e una marea di detriti colpì
coloro che vi si erano rifugiati causando sette morti. Due notti
dopo, un incidente ancora più grave coinvolse la stazione di
Balham: una bomba fece sprofondare il piano stradale, provo-
cando la rottura delle condotte idriche. Sessantaquattro persone morirono sepolte sotto tonnellate d'acqua e di fango. Più di
cento ne morirono in un'altra stazione, Bank Station, in parte
per causa diretta dell'esplosione, in parte perché lo spostamento d'aria scagliò alcuni sotto un treno che proprio in quel
momento stava arrivando.

La mattina del 13 settembre la prima bomba cadde su Buckingham Palace, il re e la regina erano all'interno e rischiarono di
essere colpiti. Il pomeriggio stesso la coppia reale si recò in visita nei quartieri dell'East Side pesantemente bombardati. La notizia del pericolo corso aveva fatto il giro della città, rafforzando
il sentimento popolare che l'intero paese, a cominciare dalle sue
figure più rappresentative, era impegnato nella stessa guerra.
L'accoglienza della gente, anche per questo, fu ancora più calorosa. Se in una prima fase le bombe tedesche si erano abbattute
soprattutto sulla parte orientale e sulla zona dei docks, a partire
dalla terza settimana l'intera città si trasformò in un gigantesco
bersaglio. Vennero colpiti il giardino zoologico e il museo delle
cere di Madame Tussaud, il ministero della Guerra, la Torre di
Londra, l'Abbazia di Westminster e i club più esclusivi, il museo di Storia naturale e la cattedrale di Saint Paul. Ci furono vittime, danni immensi, episodi curiosi. Nel museo di Storia naturale l'acqua degli idranti usati per spegnere l'incendio fece
germinare i semi della *Albizzia julibrissin* che giacevano rinsec-
chiti nella loro teca da un secolo e mezzo. Colpito dall'inaspet-
tato fenomeno, il direttore provò a fare lo stesso trattamento a

certi semi di età preistorica a suo tempo trovati nelle torbiere della Manciuria meridionale. Germinarono anch'essi in meno di due giorni. Ha scritto Ziegler: «Fu un involontario contributo di Hitler alle ricerche del museo».

Più drammatico il caso della cattedrale di Saint Paul. La notte del 12 settembre una bomba ad alto potenziale si abbatté proprio di fronte alla scalinata interrandosi profondamente ma senza esplodere. Per estrarla fu necessario scavare una galleria di qualche decina di metri, facendosi largo con cautela nell'intrico di tubi e condutture, in un terreno impregnato d'acqua nel quale la bomba continuava a sprofondare. Colpita anche la biblioteca del British Museum, all'impatto duecentocinquantamila volumi andarono in fumo.

Il bombardamento più devastante fu quello scatenato domenica 29 dicembre 1940. Una serie di cause vi contribuirono, alcune delle quali fortuite. Il Natale appena passato e una pausa nelle incursioni avevano allentato la tensione, molti uomini dei soccorsi e dei pompieri avevano preso qualche giorno di riposo. Per di più, il livello del Tamigi era in quei giorni eccezionalmente basso. Quando le fiamme cominciarono a divampare, ci si rese conto che alcune pompe non riuscivano a raggiungere l'acqua e che i battelli antincendio manovravano con difficoltà, rischiando di arenarsi. Nei giorni seguenti si dovette constatare che il porto di Londra era stato ridotto al venticinque per cento della sua capacità operativa. Le bombe e gli spezzoni appiccarono quasi millecinquecento incendi, riducendo buona parte della città a un'ininterrotta muraglia di fuoco. Gli aviatori tedeschi di ritorno dalla missione scrissero nei loro rapporti che, sorvolando Rouen, a più di trecento chilometri di distanza, riuscivano ancora a scorgere il riverbero delle fiamme proiettato contro il cielo.

La cattedrale di Saint Paul venne colpita, il quartiere intorno fu danneggiato seriamente ma la chiesa, raggiunta da ben ventotto ordigni, sopravvisse. I ristoranti di lusso, come il celebre Hungaria, presero l'iniziativa, per non scoraggiare la clientela, di offrire, in caso di allarme, un letto da campo per trascorrere la notte nei locali. Finito l'ultimo turno di servizio, il personale sgomberava velocemente i tavoli, sostituendoli con una serie di brandine, provviste di biancheria immacolata, sulle quali i clienti potevano distendersi dopo aver allentato il nodo della cravatta e i lacci delle scarpe. All'Hotel Savoy, la grande sala da banchetto sotterranea venne divisa in due parti: una attrezzata a sala da pranzo, l'altra a dormitorio. Un episodio drammatico fu quello del Café de Paris, un elegante night-club alla moda, ritenuto sicuro in quanto situato sette metri sotto il livello stradale: «*The safest and gayest restaurant in town, 20 feet below ground*» recitava la pubblicità studiata dal gestore Martin Poulsen. Due bombe centrarono il tetto, sfondandolo; la cantina, nella quale erano stipate venticinquemila bottiglie di champagne, andò distrutta ma, quel che più conta, il salone principale diventò un carnaio. Gli specchi che coprivano le pareti, a imitazione di quelli del transatlantico *Titanic*, andarono in frantumi, aggravando gli effetti dell'esplosione. Quella sera il locale era stato riservato a un gruppo di ufficiali in licenza, le vittime furono numerosissime. In molte occasioni ai bombardamenti seguirono episodi di violenza e di saccheggio. Le case e i locali semidistrutti venivano depredati da bande di malfattori; accadde anche al Café de Paris: gli sciacalli rubarono gli oggetti di valore, frugarono nei portafogli e arrivarono a strappare gli anelli dalle dita dei morti.

Quello dei saccheggi fu, del resto, uno dei tanti problemi che si dovettero affrontare. Si andò dai furti occasionali a quelli organizzati da vere e proprie bande di malviventi, che riuscivano a giungere nei luoghi bombardati prima dei soccorsi. In più occasioni, anche gli operai addetti alle demolizioni approfittarono di ciò che potevano recuperare nei locali che dovevano essere svuotati. Dopo qualche mese dall'inizio del blitz le case pericolanti erano così numerose che si decise di abbatterle usando la dinamite.

Nonostante i morti e le bombe, la vita in qualche modo continuava; non solo a Londra, del resto. Mi raccontava mio padre che il 19 luglio 1943, quando gli Alleati inflissero a Roma uno spaventoso bombardamento sul quartiere di San Lorenzo che causò quasi tremila morti, i caffè di via Veneto, distanti non più di due chilometri in linea d'aria, funzionarono regolarmente e la sera in molti teatri si alzò, come da programma, il sipario. A Londra succedeva lo stesso. Il giorno in cui il Café de Paris veniva così drammaticamente colpito, centocinquanta debuttanti, vestite di bianco, si concedevano il loro primo ballo ufficiale nel salone della Grosvenor House. Per il Natale 1940, caduto in una pausa delle incursioni della Luftwaffe, tutte le strade del centro si presentavano animate. Secondo l'«Evening Standard», l'atmosfera di Oxford Street non aveva niente da invidiare a quella dell'anteguerra. Le vetrine non erano molto fornite, ma quel po' che la penuria consentiva veniva conteso dagli acquirenti.

Anche molte sale di spettacolo funzionavano regolarmente. Come nei ristoranti, nei cinema si usava intrattenere gli spettatori in caso di allarmi aerei con spettacoli spesso improvvisati o recitati da dilettanti. Tanti, aspettandosi il peggio con il sopraggiungere della notte, andavano al cinema portandosi da casa coperte e cuscini. Tra i film preferiti in quella prima stagione di guerra ci furono *Rebecca, la prima moglie* e *Il prigioniero di Amsterdam*, le prime due pellicole che il regista inglese Hitchcock, trasferitosi a Hollywood nel 1939, aveva girato negli Stati Uniti.

Con il procedere della guerra, vennero girati anche molti film e documentari di propaganda, come d'altronde facevano tutti i paesi belligeranti. Tema di fondo: una nazione unita a difesa del suo modo di vivere e della sua cultura. Una serie di documentari prodotti dal ministero per l'Informazione promossero questi ideali comuni a tutti gli inglesi senza distinzione di classe. *London Can Take It* (Londra può farcela) racconta una giornata in città sotto i bombardamenti dell'autunno 1940. *The Heart of Britain, Listen to Britain* (1941), *The Silent Village* (1943) descrivono una società coraggiosa, rispettosa dei diritti individuali, orgogliosa del suo passato. I cinegiornali, per contro, dipingono a tinte forti la ferocia disumana del nemico: «Ecco i barbari nazisti in mezzo a un campo di grano. Dietro di loro c'è la morte, la distruzione, la fame ... È questo il progetto tedesco, la razza che combattiamo da due anni».

Anche la battaglia d'Inghilterra viene celebrata da vari film e documentari, che danno un ritratto epico, mentre sono ancora in svolgimento, delle gesta compiute dai piloti della Raf. In un film di finzione (*Target for Tonight*) si sostiene che la Raf è in grado di colpire quando e dove vuole. Alcuni reportage, già pensando al dopoguerra con un'opera preventiva di pacificazione sociale, affermano: «Ci sarà abbastanza lavoro quando la guerra sarà finita, costruiremo qualcosa di migliore di ciò che è stato distrutto. Non ci saranno più vicoli neri e sporchi né ragazzi affamati e senza tetto».

C'è un terzo aspetto di questa battaglia che va raccontato dopo quelli dei piloti che sbarrarono la strada all'aviazione di Hitler e della popolazione civile che combatté in silenzio la sua guerra di resistenza collettiva: la guerra segreta dei codici. All'inizio c'era stato il radar, il raggio invisibile che permise agli inglesi di «vedere» i convogli nemici in navigazione dandogli la possibilità di attaccare nel momento più favorevole. I valorosi equipaggi delle navi italiane che attraversavano il Mediterraneo vedevano spuntare all'improvviso stormi di caccia e di bombardieri della Raf, bisognò arrivare alla fine della guerra per spiegarsi la ragione di una così micidiale puntualità. Gli ufficiali italiani potevano solo scrutare l'orizzonte con il binocolo, gli inglesi distinguevano sagome, rotte e velocità delle navi nemiche da chilometri di distanza ed erano in grado di calcolare immediatamente portata e consistenza dell'attacco.

Poi ci fu la guerra dei codici. I tedeschi avevano inventato un congegno denominato *Enigma*, un sistema di cifratura così complicato che tentare di violarlo sembrava un'impresa impensabile. Eppure gli inglesi ci riuscirono, creando come prima cosa un ufficio destinato a entrare nella mitologia dello spionaggio. La sede era un vecchio edificio vittoriano in stile Tudor a Bletchley Park nel Buckinghamshire, a qualche decina di chilometri da Londra. Intorno alla casa, un ampio giardino che col tempo e l'aumento del personale si riempì a poco a poco di baracche, in ognuna delle quali lavoravano specialisti in altrettante operazioni: decifrazione, traduzione, confronto e così via. L'organico iniziale era di duecento persone, nel pieno della guerra diventarono settemila. Agli specialisti iniziali si erano aggiunti enigmisti, campioni di scacchi, egittologi. Si arrivò anche, con una trovata piuttosto brillante e molto «inglese», a pubblicare sul «Daily Telegraph» un difficile cruciverba che solo venticinque persone furono in grado di risolvere; tre di queste vennero assunte.

Tra gli analisti di Bletchley Park figura anche Ian Fleming, l'autore delle avventure di James Bond, nelle quali risuonano vari echi di quegli anni. Per esempio, nei romanzi e nei film di 007, il capo dei servizi segreti si chiama «M», e nel suo ufficio si entra soltanto quando una luce verde sulla porta dà il via libera. Succedeva lo stesso a Bletchley Park, con il capo conosciuto come «C», al secolo George Cumming. Alcune delle idee molto «creative» di Fleming erano già degne dei suoi romanzi. Un giorno, per esempio, propose di camuffare un aereo, farlo schiantare nella Manica, lanciare un Sos, lasciarsi trarre in salvo da una nave tedesca, eliminare l'equipaggio, trafugare i codici e affondare la nave. La cosa più sorprendente è che il piano fu accettato, anche se non andò a buon fine: nel giorno stabilito l'aereo non trovò sulla Manica nessuna nave nemica che potesse «soccorrerlo». A Bletchley Park lavoravano pure Hugh Alexander, campione nazionale di scacchi, e John Chadwick, un linguista che dopo la guerra divenne famoso per la decrittazione della misteriosa scrittura micenea detta Lineare B.

Il più geniale di tutti i singolari «agenti segreti» che lavorarono alla decifrazione dei codici tedeschi fu, comunque, il matematico Alan Mathison Turing, al quale è stato anche dedicato un film, modesto e infedele, intitolato appunto *Enigma* (tratto dall'omonimo romanzo di Robert Harris).

Così andarono le cose negli interminabili mesi dall'agosto 1940 al maggio 1941 durante i quali gli inglesi, i londinesi in particolare, strinsero i denti (e la cinghia) e resistettero. Durante quei mesi eroismo, dedizione, spirito di solidarietà, ardimento si mescolarono alla viltà, all'inefficienza, al saccheggio, all'oltraggio dei cadaveri. Sotto il diluvio delle bombe, con il poco cibo, le pochissime ore di sonno che i continui allarmi permettevano, i londinesi non si comportarono in modo molto diverso dai cittadini di ogni altra città nelle stesse condizioni. Tra i miei ricordi infantili ci sono, anche a Roma, episodi di autentico eroismo: ostaggi fatti fuggire sotto la minaccia delle ss,

solidarietà nella penuria, resistenza di fronte al nemico nazifa-
scista a rischio della vita, silenzio ostinato sotto le più crudeli
torture. E anche, collettivamente, quella rassegnazione di
massa che non è apatia ma esercizio della pazienza, attesa giu-
diziosa, la grande rete silenziosa dei patimenti che accomuna-
no e rendono tollerabili le ristrettezze e i rischi, la forza della
preghiera o d'una fede politica. Anche a Roma, città non famosa per le virtù civiche, accaddero queste cose. A Londra
però hanno dato all'intero periodo un connotato prevalente,
anche se qualche storico revisionista ha tentato di rovesciarlo
trasformando quel periodo in una successione di comportamenti riprovevoli: avidità, sfruttamento, pregiudizio, viltà, di-
lettantismo, inefficienza.

Perché, nonostante tutto, l'aspetto positivo ha finito per
prevalere? Molti elementi hanno giocato. Ci furono dei buoni
capi. Churchill fu così abile da trasformare in motivo di orgoglio nazionale non solo la vittoriosa battaglia nei cieli d'Inghilterra ma perfino la precipitosa ritirata da Dunkerque. Poi
ci fu la coppia reale e soprattutto lei, Elisabetta Bowes-Lyon,
diventata poi una «regina madre» così longeva da superare il
secolo di vita. Fu lei a sostenere il marito Giorgio VI, re per caso dopo l'abdicazione del fratello cicisbeo, innamoratosi di
Wallis Warfield Simpson. Giorgio era un uomo timido, balbu-
ziente, insicuro. Elisabetta seppe trasformarlo nel simbolo della resistenza al nazismo. Se il re d'Italia abbandonò popolo ed
esercito alla rappresaglia nazista dopo l'8 settembre 1943, il
comportamento dei reali d'Inghilterra fu opposto. Quando i
cortigiani chiesero a Elisabetta di partire per il Canada per
sfuggire alle bombe di Hitler, rispose: «Le figlie non partireb-
bero senza di me, io non partirei senza il re, e il re non partirà
mai». Fine della questione.

In quei giorni girava una canzoncina popolare in città: «*The
King is still in London, in London, in London, and he would be in
London Town if London Bridge was falling down*», il re è ancora a
Londra, a Londra, a Londra e resterebbe qui anche se venisse
giù il Ponte di Londra. Il mito dunque comincia da lì, dallo spi-
rito di coesione che quegli esempi assicurarono. Ogni volta che
Churchill appariva davanti a qualche casa distrutta, o all'in-

gresso di un rifugio antiaereo con la sua faccia tonda, l'incarnato roseo, l'eterno sigaro tra i denti, un senso di fiducia contagiava i presenti, si diffondeva la sensazione (illusoria che fosse) di non essere abbandonati. Anche Hitler involontariamente contribuì alla vittoria del suo nemico e al mito. Se fossero continuati i bombardamenti solo nei quartieri poveri dell'East Side, si sarebbe diffuso un notevole disagio sociale, forse ci sarebbe stata qualche rivolta di segno pacifista, con connotati di classe. Quando le bombe cominciarono a colpire anche la City, i club esclusivi, i quartieri eleganti, lo stesso palazzo reale, si ristabilì un certo equilibrio, anzi le differenze di rango, così marcate in Inghilterra, si attenuarono come mai prima. Le statistiche dicono che in quei mesi diminuì finanche il numero dei suicidi e degli alcolizzati. L'assenteismo nei luoghi di lavoro fu minimo, nonostante le difficoltà di trasporto. Per tutte queste cose Churchill, a dispetto dei morti e delle distruzioni, poté definire quei momenti «*The finest hour*», l'ora più bella per il suo paese.

Vorrei anche ricordare alcuni elementi simbolici e tuttavia importantissimi. Il Big Ben, la grande campana di sedici tonnellate che dalla torre di Westminster segna il tempo, non cessò mai di battere le ore, facendo risuonare il suo *mi* grave sull'intera città. Infine, altro poderoso simbolo, la cupola della cattedrale di Saint Paul. Anzi, se si dovesse riassumere il mito del blitz in una sola immagine, quella sarebbe quella la più appropriata: la gigantesca cupola che continua a levarsi con orgoglio nel mezzo di un quartiere distrutto, circondata dal fumo e dalla polvere, intatta.

Un rovescio della medaglia, tuttavia, esiste ed è rappresentato dal duca di Windsor e da sua moglie Wallis Simpson, la coppia più scandalosa della guerra. Come si è scoperto di recente grazie a un dossier dell'Fbi americano pubblicato dal quotidiano «The Guardian», i due vivevano sotto la sorveglianza di agenti degli Stati Uniti perché il governo di Washington sospettava che fossero spie dei nazisti. Anzi, per i servizi segreti Usa l'ex sovrano era stato costretto a lasciare il trono nel 1936 non a causa del suo amore per una donna divorziata, ma proprio per la sua imbarazzante simpatia nei confronti di Adolf Hitler. Quanto alla Simpson, oltre che simpatizzante del nazismo era anche stata l'amante del ministro degli Esteri di Hitler ed ex ambasciatore a Londra, Joachim von Ribbentrop.

Quando le voci divennero troppo insistenti fu il presidente Franklin Delano Roosevelt a chiedere personalmente di tenerli sotto controllo. La loro simpatia per il nazismo era ormai notoria. Una celebre foto mostra Hitler, in divisa e con la svastica, che fa il baciamano alla Simpson accanto a un sorridente ex Edoardo VIII, durante la visita privata che nel 1937 i due fecero a Berlino. A Washington si arrivò a dire che Edoardo aveva stipulato con Hermann Göring un patto in base al quale, in caso di sconfitta degli Alleati, Hitler lo avrebbe rimesso sul trono.

Autore di queste rivelazioni all'Fbi è stato, al tempo, un certo padre Odo, ossia Karl Alexander duca di Württemberg, membro dell'aristocrazia tedesca imparentato alla famiglia reale poi divenuto francescano in un monastero negli Stati Uniti. Padre Odo rivelò che Wallis Simpson riceveva ogni giorno diciassette rose da von Ribbentrop, in ricordo dei loro diciassette incontri sessuali; e che la Simpson ripeteva spesso: «Il duca di Windsor è quasi impotente, ha provato ad avere rapporti con molte donne, ma io sono l'unica che riesce a soddisfarlo». Se la circostanza fosse vera spiegherebbe quasi da sola perché l'uomo abbia ceduto il trono d'Inghilterra in cambio del governatorato delle Bahamas. Quella carica da operetta fu infatti la trovata di Winston Churchill per tenere il duca lontano, rendendogli più difficili i contatti con esponenti nazisti. In quegli anni, sempre secondo l'Fbi, il duca viveva «in un tale stato di intossicazione [alcolica], che la maggior parte del tempo è fuori di sé». Sono voci nate durante una guerra sanguinosa e crudele, difficili da verificare; l'intera verità resterà probabilmente ignota.

Chiudo questo capitolo con alcuni versi scritti da un artigliere che quando si arruolò volontario nel 1940 non aveva nemmeno vent'anni. Si chiamava Frank William Thompson, era figlio di uno storico dell'India, molto dotato per le lingue, compreso il latino. Prese parte allo sbarco in Sicilia; fu catturato nel 1944 in Bulgaria e fucilato come traditore nonostante indossasse l'uniforme della Royal Army. La sua breve poesia ha

un titolo latino, *Polliciti Meliora* (Le migliori promesse), pochi
versi toccanti, un degno congedo:

> *As one who gazing at a vista*
> *Of Beauty, sees the clouds close in,*
> *And turns his back in sorrow, hearing*
> *The thunderclouds begin,*
> *So we, whose life was all before us,*
> *Our hearts with sunlight tilled,*
> *Left in the hills our books and flowers,*
> *Descended and were killed.*
> *Write on the stones no words of sadness –*
> *Only the gladness due.*
> *That we, who asked the most of living,*
> *Knew how to give it too.*

(Come chi veda, mentre fissa uno scenario di bellezza, avvi-
cinarsi le nubi e debba a malincuore allontanarsi se il temporale irrompe, così noi, che avevamo la vita davanti e i cuori fe-
condati dalla luce del sole, dovemmo abbandonare sulle
colline i libri e i fiori e inabissarci ed essere uccisi. Non scrive-
te sulla pietra tristi parole, ma solo di opportuna gioia – perché noi che chiedevamo il meglio alla vita, abbiamo anche saputo come offrirla.)

XVII

LA PRINCIPESSA POP

Chi cerchi a Londra un ricordo visibile della breve vita infelice di Diana Spencer ha varie possibilità: i luoghi da lei frequentati, i ristoranti, i caffè dove incontrava nel modo più riservato i suoi amanti. O il palazzo di Kensington, dove ha abitato dopo il divorzio e sul quale grava una sinistra leggenda. Kensington Palace sorge sull'estremo lembo dei Kensington Gardens, quelli che ospitano la statua di Peter Pan, il ragazzo che non crebbe mai. I normali visitatori, oltrepassata una statua della regina Vittoria da giovane, entrano attraverso un cancello ornato da vistose dorature e possono visitare alcune sale nella parte pubblica dell'edificio. L'ala privata resta sulla sinistra e lì è anche l'ingresso (su Palace Avenue) sorvegliato dalla polizia. Re Giorgio II è morto in quel palazzo. Aveva passato la sua giovinezza alla corte tedesca, aveva sposato Carolina di Ansbach, rimasta il grande amore della sua vita insieme a quello per la musica e le armi. Era stato l'ultimo re inglese a comandare personalmente le truppe sul campo, nella battaglia di Dettingen contro i francesi, nel 1743. Morì d'un colpo e gli succedette suo nipote col nome di Giorgio III. A quel punto vari membri della famiglia reale presero a vivere nel palazzo e, tra questi, la principessa Sophia, che s'innamorò follemente del suo scudiero Thomas Garth, dal quale ebbe un figlio subito dichiarato illegittimo. Dopo la nascita del bambino l'ardore dello scudiero si affievolì al punto che la disgraziata Sophia si ritirò in malinconica solitudine nei suoi appartamenti. Lì invecchiò, sempre più debole di vista, trascorrendo intere giornate china a filare o a ricamare. Quando divenne completamente cieca fu trasferita in un altro palazzo, dove morì dimenticata da tutti. La leggenda vuole che certe notti si oda ancora risuonare nelle sale il ritmico rumore del suo arcolaio. Tetre memorie, come si vede.

Un altro luogo dove il ricordo di Diana è tenuto vivo è una specie di orribile sacrario che il potenziale suocero, Mohamed Al Fayed, ha eretto al piano interrato dei magazzini Harrod's. Vale la pena di visitarlo, perché di rado acerbo dolore e autentico cattivo gusto si sono con più efficacia combinati. Gli ovali dei due amanti, qualche candela, fiori, mormorio di acque, luce rosata. Di fronte, incastrata sotto la scala mobile, la grande statua dorata della divinità egizia protettrice dei defunti che sorregge due candele elettriche e fissa con benevolenza, con i suoi occhioni bistrati, le foto degli sventurati amanti morti così precocemente.

Morti come? La morte di questa giovane donna, violenta e improvvisa, rimarrà (fino a quando se ne serberà il ricordo) un mistero insolubile. Nella convulsa successione degli avvenimenti, in particolare quelli della notte tra sabato 30 e domenica 31 agosto 1997, i punti oscuri sono così numerosi da poter alimentare qualunque ipotesi. Ai più risulta inaccettabile che una donna di trentasei anni, bella, sana, ricca, insomma una creatura di fiaba secondo i canoni del romanzo popolare, muoia in quel modo. Anche per questo sono subito fiorite le più diverse ipotesi, un tentativo di dare a quell'assurdità almeno una causa certa, banale o sordida che fosse. Come nel caso di Marilyn Monroe, anche in quello di Diana Spencer gioca un ruolo fondamentale la grazia della figura, l'età, l'alone erotico che circonda il personaggio. Di Marilyn non sapremo mai se la sua fine fu suicidio o delitto; di Diana non sapremo mai se la sua morte, un corpo lacerato tra le lamiere di un'auto schiantata contro un pilone di cemento armato, sia stata conseguenza dell'ubriachezza dell'autista, o errore, o demoniaco complotto per eliminare una donna che stava sfidando una famiglia reale e uno dei pochi troni che ancora abbiano un qualche significato. Con la sua abituale enfasi, il leader libico Gheddafi ha proclamato Dodi e Diana martiri dell'Islam, certamente esagerando.

Noi possiamo solo rivedere fatti che, analizzati nella loro successione, si presentano tragici, ma limpidi all'apparenza.

Sappiamo, però, che nell'ipotesi di una possibile congiura ciò significa poco. Le congiure, quelle ordite ad alto livello, non sono fatte per essere scoperte dai cronisti o dagli investigatori delle società d'assicurazioni. Le congiure vere sono scoperte, quando lo sono, dagli storici che anni dopo, secoli dopo, riescono a metter le mani su qualche archivio rimasto per tutto quel tempo segreto. Vediamoli, dunque, i fatti.

L'aereo dei miliardari arabi Al Fayed, con i contrassegni verdi e avana di Harrod's sulla carlinga e i timoni, atterra all'aeroporto parigino di Le Bourget (è lo stesso dove nel 1927 atterrò Charles Lindbergh) alle 15.20 del 30 agosto 1997, proveniente da Olbia. Ad attenderlo, oltre al personale, ci sono una dozzina di fotografi. L'amore scoppiato tra Diana Spencer, ex moglie del principe Carlo d'Inghilterra e madre dei suoi due figli, e il playboy arabo Dodi Al Fayed è materia fresca, ottima per i rotocalchi di tutto il mondo. La foto che ritrae i due innamorati mentre si baciano a bordo dello yacht *Jonikal* di proprietà dei Fayed è dell'inizio di agosto. Ripresa con un poderoso teleobiettivo, è mossa e sfocata, ma l'importanza della scena ha prevalso su una qualità fotografica di cui in casi del genere non importa niente a nessuno. Anche se la notizia è fresca, la relazione tra i due va avanti dal novembre dell'anno precedente, esattamente da nove mesi.

Il 30 agosto è sabato. Diana deve trattenersi a Parigi per meno di ventiquattr'ore e ripartire poi per l'Inghilterra, dove i figli l'aspettano per cenare insieme la domenica sera.

La direzione dell'aeroporto ha autorizzato l'accesso sotto bordo della Mercedes 600 SL dei Fayed, guidata dall'autista francese di famiglia Philippe Dourneau. I passeggeri devono poter lasciare lo scalo senza essere importunati. Seguita da una macchina di scorta, la Mercedes schizza da un'uscita secondaria diretta verso Parigi. I fotografi, comunque, paiono aver previsto quella mossa e si mettono all'inseguimento sull'autostrada.

Fino al momento in cui ha sedotto Diana, Dodi è stato solo uno dei tanti playboy che girano tra le capitali di vecchio e nuovo mondo facendo collezione di belle donne, bottiglie di champagne e, in qualche caso, cavalli. A parte gli specialisti e gli ambienti per varie ragioni interessati a questo tipo di storie, l'uomo è praticamente sconosciuto al grosso pubblico, e comunque non gli è capitato spesso di essere seguito con tale accanimento da torme di fotografi e cronisti; la relativa novità lo ha, nello stesso tempo, innervosito e lusingato. Anche per questo ordina all'autista di spingere al massimo per seminare i noiosi inseguitori. Non è la prima volta che si comporta così. Un giorno, mentre si trovava a New York in compagnia della pornodiva Koo Stark, ha rischiato di rimanere ucciso per aver ordinato all'autista di spingere «a tavoletta», sempre per sfuggire a un inseguimento.

Lasciato l'aeroporto, la prima tappa della giornata parigina, che se non fosse finita tragicamente sarebbe stata solo sconclusionata, è la villa dei Windsor al Bois de Boulogne. La coppia Edoardo e Wallis, turbolenta e opaca nello stesso tempo, vi ha vissuto a partire dal 1953 fino alla morte (nel 1972 lui, nel 1987 lei).

Dopo la scomparsa dei duchi, la villa è rimasta per molti anni disabitata andando lentamente in rovina. Il miliardario Mohamed Al Fayed, padre di Dodi, ha chiesto alla municipalità parigina di poterla affittare. Una modesta pigione (l'equivalente di 1500 euro al mese) in cambio dell'obbligo, costosissimo, di restaurarla, parco compreso. La sosta dei due giovani è breve, probabilmente Dodi intende solo mostrare alla «fidanzata» gli appartamenti che suo padre gli ha destinato.

Un paio d'ore dopo l'atterraggio, alle 16.30, la coppia arriva al famoso Hotel Ritz di Place Vendôme, proprietà della famiglia Fayed. I fotografi sono già appostati, ma l'ingresso è tutto sommato tranquillo. I due salgono nell'appartamento 102. Per alcune ore Dodi e Diana rimangono fuori della portata di chiunque, eccetto che dei microfoni eventualmente installati. Nascondere dei microfoni nelle stanze o addirittura sotto il letto sarebbe facilissimo; i due sono di continuo attorniati da molte persone, tra le quali potrebbe trovarsi qualcuno in contatto con i servizi. Henri Paul per esempio, quarantunenne, l'uomo che sarà alla guida al momento dell'incidente, è un dipendente del Ritz dove lavora come vicecapo della sicurezza, ma è anche in contatto con i servizi segreti francesi.

Alle 18.30 Dodi esce e fa i pochi passi che separano l'albergo dal negozio del gioielliere Alberto Repossi, uno dei più chic d'Europa. Sfogliando un catalogo, Diana s'è invaghita di un anello molto elegante, che ha il romantico nome *Dis-moi oui*. Una cosa semplice: quattro diamanti montati a stella, che costa solo 170 mila euro, per Dodi una bazzecola.

Mezz'ora dopo, alle 19.00, i due escono insieme dal Ritz, salgono in macchina e, sempre seguiti da un plotone di fotografi, si dirigono al pied-à-terre di Dodi (un secondo piano di duecento metri quadrati) al numero 1 di Rue Arsène Houssaye, una traversa nella parte alta degli Champs Elysées. Quando giungono al portone, i fotografi sono diventati una legione e insorgono notevoli contrasti con il personale che protegge la coppia.

Per la sera Dodi ha fatto prenotare con un nome di copertura un paio di tavoli nel celebre ristorante Benoît. Ma durante il viaggio di ritorno verso l'albergo, sempre seguiti da una torma di fotografi, Dodi, ormai decisamente irritato, cambia idea, anche perché ha saputo che un altro nugolo di fotoreporter è già in attesa davanti al ristorante. Fa quindi disdire la prenotazione e decide di pranzare al ristorante del Ritz, l'Espadon, che è ottimo e ha avuto nel corso degli anni ospiti illustrissimi, da Proust a Coco Chanel a Mata-Hari e, ovviamente, Hemingway, che a Parigi, un po' come Garibaldi in Italia, è stato dappertutto.

Alle 21.30 la coppia è al Ritz. Nemmeno l'Espadon però va bene. Non appena i due entrano, un pesante imbarazzo spegne le conversazioni e raffredda la raffinata clientela. Dodi ne è seccato e chiede al direttore dell'albergo (che in fondo è un dipendente di suo padre) di far servire la cena direttamente nella loro suite.

Finita con calma la cena, il miliardario arabo fa presente alla sua scorta di voler lasciare l'albergo per tornare nell'appartamento di Rue Arsène Houssaye. Ha escogitato un piano che, già ingenuo nell'impianto, si rivelerà disastroso nell'applicazione. Per liberarsi dei fotografi, la cui assillante presenza gli è ormai insopportabile, Dodi chiede che un'auto diversa e sconosciuta venga parcheggiata discretamente presso l'uscita secondaria dell'albergo in Rue Cambon, mentre la Mercedes di famiglia farà da richiamo-civetta all'ingresso principale sulla piazza. Non senza difficoltà a quell'ora notturna del sabato, la direzione del Ritz prende a nolo un'altra Mercedes modello 280S. A guidarla sarà Henri Paul, che alle 19 ha terminato il turno di servizio ma è poi tornato in albergo di sua volontà. L'auto ha fatto poco meno di diciassettemila chilometri ed è dunque relativamente nuova; nel suo ruolino c'è però un episodio inquietante. Quattro mesi prima era stata rubata e abbandonata fuori Parigi priva di alcuni pezzi, tra i quali il chip elettronico che comanda varie funzioni. Risulta da più fonti che, anche dopo essere stata riparata, la vettura ha continuato ad avere noie di funzionamento. In particolare il *led* che segnala un eccessivo consumo delle pastiglie dei freni si accende a sproposito. È possibile che una seconda revisione fosse già stata prevista, ma non si ebbe modo di farla, e comunque la 280 S era la sola vettura disponibile per quel giorno a quell'ora. Alle 0.20 i due amanti lasciano la suite ed escono in strada attraverso l'uscita secondaria. Prima l'autopsia, poi l'inchiesta hanno accertato che l'autista Paul in quel periodo faceva uso di psicofarmaci per lenire una cocente delusione d'amore; per di più quella sera aveva bevuto in abbondanza. Qualcuno ha detto, ma si tratta di un'illazione, che la vista di due innamorati così evidentemente presi l'uno dell'altra avesse reso più aspro il suo dolore.

Sull'auto noleggiata salgono in quattro. Al posto di guida c'è Henri Paul, accanto a lui la guardia del corpo di Dodi, Trevor Rees-Jones, l'unico che allaccerà la cintura, l'unico che uscirà vivo, anche se malconcio, dall'orribile schianto. Dodi siede dietro l'autista, Diana accanto a lui, dunque sul sedile posteriore destro. Un funzionario del Ritz che vede il quartetto uscire dirà in seguito che l'autista appariva chiaramente «eccitato e ubriaco». Altre testimonianze, rilasciate dalla famiglia dell'uomo, indicano al contrario una totale sobrietà. Dalle analisi risulta che quella sera il suo sangue conteneva una percentuale di alcol dell'1,7, tre volte superiore a quella ammessa per legge. L'auto s'avvia alle 0.20 (dunque nei primi minuti di domenica 31 agosto). La maggior parte dei fotografi bivacca sulla piazza, ma una piccola pattuglia ha calcolato la diversione ed è appostata in Rue Cambon. Appena l'auto si muove, tutti, passatisi la voce, partono all'inseguimento, chi in auto, chi in moto. Dodi, innervosito, chiede all'autista di accelerare. Sembra che anche Diana dia un'indicazione nello stesso senso. Fatto sta che, secondo alcuni testimoni, la pesante vettura (poco meno di due tonnellate) «sembrava volare», il che fuor di metafora significa una velocità intorno ai 150 chilometri orari.

Se la destinazione era l'appartamento di Dodi, il percorso seguito è incongruo e fuorviante. Ma forse proprio questo era lo scopo: fuorviare gli inseguitori e stancarli. Sarebbe con ogni probabilità andato tutto bene se lungo il percorso non ci fosse stato il tunnel che, sulla riva destra della Senna, sottopassa il Pont de l'Alma. A quella velocità, la cunetta d'imbocco del tunnel funziona da trampolino. Per qualche decina di metri la vettura vola letteralmente, atterra con tutto il suo peso e sfiora il terzo pilone del sottopassaggio. Sbanda prima verso destra poi, forse a causa d'una violenta controsterzata, in direzione opposta finendo sul tredicesimo pilone con le conseguenze che sappiamo. Due persone, Dodi e l'autista, muoiono sul colpo; l'autista maciullato contro lo sterzo, Dodi a causa di un micidiale trauma al torace e alla testa. La guardia del corpo Rees-Jones riporta una serie di ferite gravissime, le più impressionanti delle quali al volto, dove la mascella viene quasi asportata.

E Diana? Diana riporta numerose fratture (alle costole, agli arti) e tagli (natica destra, coscia destra), ma la ferita più grave è interna: uno strappo nella vena polmonare sinistra che provoca una devastante emorragia. L'ambulanza arriva sul luogo sei minuti dopo l'incidente. Le ambulanze francesi sono tra le meglio attrezzate d'Europa; non dispongono solo di una lettiga e di qualche medicina, ma dell'equipaggio fanno parte anche medici esperti e le vetture hanno al loro interno una buona attrezzatura, che quasi le trasforma in piccole camere operatorie mobili. Diana è estratta con ogni cautela dalle lamiere contorte, adagiata su una barella, intubata per consentirle di respirare, aiutata con una flebo. Dopo qualche minuto la barella viene caricata sull'ambulanza. Poiché la pressione continua a scendere, i medici decidono di stabilizzare la vittima sul posto. A Diana viene applicata una sonda nella trachea mentre un elettrocardiografo misura i battiti del cuore. Un'ora circa dopo l'incidente l'ambulanza si avvia lentamente. Ci vorranno quaranta minuti per raggiungere l'ospedale della Pitié-Salpêtrière in una Parigi quasi deserta, anche perché mentre il veicolo, preceduto da due motociclisti della polizia, attraversa il Ponte di Austerlitz, il cuore della principessa smette di battere. L'ambulanza si ferma. Ci vogliono alcuni minuti perché, grazie al massaggio cardiaco e a iniezioni di adrenalina, il muscolo riparta. L'ambulanza varca i cancelli dell'ospedale alle 2.10. I medici Bruno Riou (anestesista rianimatore) e Alain Pavie (cardiochirurgo) decidono di aprire il torace per capire meglio l'entità della devastazione interna. Il taglio ampio che bisogna fare per avere un buon campo d'intervento va dalla clavicola all'addome. Diana, quasi esanime, viene collegata a una macchina cuorepolmoni. Per due ore l'équipe medica tenta di salvarle la vita, anche con un massaggio a cuore aperto. Alle 3.45 il professor Riou si rende conto che non c'è più niente da fare. Ordina di staccare le macchine, sutura con qualche punto la spaventosa incisione. Alle 4.05 del 31 agosto Diana Spencer viene dichiarata deceduta.

I medici informano il ministro degli Interni Jean-Pierre Chevènement, che è accorso sul posto insieme all'ambasciatore del Regno Unito Michael Jay. Il ministro informa il capo del governo e la presidenza della Repubblica. L'ambasciatore informa Carlo, telefonandogli nella residenza estiva di Balmoral, lo stesso castello dove Diana sarebbe dovuta arrivare la sera di quella domenica. Jay ha informato anche Mohamed Al Fayed, il quale ha dato ordine di allestire immediatamente il suo jet. Atterrerà a Parigi tre ore dopo, alle 7 del mattino.

L'agenzia France Presse manda in rete il primo dispaccio alle 5.44: «Diana è morta». Un secondo lancio segue qualche minuto più tardi: «La principessa Diana è morta stanotte a Parigi a seguito di un incidente stradale». In una pigra domenica di fine estate, tutti i giornali radio del mattino apriranno con quella sconvolgente notizia.

C'è una piccola grottesca appendice a questi fatti che riguarda il modo in cui l'annuncio venne accolto a corte. Quando l'apprende al telefono, nel corso stesso della notte, il principe Carlo caccia un urlo di vera angoscia, poi, hanno dichiarato i testimoni, «si prese il capo tra le mani e pianse». La regina recriminò in seguito questa ostentazione esteriore della pena, un aspetto della personalità di suo figlio che l'ha sempre contrariata.

Più tardi si deve decidere se esporre la bandiera a mezz'asta sul tetto di Buckingham Palace. Elisabetta fa osservare che quel segno di lutto non era stato concesso neppure per la morte di Winston Churchill, tanto meno sarebbe stato opportuno per una donna che aveva minato la monarchia e che in fondo era solo la ex moglie divorziata di suo figlio. Carlo questa volta si oppone, sicuro di interpretare i sentimenti di quella «middle England» che sente molto affine. Anche suo figlio William gli dà una mano, chiedendo perché mai la bandiera abbrunata non debba essere esposta «se questo è quanto il popolo vuole». Poiché la regina continua a rifiutare quel segno di omaggio, Carlo deve minacciarla: se la bandiera non sarà esposta, andrà in televisione a scusarsi per l'apparente indifferenza dei Windsor. Elisabetta alla fine accondiscende, dato che Carlo ha anche l'appoggio del primo ministro Blair. Solo dopo aver visto l'imponente partecipazione ai funerali, la regina ammetterà: «Non credevo francamente che Diana Spencer godesse di una tale popolarità». Sintomo di un distacco spaventoso per un sovrano regnante.

La ricostruzione, per quanto possibile accurata, delle ultime ore di vita della giovane donna scioglie ogni dubbio sulle cause che determinarono gli avvenimenti? Si è trattato di un incidente, certo. C'erano la velocità altissima, pazzesca per un percorso urbano, lo stato di alterazione dell'autista, le condizioni forse non perfette dell'auto, l'eccitamento nervoso all'interno della vettura, l'atmosfera di gara con i fotografi all'inseguimento, l'irritazione dei due amanti per una domanda di matrimonio forse respinta, forse attesa e non arrivata, insomma molti elementi, tra i quali un complesso intreccio psicologico, che possono aver contribuito a determinare la sbandata dell'auto e l'urto finale. Ma se avessero influito anche altri fattori che non conosciamo, né probabilmente mai conosceremo (noi contemporanei, almeno)? E perché altri elementi sarebbero dovuti intervenire? Chi poteva avere interesse a togliere di mezzo una donna ormai uscita dalla casa regnante, tornata alla sua condizione di nubile?

Dodi proprio quella sera voleva chiedere a Diana di sposarlo e aveva ritirato il prezioso anello di brillanti per presentare «ufficialmente» la sua richiesta. Diana accettò la proposta? Fu anzi lei stessa a sollecitarla dicendosi invaghita del significativo gioiello? È uno dei punti controversi e di maggiore importanza, capace di spiegare da solo buona parte del comportamento successivo, se soltanto sapessimo con certezza ciò che accadde nelle pieghe dei movimenti apparentemente insensati di quella giornata.

Secondo alcune testimonianze, la donna non aveva intenzione di spingere il rapporto con il playboy egiziano al di là di un piacevole e lussuoso flirt. Diana avrebbe confidato ad amici di averne passate troppe e troppo di recente, e che in quel momento della sua vita non voleva legarsi a nessuno. Tra questi amici figurano anche persone molto intime di Diana, come Rosa Mockton, la quale nei giorni successivi alla morte si dette assai da fare (troppo, secondo alcuni) per smentire una possibile gravidanza. Secondo altre testimonianze (e congetture) soprattutto di parte araba e della famiglia Fayed, Diana invece aveva finalmente trovato un uomo che la appagava e che, ciò che più conta, le dedicava quelle attenzioni che il gelido ex marito Carlo, a parte lo stretto adempimento dei doveri dinastici, non le aveva mai concesso. Tanto più aspettava quel momento, secondo questa ipotesi, perché in realtà era già incinta di Dodi.

In un suo libro sull'argomento, Gordon Thomas, specialista di servizi segreti, conferma che Diana era decisa a sposare Dodi e aggiunge che i medici francesi dell'ospedale Pitié-Salpêtrière, non appena se ne constatò la morte, asportarono dal suo ventre un feto di otto settimane. A conferma, Thomas cita Mohamed Al Fayed, il quale assicura di aver ricevuto nel pomeriggio di quel sabato una telefonata in cui il figlio lo informava che il lunedì successivo lui e Diana avrebbero annunciato il loro fidanzamento ufficiale e che la donna era incinta. Poiché tutte le telefonate della famiglia Fayed e di Diana venivano intercettate, Thomas si dice sicuro che in qualche cassaforte dei servizi segreti britannici (o di quelli americani) sia custodito il nastro di quella conversazione. Da qualche altra parte sono certamente conservati i nastri sui quali vennero registrati i momenti d'intimità dei due amanti, quale che sia l'uso che ormai se ne potrebbe fare. La stessa fonte si dice in grado di riferire che Diana «era tutt'altro che timida a letto».

Sull'eventualità di un complotto, Mohamed Al Fayed non ha mai avuto dubbi: Dodi e Diana, ha ripetuto più volte, sono stati uccisi in un attentato. Mandanti: alcune frange dei servizi segreti britannici, manovrati dal duca di Edimburgo. Movente: evitare alla Corona l'imbarazzo di vedere la madre del futuro re d'Inghilterra convertita all'Islam e sposata al musulmano Ehmad Al Fayed. Evitare, cioè, l'imbarazzo di dare al futuro sovrano un fratellastro musulmano. Insomma, ce n'è abbastanza per ripercorrere una storia che ha interessato milioni di persone durante il suo svolgimento e che è diventata addirittura esemplare dopo la sua tragica conclusione.

Molto si è scritto sul matrimonio tra Carlo d'Inghilterra e Diana Spencer, e tuttavia ci sono punti e momenti cui non è stata prestata una sufficiente attenzione. Un primo punto riguarda le ragioni per le quali Carlo e Diana vennero spinti l'uno nelle braccia dell'altro. Tra i maggiori organizzatori di quell'unione figura il principe Filippo, duca di Edimburgo, consorte della regina Elisabetta. Filippo è stato un padre oppressivo per Carlo e un marito scialbo per la regina. Un uomo moderatamente decorativo, di modesta intelligenza, di scarso fascino, incline alle gaffe. Una volta, parlando all'Università di Toronto, esordì dicendo: «Inauguro con molto piacere questa istituzione, comunque si chiami». Quando i canadesi fecero capire con discrezione di non essere rimasti contenti, replicò: «Stava piovendo e non volevo perdere tempo a ricordarmi dov'ero». È possibile che il vecchio duca si fosse reso conto che il favore della monarchia era in declino. L'idea di dare alimento all'immagine della casata con una ragazza di nobile e antica famiglia, e anzi per lignaggio più «inglese» degli stessi Windsor, giovane e di bell'aspetto, simpatica sotto l'iniziale timidezza, dovette sembrargli geniale.

Il fidanzamento fu annunciato nel febbraio 1981, le nozze seguirono il 29 luglio. Diana aveva vent'anni, Carlo trentadue.

Il matrimonio, in realtà, è stato un disastro, già dalle premesse. Qualche giorno prima delle nozze Diana era venuta a sapere che la relazione tra il suo futuro marito e la signora Camilla Parker-Bowles continuava. Uno dei suoi peggiori ricordi risaliva al momento in cui, percorrendo la navata della cattedrale di Saint Paul al braccio di Carlo, con l'organo che tuonava, la folla in attesa e qualche centinaio di milioni di persone davanti ai televisori in tutto il mondo scorse, in uno dei posti più vicini all'altare, Camilla con indosso un bel vestito di un elegante, pallido grigio e un largo cappello illeggiadrito da un velo. Il primo figlio, William, venne quasi subito (21 giugno 1982); il secondo, Harry, poco dopo (15 settembre 1984). «Le sei settimane che precedettero la nascita di Harry» dirà Diana «sono state quelle in cui mio marito e io siamo stati vicini come mai prima né mai, purtroppo, dopo». C'era il carattere chiuso di Carlo, la sua amarezza per la difficile situazione dinastica, c'era per Diana la noia mortale delle vacanze nel tetro castello di Balmoral in Scozia, con la famiglia dei suoceri e suo marito che girava con il kilt d'ordinanza. Il massimo della distrazione era una passeggiata nella brughiera con la pioggia sottile e i cani che andavano su e giù. Cose che possono anche essere piacevoli ma non a quell'età, probabilmente non con quel marito.

Non stupisce che Diana si sia sentita, e l'abbia detto apertamente, una prigioniera. Quando s'è sposata era vergine, aveva solo vent'anni e pochissima esperienza del mondo. Aveva avuto una buona educazione, compreso qualche semestre in un collegio svizzero, ma sapeva poco o nulla di ciò che le sarebbe servito in un ruolo che aveva, oltre al resto, anche qualche vago aspetto politico e richiedeva un addestramento specifico. In ogni suo movimento era seguita da una guardia del corpo di fiducia della famiglia reale; le sue telefonate erano intercettate e registrate d'ufficio; le persone che andavano a trovarla schedate da uomini dei servizi. Su tutto gravava la costante minaccia che i suoi figli, se le cose fossero andate male, le sarebbero stati sottratti per avere altrove e con altre persone un'educazione adeguata al futuro ruolo. La sua vita privata era diventata presto così penosa che il suo segretario Patrick Jephson la descriverà in termini molto coloriti ma efficaci: «Era come vedere una macchia di sangue che continuava a filtrare e ad allargarsi da sotto una porta chiusa».

Nella celebre intervista alla Bbc del 1995, in cui parlò come mai un membro della famiglia reale aveva parlato, Diana confessò apertamente la brutalità con la quale la sua preparazione al ruolo era stata completata: «All'inizio non sapevo nemmeno se, durante le cerimonie pubbliche, dovevo camminare accanto a mio marito o dietro di lui. Presto mi resi conto che non potevo concedermi nessuna autocommiserazione. Si trattava di nuotare o affogare. Ho imparato a nuotare. La prima volta che andammo all'estero insieme fu in Australia, ad Alice Springs. C'era una vera folla in attesa e chiesi a mio marito: "Adesso che faccio?". Lui mi rispose: "Mettiti dall'altra parte e digli qualcosa". "Non posso, credimi, non ce la faccio." "Devi farlo"». Diana uscì e fece il discorsetto che possiamo immaginare. Quel viaggio durò sei settimane, quattro in Australia, due in Nuova Zelanda. Al ritorno la ragazza impacciata e timida che aveva sposato l'erede al trono «come in una fiaba» era completamente cambiata: «Ero diventata una persona diversa, avevo finalmente capito il senso del dovere, l'intensità degli interessi, la complessità del ruolo nel quale mi ero cacciata».

Durante quel viaggio accadde però anche un'altra cosa che Diana rivelò nell'intervista e di cui non possiamo trascurare il peso sulla veloce maturazione della sua personalità. Accadde che quando passavano da un posto all'altro fra due ali di folla e due muri di fotografi, Diana sentisse continuamente ripetere: «Oh, ma lei è dall'altra parte». E che cosa voleva dire? chiese l'intervistatore. «Voleva dire che si rammaricavano di non essere dalla parte giusta per salutarmi o toccarmi.» Secondo Diana fu in questo momento che Carlo si rese conto della sfida, non solo di popolarità ma di prestigio e di ruolo, che la presenza della giovane moglie lo costringeva ad affrontare. «Quando sei un uomo, e un uomo, come nel caso di mio marito, molto orgoglioso, una cosa del genere ti colpisce, soprattutto se la senti ripetere ogni giorno per quattro settimane. E la cosa ti deprime, non ti fa sentire contento né ti viene voglia di condividerla.»

Questo era il punto di vista di Diana, che però dovette anche intuire che l'opinione che su di lei avevano Filippo ed Elisabetta, nonché i cortigiani a loro fedeli, era completamente diversa. Nella giovane donna che stava a fatica imparando il mestiere di Her Royal Highness, Sua Altezza Reale, principessa di Galles, sposa dell'erede al trono, madre di un futuro sovrano, i reali non vedevano il progressivo adeguamento al ruolo ma solo l'inesperienza. «Loro pensavano» confesserà Diana «che fossi completamente scema», un catastrofico giudizio che entro certi limiti lo stesso Carlo condivideva, almeno a suo giudizio: «Si presumeva che non dovessi avere particolari interessi. Credo che ai suoi occhi io sia sempre rimasta la ragazzina di diciotto anni con la quale s'era fidanzato; nessuno mi ha mai dato credito per tutto ciò che stavo imparando». Di questa posizione angusta e infelice Diana dà testimonianza in una breve frase piuttosto efficace quando confessa che durante viaggi e cerimonie ufficiali: «Mio marito faceva i discorsi, io stringevo le mani».

Era sincera quando si confessò così scandalosamente in televisione? Uno dei giudizi più duri su quell'intervista lo ha dato lo scrittore spagnolo Javier Marias: «La principessa recita per tutta l'intervista e lo fa male. Tutti i suoi sentimenti sono finti e li finge malissimo. Si capisce solo che questa giovane adora la fama ... ambisce a una fama narrativa o drammatica, aspira ad avere una storia che possa essere raccontata e, inoltre, vuole vederla già raccontata e assistere al racconto ... le importa poco di qualunque cosa che non sia la telenovela di cui è protagonista. Niente le farebbe più piacere di una serie televisiva sulle sue vicende e di poter interpretare se stessa».

A questo severo giudizio si può contrapporre quello di un giornalista dell'«Observer», che qualche giorno dopo la morte ha scritto: «Diana era molto incolta ma sapeva d'istinto le aspettative popolari, forse è stata lei a inventare la monarchia del Duemila». D'altra parte, come negare che la giovane donna abbia portato non solo scandali a Buckingham Palace, ma anche una ventata di rinnovamento? Rifiuta i cappellini tipici dei Windsor, fa palestra, diventa indipendente, sfrutta il suo rango, la posizione, il denaro, il potere del titolo, la sua simpatia, la spontaneità affabile. I suoceri sono noiosi ma lei li rianima, sa manipolare i media, usare la televisione, s'impegna con serietà in campagne umanitarie condivisibili. Sono cose che quasi tutte le aristocratiche inglesi fanno; fatte da lei sembrarono migliori e più efficaci.

Per avere un quadro completo, bisogna provare a immaginare la situazione anche dal punto di vista di Carlo, erede al trono d'Inghilterra dove, se mai ci arriverà, prenderà il titolo di Carlo III. Carlo I (1600-1649), ostinato difensore dei diritti regali contro il crescente potere del Parlamento, finì con la testa sul ceppo del boia. Carlo II (1630-1685) dovette cedere parte dei poteri oltre a subire eventi calamitosi come la peste (1665) e l'incendio di Londra (1666). Non sono buoni presagi e forse anche per questo la regina Elisabetta terrà il figlio, fino a quando potrà, lontano da un fardello che a lei (e non solo a lei) sembra troppo gravoso per quelle spalle. Carlo ha ufficialmente i titoli di principe di Galles, duca di Cornovaglia, conte di Carrick, barone di Renfrew, signore delle Isole, duca di Rothsay, gran camerlengo di Scozia. È nato nel novembre 1948 e, a meno di cinque anni d'età, quando sua madre venne incoronata, era già diventato l'erede ufficiale al trono. Ha avuto un'educazione tipicamente inglese, il che vuol dire scuole spartane, niente lussi, considerevoli periodi sotto le armi, che per lui vollero dire prima la Royal Air Force poi la Royal Navy. Il suo ingresso nella «maturità» avvenne con una cerimonia molto formale quando, all'età di ventun anni, fu ufficialmente presentato ai sudditi gallesi e insignito del titolo di principe di Galles nel severo castello di Caernarvon.

Fu, per le usanze locali, una bella cerimonia, nella quale alcuni elementi di spettacolo (costumi, colori, carrozze, scalpitare di cavalli, squilli di trombe, folla plaudente) si mescolarono a qualche cenno di modernità, dovuto principalmente al fatto che a fare la regia dell'evento era stato chiamato un Pr professionale, Nigel Neilson. Per onorare il suo ruolo, dando prova di obbedienza, il giovane Carlo arrivò a frequentare per qualche semestre l'università gallese di Aberystwyth, imparando la lingua del posto quel tanto che bastava a pronunciare un discorso ai membri dell'organizzazione giovanile locale Urdd Gobaith Cymru.

I suoi veri problemi sono cominciati dopo il congedo dalla Marina. Aveva ventotto anni, era un giovane ma non più un giovanissimo erede al trono, e un erede di ventotto anni che non adempia alcuna funzione specifica può diventare un problema. Soprattutto se, dismessi gli austeri panni dell'ufficiale di Marina, non nasconde che l'attività da lui preferita sarebbe di dedicarsi all'amata pittura all'acquerello. Sono debolezze che un futuro re non potrebbe permettersi, forse nemmeno nelle disinvolte monarchie scandinave, quelle dove tutti vanno in bicicletta e cenano allegri in pizzeria.

Nel caso di Carlo destavano inoltre qualche preoccupazione dei precedenti non proprio edificanti. Edoardo VII (1841-1910), primogenito della regina Vittoria, pur sposandosi giovanissimo (ventidue anni) con una principessa danese, non fece nulla per nascondere di non considerare le nozze un impedimento alla sua «carriera di libertino». Era molto spesso a Parigi, di cui frequentava soprattutto le case da gioco e quelle d'appuntamento. Nella seconda metà dell'Ottocento i bordelli parigini erano celebri in Europa per la loro varietà e per il livello. A seconda del prezzo e della clientela potevano risultare luoghi abietti o al contrario addirittura sfarzosi. Due tra i più rinomati erano quello al numero 12 di Rue Chabanais e quello al 6 di Rue des Moulins. Ebbene, la casa di piacere dello Chabanais venne lanciata proprio dal principe di Galles, che continuò a frequentarla anche dopo essere diventato re col nome di Edoardo VII a sessant'anni suonati. Per una curiosa coincidenza, Alice Keppel, nonna di Camilla Parker-Bowles, era stata una delle sue amanti.

Nemmeno sua madre Vittoria, del resto, si era negata qualche legame per rallegrare la vedovanza. Morto l'adorato Alberto, la regina aveva avuto con lo stalliere John Brown un legame così stretto che i cortigiani sotto voce la chiamavano Mrs Brown. Un altro legame lo ebbe con il servo indiano Abdul Karim, detto Munsi, che Sua Maestà volle nominare Segretario per le Indie dal 1889 al 1894.

Un altro precedente non commendevole che incombe sul capo del povero Carlo è quello di Edoardo VIII (1894-1972), nipote del precedente, uno dei principi di Galles più popolari, che nel 1936 succedette a suo padre Giorgio V. Durò sul trono meno di un anno. Lo scandalo della sua relazione con Wallis Warfield Simpson, americana divorziata, e forse altre cause assai meno onorevoli, lo costrinsero, come abbiamo visto, ad abdicare.

E Carlo? Il rimedio escogitato a corte quando il principe si avvicinava ai trent'anni, con sua madre Elisabetta salda sul trono, fu la creazione di un *Prince's Trust*, attraverso il quale studiare e finanziare progetti di formazione.

Le tradizioni regali vogliono che la monarchia si mantenga estranea alla contesa politica. Carlo ha violato in parte il precetto polemizzando, in occasione di cerimonie ufficiali, sull'architettura moderna, dicendosi a favore dell'agricoltura biologica, delle medicine alternative, della caccia alla volpe. Se le sue nozze con Diana erano state vissute da mezzo mondo come una fiaba, fu abbastanza presto chiaro che la realtà di quel *ménage* era molto diversa. Quando la regina Elisabetta definì in un discorso il 1992 il suo *annus horribilis*, capirono tutti che la cosa non sarebbe durata. Infatti nel 1992 Andrew Morton pubblica la celebre biografia *Diana, la sua vera storia*, dove la principessa rivela di aver sofferto alternativamente di bulimia e anoressia e di aver tentato più volte il suicidio. Carlo usciva a pezzi dal libro: un uomo meschino, incapace di comprendere sua moglie, di aiutarla, perfino di amarla, in ogni senso, fisico e sentimentale. Qualcuno perfidamente commentò che a questo punto il massimo che Carlo potesse fare era rendersi irrilevante. Non accadde nemmeno questo. Alla fine dell'anno, il 9 dicembre, viene resa nota la separazione di Carlo e Diana. Il successivo 14 gennaio Carlo torna alla ribalta internazionale con un'imbarazzante telefonata in cui confessa a Camilla che gli sarebbe piaciuto essere il suo Tampax. Tutto il mondo ride di lui. Nel 1995, intervistata dalla Bbc, Diana completa il quadro, parlando senza mezzi termini della grettezza mentale del marito, dell'angustia dei suoi sentimenti, della sua frigidità emotiva.

Diana confidò alle telecamere che negli anni in cui aveva sofferto di bulimia e s'ingozzava di cibo per vomitarlo subito dopo, si era sentita circondata dal disprezzo della famiglia reale, Carlo compreso: «Io stavo gridando aiuto e loro pensavano semplicemente che avessi una personalità immatura (*Diana was unstable*)».

Il palazzo seppe vendicarsi. Ken Wharfe, che è stato guardia del corpo di Diana per cinque anni dal 1988 al 1993, nel solito ben pagato libro di memorie sostiene che i servizi registravano le telefonate intime della principessa per mandarle in onda nella speranza che qualche radioamatore prima o poi le intercettasse. Fu così, scrive, che venne diffusa la telefonata con James Gilbey in cui l'uomo la chiamava «strizzolina mia» e le prometteva calde effusioni. In altre registrazioni Diana rivela, invece, di essersi divertita a far esasperare Carlo negandoglisi.

Che Diana fosse *unstable* è un dato certo. Se Carlo continuava a incontrare la sua Camilla, lei già nell'estate del 1986 (William aveva quattro anni, Harry due) avvia un'appassionata relazione con il capitano di cavalleria James Hewitt, un uomo affascinante, pieno d'attenzioni, capace di riuscire anche là dove Carlo aveva dato prove deludenti. Quattro anni durerà la storia. «Lo adoravo» confesserà Diana a un giornalista. Il capitano di cavalleria si dimostrerà in seguito poco cavaliere. Finita la relazione, ne svelerà ogni dettaglio nel libro *Princess in Love* (la principessa innamorata), scritto in collaborazione con Anna Pasternak, nipote del Nobel Boris, dal quale ricaverà la non piccola cifra di tre milioni e mezzo di euro. Un tradimento sicuramente ben compensato, seguito da una sordida storia di lettere offerte in vendita, nascoste, trafugate. Anche a causa di questo scandalo Diana si separerà dal marito per andare a vivere, insieme ai figli, nella residenza di Kensington Palace. Da quel momento comincia intorno a lei un incessante girotondo di uomini, una lunga lista nella quale figurano fra gli altri un mercante d'armi, un giocatore di rugby, un chirurgo. Un così frenetico avvicendamento è indice o di una natura dissoluta o di una profonda infelicità. Nel caso di Diana non c'è dubbio su quale sia stata la ragione profonda del suo imbarazzante comportamento.

A questa patetica instabilità sono legate alcune delle biografie «negative» della principessa. Il professor Anthony O'Hear, in un libro uscito nel 1998, la accusa di aver minato la monarchia inglese con il suo sentimentalismo svenevole e la frenesia di autopromozione. Nella psicologia di Diana a suo giudizio «era del tutto assente il senso del dovere». Secondo il caustico professore, che rappresenta un punto di vista dichiaratamente reazionario, il momento più indicativo di una società ormai priva di nerbo e di morale «fu quello dei funerali di Diana in cui il fanatismo, e un cordoglio plebeo, vennero personificati e canonizzati». Quel giorno la folla salutò in lacrime «una donna infantile che, facendosi passare per vittima, cercava solo di sfuggire alle sue responsabilità». Secondo il biografo reale Anthony Golden, queste tesi sarebbero molto piaciute a Palazzo.

In *Diana in Search of Herself*, la giornalista Sally Bedell Smith sostiene che la giovane donna era malata di nervi e soggetta a spaventosi sbalzi di umore (*unstable*, appunto) a causa dei quali passava repentinamente dalla collera alla depressione. Secondo l'autrice, Diana non era affatto innamorata di Dodi e usò quella relazione solo per cercare di dimenticare il vero grande amore per il cardiochirurgo pachistano Hasnat Khan. Per lui semmai, non certo per Dodi, Diana sarebbe stata disposta a convertirsi all'Islam. Due anni era durata la relazione con il dottor Khan, al termine della quale l'invadenza di Diana era diventata ossessiva. La donna era arrivata a cercare il medico mentre stava operando e a fargli scenate di gelosia perché questi non aveva interrotto l'intervento per rispondere al telefono.

Nel 2002 il suo maggiordomo, Paul Burrell, è trascinato in giudizio con l'accusa di aver rubato i gioielli di Diana dopo la sua morte. Il giorno prima che deponga alla sbarra viene però scagionato dalla regina. Tutti pensano, e scrivono, che con quella mossa Elisabetta ha voluto evitare possibili rivelazioni imbarazzanti, le quali tuttavia arrivano lo stesso, strapagate da un giornale popolare e da una rete televisiva. Burrell conferma che il vero amore di Diana era stato il cardiochirurgo Hasnat Khan, che per lui aveva letteralmente perso la testa, che il fido maggiordomo lo aveva fatto entrare a palazzo chiuso nel bagagliaio dell'auto e che una volta la principessa, diventata come pazza, si era preparata a un convegno spogliandosi nuda per poi uscire indossando solo i suoi orecchini di diamanti e una pelliccia.

Molti ritratti, molte opinioni probabilmente tutte in buona fede che ci aiutano però fino a un certo punto a capire chi Diana dovette essere nella realtà della sua vita movimentata e futile.

Ehmad Al Fayed, detto Dodi, si affaccia nella vita della giovane donna così ricca e così infelice nel novembre 1996. Poche settimane prima suo padre, il miliardario Mohamed, ha proposto a Diana di dirigere l'ufficio di Harrod's International, un incarico di alta rappresentanza e di pubbliche relazioni per il quale Diana sembra molto indicata. Mohamed è amico della famiglia Spencer, ha perfino aiutato il conte di Spencer a restaurare il suo castello, conosce Diana da anni, in termini banali si può dire che l'ha vista crescere. L'offerta ha quindi una sua naturalezza, tanto più che nel febbraio di quell'anno la giovane donna ha ottenuto il divorzio dal marito. Diana, per comprensibili motivi di opportunità, rifiuta e propone per l'incarico la sua amica Raine de Chambrun. L'astuto uomo d'affari cova però, facendo quell'offerta, anche un disegno segreto: avvicinare Diana al figlio Dodi, predisporre in modo trasversale un possibile legame tra i due che, andando in porto, diventerebbe, di fatto, una raffinatissima vendetta nei confronti della famiglia Windsor. Anche se divorziata da Carlo, Diana resta la madre del futuro re d'Inghilterra. Dodi, sperimentato playboy, può diventare lo strumento della sua rivincita. Rivincita da che cosa? È una domanda fondamentale nella vicenda e nella stessa morte della principessa ed esige una risposta argomentata. È quindi necessario dire brevemente chi sia Mohamed Al Fayed e con quali mezzi abbia accumulato la sua immensa fortuna.

Mohamed Fayed viene al mondo in una famiglia di Alessandria d'Egitto che si può definire, se non povera, sicuramente umile. Suo padre era un insegnante elementare e quando Mohamed nasce, nel 1933, l'Egitto è un paese ancora incerto tra una monarchia di tipo orientale e qualche velleitario conato progressista. Sfibrato dalle dominazioni straniere che si sono succedute per secoli dopo la fine dei faraoni (persiani, greci, romani, arabi, turchi, europei), il suo fascino e la sua decadenza cosmopolita sono una conseguenza di questa ininterrotta passività politica. All'inizio degli anni Trenta, sono gli inglesi a esercitare un controllo quasi totale sulla vita del paese, che continuano a presidiare con una nutrita guarnigione. Solo nel 1936 gli inglesi accettano di evacuare le loro truppe, a eccezione della zona del Canale. Situazione peraltro incerta, se è vero che, nonostante la dichiarata non belligeranza, l'Egitto diventa una forte base britannica durante l'ultima guerra mondiale; ne faranno le spese le nostre truppe in Nordafrica, impegnate in una logorante campagna culminata nell'epica battaglia di El Alamein. Ma questa è un'altra storia.

Mohamed si distingue ai corsi di economia dell'Università di Alessandria e contemporaneamente lavora come rappresentante di ditte europee. È pieno di volontà e d'iniziativa, infatti, nel tumulto anche economico del dopoguerra, tra le molte nuove fortune che nascono c'è la sua. All'inizio degli anni Cinquanta, il ventenne Mohamed conosce in Arabia Saudita un altro giovane intraprendente che si chiama Adnan Khashoggi, figlio di un medico di corte, mercante d'armi in una zona che la pace del 1945 non ha affatto pacificato. Khashoggi è noto ai servizi segreti di mezzo mondo, ma è anche abilissimo nel rischioso commercio delle forniture belliche, dove si può, con uguale facilità, guadagnare miliardi o rimetterci la pelle. I due fanno amicizia, mettono insieme il capitale di una ditta di import-export, sanciscono l'alleanza diventando quasi parenti: Mohamed sposa la sorella di Adnan, Samira. Dodi è il frutto di quell'unione, che però dura appena due anni a capo dei quali i due divorziano.

Gli affari di Mohamed andrebbero a gonfie vele se non spuntasse sul suo destino, e su quello del paese, la figura di un colonnello: Gamal Abdel Nasser. Proclamata la repubblica, liberatosi del corrotto re Faruk (che si rifugia a Roma), Nasser diventa il *Raìs*, cioè il padrone del paese; ha in mente un programma di tipo socialista, promuove una riforma agraria radicale che trasforma un milione di contadini miserabili in piccoli proprietari, fa progettare la gigantesca diga di Assuan che permetterà di irrigare mezzo milione di ettari triplicando la produzione di energia elettrica, nazionalizza molte imprese private che diventano proprietà dello Stato. Un episodio di quella politica innovatrice è quello raccontato alla fine del capitolo «Le ceneri dell'Impero».

Anche la storia di Mohamed Fayed cambia. Espropriato della sua società marittima, Middle East Company, Fayed, che intanto ha aggiunto un «Al» al cognome per sembrare più aristocratico, si trasferisce in Svizzera. Siccome è un uomo previdente, i fondi non gli mancano. A Ginevra costituisce una seconda compagnia specializzata nel trasporto dei pellegrini alla Mecca (anche nell'Islam si possono raggranellare un bel po' di soldi con la fede dei semplici). Poi si mette nell'edilizia e costruisce un porto nel Dubai; insomma, entra così bene nel giro grosso che, poco tempo dopo, diventa consulente finanziario del sultano del Brunei, considerato l'uomo più ricco del mondo. Intanto si è giudiziosamente trasferito a Londra, il più importante centro finanziario del vecchio continente. Abita a Park Lane, una delle strade più eleganti, compra con uguale facilità un castello o una distilleria di whisky in Scozia. Compra anche i grandi magazzini Harrod's (nel 1985) e lì commette, per arroganza o ingenuità, un errore politico, perché Harrod's fa parte delle istituzioni britanniche e il fatto che ne diventi proprietaria «una piccola volpe orientale» suscita molte antipatie nei suoi confronti. Il giornale «The Observer» gli scatena contro una campagna di stampa smascherando le fandonie che Al Fayed ha diffuso sulle origini della sua famiglia e della sua fortuna. Le menzogne, in un paese come l'Inghilterra, si pagano care.

Infatti Mohamed paga. Una commissione d'inchiesta ministeriale stabilisce che Al Fayed «ha mentito sulle sue origini, la sua ricchezza, le sue relazioni commerciali e le risorse economiche». Per due volte la Corona rifiuta di concedergli la nazionalità. Mohamed dichiara esasperato al «New York Times»: «Pago 28 milioni di sterline di tasse, ho quattro figli inglesi, do lavoro a decine di migliaia di persone. Perché mi viene rifiutata la cittadinanza? In questo paese ci sono tracce di razzismo, che del resto proprio gli inglesi hanno inventato ed esportato in tutto il mondo».

Dopo aver pagato Mohamed si vendica. Rende noto di aver versato forti tangenti a deputati conservatori perché appoggiassero la sua richiesta di cittadinanza. Il governo Major accusa il colpo, Mohamed si è preso una bella soddisfazione, ma dovrà pagare anche quella.

La Francia gli dà al confronto ben altri riconoscimenti. Nel 1979 Mohamed ha comprato il Ritz di Parigi. Lo ha fatto restaurare spendendo decine di miliardi, la municipalità parigina lo ha ringraziato proponendolo per la Legion d'onore. Ma quella è la Francia, non la gelida Inghilterra.

Non è difficile capire da dove sgorghino gli aspri sentimenti che oppongono le famiglie Windsor e Al Fayed. Sono gli stessi che angustiavano la regina Elisabetta e che, per converso, davano alimento al desiderio di Mohamed di prendersi finalmente la sua rivincita utilizzando l'amore, insinuandosi cioè in maniera trasversale nel cuore stesso della successione al trono. In un giorno d'autunno del 1996, Diana accompagna la sua amica Cindy Crawford in visita da Harrod's. Il grande magazzino sarebbe chiuso, ma Al Fayed lo fa aprire per loro. Sulla porta, ad accogliere le due visitatrici, c'è Dodi. I due si conoscono da tempo, ma quella sembra la volta buona: la loro relazione comincerà poco tempo dopo.

Il personaggio di Dodi non merita particolare attenzione. Suo padre ha conosciuto le privazioni, la durezza della guerra, le umiliazioni d'una lunga scalata sociale mai interamente accettata dalla classe dirigente britannica. Per riuscire ha dovuto usare il denaro della corruzione e un vasto repertorio di astuzie levantine. Dodi, invece, è nato ricco. La sola prova dolorosa che ha dovuto affrontare, a quanto si sa, è stata la precoce morte per infarto di sua madre Samira, nel 1986. La sua è stata la vita di un giovane viziato e pieno di soldi, che ha conosciuto soltanto rare occasioni di autentica soddisfazione, per esempio quando il film da lui prodotto, *Momenti di gloria* di Hugh Hudson, ha vinto quattro Oscar. Per il resto è stato solo un playboy impegnato ad alternare la residenza di Beverly Hills con quella londinese o parigina, non molto preoccupato dai fallimenti nelle varie imprese tentate, al quale, soprattutto, nessuna delle belle donne su cui ha posato lo sguardo (in genere attrici o modelle) ha mai detto di no.

Poi è arrivata Diana e c'è chi sostiene che quello sia stato un rapporto diverso da tutti i precedenti. La sorella di Dodi, per esempio, ha confidato al più diffuso settimanale egiziano che suo fratello non era mai stato così innamorato e che avrebbe certamente sposato la principessa. Se fosse anche solo in parte vero, sarebbe già un motivo sufficiente per capire l'ostilità aperta e crescente della regina nei confronti della ex nuora. Naturalmente esistono anche testimonianze che sostengono il contrario. Lady Elsa Bowker, un'amica intima, dice che Diana adorava Dodi, ma non l'avrebbe mai sposato perché consapevole che, facendolo, avrebbe creato enormi problemi a suo figlio William.

L'unica persona che a corte abbia manifestato simpatia per la giovane Diana è stata la vecchia regina madre, «Queen Mum», come la chiamavano con affetto gli inglesi, la più eccentrica e la più simpatica in quella famiglia che delle origini tedesche ha mantenuto le caratteristiche meno attraenti: il gelo e la capacità di suscitare forti antipatie. Queen Mum, Elizabeth Bowes-Lyon, era nata il 4 agosto 1900, e ha attraversato quindi per intero il Novecento, segnando la sua vita con le bizzarrie e il coraggio, la determinazione e la sventatezza. Questa donna di ferro, morta il 30 marzo 2002 a centouno anni compiuti, è stata capace di accumulare dodici miliardi di debiti scommettendo sui cavalli e mantenendo una corte personale con servitori, paggi, autisti, cuochi e camerriere. Ma è anche stata la donna alla quale il paese ha guardato con fiducia nei momenti più difficili.

Scozzese di nascita, era la figlia minore del conte di Strathmore, proprietario (meglio: feudatario) del castello di Glamis dove, secondo la leggenda, si sarebbe consumata la tragedia di Macbeth. Elizabeth è rimasta spiritosa sino alla fine, ma da

giovane era anche piuttosto bella e così piena di vitalità da attirare molti corteggiatori. Tra questi il principe Albert, duca di
York, fratello minore di quel David (Edoardo) che sarà re per
meno di un anno. Elizabeth, fra l'altro, provava nei confronti
di Wallis Simpson un disprezzo profondo che non nascose
nemmeno alla diretta interessata.

Quando Albert, dopo aver chiesto il permesso a suo padre
re Giorgio V, si dichiarò, Elizabeth respinse l'offerta. Temeva
la freddezza dei Windsor e la reminiscenza di questo sentimento giovanile basta forse da sola a spiegare la sua simpatia
per Diana. Temeva anche la fragilità del suo pretendente il
quale però, almeno in questo caso, si dimostrò tenace e tornò
alla carica un numero sufficiente di volte da convincerla. Fu
così che la piccola nobildonna scozzese diventò duchessa di
York, dando alla luce due figlie femmine, Elizabeth e Margaret, destinate a un futuro assai diverso.

Dopo l'abdicazione di David-Edoardo VIII, Elizabeth Bowes-
Lyon si trovò quasi per caso regina d'Inghilterra. Nel corso della
guerra, mentre la capitale veniva sbriciolata dai bombardieri
della Luftwaffe, il suo ruolo divenne fondamentale. Diede ai
suoi sudditi un poderoso esempio di coraggio rimanendo a
Buckingham Palace sotto le bombe.

Non aveva nessun istinto politico, ma possedeva una qualità che a una regina (e a un re) serve probabilmente di più: il
senso del dovere regale, che vuol dire non tralasciare nemmeno uno dei privilegi del ruolo mantenendo però un contatto
profondo con il sentimento popolare. Anche questo l'accomuna a Diana. Quando il primo ministro Blair dirà che Diana era
stata *a people's princess* si riferirà proprio a questa rara dote.

L'amato marito Albert (detto affettuosamente Bertie) muore
a soli cinquantasei anni nel giugno 1952 e la primogenita di
Elizabeth, Elizabeth anche lei, diventa così regina a ventisei
anni col titolo di Elisabetta II. La vecchia ragazza, ora passata
al ruolo di regina madre, lascia Buckingham Palace e si trasferisce nella Clarence House a St James. Non per questo si ritiene in pensione; anzi, liberata dalle incombenze regali, si dà da
fare anche più di prima. Va a pescare il salmone in Scozia, pre-
siede decine di società e organizzazioni benefiche, scommette

sui cavalli, si reca spesso in visita ufficiale anche all'estero. Per dire tutta la verità, beve parecchio, ma avendo un temperamento naturalmente bizzarro, una leggera euforia alcolica più che contraddire il personaggio lo completa.

Di tutte le qualità del suo popolo, la vecchia regina ha sviluppato il senso profondo della libertà individuale spinta fino all'eccentricità; non è solo la caratteristica più simpatica degli inglesi, ma anche il loro antidoto nei confronti di ogni totalitarismo, si tratti di forme di governo o di fedi religiose.

Per la verità, un personaggio che ricorda Diana Spencer alla corte d'Inghilterra c'era già stato. Era l'altra figlia della «Queen Mum», Margaret Rose, di quattro anni più giovane di Elisabetta. Quando Margaret è morta, nel febbraio 2002, un cronista scrisse lapidario: «È stata la Diana del suo tempo». Era nata il 21 agosto 1930 nel severo maniero scozzese di sua madre a Glamis. Quando venne alla luce, un ministro del regno assistette all'evento in obbedienza a un'antica tradizione che, nel caso di potenziali eredi al trono, voleva che si evitassero possibili scambi di neonati. Una tradizione che proprio con lei fu applicata per l'ultima volta. Margaret è stata una donna che dell'anticonformismo, spinto talvolta fino alla provocazione, ha fatto il segno della sua voglia di ribellione. Aveva appena diciotto anni quando fu chiaro che un suo eventuale ruolo di «ruota di scorta» della monarchia era stato superato dalla nascita di Carlo, primogenito di Elisabetta ed erede effettivo al trono. Margaret andò allora a vivere a Kensington Palace, come anni dopo farà Diana. Irrequieta per temperamento, si sapeva destinata a una vita inutile di ozio e di noia tra i personaggi di gesso o di piombo della corte. Era una donna colta e intelligente e se fosse stata una borghese qualunque avrebbe potuto tentare varie strade per affermarsi. Invece era la sorella della regina e, qualunque cosa avesse tentato, quel legame si sarebbe trasformato in un indizio a suo danno. Impedita di fare altro e anche per spirito di rivalsa decise allora di animare le notti di una capitale che proprio in quel periodo si avviava a diventare la Swinging London delle sfilate di moda, dei fotografi di successo, di una letteratura e drammaturgia tra le più consapevoli e di una cinematografia tra le più vivaci d'Europa. Come scrisse un cronista: «Volle avere la sua fetta di torta, e mangiarsela». Alla regina non piaceva per niente una sorellina così disinvolta da essere fotografata spesso sui settimanali mentre fumava da un lungo bocchino, beveva whisky nei locali notturni, ballava il cancan all'ambasciata americana, e da venir ritratta con indosso gli ultimi modelli di Christian Dior al braccio di esponenti dell'intellighenzia e dello spettacolo noti per il loro disordine.

La morte del padre Giorgio VI (5 febbraio 1952) fu un trauma per Margaret, e forse non a caso ha inizio in quel periodo la sua storia con il capitano di cavalleria Peter Townsend, che del re era stato scudiero. Il giorno in cui sua sorella Elisabetta viene incoronata regina (2 giugno 1953), qualcuno nota che Margaret, mentre sta aspettando una carrozza nel portico dell'abbazia di Westminster, toglie con gesto molto familiare un peluzzo dall'uniforme del capitano. Da quel momento, la storia comincia a fare il giro del mondo. Il capitano aveva sedici anni più di lei (in compenso, uno dei suoi amanti a venire ne avrà ben diciotto di meno) ed era già divorziato. La storia andò avanti fino a quando la sorella regina non disse a chiare lettere che Margaret doveva scegliere tra l'amore e i diritti che per nascita le competevano, compreso il privilegio di una sua lista civile. Anche allora, come con Diana, il sentimento popolare era tutto dalla parte di Margaret. Quando la principessa andò in visita in un quartiere dell'East Side, gruppi di donne la accolsero gridando: «Vai avanti Maggie, fa' quello che ti pare!». Un sondaggio del «Daily Mirror» provò che il 95 per cento dell'opinione pubblica era favorevole alle nozze. Ma la regina fece presente che, come capo della Chiesa anglicana, non poteva consentire al matrimonio di sua sorella con un uomo divorziato.

Nel novembre 1955 Margaret fa diffondere un comunicato (firmato semplicemente «Margaret») il cui senso era *duty before love*; il capitano viene spedito come attaché militare all'ambasciata di Bruxelles e il progetto di matrimonio si chiude lì. Chissà se Elisabetta si è mai pentita della sua rigidità. Permettendole di sposare il capitano, anche se si trattava di un uomo divorziato e senza quarti di nobiltà, probabilmente a Margaret (e a lei stessa) sarebbero stati risparmiati un bel po' di umiliazioni e di guai.

Molti uomini, molte sigarette (fino a sessanta al giorno), molto whisky e finalmente di nuovo un amore: il fotografo Anthony Charles Robert Armstrong-Jones, di soli sei mesi più anziano, uomo brillante, artistoide, esponente della Londra più in voga. Neanche Anthony ha sangue blu nelle vene, ma a quello provvede la regina nominandolo Earl of Snowdon e Viscount Linley e concedendo l'abbazia di Westminster, dove i due promessi il 6 maggio 1960 si uniscono in matrimonio con una cerimonia che, proprio come accadrà per Diana anni dopo, viene definita dai media di mezzo mondo «da fiaba». Solo nelle favole, però, gli innamorati vivono per sempre felici e contenti. Margaret e Anthony, dopo diciotto anni di matrimonio, due figli, molti tradimenti reciproci, divorziano dando alla fiaba un finale in anticlimax e alla dinastia il primo divorzio di un membro della casa regnante dopo Enrico VIII. Per una ragazza che s'era messa in testa di farla finita con le tradizioni è sicuramente un bel record.

Tra i regali di nozze c'era stata un'esotica casa di campagna, dono di Lord Glenconner, chiamata Les Jolies Eaux, nell'isola caraibica di Mustique. La casa e l'isola diventano per molti anni il rifugio di Margaret contro la pioggia, il tedio, la nebbia degli uggiosi inverni britannici. Sono anche l'antidoto contro un matrimonio sempre più logoro, e lì infatti Margaret viene fotografata con alcuni dei suoi tanti amori. In quegli anni erano cose che suscitavano ancora un certo scandalo. A parte le sfrontate principessine di Monaco, non ci si era ancora abituati a vedere donne di quel rango abbracciate a uomini che non fossero i legittimi compagni. Le reazioni a corte furono tempestose.

Nel 1998, la principessa sta cenando con qualche amico quando si accascia trafitta da un ictus. Da quel momento in poi i suoi impegni pubblici diventano più rari, deve abbandonare i molti incarichi onorifici che le sono stati attribuiti per riempire il concitato vuoto della sua vita. È presidente di numerose organizzazioni benefiche e umanitarie, dall'English Folk Dance and Song Club alla National Society for the Prevention of Cruelty to Children fino alla Girl Guides Association, equivalente femminile dei Giovani esploratori. È anche stata insignita del titolo di presidente del Royal Ballet e laureata ad honorem in musica dall'Università di Londra. Per dirla tutta, le è anche stato assegnato il grado di colonnello in un paio di reggimenti di prestigio (i King's Royal Hussars e i Royal Highland Fusiliers), mentre sul suo petto, nelle occasioni ufficiali, brillano le insegne di importanti decorazioni, la Grand Cross of the Royal Victorian Order, l'Imperial Order of the Crown of India, il blasone di Dame Grand Cross of the Order of St John of Jerusalem.

Gradi e onorificenze quasi sempre privi di reale contenuto. In ogni caso, non bastano a salvarla dalla profonda depressione che l'affligge nell'ultima parte della vita. Un secondo ictus la colpisce nel febbraio 2002, subentrano problemi cardiaci. La morte la coglie nel sonno all'alba di sabato 9 febbraio, ma è destino che anche dopo morta segni una novità: è il primo membro di famiglia reale la cui salma sia stata cremata. Le ceneri vengono tumulate nella cappella di San Giorgio a Windsor.

Come Diana, e forse più di lei, Margaret è stata l'illustrazione vivente del curioso rapporto che lega gli inglesi (meglio: i sudditi del Regno Unito) alla monarchia. Ma come Diana, e forse più di lei, Margaret ha continuato per tutti i suoi settantun anni di vita a porre un'ardua domanda: che cosa può fare della sua vita una principessa? Margaret una risposta non l'aveva trovata; Diana forse avrebbe potuto, grazie anche ai cambiamenti nel costume, se ne avesse avuto il tempo.

Qualcuno ha detto che, delle due sorelle, Elisabetta aveva preso il carattere chiuso e riservato del padre, mentre Margaret ricordava la rumorosa schiettezza, la disinvoltura, un inconsueto amore per il divertimento (e per l'alcol) di sua madre. Quale dunque l'origine dell'imborghesimento di una casa regnante come quella d'Inghilterra? I caotici amori e l'ambigua fatuità di Edoardo VIII? La patetica irrequietezza di Margaret? Le follie di Diana? Che cosa trasforma un mito dinastico in una famiglia di oziosi ai quali nessuno sa bene cosa far fare per riempire in qualche modo la vita? Margaret era diventata una sorella senza ruolo, uguale destino incombe ora sui figli di Diana. Harry, fratello minore di William, sarà ben presto messo fuori causa dai figli del fratello primogenito. Forse non è colpa di Edoardo, né di Diana, né di nessuno, forse sono i tempi che non tollerano più finzioni come queste. Il risultato è lo spettacolo imbarazzante di alcuni disoccupati di lusso che si trascinano da uno yacht all'altro aspettando che si consumi un'altra giornata.

Forse non ho chiarito i molti dubbi che circondano la morte di Diana sotto il tunnel dell'Alma. Ho voluto ricordare i numerosi interrogativi che rimarranno, credo per sempre, senza una risposta. Perché Dodi, appena atterrato, portò Diana a visitare la villa dei Windsor al Bois de Boulogne? Perché le comprò un anello impegnativo come il *Dis-moi oui*? I due erano forse già sposati come sostiene una parte della famiglia Fayed? Diana era incinta come afferma convinto Mohamed, padre di Dodi? I giudici dell'inchiesta francese hanno esaminato tutte le analisi fatte sul corpo di Diana subito dopo il ricovero? Anche quelle dalle quali poteva risultare una gravidanza? È possibile che alcuni risultati siano stati secretati per ragioni diplomatiche o di sicurezza internazionale? Diana aveva cercato il riscatto a una vita relativamente insulsa facendo campagna contro le mine antiuomo (atroci e quasi inutili come arma tattica). È possibile che i mercanti d'armi abbiano congiurato contro di lei? È possibile che la corte inglese abbia tramato per evitare un imbarazzo ritenuto intollerabile in un periodo così difficile per la dinastia? Secondo i magistrati francesi, l'autista Henri Paul quella sera era ubriaco. Ma Trevor Rees-Jones, unico sopravvissuto, assicura che se lo avesse visto ubriaco gli avrebbe impedito di guidare. Obiezione ragionevole, che però non mette a tacere i sostenitori del complotto: Rees-Jones, dicono, era in contatto con i servizi segreti dell'MI6, è stato pagato per tacere e per questo dice di soffrire di amnesia. Del resto, Rees-Jones non appare molto credibile, nel suo libro *The Bodyguard's Story* (un milione e mezzo di euro in diritti) nega perfino che Dodi abbia ritirato il famoso anello *Dis-moi oui*, che è uno dei pochi momenti ben documentati di quell'infausta giornata.

Secondo il criminologo Wolf Ullrich (Università di Eastbourne) è possibile che Henri Paul fosse effettivamente sobrio e che la perdita di controllo sia derivata da un veleno, già usato dai servizi della Germania ex comunista, spalmato sul volante. Altri hanno parlato di un piccolo congegno esplosivo dissimulato nel piantone dello sterzo e fatto esplodere con un telecomando, eccetera.

La sola verità certa è che, dopo la morte dei due protagonisti, chiunque può sostenere qualunque cosa. È stata una morte tragica e assurda sulla quale a distanza di anni ogni ipotesi è possibile. Il tempo lavora contro le inchieste che nascono male a causa di dati scarsi o dei troppi interessi in gioco. Nel caso, poi, che i dati siano in partenza contraddittori, il tempo trascorso equivale a una pietra tombale. È possibile che Diana e Dodi siano stati assassinati? Sì, è possibile; anche se le cause di quella morte, al pari di tante altre morti di grande rilievo, non saranno mai interamente chiarite e non c'è diligenza di giudice o acume di analista che possa rimediarvi. Il giallo di quella notte servirà ancora per parecchio tempo a far guadagnare diritti a chiunque abbia sufficiente ingegno per presentare, rimescolandoli secondo la sua tesi, i tanti elementi contraddittori che lo compongono. Tutti i libri usciti finora, e altri che certamente continueranno a uscire, si basano sulla ricostruzione accurata, a volte puntigliosa, di dati che essendo incompleti possono essere utilizzati per sorreggere in un modo o nell'altro qualunque ipotesi.

Tutto questo lentamente si spegnerà. È possibile che di Diana non resti molto. È possibile che le accada ciò che era già accaduto a quella specie di zia che era stata Margaret. Anche lei aveva riempito le cronache dei suoi giorni, per poi scomparire di colpo insieme a quelle.

Chiudo qui, come il paziente lettore che mi ha seguito, questo libro su Londra che ha richiesto due anni e mezzo di lavoro nel tentativo di individuare e descrivere un numero ragionevole di luoghi e di storie significative. La piccola serie di «luoghi comuni» che ho riportato all'inizio del volume voleva essere un'indicazione semiseria di quanto sia irto di incomprensioni il rapporto tra noi italiani e gli inglesi, fatto in diseguale misura di sentimenti contrastanti: stima e diffidenza, ammirazione e (reciproco) fastidio, simpatia e vaga commiserazione, un fondo di sostanziale estraneità. Troppo diverse le qualità che caratterizzano gli uni e gli altri, a cominciare dalla coesione attorno ad alcuni di quei principi, o valori, che fanno la fibra di un popolo, sono il portato della sua cultura collettiva, e che gli inglesi in grande misura possiedono; molto meno gli italiani. Noi siamo segnati da numerose virtù umane, ma anche dai fastidiosi difetti, individuali e politici, delle popolazioni meridionali. Gli inglesi hanno dalla loro una radice, robusta e aspra, dalla quale derivano tenacia, tradizioni, orgoglio e, non da ultimo, una sobrietà di vita quasi spartana. Nel blando tepore mediterraneo, una tale severità sembra talvolta meritevole di scherno, quasi sempre è poco comprensibile.

Se questo libro ha un merito, vorrei che fosse l'aver aiutato a capire come tanti luoghi di Londra, momenti della sua storia, protagonisti della sua vita ritraggano sì una capitale, ma anche un popolo che resta, tutto sommato, tra i più degni d'ammirazione per la difesa ostinata delle sue istituzioni, per il diritto dei singoli a scelte insindacabili, per una tradizione filosofica ricca di umanità e tolleranza, per una gloriosa storia culturale largamente condivisa.

Gli elementi che ci avvicinano, pochi che siano, hanno comunque il pregio di essere complementari. Ragione sufficiente per condividerli in un comune destino europeo.

INDICE DEI NOMI E DEI LUOGHI

CORRADO AUGIAS

In Oscar Bestsellers

MODIGLIANI
L'ultimo romantico

Fra storia e leggenda, la vita romantica e disperata di Amedeo Modigliani, artista geniale e uomo problematico: dall'esordio nella natia Livorno agli anni della bohème vissuti tra i più grandi artisti del primo Novecento. Vicenda umana e artistica si intrecciano in questa biografia che traccia un affresco di un periodo irripetibile della cultura europea.

(n. 984), pp. 336,
cod. 446883, € 8,40

CORRADO AUGIAS

I SEGRETI DI NEW YORK

Storie, luoghi e personaggi di una metropoli

Un itinerario fascinoso e anticonvenzionale nella Grande Mela, alla ricerca dei luoghi dove vissero misteriosi personaggi e dei locali dove si consumarono amori e delitti. Augias, grande appassionato di letteratura gialla, disegna così una fisionomia inedita e partecipe della capitale d'Occidente.

(n. 1191), pp. 364, cod. 449909, € 8,80

CORRADO AUGIAS

I SEGRETI DI PARIGI

Luoghi, storie e personaggi di una capitale

Il noto giornalista accompagna il lettore per le strade della capitale francese, alla ricerca di una città nascosta, piena di angoli legati a strane leggende, a storie piccanti o a lugubri misteri. Una guida di viaggio insolita e appassionante che ci porta alla scoperta di un'altra Parigi, lontana dai circuiti turistici convenzionali.

(n. 816), pp. 294, cod. 443482, € 7,80